INHALTSVERZEICHNIS

KU-156-335

Uni-Taschenbücher 580

UTB
FÜR WISSEN
SCHAFT

Eine Arbeitsgemeinschaft der Verlage

Wilhelm Fink Verlag München
Gustav Fischer Verlag Jena und Stuttgart
A. Francke Verlag Tübingen und Basel
Paul Haupt Verlag Bern · Stuttgart · Wien
Hüthig Fachverlage Heidelberg
Leske Verlag + Budrich GmbH Opladen
Lucius & Lucius Verlagsgesellschaft Stuttgart
J. C. B. Mohr (Paul Siebeck) Tübingen
Quelle & Meyer Verlag · Wiesbaden
Ernst Reinhardt Verlag München und Basel
Schäffer-Poeschel Verlag · Stuttgart
Ferdinand Schöningh Verlag Paderborn · München · Wien · Zürich
Eugen Ulmer Verlag Stuttgart
Vandenhoeck & Ruprecht in Göttingen und Zürich

Information und Synthese

Herausgegeben von Klaus W. Hempfer und Wolfgang Weiß

Manfred Pfister

Das Drama

Theorie und Analyse

9. Auflage 1997

Wilhelm Fink Verlag München

Wenn man nur endlich aufhören wollte,
vom Drama im allgemeinen zu sprechen.

Die Deutsche Bibliothek – CIP-Einheitsaufnahme

Pfister, Manfred:
Das Drama: Theorie und Analyse / Manfred Pfister. – 9. Aufl.,
erw. und bibliogr. aktualisierter Nachdr. der durchges. und erg.
Aufl. 1988. – München: Fink, 1997
   (UTB für Wissenschaft: Uni-Taschenbücher; 580) (Information und
   Synthese; Bd. 3)
   ISBN 3-8252-0580-0 (UTB)
   ISBN 3-7705-1368-1 (Fink)
NE: UTB für Wissenschaft / Uni-Taschenbücher; 2. GT

9. Auflage 1997

(erweiterter und bibliographisch aktualisierter Nachdruck der durchgesehenen
und ergänzten Auflage 1988)

© 1977 Wilhelm Fink Verlag GmbH & Co. KG
Ohmstraße 5, 80802 München
ISBN 3-7705-1368-1

Printed in Germany.
Einbandgestaltung: Alfred Krugmann, Freiberg am Neckar
Herstellung: Ferdinand Schöningh GmbH, Paderborn

UTB-Bestellnummer: ISBN 3-8252-0580-0

0. VORBEMERKUNGEN

Das Zitat aus Hugo von Hofmannsthals *Unterhaltung über den 'Tasso'
von Goethe*,[1] das wir unserem Buch als Motto vorangestellt haben,
scheint dieses selbst kritisch zu treffen. Denn muß nicht der Vorwurf des
"Dichters" aus der *Unterhaltung*, daß eine allgemeine Rede über das
Drama die einzelnen Dramen etwa eines Shakespeare oder Goethe verfehlt, auch gegen ein Buch ausgesprochen werden, dessen Titel ganz allgemein eine Theorie des Dramas ankündigt? Hofmannsthals Vorwurf
zielt jedoch nicht generell auf jedes allgemeine Sprechen über das Drama
ab, sondern auf pauschale Verallgemeinerungen darüber, was und wie
ein Drama zu sein hat. Und in diesem Sinn fühlen wir uns von dem Vorwurf nicht getroffen, da wir zwar eine allgemeine und systematische,
nicht aber eine normativ-präskriptive Theoriebildung beabsichtigen und
da es uns nicht um eine pauschale Definition von Drama geht, sondern um
eine differenzierte und detaillierte Beschreibung seiner Strukturen und
Vertextungsverfahren.

Das Buch wendet sich als Einführung in die Analyse dramatischer Texte
primär an den literaturwissenschaftlichen Anfänger, an Kollegiaten und
Studenten, denen es den Einstieg in die Dramenanalyse und in die Literatur zur Dramenanalyse erleichtern soll. Diesem Anliegen kommen die
vorliegenden Studien zur dramatischen Schreibweise nur wenig entgegen,
indem diese entweder von einem historisch oder typologisch engen, normativen Gattungsverständnis ausgehen (Petsch, Staiger u. a.) oder aber
einen Analyseaspekt isolieren (Klotz, Pütz u. a.) bzw. monographisch
einen einzelnen Autor, eine einzelne Gattung (Komödie, Tragödie usw.)
oder eine einzelne historische Untergattung (Bürgerliches Trauerspiel,
Theater des Absurden usw.) behandeln.[2] Gerade diese Untersuchungen zu
einzelnen Aspekten und zu einzelnen Textgruppen entwickeln zwar oft
differenzierte Analysekategorien und Beschreibungsrepertoires, sie setzen jedoch in ihrer Gesamtheit den Anfänger dem Initialschock eines
Lektürepensums aus, das ihn eher entmutigt und verwirrt als fördert. Hier
will die vorliegende Arbeit ein Wegweiser sein, und das nicht in Form
eines den Gang der Forschung beschreibenden Forschungsberichts, sondern dadurch, daß sie das in zahlreichen Publikationen Verstreute – soweit
es sich um Analysekategorien handelt, die vom konkreten Einzelfall ab-
strahierbar sind – zusammenfaßt. Der Programmatik der Reihe *Infor-*

mation und Synthese entsprechend hat unsere Einführung also nicht den Ehrgeiz wissenschaftlicher Innovation, sondern will das bereits Bekannte in ein übergreifendes System integrieren und in bibliographischen Verweisen zugänglich machen. Die kommunikationstheoretische und strukturalistische Basis dieses Systems dürfte jedoch auch dem Fachmann Denkanstöße zur Reflexion über eine systematische Poetik des Dramas vermitteln. Wir müssen aber, in Hinblick auf den primär intendierten Leser und auf die Absicht einer Einführung in die praktische Analysearbeit, darauf verzichten, unseren eigenen Ansatz wissenschafts- und methodentheoretisch zu fundieren und innerhalb der noch anhaltenden Methodendiskussion zu situieren. Wichtiger als solche Meta-Theoriebildung erscheint uns für unser konkretes Anliegen die Entwicklung einer möglichst kohärenten, systematischen und operationalisierten Meta-Sprache zur Analyse und Beschreibung dramatischer Texte.

Im Rahmen einer allgemeinen Einführung müssen wir auch zugunsten der Darstellung universaler Strukturen und Vertextungsverfahren der dramatischen Schreibweise auf eine systematische Behandlung der spezifischen Probleme der Tragödie, Komödie oder Tragikomödie[3] und auf eine Geschichtsschreibung des Dramas und seiner Gattungen und Untergattungen verzichten. Eine Einführung in die Dramenanalyse kann keine Geschichte des Dramas sein, sondern soll diese erst ermöglichen, indem sie ihr Beschreibungsmodelle zur Verfügung stellt, die die Diachronie von Strukturen und Funktionen sichtbar und beschreibbar machen. Das bedeutet natürlich nicht, daß wir darauf verzichten wollen, konkrete historische Texte und Strukturtransformationen zu zitieren, nur wird dieser Bezug immer ein exemplarischer sein und nicht selbstzweckhaft auf historische Einzelerkenntnis abzielen. Das typologisch und historisch breit gestreute Korpus dramatischer Texte, das wir unserer Einführung zugrunde legen, soll einerseits der Allgemeinheit und Universalität der Modellbildung dienen, andererseits die Variationsbreite in den Realisierungen einzelner Strukturen und Vertextungsverfahren veranschaulichen. Diese Variabilität wird von uns jedoch nicht dominant historisch-diachronisch beschrieben, sondern typologisch-systematisch.

Eine weitere Einschränkung ergibt sich daraus, daß wir auch die Probleme der kommunikativen Funktionen des Dramas im Gesamtsystem Gesellschaft – und sie stellen sich bereits mit der Frage nach dem anthropologischen Ursprung des Dramas und seinen Bezügen zum Ritual[4] und beherrschen die gegenwärtige Diskussion um Ort und Aufgabe des Theaters – weder in ihrem systematischen Zusammenhang noch in ihrer historischen Entwicklung mehr als skizzenhaft andeuten können (s. u. 2.4), da

14

wir uns auf die werkinternen Strukturen konzentrieren müssen. Und selbst hier müssen wir jene Aspekte ausklammern, die, wie die Analyse der stilistischen Textur, der metrisch-rhythmischen Gestaltung und der Tiefenstruktur der präsentierten "Geschichte", nicht für dramatische Texte spezifisch sind. Solche Fragestellungen müssen gesonderten Bänden dieser Reihe vorbehalten bleiben, während wir uns hier auf die dramenspezifischen Strukturen der Bühnendimension (Kap. 2), der plurimedialen Informationsvergabe (Kap. 3), der monologischen und dialogischen Kommunikation (Kap. 4), der Präsentation der Figuren und der Geschichte (Kap. 5 und 6) und der Gestaltung von Raum und Zeit (Kap. 7) konzentrieren wollen. Und auch hier wird im Rahmen einer Einführung vieles skizzenhaft und aufgrund der Forschungslage vieles tentativ bleiben müssen.

Unsere Auswahl des Korpus von Primärtexten, auf die wir uns zur konkretisierenden Illustration von Strukturtypen exemplarisch beziehen, ist von miteinander nicht immer völlig harmonisierbaren Kriterien und Motivationen bestimmt: sie zielt einerseits auf eine übernationale und historisch möglichst weitgespannte typologische Vielfalt ab – von der antiken griechischen Tragödie bis zu den Experimenten der zeitgenössischen Avantgarde – und versucht dabei, sich auf möglichst repräsentative Werke zu beschränken; andererseits hat die Freiheit der Wahl ihre Grenzen in der eigenen, keineswegs enzyklopädischen Kenntnis der dramatischen Weltliteratur. So bedeutet etwa das Fehlen von Verweisen auf orientalische Dramatik kein negatives Urteil über deren Relevanz, und so erlaubt die häufige Wahl englischer Beispiele zu Recht den Schluß, daß der Verfasser primär Anglist ist. Daß dabei vor allem immer wieder auf Werke Shakespeares zurückgegriffen wird, reflektiert nicht nur das eigene Interesse, sondern ist auch durch die Hoffnung bestimmt, daß diese einem breiteren Leserkreis wohl am ehesten bereits bekannt sind.

Die ausführliche analytische Inhaltsangabe, die engmaschige, die einzelnen Abschnitte nach ihrem Stellenwert hierarchisierende Gliederung und das Autorenregister sollen dem Leser die Lektüre und ein späteres Nachschlagen erleichtern. Dem dienen auch die zahlreichen Querverweise, die zusammen mit der analytischen Gliederung ein Sachregister erübrigen. Der ursprüngliche Plan, die umfangreiche Bibliographie systematisch nach Sachgruppen zu gliedern und damit leichter benützbar zu machen, hat sich dagegen als unmöglich erwiesen, da dabei zu viele Überschneidungen aufgetreten wären. Wir begnügen uns darum mit einer Zweigliederung, die in ihrem ersten Abschnitt die zitierten Primärtexte, Autorenreflexionen zum Drama und historischen Dramentheorien aufführt, in ihrem zweiten Teil neuere Sekundärliteratur zur allgemeinen Dramentheorie, zu einzelnen Strukturelementen des Dramas und zu historischen Ausformungen solcher Strukturelemente. Vollständigkeit kann vor allem im Bereich von primär historisch orientierten Arbeiten gar nicht die Absicht sein; wir müssen uns vielmehr auf jene Arbeiten beschränken, die in ihrem analytischen Vorgehen und ihrer Begriffsbildung eine vom konkreten historischen Einzelfall abstrahierbare Relevanz besitzen. Daß uns dabei viel Wichtiges entgegangen sein wird und wir andererseits manches weniger Brauchbare aufgenommen haben, ist uns wohl bewußt; hier könnte allein eine im Team erarbeitete Bibliographie Abhilfe schaffen. Die Bibliographie in der vorliegenden Form versteht sich jedoch nicht als eigenständig, sondern ist bezogen auf unseren Text, der sie in Literaturverweisen zu den einzelnen Aspekten und Kategorien erschließt. Es ist also nicht notwendig, die ganze Bibliographie durchzugehen, wenn man etwa Literatur zum Monolog sucht, da im Kapitel über den Monolog in einer Fußnote in abgekürzter Form – nur Autor und Erscheinungsjahr – auf die einschlägigen Titel verwiesen wird. Dabei mußten wir freilich darauf verzichten, jeweils auch alle allgemeinen Studien zum Drama wieder zu nennen, die unter anderem auch auf diesen Aspekt eingehen; solche allgemein dramentheoretische Arbeiten heben wir, unabhängig von ihrem Wert, daher in der Bibliographie durch Asterisk hervor.

Nach diesen Formalia und nicht als Formalität wollen wir jenen danken, die die Arbeit an diesem Buch ermöglicht und gefördert haben. Mein Dank gilt vor allem meinem verehrten Lehrer Prof. Wolfgang Clemen, in dessen Shakespeare-Oberseminaren ich erfahren habe, wie man Dramen liest; sollte die vorliegende Einführung das Gegenteil beweisen, so ist dies völlig meine Schuld. Herzlich danken möchte ich aber auch den Studenten meiner Proseminare zum Drama, mit denen ich einen Großteil dieser Einführung in konkreter Analysearbeit entwickelt und erprobt habe und deren konstruktive Kritik manches Vage, Mißverständliche oder Einseitige korrigiert hat. Sie alle beim Namen zu nennen ist unmöglich; die Betroffenen werden jedoch bei der Lektüre manches "Aha-Erlebnis" haben. Dank schulde ich auch den Herausgebern der Reihe, Prof. Wolfgang Weiss und Dr. Klaus Hempfer, für Rat und Toleranz und dem Verleger, Herrn Wilhelm Fink, für seinen entgegenkommenden Gleichmut angesichts immer neuer Verzögerungen und ständig wachsenden Umfangs des Manuskripts. Frau Dr. Ingrid Ostheeren hat sich des Typoskripts mit dankenswerter Akribie und Sachkenntnis angenommen; manche ihrer überzeugenden Verbesserungsvorschläge waren jedoch leider nicht mehr in den Gang der Argumentation zu integrieren.

Frl. stud. phil. Helga Hüttmann danke ich für das prompte und exakte Tippen und meiner Frau dafür, daß sie mich *nicht* immer ungestört arbeiten ließ.

Professor Ernest Schanzer, den lieben Freund und bewunderten Philologen, der seine letzte Arbeitskraft der Kritik und Verbesserung dieses Buches geschenkt hat, kann mein Dank nicht mehr erreichen; seinem Andenken sei es in aller Bescheidenheit gewidmet.

BEMERKUNG ZUR 5. AUFLAGE

In Zusammenhang mit der Vorbereitung einer englischen Ausgabe bei der Cambridge University Press wurde der Text noch einmal gründlich durchgesehen und in zahlreichen Details bereinigt. Wichtige Hinweise dabei verdanke ich Dr. John Halliday, meinem englischen Übersetzer, Mrs. Iris Hunter, die mit großer Akribie die englische Ausgabe betreut hat, und Herrn Werner Körner, dem gründlichsten meiner Leser. Die Bibliographie wurde erneut aktualisiert, und die neuen Verweise wurden, soweit möglich, in die Anmerkungen integriert.

1. DRAMA UND DRAMATISCH

1.1 ZUR FORSCHUNGSSITUATION

1.1.1 Fortwirken normativ-deduktiver Dramentheorien

Unserer Absicht einer deskriptiven kommunikativen Poetik dramatischer Texte, die ein historisch und typologisch höchst diverses Textkorpus abdecken soll, kommen die vorliegenden Reflexionen zu einer Gattungstheorie des Dramas nur wenig entgegen, da diese jeweils einen historisch spezifischen Formtyp normativ verabsolutieren und somit den Begriff 'Drama' entscheidend einengen.[1] Dies gilt schon für die Dramentheorie des Aristoteles, der selbst zwar seine Kategorien ohne normative Absicht und induktiv aus dem Textkorpus der griechischen Tragiker ableitete, dessen Beschreibung des Dramas als "Nachahmung einer Handlung" in Personenrede mit einer bestimmten Raum- und Zeitstruktur und einem bestimmten Personal und dessen Begriffe der *katharsis* und *hamartia* jedoch seit der Renaissance zur Norm dramatischer Texte erhoben wurden.[2] Und dies gilt noch für die Dramentheorien des neunzehnten und frühen zwanzigsten Jahrhunderts, die, ausgehend von der antiken Tragödie, dem europäischen Renaissancedrama und dem Drama der französischen und deutschen Klassik, in einer Konfliktstruktur das Wesen des Dramatischen sahen (G. W. F. Hegel, F. Brunetière, W. Archer u. a.)[3] und, ihre Kriterien aus der Hegelschen Subjekt-Objekt Dialektik deduzierend, das Drama als Synthese von epischer Objektivität und lyrischer Subjektivität abhoben (G. W. F. Hegel, F. W. Schelling, F. Th. Vischer u. a.) und ihm die Zeitdimension der Zukunft (Jean Paul, F. Th. Vischer, G. Freytag u. a.) bzw. die Differenzqualität der Spannung zuordneten (E. Staiger).[4]

Solch deduktives und historisch einseitiges Denken in triadischen Gattungsystemen wirkt auch heute noch weithin in Forschung und Lehre in einer epigonal-normativen Dramenpoetik fort (E. Hirt, R. Petsch, W. Flemming, E. Staiger u. a.), die durch die moderne Dramenproduktion (etwa die Bauhaus-Idee eines abstrakten Theaters, das epische Drama Brechts, das "Theater des Absurden", die vielfältigen Formen des Straßentheaters und Happenings oder die Experimente eines Peter Handke und Robert Wilson), durch rivalisierende Dramaturgien wie die anti-aristotelische

Dramentheorie Brechts oder die ritualistische Dramenkonzeption Antonin Artauds und nicht zuletzt durch die verstärkte Rezeption historisch breit gestreuter und auch außereuropäischer Theatertraditionen[5] so offensichtlich widerlegt ist, daß sie nur durch konsequentes Ignorieren dieser Phänomene weiterbestehen kann.[6]

1.1.2 Strukturalistisches Defizit

Das Fortwirken dieser Tradition deduktiv-normativer Dramenpoetik beeinflußt den augenblicklichen Forschungsstand um so ungünstiger, als es kaum durch Neuansätze einer deskriptiv-strukturalistischen Theorie dramatischer Texte, wie sie für narrative und lyrische Texte bereits im Umriß vorliegen, kompensiert wird. Dies hat seine forschungs- und methodengeschichtlichen Gründe. Einerseits wurde die plurimediale Einheit des dramatischen Textes durch das institutionalisierte Nebeneinander einer literaturwissenschaftlichen und einer theaterwissenschaftlichen Forschungstradition, die sich einseitig dem gedruckten Text bzw. dessen Bühnenrealisierung widmeten, aufgebrochen,[7] und andererseits haben literaturwissenschaftlich wichtige Neuansätze wie Russischer Formalismus und New Criticism aufgrund ihrer sprachtheoretischen Orientierung das Drama mit seinen nicht ausschließlich verbalen Wirkungsmöglichkeiten vernachlässigt.[8] Auf zwei Gebieten jedoch zeichnen sich entscheidende Fortschritte ab: im Bereich der historischen Poetik des Dramas, die der normativen Verabsolutierung eines bestimmten geschichtlichen Formtyps relativierend entgegenwirkt,[9] und im Bereich einer Semiotik des Dramas, die den dramatischen Text als komplexes, sprachliche, außersprachlich-akustische, optische und allgemein sozio-kulturelle Codes aktivierendes Superzeichen sieht.[10] Die dabei angefallenen Ergebnisse werden wir versuchen, in unsere Darstellung zu integrieren.

1.2. REDEKRITERIUM UND DIALOG

1.2.1 Narrative vs. dramatische Sprechsituation

Eine der historisch konstantesten Differenzqualitäten zwischen narrativen und dramatischen Texten definiert sich auf der Ebene der Sprechsituation[11] als der kommunikativen Relation von Autor und Rezipient. Im

Ansatz findet sich eine solche Texttypologie schon in Platons *Politeia* (3. Buch), wo zwischen Bericht und Darstellung unterschieden wird, je nachdem, ob der Dichter redet oder ob er seine Figuren selbst zu Wort kommen läßt. Aus diesem "Redekriterium" leitet sich dann als Klassifizierungsvorschlag ab,

> daß von der gesamten Dichtung und Fabel einiges ganz in Darstellung besteht, (. . .) die Tragödie und Komödie, anderes aber in dem Bericht des Dichters selbst, (. . .) vorzüglich in den Dithyramben (. . .), noch anderes aus beiden verbunden, wie in der epischen Dichtkunst (. . .).[12]

Dramatische Texte unterscheiden sich also von episch-narrativen dadurch, daß sie durchgehend im Modus der Darstellung stehen, daß nirgends der Dichter selbst spricht. Hier ist natürlich im Licht moderner Erzähltheorie differenzierend einzuwenden, daß auch in narrativen Texten der Dichter nicht selbst spricht, sondern ein von ihm geschaffener fiktiver Erzähler; doch dieser Einwand entwertet nicht die grundsätzliche Bedeutung dieses kategorialen Unterschieds in der Sprechsituation: sieht sich der Rezipient eines dramatischen Textes unmittelbar mit den dargestellten Figuren konfrontiert, so werden sie ihm in narrativen Texten durch eine mehr oder weniger stark konkretisierte Erzählerfigur vermittelt. Käthe Hamburger:

> (. . .) der sprachlogische Ort des Dramas im System der Dichtung ergibt sich allein aus dem Fehlen der Erzählfunktion, der strukturellen Tatsache, daß die Gestalten dialogisch gebildet sind.[13]

1.2.2 Kommunikationsmodell narrativer und dramatischer Texte

Die folgende graphische Darstellung der Kommunikationsmodelle narrativer und dramatischer Texte soll diesen Unterschied verdeutlichen:
a) narrative Texte:

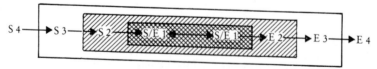

In diesem Kommunikationsmodell, das die Sender(S)- und Empfänger(E)-Positionen nach einander übergeordneten semiotischen Niveaus aufschlüsselt, bedeutet S4 den empirischen Autor in seiner literatur-soziologisch beschreibbaren Rolle als Werkproduzenten, S3 den im Text implizierten "idealen" Autor als Subjekt des Werkganzen, S2 den im Werk formulierten fiktiven Erzähler als vermittelnde Erzählfunktion, S/E1 die dialogisch miteinander kommunizierenden fiktiven Figuren, E2 den im Text formulierten fiktiven Hörer als Adressat von S2, E3 den im Text implizierten "idealen" Rezipienten des Werkganzen und E4 die empirischen Leser, sowohl die vom Autor intendierten Leser als auch andere und spätere.[14] Das doppelt schraffierte Feld bezeichnet das "innere Kommunikationssystem" (N1) des Textes, das einfach schraffierte das "vermittelnde Kommunikationssystem" (N2) und die übergeordneten Niveaus N3 und N4 das "äußere Kommunikationssystem", zunächst in idealisierter, dann in realer Form. Je nach vorliegender Erzählsituation (F. Stanzel) gilt für die auktoriale Erzählung die Besetzung der Positionen S2 und E2 durch eigenständige Figuren, für die Ich-Erzählung die Besetzung von S2 durch eine Figur, die auch in N1 fungiert, und für das personale Erzählen eine tendenzielle Reduktion der Positionen S2 und E2 auf den Wert Null. Insofern bedeutet personales Erzählen eine asymptotische Annäherung an das dramatische Kommunikationsmodell.[15]

b) dramatische Texte:

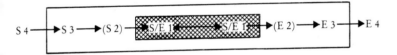

Der Unterschied der beiden Modelle[16] liegt darin, daß in dramatischen Texten die Positionen S2 und E2 nicht besetzt sind, das vermittelnde Kommunikationssystem also ausfällt. Dieser "Verlust" an kommunikativem Potential gegenüber narrativen Texten wird jedoch schon dadurch kompensiert, daß dramatische Texte über außersprachliche Codes und Kanäle verfügen, die die kommunikative Funktion von S2 und E2 zum Teil übernehmen können, und daß ein anderer Teil auf das innere Kommunikationssystem verlagert werden kann (z.B. durch Fragen und Antworten von S/E1, die mehr der Information des Publikums als der gegenseitigen Information dienen).[17] Und ebenso wie wir das Modell narrativer Kommunikation historisch insofern differenziert haben, als in der modernen Form personalen Erzählens eine Reduktion des vermittelnden Kommunikationssystems zu konstatieren ist, ist auch das dramatische Modell in Hinblick auf "episierende" Tendenzen hin einzuschränken (s.u. 3.6). Dazu gehören etwa der Chor in der antiken Tragödie, allegorische Figuren in mittelalterlichen Moralitäten, die sich in homiletischer Direktheit dem Publikum selbst vermittelnd interpretieren, kommentierende und interpretierende "Nebentexte" in Form von Einleitungen, Vorwörtern oder ausgedehnten Bühnenanweisungen und die Einführung von Regie- und Kommentatorfiguren in modernen "epischen Dramen". Doch erhalten solche Techniken einer Besetzung des Niveaus S2 und E2, der Etablierung eines vermittelnden Kommunikationssystems, für uns ihre besondere Bedeutung vor dem Hintergrund der Normalform des dramatischen Kommunikationsmodells, stellen dieses also nicht als grundlegendes Prinzip in Frage.

1.2.3 Absolutheit dramatischer Texte

Das Fehlen des vermittelnden Kommunikationssystems, die unvermittelte Überlagerung von innerem und äußerem Kommunikationssystem, bedingt die "Absolutheit" des dramatischen Textes gegenüber Autor und Publikum, wie sie in der realistischen Konvention der "vierten Wand" (s. u. 2.2.1) ihre konsequenteste Bühnenrealisierung gefunden hat.

> Das Drama ist lediglich als Ganzes zum Autor gehörend, und dieser Bezug gehört nicht wesenhaft zu seinem Werksein.
> Die gleiche Absolutheit weist das Drama dem Zuschauer gegenüber auf. Sowenig die dramatische Replik Aussage des Autors ist, sowenig ist sie Anrede an den Zuschauer.[18]

Diese Absolutheit des Dramas, von der Peter Szondi spricht, ist freilich nicht wirklich gegeben, sondern eine Fiktion und kann daher auch punktuell – etwa im Beiseitesprechen, im Monolog ad spectatores oder durch chorische Kommentierung – durchbrochen und somit verfremdend in seiner Fiktionalität bewußtgemacht werden. Auch hier gilt also, daß das Durchbrechen des Kommunikationsmodells gerade durch einen solchen scheinbaren "Kurzschluß" der Niveaus N1 und N3/4 die Bedeutung dieses Modells bekräftigt.

1.2.4 Raum-Zeit-Struktur narrativer und dramatischer Texte

Durch die Nichtbesetzung der Position S2, des vermittelnden fiktiven Erzählers, entfällt gleichzeitig das ihm zugeordnete Raum-Zeit-Kontinuum, das in narrativen Texten das Raum-Zeit-Kontinuum der in der Erzählung dargestellten Welt überspannt. Die Variabilität der Relationen dieser beiden raum-zeitlichen deiktischen Bezugssysteme ermöglicht in narrativen Texten beliebige Umstellungen der Chronologie des Erzählten, topographische Verschränkungen, Raffung und Dehnung der erzählten Zeit, Erweiterung und Einengung des Schauplatzes. In dramatischen Texten jedoch, denen das übergreifende Orientierungszentrum des fiktiven Erzählers fehlt, bestimmt innerhalb der einzelnen geschlossenen szenischen Einheiten allein das Raum-Zeit-Kontinuum der dargestellten Handlung den Textablauf. So ist vom Niveau des implizierten Autors S3 aus gesehen allein die Wahl des jeweiligen szenischen Ausschnittes in seinen raum-zeitlichen Proportionen und in seinen raum-zeitlichen Relationen zum Gesamtzusammenhang der Handlung intentional und damit kommunikativ relevant, während die raum-zeitliche Kontinuität und Homogenität innerhalb des gewählten szenischen Ausschnittes durch das Medium Drama, und damit letztlich durch das dramatische Kommunikationsmodell, vorgegeben sind (s. u. 7). Das Ausfallen des vermittelnden Kommunikationssystems in dramatischen Texten erzeugt gleichzeitig den Eindruck unmittelbarer Gegenwärtigkeit des dargestellten Geschehens, der Gleichzeitigkeit des Dargestellten mit der Darstellung und dem Vorgang der Rezeption, während im Gegensatz dazu sich in narrativen Texten eine Überlagerung der Zeitebene des Erzählten durch die Zeitebene des Erzählens und damit eine Distanzierung des Erzählten in die Vergangenheit findet.[19] Diese zeitliche Gegenwärtigkeit des Dargestellten im Drama ist *eine* Voraussetzung für seine physisch-konkrete Vergegenwärtigung in der Bühnenrealisation.

1.2.5 *Dialog in dramatischen und narrativen Texten*

Überlagern sich in narrativen Texten die Rede des Erzählers und die Rede der fiktiven Figuren, die vom Erzähler zitierend eingeführt wird, so reduzieren sich die sprachlichen Äußerungen im plurimedial inszenierten dramatischen Text auf die monologischen oder dialogischen Repliken der Dramenfiguren. Diese Beschränkung auf die unvermittelten Repliken der Dramenfiguren ist die zweite zentrale Voraussetzung für die Aufführbarkeit des Dramas auf der Bühne: die Figuren können sich als Redende selbst darstellen.[20] Figurenrede, und vor allem dialogische Figurenrede, ist somit die sprachliche Grundform dramatischer Texte – eine Tatsache, die in der primär handlungsorientierten aristotelischen Poetik des Dramas kaum gewürdigt und erst von A. W. Schlegel und Hegel in den Mittelpunkt der Dramentheorie gestellt wurde. Der Dialog, in "lyrischen" und narrativen Texten ein fakultatives Gestaltungsmittel unter anderen, ist im Drama der grundlegende Darstellungsmodus.[21] Dabei ist das Verhältnis von Handlung und Dialog als dialektisches zu sehen: der dramatische Dialog ist, in einer Formulierung Pirandellos *"azione parlata"*, gesprochene Handlung.[22] Wenn sich im dramatischen Dialog sprechend Handlung vollzieht, geht die einzelne dramatische Replik nicht in ihrem propositionalen Aussagegehalt auf, sondern stellt darüber hinaus den Vollzug eines Aktes – eines Versprechens, einer Drohung, einer Überredung usw. – dar. Im dramatischen Dialog ist also der Aspekt des Performativen, den die Sprechakttheorie beschreibt, immer gegeben, denn es gilt immer die allgemeinste Bedingung des Performativen:

> There is something which is at the moment of uttering being done by the person uttering.[23]

Dramatische Rede als Sprechakt konstituiert jeweils ihre Sprechsituation – im Gegensatz zum Dialog in narrativen Texten, in denen die fiktive Sprechsituation durch den Erzählerbericht konstituiert werden kann – und sie ist damit – im Gegensatz etwa zum philosophischen Dialog – situativ gebunden. Darauf weist deutlich der Dramatiker Friedrich Dürrenmatt hin:

> Muß der Dialog aus einer Situation entstehen, so muß er in eine Situation führen, in eine andere freilich. Der dramatische Dialog bewirkt: ein Handeln, ein Erleiden, eine neue Situation, aus der ein neuer Dialog entsteht usw.[24]

1.3 DRAMA ALS PLURIMEDIALE DARSTELLUNGSFORM

1.3.1 Dramatischer Text als szenisch realisierter Text

Die bisher angegebenen Kriterien – Nicht-Besetzung des vermittelnden Kommunikationssystems und performatives Sprechen – sind notwendige, aber nicht hinreichende Bedingungen eines Modells dramatischer Kommunikation. Aufgrund dieser Kriterien allein wären zum Beispiel historische Texttypen wie der *dramatic monologue*[25] oder rein dialogisch konzipierte Romane unter dramatische Texte zu subsumieren. Solche Formtypen lassen sich jedoch aufgrund eines Kriteriums von hoher historischer Konstanz ausscheiden – der Plurimedialität der Textpräsentation. Der dramatische Text als ein "aufgeführter" Text bedient sich, im Gegensatz zu rein literarischen Texten, nicht nur sprachlicher, sondern auch außersprachlich-akustischer und optischer Codes; er ist ein synästhetischer Text.[26] Davon gehen auch die vorliegenden Ansätze zu einer semiotischen Dramenanalyse aus. So unterscheidet S. Jansen zwischen *plan textuel* und *plan scénique*, M. Pagnini zwischen *complesso scritturale* und *complesso operativo*.[27] In beiden Definitionen wird als dramatischer Text mit Recht der szenisch realisierte Text gesehen, dessen eine Komponente der sprachlich manifestierte ist.[28] Die beiden Textschichten unterscheiden sich durch unterschiedliche Konstanz bzw. Variabilität: während der sprachlich manifestierte Text im Normalfall schriftlich fixiert ist und damit historisch relativ konstant bleibt, ist die szenische Komponente der Bühnenrealisierung relativ variabel – eine Tatsache, die an modernen Klassikerinszenierungen etwa, selbst wenn sie dem literarischen Textsubstrat, der schriftlichen Vorlage, treu bleiben, besonders deutlich wird. Die szenische Ebene ist selbst wieder nach demselben Kriterium der Konstanz bzw. Variabilität in zwei Komponenten zerlegbar: den Teil der Bühnenrealisierung, der vom literarischen Textsubstrat explizit gefordert wird bzw. eindeutig in ihm impliziert ist, und den Teil, der "Zutat" der Inszenierung ist. Eine solche Zutat ist selbst bei der werkgetreuesten Inszenierung immer gegeben, da der plurimediale Text in seiner physischen Konkretheit immer einen Überschuß an Informationen gegenüber dem literarischen Textsubstrat einbringt.[29] Aus dieser Mehrschichtigkeit des dramatischen Textes ergeben sich in seiner Wirkungsgeschichte zwei oft stark divergierende Stränge: die rein literarischen Interpretationen des sprachlich fixierten Textsubstrats und die Reihe seiner Bühnenrealisierungen.

1.3.2 Das Repertoire der Codes und Kanäle

Dramatische Texte können potentiell alle Kanäle menschlicher Sinnesbereiche aktivieren; historisch realisiert wurden allerdings fast ausschließlich Texte mit akustischen und optischen Codes, wenn man von neuesten Entwicklungen im Bereich des Happenings und des ritualistischen Theaters absieht, die auch mit haptischen Effekten – körperlicher Kontakt von Spielern und Zuschauern – und mit olfaktorischen und gustatorischen Effekten experimentieren.[30] Das dominante akustische Zeichensystem ist meist die Sprache, daneben können aber auch außersprachliche akustische Codes eingesetzt werden: realistisch motivierte Geräusche, konventionalisierte Klangeffekte (Glocke, Donner usw.) und Musik. Ebenso stellt sich die optische Komponente des Superzeichens "dramatischer Text" als ein strukturierter Komplex visueller Einzelcodes dar. Als wichtigste sind dabei zu nennen: Statur und Physiognomie der Schauspieler, Figuren-gruppierung und -bewegung (Choreographie), Mimik und Gestik, Maske, Kostüm und Requisiten, Bühnenform, Bühnenbild und Beleuchtung.[31] Was wir hier in additiver Reihung aufgezählt haben, ist im dramatischen Text als System interdependenter Strukturelemente zum Superzeichen integriert. Dem System der Relationen dieser Elemente wird im folgen-den nachzugehen sein.

Wir wollen in Form eines Verzweigungsdiagramms das Repertoire der Kanäle und Codes darstellen, über die in dramatischen Texten Informa-tion vergeben wird. (Graphik S. 27)

Unser erstes Klassifizierungskriterium ist dabei aus der Struktur der menschlichen Sinneswahrnehmung abgeleitet, aus den fünf Sinnen als KANÄLEN der Informationsübertragung. Wie bereits bemerkt, läßt sich dabei im Korpus vorliegender dramatischer Texte eine eindeutige Bevor-zugung der optischen und akustischen Kanäle feststellen, während die übrigen Sinnesbereiche, die "Nahsinne" Geschmack, Geruch und Tast-sinn, nur äußerst sporadisch und dann vor allem im modernen Avant-garde-Theater angesprochen werden – so zum Beispiel der Tastsinn in *Paradise Now* (1968) des "Living Theatre" Julian und Judith Becks, in dem die Zuschauer aufgefordert werden, an der großen Liebesszene mit den Schauspielern teilzunehmen, und am Ende auf den Schultern der Schauspieler auf die Straße getragen werden.[32] Da diese Kanäle so selten eingesetzt werden, führen wir sie nur in Parenthese an und führen die Klassifikation der über sie vermittelten Informationsvergabe nicht weiter.

Als zweites Klassifizierungsmerkmal bietet sich der verwendete CODE-TYP an, wobei vor allem die Unterscheidung zwischen verbalen und non-verbalen und die weitere Untergliederung der verbalen Codes in linguistische und paralinguistische Codes semiotisch relevant sind. Han-delt es sich beim linguistischen Code dominant um einen "symbolischen Code", dessen Zeichen auf einer willkürlichen Konvention beruhen, die Beziehung zwischen Zeichen und Bezeichnetem also unmotiviert ist, sind die zu den paralinguistischen und non-verbalen Codes gehörigen Zei-chen überwiegend entweder "indizierende" Zeichen, hinweisende An-zeichen mit realer Beziehung zum Bezeichneten, oder "ikonisierende" Zeichen, die auf einem Abbildverhältnis von Zeichen und Bezeichnetem beruhen.[33] Es wirken also im Superzeichen dramatischer Text Codes unterschiedlicher Normiertheit zusammen: während es sich beim lin-guistischen Code um ein stark normiertes Regelsystem handelt, das eine relativ hohe Eindeutigkeit der Decodierung gewährleistet, sind die außer-linguistischen Indizes und Ikone weniger stark normierte Zeichen und

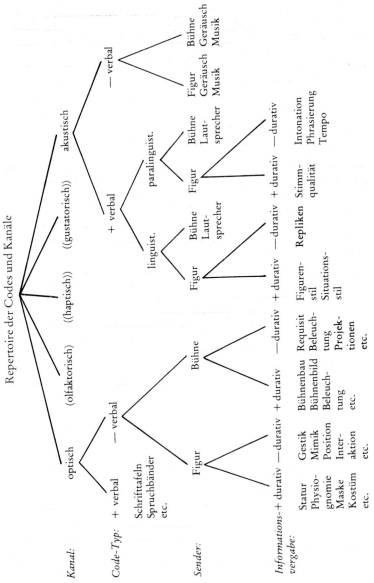

Repertoire der Codes und Kanäle

| *Kanal:* | optisch | (olfaktorisch) | ((haptisch)) | ((gustatorisch)) | akustisch |

daher häufig offen für divergierende Interpretationen.[34] Im äußeren Kommunikationssystem wird dieses Nebeneinander der verschiedenen Code-Typen jedoch in ein hierarchisches Übereinander transformiert: der Text erscheint als ikonisierendes Superzeichen, in dem auch die symbolische und indizierende Zeichenvergabe zum fiktionalen Modelle realer Kommunikation ikonisiert wird. Dieses ikonische Superzeichen ist selbst bestimmt durch die übergreifenden sekundären Codes der geltenden literarischen und dramatischen Konventionen und Gattungsnormen und wird über die Distributionsmedien für dramatische Texte übermittelt; diese sind jedoch in unserem Diagramm nicht unmittelbar darstellbar, gerade weil sie auf einer übergreifenden Ebene situiert sind.

Das dritte Klassifizierungsmerkmal ergibt sich aus der Frage nach dem fiktiven SENDER der Information, und wir lösen es – etwas vereinfachend – auf in den Gegensatz von Figur und Nicht-Figur, d.h. Bühne. So ist zum Beispiel das Kostüm auf die Figur bezogen, das Requisit auf die Bühne. Dabei können jedoch Positionsverschiebungen auftreten, indem etwa ein Requisit so stark an eine Figur gebunden wird und ihr gegenüber charakterisierende Funktion erhält, daß es zum Teil des Kostüms wird, und umgekehrt das Kostüm – etwa in einer Verkleidungskomödie – sich so stark von der Figur löst, daß es zum Requisit wird.[35]

Unser letztes Klassifizierungskriterium bezieht sich auf die Art der INFORMATIONSVERGABE, wobei wir zwischen durativer und nicht-durativer unterscheiden, je nachdem, ob über einen längeren Zeitraum hinweg dieselben Informationen, oder ob kontinuierlich neue Informationen ausgesendet werden. Der Unterschied ist ein relativer, und die Zuordnung zu einer der beiden Kategorien hängt ab von der Dauer des Beobachtungszeitraums: so ist zum Beispiel die Informationsvergabe durch das Bühnenbild innerhalb eines geschlossenen szenischen Zusammenhangs meist durativ, über den ganzen Textverlauf hinweg jedoch bei Bühnenbildwechsel von Szene zu Szene oder Akt zu Akt nicht-durativ. Die Zuordnungen in unserem Diagramm können daher nur auf durchschnittlichen Werten und relativen Tendenzen beruhen, während sie für einen individuellen Text oder für bestimmte historische Texttypen revidiert werden müßten. So läßt sich zum Beispiel an zahlreichen modernen Texten, bedingt auch durch Entwicklungen in der Bühnentechnik, eine Positionsverschiebung von Bühnenbau, Bühnenbild und Beleuchtung hin zum Nicht-Durativen beobachten.

Die Aufzählung der Elemente konkretisiert und verdeutlicht unsere These des Informationsüberschusses des plurimedialen dramatischen Textes gegenüber dem literarischen Textsubstrat. Selbst die sprachliche

Komponente des Superzeichens "dramatischer Text" wird nicht durch den schriftlich fixierten Text eindeutig festgelegt, da in die mündliche Realisierung dieses Textes durch den Schauspieler nicht völlig determinierbare paralinguistische Variablen – durativ: individuelle Stimmqualität; nicht-durativ: Intonation, Tempo, Pausierung usw. – eingehen.[36] Für die außersprachlichen akustischen und optischen Codes ist diese Informationsdifferenz im allgemeinen noch größer: selbst die ausführlichste sprachliche Beschreibung einer dramatischen Figur, ihrer Aktionen und des Handlungsraumes muß notwendig hinter die konkrete Individualität eines Schauspielers, seiner Mimik und Gestik, und die konkrete Individualität eines Bühnenbildes zurückfallen. Der inszenierte plurimediale Text stellt somit notwendig immer eine präzisierende und konkretisierende Interpretation des literarischen Textsubstrats dar und ist daher immer eindeutiger bzw. in stärker bestimmter Weise mehrdeutig als dieser.

1.3.3 Kollektivität von Produktion und Rezeption

Die Aufzählung der Elemente des dramatischen Textes als Superzeichen verweist bereits auf ein weiteres Spezifikum dramatischer Texte, das sich aus ihrer Plurimedialität ergibt: die Kollektivität der Produktion. Wenn auch die moderne, extrem arbeitsteilige Organisation des Theaterwesens mit ihrer Differenzierung der Produktionsfunktionen (Autor, Dramaturgie, Theaterverwaltung, Regie, Schauspieler, Kostüm- und Maskenbildner, Bühnenbildner und Beleuchter) nicht historisch generalisiert werden kann (s. u. 2.4.3 und 4), bedingt doch die Bühnenrealisierung des literarischen Textsubstrats immer die Zusammenarbeit eines Produzentenkollektivs, wie sie für rein literarische Textsorten nicht notwendig gegeben ist. Dieser Kollektivität der Produktion entspricht auf der Empfängerseite als Normalfall eine kollektive Rezeption, die ebenfalls bei rein literarischen Textsorten, zumindest in der Neuzeit, die Ausnahme ist. Beides — die Kollektivität sowohl der Produktion als auch der Rezeption – beeinflußt, wie wir sehen werden, unmittelbar die Struktur dramatischer Texte.[37]

1.4 Das Drama im Kontext öffentlicher Aufführungsaktivitäten

Die bisher angeführten Kriterien für dramatische Texte – die Überlagerung von innerem und äußerem Kommunikationssystem, die Absolutheit, die Plurimedialität und die Kollektivität von Produktion und Rezeption – rücken diese strukturell in die Nähe nichtliterarischer Aufführungsaktivitäten. Definiert man Aufführung (*"performance"*) als "the doing of an activity by an individual or group largely for the pleasure of another individual or group",[38] dann gehört das Drama dieser Klasse menschlicher Aktivitäten gemeinsam mit dem freien Spiel (*"play"*), dem Spiel mit vorgegebenen Regeln (*"game"*), dem sportlichen Wettkampf und dem Ritual an. Ihnen gemeinsam ist ein nicht direkter Realitätsbezug durch die Einbettung eines inneren Kommunikationssystems in ein äußeres (im Fall des Dramas ist dies der spezifische Realitätsbezug der "Fiktionalität"), das Gegenüber von Aufführenden und Zuschauern, eine Abgrenzung von unmittelbar ökonomisch-produktiver Tätigkeit, eine raum-zeitliche Aussparung aus der alltäglichen "Normalexistenz" und die Strukturierung durch besondere Regeln und Konventionen. Zwischen diesen strukturell verwandten Aufführungsaktivitäten bestehen zum Teil direkte Entwicklungszusammenhänge: so kann das freie Spiel in der Entwicklung des Individuums als die ontogenetische Quelle aller übrigen gelten,[39] und das Ritual in der historischen Entwicklung als phylogenetischer Vorläufer des Dramas. Die geringste strukturelle Affinität besteht zwischen dem Drama und dem freien Spiel, das nicht notwendig öffentlich ist, keines Publikums bedarf und nicht durch gegebene Regeln vorstrukturiert ist; neuere Entwicklungen des Dramas im Bereich des Happening bedeuten jedoch eine Annäherung an das freie Spiel, da auch hier das Gegenüber von Aufführenden und Zuschauern zumindest tendenziell aufgehoben und der Textablauf nicht von vornherein völlig festgelegt ist. Die entscheidende Differenzqualität zwischen dem Drama und den anderen *public performance activities* bleibt jedoch auch hier bestehen – die Ästhetizität als dominante Kommunikationsfunktion. Unter Ästhetizität verstehen wir dabei die Summe der folgenden Merkmale: Selbstbezogenheit der Zeichen im Sinne von Roman Jakobsons "poetischer Funktion" (s.u. 4.2.7), Polyfunktionalität der Vertextung und Fiktionalität.[40]

1.5 Problematik der Definition von Drama

1.5.1 Kritik vorliegender Definitionen

Wenn wir unsere einleitenden Überlegungen zur Spezifik dramatischer Texte nicht, wie vielleicht zu erwarten, in einer Definition des Dramas zusammenfassen, so ist unser Verzicht zunächst einmal dadurch motiviert, daß vorliegende Definitionen demonstrieren, wie schwierig es ist, dabei sowohl die Scylla historischer Überspezifizierung als auch die Charybdis texttypologischer Unterspezifizierung zu vermeiden. Eine kleine Blütenlese neuerer Definitionsversuche unterschiedlicher Orientierung soll dies demonstrieren. Beginnen wir mit einer der deutschen idealistischen Ästhetik verpflichteten Definition von Robert Petsch. Nach ihm ist Drama

> die durch Rede und Spiel auf der Bühne unmittelbar vergegenwärtigte und zur stärksten Teilnahme (ja zum Personentausch zwischen den Zuschauern und den Figuren) herausfordernde *Darstellung* eines bewegten, unter dauernden Umschlägen zu einem bedeutenden Ziele aufsteigenden Vorganges.[41]

Hier werden mit Recht die Plurimedialität des dramatischen Textes und die unvermittelte Präsentation explizit als Kriterien herausgestellt; die zusätzlichen Bestimmungen engen jedoch die Definition auf ein historisch sehr begrenztes Textkorpus ein. So wird die hier geforderte identifikatorische Wirkung des Dramas in der Brechtschen Dramaturgie der Nicht-Identifikation ausdrücklich und programmatisch verworfen; so fehlt die geforderte Handlungsstruktur der Konflikte, Krisen und Peripetien in bestimmten Entwicklungen des modernen Dramas (etwa im modernen Einakter, im absurden Theater Samuel Becketts oder in Peter Handkes Experimenten mit dramatischen Konventionen); und so impliziert schließlich das Kriterium des "zu einem bedeutenden Ziele aufsteigenden Vorganges" Wertnormen, die Theaterstücken anti-idealistischer Ideologie und auch trivialen Stücken das Prädikat "Drama" verweigern. Damit ist in dieser Definition die deskriptive Gattungsbezeichnung in eine normativ wertende Kategorie übergeführt.

Dieser idealistischen Definition ist, paradoxerweise, die Definition des Dramas in der *Großen Sowjet-Enzyklopädie* nicht unverwandt, wobei der wesentliche Unterschied darin besteht, daß hier der Begriff des Konflikts und der Peripetie mit gesellschaftlichen Inhalten gefüllt wird:

> Das Drama ist eine Literaturgattung, die für die Bühne bestimmt ist und in unmittelbarer Handlung, im Konflikt zwischen Charakteren, den Kampf entgegengesetzter gesellschaftlicher Kräfte ausdrückt.[42]

Hier ist der dramatische Text zu einseitig als schriftlich fixierter, literarischer Text und nicht als plurimedialer Text gefaßt, so daß etwa die *Commedia dell'arte* mit ihren den Handlungsverlauf nur skizzierenden Szenarien kaum, und das Happening, das völlig ohne literarisches Textsubstrat auskommen kann, überhaupt nicht mehr unter diese Definition des Dramas fällt. Und was die gesellschaftliche Füllung des Konfliktbegriffs betrifft, so gilt entweder diese zusätzliche Bestimmung für Literatur als *fait social* grundsätzlich und ist dann keine Differenzqualität dramatischer Texte mehr, oder aber sie gilt nur für dramatische Texte und ist dann kein deskriptives Kriterium, sondern eine normativ wertende Forderung im Sinn der partei-orthodoxen Literaturdoktrin des "Sozialistischen Realismus". Auf jeden Fall werden durch diese Bestimmungen alle die Bühnenwerke ausgeschlossen, die keine Konfliktstruktur aufweisen oder deren Konfliktstruktur sich nicht unmittelbar inhaltlich auf die realen gesellschaftlichen Konflikte beziehen läßt – und das ist wohl ein Gutteil der dramatischen Weltliteratur.

Zitieren wir als letztes Beispiel die Definition des sich strukturalistisch gebenden J. G. Barry. In einer Reihe präzisierender Bestimmungen definiert er Drama als

> "a play performed by actors on a stage", "made up of actions or events with some physical manifestations observable by the audience", "a meaningful pattern", "[presenting] an image of man's interaction in time".[43]

Diese Definition ist zunächst wesentlich offener als die bisher diskutierten. Sie betont die Plurimedialität des dramatischen Textes, bleibt dabei aber tautologisch, indem die Begriffe *"actor"* und *"stage"* erst von einer Definition des Dramas her zu bestimmen sind. Ist der *ad hoc* gewählte "Spielraum" eines Straßentheaters eine *"stage"*? Und ist jemand, der in der Realität ein Verhalten fingiert, ein *"actor"*? Noch nebuloser sind die folgenden Bestimmungen: Was sind die Kriterien dafür, daß eine Ereignisabfolge ein "sinnvolles Strukturmuster" bildet? Kann nicht gerade die Verweigerung sinnvoller Ereignisverknüpfung – wie zum Beispiel in Ionescos *La cantatrice chauve* – auf einer Meta-Ebene einen neuen Sinn konstituieren? Und die Zusatzbestimmung des Dramas als Abbild von *"man's interaction in time"* ist so allgemein, daß sie allenfalls als vage Umschreibung eines thematischen Aspekts von Literatur überhaupt gelten kann.

1.5.2 Differenzkriterien dramatischer Texte

Die Aporien, in die diese Definitionen führen (und wir könnten unsere Blütenlese beliebig erweitern), machen deutlich, daß Definitionen, auch wenn sie als deskriptive intendiert sind, eine Tendenz zum normativen "Festschreiben" der Merkmale eines historisch mehr oder weniger breit gefaßten Korpus vorliegender dramatischer Texte aufweisen. Um die notwendige Offenheit gegenüber innovativen Neuerungen in der Entwicklung der Gattung zu gewährleisten, müssen wir auf solche essentialistische Wesensbestimmungen des Dramas oder des Dramatischen verzichten und uns daher auf die Angabe von Differenzkriterien beschränken, deren unterschiedliche historische Ausformungen und eventuell auch Überschreitungen – sie werden nur vor dem Hintergrund dieser Kriterien wahrnehmbar und setzen diese somit voraus – zu beschreiben sind. Es sind dies die bereits angeführten Differenzkriterien der unvermittelten Überlagerung von innerem und äußerem Kommunikationssystem, der performativen Kommunikation, der Plurimedialität und der Kollektivität von Produktion und Rezeption.[44] Daß von diesen Kriterien her auch Grenzformen wie die Oper, die Pantomime oder das Ballett unter unseren Untersuchungsbereich fallen, erscheint uns kein Nachteil, sondern ist gattungssystematisch durchaus zu rechtfertigen. Daß wir uns jedoch im folgenden dann doch zumindest schwerpunktmäßig auf dramatische Texte mit literarischem Textsubstrat konzentrieren, ergibt sich schon aus der literaturwissenschaftlichen Orientierung der vorliegenden Reihe. Weitere Grenzfälle ergeben sich als Epiphänomene dramatischer Textkonstitution aus neueren technologischen Entwicklungen (Film, Rundfunk, Fernsehen); auf die besonderen Probleme, die sich aus den besonderen technischen Möglichkeiten und der technischen Reproduzierbarkeit von Stumm- und Tonfilm, Hör- und Fernsehspiel ergeben, können wir jedoch auch nur fallweise eingehen (vgl. den Exkurs zum Tonfilm 2.4.).[45]

2. DRAMA UND THEATER

2.1 Literarisches Textsubstrat und Bühnenrealisierung

2.1.1 Literarische vs. theatralische Rezeption

Die Bedeutung der außersprachlichen Codes für den dramatischen Text ist dem Literaturwissenschaftler nicht immer in gleicher Weise bewußt wie dem Dramatiker. Während jener, an seinem Schreibtisch über den gedruckten Text gebeugt, dazu neigt, die Bühnendimension zu vernachlässigen, konzipiert dieser das literarische Textsubstrat in Hinblick auf die plurimediale Bühnenwirkung. Denn:

> Wer auf die Bühne tritt und die Bühne nicht braucht, hat sie gegen sich. Brauchen würde heißen: nicht auf der Bühne dichten, sondern mit der Bühne.[1]

Und ebenso wie Frisch betont Ionesco die Einheit des plurimedialen dramatischen Textes, den auf sein literarisches Substrat zu reduzieren eine unerlaubte Verkürzung bedeuten würde:

> (...) mon texte n'est pas seulement un dialogue mais il est aussi 'indications scéniques'. Ces indications scéniques sont à respecter aussi bien que le texte, elles sont nécessaires.[2]

In einer Zeit, in der aus kultursoziologischen Gründen Dramen – zumindest nicht-triviale – häufiger lesend als im Theater rezipiert werden, erscheinen solche Hinweise besonders wichtig, und sie betreffen in besonderer Weise die akademisch und schulisch institutionalisierte Beschäftigung mit dramatischen Texten, die diese häufig um ihre Bühnendimension verkürzt. Das klassizistische Diktum Dr. Johnsons, "A play read affects the mind like a play acted",[3] gilt allenfalls für einen Lektüremodus, der imaginativ die expliziten und impliziten Inszenierungssignale im literarischen Textsubstrat realisiert.[4] Und es ist nicht verwunderlich, daß der Romancier Thomas Mann zum Vorwurf der Oberflächlichkeit dem Drama gegenüber kommt (s. u. 5.2.2), wenn er sich gleichzeitig über die Medienbedingungen des Dramas hinwegsetzt und behauptet:

> Daß man die dramatischen Dichter, Schiller, Goethe, Kleist, Grillparzer, daß man Henrik Ibsen und unsere Hauptmann, Wedekind, Hofmannsthal nicht ebensogut lesen als aufgeführt sehen könne, daß man in der Regel nicht besser tue, als sie zu lesen, wird niemand mich überzeugen.[5]

Eine ihrem Gegenstand adäquate Dramentheorie darf also den Text nicht auf die gesprochenen Monologe und Dialoge reduzieren, sondern muß diese in ihren Relationen zu den außersprachlichen Zeichensystemen darstellen.

2.1.2 Haupt- und Nebentext

Dazu gibt das schriftlich fixierte Textsubstrat selbst bereits deutliche Hinweise, an dem sich ja zwei – oft typographisch voneinander abgehobene – Textschichten unterscheiden lassen: die gesprochenen Repliken der Dramenfiguren einerseits und sprachliche Textsegmente andererseits, die in der Bühnenrealisierung nicht gesprochen manifest werden. Dazu gehören der Dramentitel, Epigraphe, Widmungsschriften und Vorwörter, Personenverzeichnis, Akt- und Szenenmarkierung, Bühnenanweisungen zur Szenerie und Aktion und die Markierung des jeweiligen Sprechers einer Replik. Seit Ingarden haben sich für diese beiden Textschichten die Begriffe Haupt- und Nebentext eingebürgert, wobei seine Definition des Nebentexts auf dem Kriterium der Übersetzung in reale Gegenständlichkeit durch die Aufführung beruht.[6] Auch wir wollen diese Terminologie übernehmen, jedoch nicht ohne darauf hinzuweisen, daß die quantitativen und qualitativen Relationen zwischen den beiden Textschichten, die durch diese Bezeichnung suggeriert werden, keineswegs von überhistorischer Konstanz sind. Für Texte wie Samuel Becketts *Acte Sans Paroles I* und *II* oder Peter Handkes *Das Mündel will Vormund sein*, die keinerlei gesprochene Repliken und damit keinen "Haupttext" aufweisen, ist die Bezeichnung "Nebentext" für die Gesamtheit des sprachlich fixierten Textes offensichtlich irreführend.[7]

Grundsätzlich erweisen sich die qualitativen und quantitativen Relationen von Haupt- und Nebentext als historisch und typologisch äußerst variabel. So finden sich in den gedruckten Dramentexten der Shakespearezeit noch kaum Epigraphe, Widmungsschriften oder Vorwörter, da zu dieser Zeit dem Drama noch der Status seriöser Hochliteratur gesellschaftlich verweigert wurde und nur Werken der Hochliteratur solche editorische Paraphernalien zugebilligt wurden; und auch die eigentlichen Bühnenanweisungen waren auf ein Minimum beschränkt, da der gedruckte Text noch kaum autonomen Eigenwert hatte, sondern sich seine Funktion im wesentlichen im erinnernden Bezug auf die Aufführung erschöpfte. Ben Jonsons Veröffentlichung seiner eigenen Dramen unter dem anspruchsvollen Titel *Works* (1616) mit lateinischem Epigraph, Widmungsschriften, Prologen und Bühnenanweisungen war in dieser Beziehung eine programmatisch innovative Geste. Am anderen Extrem der historischen Entwicklung stehen gedruckte Dramentexte wie die G. B. Shaws, in denen der Nebentext den Haupttext überwuchert. So stellt er seinem Drama *Androcles and the Lion* (1916) ein *Preface* voran, das mehr als doppelt so umfangreich ist wie der eigentliche Text und nur in lockerem Zusammenhang mit diesem steht, und so finden sich in *Man and Superman* (1903) Bühnenanweisungen, die über vier Druckseiten gehen und nur noch partiell in konkretes Bühnengeschehen zu übersetzen sind. Hinter einer solchen Praktik steht ein ausgeprägtes Mißtrauen der Bühne, der Regie und den Schauspielern gegenüber, aus dem heraus der schriftlich fixierte Text zum autonomen Werk verabsolutiert wird:

> (...) the fact that a skilfully written play is infinitely more adaptable to all sorts of acting than available acting is to all sorts of plays (...) finally drives the author to the conclusion that his own view of his work can only be conveyed by himself. And since he could not act the play single-handed even if he were a trained actor, he must fall back on his powers of literary expression, as other poets and fictionists do.[8]

Damit wird einerseits die Plurimedialität – zumindest unter den gegebenen Bühnenbedingungen – nicht mehr intendiert, und andererseits durch die Ausweitung des kommentierenden, beschreibenden und narrativen Nebentextes ein vermittelndes Kommunikationssystem aufgebaut – beides Tendenzen, die wesentliche Differenzkriterien dramatischer Texte in Richtung auf narrative Texte hin durchbrechen. Daß sich Shaw dieser Grenzüberschreitung bewußt war, macht zudem der Vergleich seines eigenen Vorgehens mit dem eines *fictionist*, eines literarischen Erzählers, deutlich.

2.1.3 Inszenierungsanweisungen im Nebentext

Für eine Klassifizierung von Bühnenanweisungen, von Inszenierungsanweisungen im Nebentext,[9] in Hinblick auf ihre Funktion bietet sich von daher als erstes Kriterium ihre Bezogenheit auf die Bühnenrealisierung, ihre Übersetzbarkeit in die paralinguistischen und außersprachlichen Codes an, bzw. ihr literarischer Eigenwert in Hinblick auf eine rein literarische Rezeption. Die theater-funktionalen Bühnenanweisungen beziehen sich dann entweder auf den Schauspieler oder den optisch-akustischen Kontext, in dem und mit dem er agiert.[10] Die schauspieler-bezogenen Bühnenanweisungen können wiederum Instruktionen zu Auftritt und Abgang, Statur und Physiognomie, Maske und Kostüm, Gestik und Mimik, paralinguistischer Realisierung der Repliken, Figurengruppierung und Interaktion geben, die kontextbezogenen Bühnenanweisungen Instruktionen zum Bühnenbild, den Requisiten, der Beleuchtung, zu Musik und Geräuschen, zu besonderen Theatereffekten wie Vernebelung, Projektionen oder Einsatz von Bühnenmaschinerie, zu Akt- und Szenenwechsel und zur "Verwandlung" (Schauplatzwechsel auf offener Bühne). Diese Unterklassifizierung der schauspieler- und kontextbezogenen Bühnenanweisungen kann natürlich keinen Anspruch auf Vollständigkeit erheben, da sie jederzeit durch bühnentechnische Neuerungen erweitert (wie z.B. im zwanzigsten Jahrhundert durch die Projektion) und zudem als nicht systematischer, rein aufzählender Katalog weiter differenziert werden kann.

2.1.4 Implizite Inszenierungsanweisungen im Haupttext

Inszenierungsanweisungen finden sich jedoch nicht nur im Nebentext, sondern implizit auch im Haupttext – wie im folgenden Beispiel aus Tschechows *Kirschgarten:*

LOPACHIN: Was ist mit dir, Dunjascha? . . .
DUNJASCHA: Die Hände zittern. Ich fall' noch in Ohnmacht.
LOPACHIN: Du bist zu empfindlich, Dunjascha. Und du kleidest dich auch
            wie ein Fräulein, und auch die Frisur ist so. (. . .)[11]

Nur so ist es ja auch möglich, daß, wie wir gesehen haben, in bestimmten historischen Perioden dramatische Texte mit einem Minimum von Nebentext schriftlich fixiert wurden. Die Performativität der dramatischen Rede (s.o. 1.2.5) gewährleistet die Konstituierung der Sprechsituation im Sprechakt und liefert somit implizit immer schon Inszenierungssignale mit. Dies kann von einem Puristen der dramatischen Form wie Hugo von Hofmannsthal zum normativen Kriterium verabsolutiert werden:

Je stärker ein dramatischer Dialog ist, desto mehr von diesen Spannungen der Atmosphäre wird er mit sich tragen und desto weniger wird er den Bühnenanweisungen anvertrauen.[12]

So ist etwa die Bühnenaktion des antiken Dramas[13] oder des Dramas der Shakespearezeit weitgehend aus den Repliken der Bühnenfiguren erschließbar, indem die Replik eine Aktion entweder des Sprechenden selbst oder der Mitspieler impliziert (s.u. 3.3).[14] Solche impliziten

Inszenierungsanweisungen im Haupttext können sich natürlich auch auf den optisch-akustischen Kontext beziehen. Davon zu unterscheiden ist die "Wortkulisse", die sprachlich den Schauplatz konkretisiert, ohne daß dieser szenisch genauer konkretisiert wird (s. u. 7.3.3.1). Diese Technik der rein sprachlichen Evokation des Schauplatzes gewinnt besondere Bedeutung innerhalb von Bühnenkonventionen wie etwa den elisabethanischen, in denen kaum Kulissen oder andere optische Darstellungsmittel zur Konkretisierung des Schauplatzes verwendet werden.[15] Es handelt sich hierbei also nicht um Inszenierungsanweisungen, sondern um eine Technik der sprachlichen Kompensierung einer geringen Entwicklung bzw. bewußt stilisierenden Reduktion der außersprachlichen Codes.

2.1.5 Variabilität der Determinierung des inszenierten Textes durch das literarische Textsubstrat

Aus der Variabilität der quantitativen und qualitativen Relationen von Haupt- und Nebentext ergibt sich ein variables Verhältnis von schriftlich fixiertem Textsubstrat und inszeniertem Text.[16] Der schriftlich fixierte Text kann so der Inszenierung gegenüber mehr oder weniger offen sein, diese mehr oder weniger genau determinieren. Eine Extremposition in der Skala der möglichen Relationen markiert ein Text, in dem jede Geste und Aktion an eine Figurenrede gebunden ist und von dieser eindeutig gefordert wird. Diesem Idealtyp kommt etwa das Drama Racines nahe: innerhalb der gegebenen – nun freilich historisch nur partiell rekonstruierbaren – Bühnen- und Schauspielerkonventionen determinieren die Repliken der Figuren jede wichtige Aktion. Handlung und Geschehen treten hier also, wie H. G. Coenen nachgewiesen hat, nur als Fassung des gesprochenen Worts auf, nicht unabhängig vom Wort als gleichberechtigte Zeichenträger. Dadurch kann auf aktionsbezogene Bühnenanweisungen im Nebentext hier verzichtet werden; sie werden sozusagen völlig "dialogisiert".[17] Am anderen Ende der Skala stehen Dramen wie die Tschechows, in denen zwischen Worten und Bewegungen keine eindeutigen, direkten und notwendigen Beziehungen mehr bestehen, in denen Regisseur und Schauspieler interpretierend die paralinguistische, mimische und gestische Realisierung der Repliken selbst erarbeiten.[18] Wie unsere beiden Beispiele zeigen, ist diese mehr oder minder große Offenheit des literarischen Textsubstrats gegenüber der Inszenierung nicht allein durch dessen Struktur determiniert, sondern auch durch den Grad der Konventionalisierung der Bühnenpraxis. Dramatische Texte, die in Perioden mit stark kodifizierten schauspielerischen und bühnischen Ausdrucksmitteln entstanden (etwa in der griechischen, französischen oder deutschen Klassik), sind grundsätzlich weitgehender durch ihr literarisches Substrat determiniert als solche, die in Hinblick auf eine mehr experimentierende Bühnenpraxis konzipiert wurden. Davon bleibt selbstverständlich unberührt, daß in der Rezeptionsgeschichte eines Textes dieser in veränderte Bühnenkonventionen "übersetzt" und damit die ursprüngliche Relation von schriftlich fixiertem Textsubstrat und Inszenierung verändert werden kann. Ein Beispiel dafür wäre etwa eine realistisch psychologische Inszenierung einer antiken Tragödie.

2.1.6 Interrelation der Zeichensysteme

Ebenso variabel wie das Verhältnis von Haupt- und Nebentext und von literarischem Textsubstrat und inszeniertem dramatischen Text sind die quantitativen und qualitativen Relationen zwischen den einen dramatischen Text konstituierenden Zeichensystemen oder Codes. So fehlen uns geläufige optische Darstellungsmittel wie Beleuchtung und Bühnenbild in bestimmten historischen Perioden völlig, so daß dadurch schon die sprachliche Komponente des Texts zumindest quantitativ an Bedeutung gewinnt. Aber auch die mimischen und gestischen Codes, die nicht eine geschichtlich relativ späte Entwicklung darstellen, stehen in einem historisch und typologisch sehr variablen Verhältnis zum sprachlichen Code. Den gattungssystematischen Grenzfall einer völligen Abwesenheit außersprachlicher Codes markieren reine Lesedramen (*closet dramas*) wie Shelleys *Prometheus Unbound* oder Karl Kraus' *Die letzten Tage der Menschheit*, die auf die Plurimedialität dramatischer Texte verzichten. Sie sind von vornherein nicht unmittelbar in Hinblick auf eine Aufführung konzipiert – entweder, weil die Autoren den bestehenden Theaterverhältnissen skeptisch gegenüberstehen, oder weil ihre Vorstellungen bühnentechnisch nicht realisierbar sind. Das andere Extrem repräsentieren Formen des pantomimischen Spiels oder des Balletts, die durch die völlige Abwesenheit der sprachlichen Codes charakterisiert sind. Zwischen diesen beiden Extrempositionen entfaltet sich das ganze Spektrum möglicher Relationen zwischen den sprachlichen und außersprachlichen Zeichensystemen. So dominiert etwa im klassizistischen Drama Senecas und seiner französischen, deutschen und englischen Nachahmer in der Renaissance der sprachliche Code so stark, daß auf der Bühne kaum Aktionen dargestellt werden, sondern diese nur von den stilisiert agierenden Sprechern in rhetorisch durchstrukturierten Rezitativen "zur Sprache gebracht" werden.[19] Im Gegensatz dazu dominiert häufig im naturalistischen Drama und im modernen absurden Theater das mimisch-gestische Element, da die Konzeption der dramatischen Figuren als Individuen reduzierten Bewußtseins zu einer Reduktion der sprachlichen Ausdrucksmittel zugunsten stummen Spiels führt. Eine solche untergeordnete Rolle des sprachlichen Codes, wenn auch mit anderer Funktion, findet sich auch in theatralischen Darbietungen wie *masques* (allegorische Maskenspiele) und Opern, die primär auf spektakuläre Wirkung und sinnlichen Reiz hin angelegt sind. Und gerade in der Moderne ist von bedeutenden Theatertheoretikern und Bühnenpraktikern wie Adolphe Appia, E. Gordon Craig, V. E. Meyerhold oder Antonin Artaud einer Entliterarisierung und damit einer Dominanz der außersprachlichen Zeichensysteme das Wort geredet worden.[20]

Die zitierten Beispiele machen deutlich, daß eine rein quantitative Beschreibung dieser Relationen nicht ausreicht, sondern durch eine qualitativ-funktionale ergänzt werden muß. Eine elementare Frage ist dabei die nach der zeitlichen Relation des Einsatzes der sprachlichen und außersprachlichen Codes im Textablauf: erfolgt die Zeichenvergabe über beide Code-Komplexe simultan oder sukzessiv? Im ersten Fall haben wir ein "wortbegleitendes Sich-Verhalten", im zweiten Fall ein Nacheinander von sprachlicher Zeichenvergabe und "wortlosem Sich-Verhalten".[21] Dieses Nacheinander kann sich dabei in größeren Blöcken vollziehen, wie etwa in der Abfolge von Redeszenen mit nur durativer optischer Informationsvergabe und dem stummen Spiel eingelagerter *dumb shows* in frühelisabethanischen Tragödien der Seneca-Nachfolge, wobei die pantomimischen Einlagen die moralischen Gehalte der Redeszenen allegorisch verdeutlichen oder generalisieren.[22] Im realistischen Drama hat dagegen das stumme Spiel im allgemeinen nicht mehr den Charakter blockhafter Einlagen, sondern ist eng an die vorausgehenden oder folgenden Phasen wort-begleitenden Sich-Verhaltens gebunden. Das sprachlose Spiel verdeutlicht hier nicht das Gesagte, sondern fungiert als unbewußte Bekundung eines psychischen Zustands, als Verstummen angesichts sprachlicher Ohnmacht.

Aber auch bei einer simultanen Zeichenvergabe über sprachliche und außersprachliche Codes finden sich unterschiedliche Interdependenz-Strukturen. Man kann als idealtypische Opposition zwischen einer analytischen und einer synthetischen Relation unterscheiden[23]. Bei einer analytischen Relation – sie dominiert in klassischen Dramen – verdeutlicht oder spezifiziert das mimisch-gestische Spiel das Gesagte, erläutert also, was im Gesagten deutlich und eindeutig impliziert ist; bei einer synthetischen Relation – sie dominiert im realistischen Drama – geht das mimisch-gestische Spiel über das Gesagte hinaus, relativiert es oder widerspricht ihm sogar.[24]

Zusammenfassend lassen sich die Relationstypen zwischen der nicht-durativen sprachlichen und der nicht-durativen außersprachlichen Informationsvergabe in graphischer Darstellung wie folgt klassifizieren:

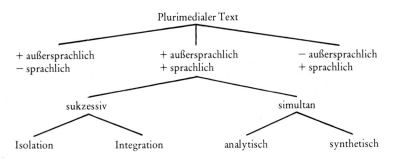

Plurimedialer Text

+ außersprachlich   + außersprachlich   − außersprachlich
− sprachlich   + sprachlich   + sprachlich

            sukzessiv   simultan

Isolation   Integration   analytisch   synthetisch

2.2 DRAMATISCHER TEXT UND THEATERFORM

2.2.1 Relation Bühne – Zuschauerraum

Dramatische Texte als plurimediale Texte sind in ihrer Struktur wesentlich durch die räumlichen und technischen Möglichkeiten der Bühne, auf der sie realisiert werden sollen, mitbedingt. Dies wird deutlich, wenn man versucht, einen dramatischen Text, der auf einen bestimmten Bühnentyp hin konzipiert ist, auf einer Bühne veränderter räumlicher und technischer Bedingungen zu realisieren. Einen solchen Versuch stellen praktisch alle Inszenierungen von dramatischen Texten aus der Zeit vor dem neunzehnten Jahrhundert auf der modernen Standardbühne, der "Guckkastenbühne", dar. Die Schwierigkeiten, die sich bei solchen Versuchen ergeben, lassen sich paradigmatisch an der Bühnenrezeption der Dramen Shakespeares vom siebzehnten Jahrhundert bis zur Gegenwart verfolgen: Texte, die für eine dekorationsarme, relativ neutrale Spielfläche bestimmt waren, werden in der Rezeptionsgeschichte den Bedingungen einer Illusionsbühne unterworfen, wobei das sprachlich Evozierte illusionistisch materialisiert wird und die ursprüngliche Variabilität von Distanz oder Nähe zum Publikum verlorengeht.[25]

41

Es ist hier nicht der Ort für einen historischen Abriß der Theaterarchitektur, der Bühnenform und -technik;[26] wir wollen jedoch anhand einer Reihe stark schematisierter Modelle eine wichtige Variable, die räumliche Relation von Bühne und Zuschauerraum[27] und ihre Konsequenzen für die Struktur der dramatischen Texte, diachronisch verfolgen. In den folgenden Modellen ist jeweils der Bühnenraum doppelt und der Zuschauerraum einfach schraffiert:

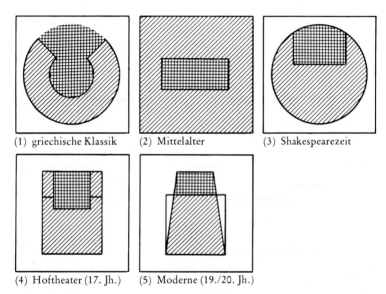

(1) griechische Klassik (2) Mittelalter (3) Shakespearezeit

(4) Hoftheater (17. Jh.) (5) Moderne (19./20. Jh.)

(1) Die antiken griechischen Tragödien und Komödien wurden zu religiösen Festen unter freiem Himmel für die ganze männliche und freie Bevölkerung eines Stadtstaates aufgeführt. Der religiöse Anlaß erweist die Bedeutung dieser Aufführung für die soziale Gemeinschaft und verweist zurück auf die kultisch-rituellen Ursprünge des Dramas. Vom intendierten Publikum her besaßen die Amphitheater Griechenlands räumliche Ausmaße, die eher an ein modernes Sportstadion als an ein modernes Theater erinnern; das in Epidaurus faßte vierzehntausend, das in Ephesus vierundzwanzigtausend Zuschauer. Das Publikum ist in einem Über-Halbrund um die Spielfläche gruppiert, was ein illusionistisches Bühnenbild unmöglich macht; den Hintergrund der Spielfläche bildet die neutrale Wand der *skene* und die reale Landschaft. Eine solche Bühne erlaubt

selbstverständlich kein realistisches Spiel: differenzierte Gebärden, Feinheiten der Mimik oder ein realistisch abgestufter Konversationston wären bei der Entfernung zwischen Zuschauern und Bühne nicht wahrnehmbar. So drängt dieses Drama auf Stilisierung hin: Deklamation und Chorgesang bestimmen die sprachliche Gestaltung, Masken und symbolische Kostüme signalisieren die Bedeutung eines Charakters, große Gebärden kennzeichnen den Schauspielstil.

(2) Auch im mittelalterlichen Drama sind noch die Ursprünge im religiösen Kult spürbar. In den englischen *mystery plays* wurde nichts Geringeres als die Heilsgeschichte von der Schöpfung bis zum Jüngsten Gericht in Einzelepisoden dargestellt. Auch diese Aufführungen fanden an religiösen Festtagen und unter freiem Himmel statt – nun aber auf beweglichen Schauwägen (*pageants*) oder auf primitiven statischen Schaugerüsten, um die sich auf den Straßen das Volk von allen Seiten drängte. Dieser schon räumlich enge Kontakt zwischen dem Publikum und den Darstellern markiert einen wesentlichen Unterschied zum antiken griechischen Drama und bedingt einen Dramenstil, in dem feierlich-ritualistische Elemente liturgischer Herkunft mit burlesk-realistischen, derben Spielelementen kontrastieren, die in besonderer Weise die Alltagsrealität und den Geschmack des umstehenden Volks spiegeln. Die Grenze zwischen Spielraum und Zuschauerraum ist eine offene und wird gelegentlich von den Schauspielern durchbrochen. Realistische Illusionistik ist auch unter diesen Bühnenbedingungen weder möglich noch intendiert.

(3) Das elisabethanische Drama der Shakespearezeit wird nicht mehr auf der Straße, sondern in eigenen Theatergebäuden aufgeführt, und es wird nicht mehr von Laienspielgruppen, sondern von professionellen Schauspielerensembles getragen. Der enge Kontakt mit dem Publikum, das die Bühne von drei Seiten umringt, bleibt jedoch bestehen. Diese Nähe verlangt vom Schauspieler eine differenzierte Kunst der sprachlichen, mimischen und gestischen Impersonation, erlaubt es ihm aber andererseits nicht, die Anwesenheit des Publikums wie auf einer Guckkastenbühne zu ignorieren: im Beiseitesprechen, im Monolog *ad spectatores* und durch Aus-der-Rolle-Fallen wird immer wieder in epischer Vermittlung der Kontakt zum Publikum hergestellt und die dramatische Illusion durchbrochen. Dies gilt vor allem für die publikumsnahe und daher "illusionsärmere" Vorderbühne, während sich das Geschehen auf der Hinterbühne eher in einem in sich geschlossenen Kommunikationssystem vollzieht. Der geringe szenische Aufwand und das Spiel bei Tageslicht verlangen vom Publikum ein schöpferisch imaginatives Nachvollziehen der "Wortkulisse" und erlauben einen schnellen und einfachen Szenenwechsel;

eine Bindung an die klassische Formel der Einheit von Raum und Zeit entspricht den Möglichkeiten dieser Bühne also keineswegs.

(4) Das Theater der englischen Restaurationszeit, das wir als Beispiel für das europäische Hoftheater des 17. und 18. Jahrhunderts wählen, ist für ein wesentlich kleineres Publikum konzipiert als das elisabethanische: faßte Shakespeares *Globe-Theatre* noch zweitausend Zuschauer, so finden nun nur noch etwa fünfhundert im Auditorium Platz. Das Publikum ist nun auch sozial wesentlich homogener als das elisabethanische und das der vorausgehenden Theaterformen, und dies wird auch durch eine größere ideologische Einheitlichkeit und Einseitigkeit der dramatischen Texte reflektiert. Die Aufführungen finden nun als gesellschaftliches Ereignis in geschlossenem Raum bei Kunstlicht statt. Ein reich dekorierter Rahmen trennt Publikum und Spielraum voneinander, wird jedoch von einer Vorderbühne durchbrochen. Einen Vorhang gibt es noch nicht; er taucht in England erst im späten 18. Jahrhundert auf. So findet der Szenenwechsel auf offener Bühne statt, wobei die Hintergrundkulissen eher dekorative als illusionistische Funktion haben. Die Trennung von Publikum und Bühne ist also trotz vergrößerter Distanz noch keineswegs vollzogen und eine überzeugende Illusion der Wirklichkeit noch keineswegs beabsichtigt. Nicht realistische Nachahmung der Wirklichkeit, sondern ein stilisiertes Idealbild der Welt des Publikums wird angestrebt: Symmetrie und Formalisierung bestimmen die Bühnenarchitektur, die Kulissen, die Personengruppierung, die Bewegungen und Gebärden, die Struktur des Dialogs.

(5) Wenn wir uns nun der modernen Bühne des 19. und 20. Jahrhunderts zuwenden, wollen wir uns auf die vertrauteste Form beschränken, die Guckkastenbühne, dabei aber nicht unterschlagen, daß sich daneben zahlreiche und unterschiedliche Experimente mit neuen Bühnenformen oder mit der Wiederaufnahme älterer finden. Diese Guckkastenbühne vollzieht den entscheidenden Schritt zu einer vollständigen Trennung von Publikum und Bühne, zur "Absolutheit" der dramatischen Fiktion. Ein Rahmen und die Rampe trennen den erleuchteten Bühnenraum vom dunklen Zuschauerraum und lassen ihn wie ein geschlossenes Bild erscheinen. Bühnenbild, Kostüme, Requisiten, Schauspielstil und Sprache sind auf getreue Wirklichkeitsnachahmung angelegt, und der Vorhang erspart die Erschütterung der Illusion beim Wechsel des Bühnenbilds. Man blickt gleichsam in einen Raum, in dem eine Wand fehlt – ohne daß dies den Personen in diesem Raum bewußt wäre. Jede direkte Wendung an das Publikum ist somit ausgeschlossen, denn die Rampe als absolute Grenze ist das szenische Korrelat der Abwesenheit eines vermittelnden Kommu-

nikationssystems. Diese Bühnenform und dieses Verhältnis von Zuschauer und Bühne bedingen eine besondere Dramenform, das realistische Illusionsdrama eines Ibsen oder Tschechow. Man braucht sich nicht völlig mit der Polemik Brechts gegen diese Bühnenform zu identifizieren, um ihre Beschränktheit zu erkennen: sie ist weder den dramatischen Werken der Antike oder den Dramen Shakespeares und Molières adäquat noch dem modernen Versdrama Eliots, dem absurden Drama Ionescos und Becketts oder dem "epischen Theater" Brechts. Experimente mit einer technisch mehr variablen Theaterarchitektur, mit Arenabühnen, mit neutralen Spielgerüsten oder mit Straßentheater[28] artikulieren das Ungenügen an dieser Bühnenform.

2.2.2 Relation realer Bühnenraum – fiktiver Schauplatz

Wir haben bei unserer historischen Skizze den Aspekt der räumlichen Relation von Publikum und Bühne in den Mittelpunkt gestellt: ein zweiter, ebenso wichtiger Aspekt konnte nur angedeutet werden – die Relation von realem Bühnenraum und fiktivem Schauplatz. Bleibt die Bühne als Bühne bewußt (Illusionslosigkeit, bzw. Anti-Illusionismus) oder soll sie als etwas anderes erscheinen, als sie ist (Illusionismus)? Daß sich zwischen diesen beiden Extrempositionen – vom Brechtschen Ideal einer epischen Bühne ohne Illusionswirkung bis zur perfekten Illusionsbühne der naturalistischen Konvention – wieder eine ganze Skala von Möglichkeiten entfaltet, ist evident. Immer besteht dabei eine Spannung zwischen realem Bühnenraum und fiktivem Schauplatz, die quantitativ und funktional je anders "gewichtet" ist. Daneben gibt es jedoch Sonderfälle, in denen diese Relation als Identität erscheint bzw. erscheinen soll: in einem Drama über das Drama wie Pirandellos *Sechs Personen suchen einen Autor* decken sich scheinbar realer Spielraum und fiktiver Schauplatz, wobei diese Identität als Abweichung von der Norm der Nicht-Identität besonders markiert ist (s. u. 7.1).

2.2.3 Relation Schauspieler – fiktive Figur

Eine analoge Skalierung läßt sich für die Möglichkeiten der Relation zwischen der realen Person des Schauspielers und der fiktiven Figur, die er darstellt, aufzeigen. So wendet sich zum Beispiel Brecht gegen die Löschung der realen Person des Schauspielers im naturalistischen Theater, gegen seine "restlose Verwandlung" in die fiktive Figur ("Er spielte den Lear nicht, er war Lear") und fordert dagegen einen Schauspielstil, der diese Relation verdeutlichend bewußtmacht:

> Dies, daß der Schauspieler in zweifacher Gestalt auf der Bühne steht, als Laughton und als Galilei, daß der zeigende Laughton nicht verschwindet in dem gezeigten Galilei (...), bedeutet schließlich nicht mehr, als daß der wirkliche. der profane Vorgang nicht mehr verschleiert wird – steht doch auf der Bühne tatsächlich Laughton und zeigt, wie er sich den Galilei denkt.[29]

Auch hier ist der Sonderfall der scheinbaren Identität von realer Person und dargestellter Figur denkbar und historisch realisiert: so treten in Molières *L'Impromptu de Versailles* (1663) die Schauspieler seiner Truppe auf und stellen sich selbst dar.

Identifikation vs. Distanz ist nur *ein* Aspekt der Relation zwischen realer Person und fiktiver Figur, und zwar der Aspekt, der durch die theoretischen Reflexionen Brechts in diesem Jahrhundert besonders betont wurde.[30] Der Grad der theatralischen Illusion wird vom Schauspielstil her auch dadurch bestimmt, wie weitgehend das Verhalten der fiktiven Figur vom realen Schauspieler mit konkret-realistischen Details aufgefüllt wird oder typisierend auf Grundverhaltensweisen reduziert wird. Daraus ergibt sich wieder eine Skala der Möglichkeiten, die von der typisierenden Stilisierung in den gestisch-mimischen Konventionen der griechischen Tragödie oder der barocken Oper bis zum naturalistischen Schauspielerstil der Stanislavsky-Schule reicht.

Die angeschnittenen Probleme der Bühnenform und des Schauspielstils, die sonst in dramentheoretischen Arbeiten meist nicht diskutiert werden, ergeben sich für uns als notwendiges Thema schon aus unserem Begriff des dramatischen Textes (s. o. 1.3). Sie können von diesem Textverständnis her auch nicht an eine arbeitsteilig die literaturwissenschaftliche Dramenanalyse ergänzende Theaterwissenschaft delegiert werden, da dadurch die Totalität des zu beschreibenden Phänomens dem analytischen Zugriff entzogen würde. Aber selbst von einem rein literaturwissenschaftlichen Verständnis des dramatischen Textes her sind diese Aspekte relevant, da die verschiedenen Codes des dramatischen Textes nicht unverbunden und isoliert nebeneinander stehen, sondern in struktureller Interdependenz sich wechselseitig bedingen. D.h., bestimmte sprachlich-literarische Strukturen sind bedingt durch und bedingen ihrerseits äquivalente Strukturen im außersprachlichen Bereich. Solche Äquivalenzen konnte Volker Klotz in seiner idealtypischen Analyse der geschlossenen und offenen Form des Dramas nachweisen, indem er etwa zeigte, daß die Strukturprinzipien

46

regelhafter Ordnung, der Zielstrebigkeit und des Vorrangs des Inneren vor dem Äußeren, des Ganzen vor dem Einzelnen im geschlossenen Dramentyp nicht nur die Sprache, sondern auch die Bühnendimension bestimmen.[31]

2.3 EXKURS: DRAMA UND FILM

Es bietet sich an, im Anschluß an den historischen Überblick über die Bedingtheit des dramatischen Textes durch die Bühnenform exkursorisch die Relation von Drama, Theater und Film zu thematisieren, da der Film zumindest in seinen Anfängen primär als technische Möglichkeit verstanden wurde, Theater photographisch fixieren und einer breiten Öffentlichkeit zugänglich machen zu können. In dieser Sicht erscheint Film allein als technologische Reproduktion eines plurimedialen dramatischen Textes, wobei im Prozeß der technologischen Reproduktion die reale, dreidimensionale Präsenz der Darstellung durch eine virtuelle, zweidimensionale ersetzt wird. Von Apologeten des Theaters, die argwöhnisch den – auch ökonomischen – Erfolg des neuen rivalisierenden Mediums Film verfolgten, wurde als zusätzlichen Unterschied allenfalls noch auf den durch die technische Reproduktion bedingten zeitlichen Abstand von Produktion und Rezeption im Film verwiesen, der jenes ständige *feedback* zwischen Publikumsreaktion und Schauspielerreaktion verhindert, das jede Aufführung im Theater zu einem einmaligen und fesselnden Ereignis macht.

Drama und Film stellen sich in dieser Sicht als strukturell eng verwandte und aufgrund der gemeinsamen Kriterien der Plurimedialität und der Kollektivität von Produktion und Rezeption deutlich von narrativen Texten abgesetzte Varianten *einer* Schreibweise dar. Dabei werden aber eine Reihe wichtiger Spezifika filmischer Texte übergangen, die diese vom Redekriterium her narrativen Texten annähern und von dramatischen Texten abheben.

So wird in dramatischen Texten ein Handlungsablauf innerhalb einer geschlossenen szenischen Einheit in einem raum-zeitlichen Kontinuum präsentiert (s. o. 1.2.4), während er im Film in eine Sequenz nicht-kontinuierlicher Einstellungen aufgelöst werden kann und in der Regel auch wird. Während im Drama innerhalb eines gewählten szenischen Ausschnittes die raum-zeitliche Kontinuität und Homogenität durch das Medium festgelegt ist, kann im Film jede einzelne Einstellung in bezug auf

Einstellungsgröße, Einstellungsperspektive, Einstellungskonjunktion (Schnitt, Überblende usw.), Belichtung und Kamerabewegung variiert werden.[32] Daraus ergibt sich auch, daß der Zuschauer im Theater das Geschehen aus konstanter Entfernung und konstanter Perspektive rezipiert, während diese Relationen im Film durch Veränderungen der Kameraposition und -einstellung variiert werden können. Durch das Prinzip der Montage kann sowohl ein raum-zeitlich kontinuierlich gedachter Handlungsablauf, der im Theater auch als solcher präsentiert werden müßte, in Einzeleinstellungen unterschiedlicher räumlicher Perspektive und zeitlicher Diskontinuität zerlegt, als auch ein raum-zeitliches Kontinuum durch Einschaltung von Einstellungen anderer räumlicher und zeitlicher Orientierung unterbrochen werden.

Durch die variable und bewegliche Kamera sind im Film Umstellungen in der Chronologie des Erzählten (vgl. zum Beispiel die Technik der "Rückblende"), Zeitraffung und -dehnung, topographische Verschränkungen, Veränderungen des Bildausschnittes und der Darstellungsperspektive möglich, wie wir sie aus narrativen Texten kennen, die ja im Gegensatz zu dramatischen Texten ein "vermittelndes Kommunikationssystem" aufweisen, das solche raum-zeitliche Manipulationen erst ermöglicht. Die variable und bewegliche Kamera im Film stellt also ein vermittelndes Kommunikationssystem dar, erfüllt eine Erzählfunktion, die der Position S2 des fiktiven Erzählers in narrativen Texten entspricht.[33] Der Betrachter eines Films wie der Leser eines narrativen Textes wird nicht, wie im Drama, mit dem Dargestellten unmittelbar konfrontiert, sondern über eine perspektivierende, selektierende, akzentuierende und gliedernde Vermittlungsinstanz – die Kamera bzw. den Erzähler. Diese strukturelle Verwandtschaft des Films mit narrativen Texten zeigt sich auch darin, daß der Film häufig neben der optischen Erzählfunktion der Kamera auch sprachlich manifeste Erzählmedien einsetzt (schriftliche Erzähltitel und Erzählstimme im *off*) und daß er – im Gegensatz zum Drama – die "deskriptive" Darstellung von figurenlosen Räumen kennt.[34]

So erweist sich der Film als Form, in der Strukturelemente dramatischer und narrativer Texte einander überlagern, wobei seine Plurimedialität und die Kollektivität seiner Produktion und Rezeption den Bezug zum Drama, die Besetzung des vermittelnden Kommunikationssystems den Bezug zu narrativen Texten darstellt. Nur von einer klassizistisch puristischen Theorie der Reinheit und Unvermischtheit der Gattung her jedoch kann diese Überlagerung als ästhetischer Mangel erscheinen; für den Filmemacher bedeutet sie eine positive Erweiterung des Repertoires verfügbarer Codes, Kanäle und Strukturierungsverfahren.

2.4 THEATER ALS GESELLSCHAFTLICHE INSTITUTION

2.4.1 Öffentlichkeit dramatischer Kommunikation

Literatur als öffentliche Kommunikation ist grundsätzlich als gesellschaftliche Institution zu betrachten, da sie immer – wie jede Form von
Kommunikation – ein System von überindividuell vorgegebenen Normen und Konventionen voraussetzt und darüber hinaus zu ihrer Produktion, Distribution und Rezeption einer mehr oder weniger komplexen
organisatorischen Basis bedarf. Dies gilt *per definitionem* selbstverständlich auch für Kommunikation über dramatische Texte, und es gilt hier in
besonders evidenter Weise.[35] Denn der dramatische Text ist zu seiner
Realisierung auf ein institutionalisiertes Theaterwesen als organisatorische
Basis angewiesen, und dieses tritt dem Rezipienten gegenüber sichtbarer
und manifester in Erscheinung als das Verlagswesen als Vermittlungsinsti-
tution rein schriftlich tradierter Texte; und die Kollektivität der Rezeption
macht die Gebundenheit des Theaters und dramatischer Texte an gesellschaftliche Gruppen deutlicher bewußt, als das für Texte anderer Schreib-
weisen gilt. Zudem weisen dramatische Texte – zumindest in der Neuzeit
– gegenüber anderen literarischen Texten eine doppelte organisatorische
Basis auf, denn sie werden ja nicht nur durch die Institution Theater realisiert, sondern in ihrem schriftlich fixierten Textsubstrat auch durch das
Verlagswesen vertrieben.

Die besondere Affinität zwischen dem Theater und der Gesellschaft
– G. Gurvitch spricht von einer "affinité frappante entre la société et le
théâtre"[36] – spiegelt sich schon in dem Gleichnis von der Welt als Theater, das nicht nur literarisch, sondern auch volkstümlich weit verbreitet
ist.[37] Petronius' klassische Formulierung, "Totus mundus agit histrio-
nem", ist zum immer neu abgewandelten Topos geworden, wobei die
ursprünglich transzendente Perspektive – Gott als Zuschauer, die Menschen als seine Schauspieler und Marionetten – schon in der frühen Neuzeit zurückgenommen wurde zugunsten einer rein innerweltlichen Sicht,
in der das Theatergleichnis auf die Rollenhaftigkeit konventionalisierter
Verhaltensweisen und auf Momente scheinhafter Verstellung im gesellschaftlichen Leben verweist. An diese Tradition knüpft ein Zweig der
modernen Soziologie an, die Rollentheorie, die das Theater zum analytischen Modell für die Beschreibung sozialer Phänomene und Prozesse
macht und dabei ihre Terminologie aus der Fachsprache des Theaters und
Dramas bezieht (neben "Rolle" z.B. "enactment", "Maske", "Szenario",
"Kulissen", "Improvisieren", "Repertoire" usw.).[38] In der jüngsten dia-

lektischen Wendung dieser Tradition projizieren nun Soziologen, die von der Rollentheorie herkommen, ihr analytisches Instrumentarium auf das Theater und die es bestimmenden Konventionen, indem sie davon ausgehen, daß dem Theater und der Gesellschaft die Momente ineinandergreifender Rollen und spektakulärer Zurschaustellung gemeinsam sind und daß das Theater ein Abbild realer menschlicher Interaktion ist.[39]

Aus dem bisher Entwickelten ergibt sich, daß für dramatische Texte eine literatursoziologische Analyse, die die pragmatischen Bedingungen im äußeren Kommunikationssystem des Textes erforscht und nach strukturellen Korrespondenzen zwischen Relationen im äußeren und im inneren Kommunikationssystem sucht, besonders wichtig ist. Es ist jedoch hier im Rahmen dieser Einführung nicht der Ort für eine systematische Soziologie des Dramas, und ein solches Vorhaben wäre ohnehin beim derzeitigen Stand der Forschung und Theoriebildung kaum zu realisieren.[40] Wir wollen jedoch, ausgehend vom Kommunikationsmodell Roman Jakobsons,[41] einen systematischen Aufriß dramensoziologischer Fragestellungen entwerfen, einen Suchraster für die relevanten Aspekte der Interdependenz von Drama und Gesellschaft.

2.4.2 Modell des äußeren Kommunikationssystems dramatischer Texte

Unser Modell zur Differenzierung von narrativen und dramatischen Texten (s. o. 1.2.2) war ein "Flußdiagramm", das allein die verschiedenen einander eingelagerten Niveaus der Sender- und Empfängerpositionen verdeutlichen sollte und daher von anderen Faktoren des Kommunikationsprozesses abstrahierte. Wir wollen nun, angesichts der veränderten Problemstellung, dieses Modell einerseits vereinfachen, andererseits differenzieren – vereinfachen, da wir nun von den Verhältnissen im inneren Kommunikationssystem abstrahieren können, und differenzieren, da wir nun auch die übrigen kommunikativen Faktoren berücksichtigen wollen. Denn zum Zustandekommen eines Kommunikationsprozesses bedarf es ja nicht nur eines *Senders* und eines *Empfängers,* sondern auch eines *Kanals* als der physikalischen und psychischen Verbindung zwischen Sender und Empfänger, einer *Nachricht*, die als Zeichenkomplex über den Kanal vom Sender an den Empfänger übermittelt wird, eines *Codes*, mit dessen Hilfe der Sender und der Empfänger die Nachricht ver- bzw. entschlüsseln und demgemäß die Nachricht auf bestimmte *Inhalte* (Kontexte) verweist. Zusätzlich ist zu vermerken, daß die Sender- und Empfängercodes nur idealiter identisch sind, sich in der Realität jedoch meist nur partiell decken, sich demgemäß also auch die vom Empfänger decodierten Inhalte nicht völlig mit den vom Sender encodierten decken, und daß die Nachricht selbst beim Transport durch den Kanal durch dessen Eigengeräusch (*noise*, Rauschen) mehr oder weniger verändert wird.

Unter Berücksichtigung dieser Faktoren kommen wir zu folgendem Modell für das äußere Kommunikationssystem dramatischer Texte[42]:

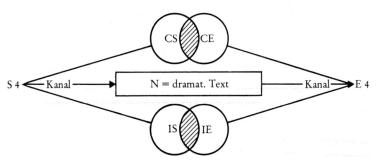

Dabei verwenden wir als neue Abkürzungen CS für den Encodierungscode des Senders und CE für den Decodierungscode des Empfängers und IS und IE für die vom Sender encodierten bzw. vom Empfänger decodierten Inhalte. Das vorliegende Modell bildet nun die Außenbezüge des dramatischen Texts ab und kann so als Suchraster für dramensoziologische Fragestellungen dienen.

2.4.3 *Autorensoziologie*

Mit der Frage nach der Relation des dramatischen Texts zum empirischen Autor in seiner Rolle als Dramenproduzent (S4) beschäftigt sich die Autorensoziologie. Hier kann es nicht um einen wissenschaftlich überholten Biographismus gehen, der das Werk aus der Biographie des Autors individualpsychologisch genetisch zu erklären versucht, sondern es soll diese Position als wichtige, aber nicht die einzige Vermittlungsinstanz zwischen gesellschaftlichen und literarischen Sachverhalten betrachtet werden. Denn selbst wenn man sich nicht mit einem radikal materialistischen Menschenbild identifiziert, in dem das Individuum als vollständig durch die auf ihn einwirkenden Umwelteinflüsse determiniert erscheint, ist das Individuum in seinem Denken und Handeln durch gesellschaftliche Normen mitgeprägt, die es im Laufe seiner Entwicklung verinnerlicht.

Und noch die individuelle Revolte gegen diese gesellschaftlichen Normen – man denke etwa an Brecht – ist, da sie diese ja voraussetzt, ein soziologisches Phänomen. So bestimmt schon der soziale Bezugsrahmen eines Individuums dessen Möglichkeiten; er stellt die Bedingung dieser Möglichkeiten dar.

Diesen Aspekt verabsolutiert zum Beispiel der Vertreter einer strukturalistisch-genetischen Methode der Literatursoziologie, Lucien Goldmann, in seiner Studie zu Racine, die dessen Verhältnis zu den verschiedenen jansenistischen Strömungen und den Jansenismus selbst im Gesamtzusammenhang der sozialen Klassen des siebzehnten Jahrhunderts und ihrer ökonomischen, sozialen und politischen Antagonismen darstellt.[42a] "Subjekt der kulturellen Schöpfung" ist in seiner Sicht in letzter Instanz die soziale Gruppe, an der sich der Autor orientiert, und der Autor selbst übt als "schöpferisches Individuum" dabei eine bloße Vermittlungsfunktion aus:

> Somit erscheint es nicht gänzlich widersinnig, sich vorzustellen, daß das Individuum Racine, wenn es eine andere Erziehung genossen und in einem anderen sozialen Milieu gelebt hätte, Stücke von der Art eines Molière oder Corneille hätte schreiben können, während es hingegen absolut unmöglich ist sich vorzustellen, daß der Amtsadel im Frankreich des 17. Jahrhunderts eine epikureische oder radikal optimistische Ideologie entwickelt hätte.[43]

Auch wenn man einer solchen Reduktion und Minimalisierung der Rolle des schöpferischen Individuums nicht uneingeschränkt zustimmen wird, ist doch empirisch nachweisbar, wie sehr die Struktur eines dramatischen Werkes von dem sozialen Hintergrund seines Autors, dessen Bildungsweg (der ja weitgehend gesellschaftlich normiert ist) und dessen sozialem Bezugsrahmen abhängt.

Der Autor eines literarischen Textes, und das gilt in besonders evidenter Weise für den Dramatiker, wendet sich mit seinem Text an eine Öffentlichkeit, tritt in öffentliche Kommunikation. Von daher schon ist seine Rolle als Literaturproduzent nicht Resultat einer völlig freien Entscheidung, einer autonomen Identitätssetzung, sondern orientiert sich an gesellschaftlich vorgegebenen Normierungen dieser öffentlichen Rolle, indem er diese erfüllt oder innovativ durchbricht. Solche Rollennormierungen oder Autorenstereotypen sind historisch sehr variabel, und oft finden sich gleichzeitig mehrere rivalisierende Autorenstereotypen unterschiedlicher soziologischer Bindung nebeneinander. Der Dramatiker als Interpret des religiös-politischen Mythos eines Volkes, der Dramatiker als homiletischer Verkünder fraglos vorgegebener, religiös fundierter Verhaltensnormen, der Dramatiker als idealisierender Verklärer eines ständisch gebundenen Selbstverständnisses, der Dramatiker als gesellschaftlich bestallter Unterhalter, als satirischer Kritiker sozialen Fehlverhaltens, als engagierter Fürsprecher gesellschaftlich unterprivilegierter Gruppen, als Propagandist revolutionärer Ideen, als moralische Instanz, als Experimentator und Planer kommunikativer Prozesse . . . dies sind nur einige wenige und nur stichworthaft angedeutete Autorenstereotypen, wie sie in der historischen Diachronie oder synchron miteinander konkurrierend auftreten. In diesen Autorenstereotypen sind immer auch soziale Funktionsbestimmungen des dramatischen Autors impliziert, die sich auf zwei Grundmodelle reduzieren lassen: eine expressive Funktion, in der der Dramatiker einen bereits bestehenden gesellschaftlichen Konsensus affirmativ artikuliert, und eine instrumentale Funktion, in der ein Konsensus erst hergestellt oder verändert werden soll.[44]

Die Autorensoziologie im Bereich dramatischer Texte gewinnt noch dadurch an Komplexität, daß wir es hier mit einer Vielzahl an Produktionsfunktionen zu tun haben, daß der Autor des literarischen, schriftlich fixierten Textsubstrats nur einer der Autoren des plurimedial inszenierten Textes ist. Es stellt sich dabei also jeweils die Frage nach der institutionalisierten Relation zwischen dem literarischen Autor und den verschiedenen theaterbezogenen Produktionsfunktionen (Regie, Schauspieler,[45] Bühnenbildner usw.). Die im modernen Theaterwesen übliche Trennung von literarischen und theaterbezogenen Produktionsfunktionen kann dabei keineswegs historisch verallgemeinert werden, wie ein Blick auf Shakespeare und Molière exemplarisch zeigt, die in Personalunion die Funktionen eines Dramatikers, Schauspielers und Theaterunternehmers in sich vereinigten. Die institutionelle Unverbundenheit von literarischen und theatralischen Produktionsfunktionen birgt in sich die Gefahr der Theaterferne der literarischen Texte, da der literarische Autor in dieser Situation nur wenig Möglichkeit hat, die plurimediale Wirksamkeit seiner Texte zu prüfen und zu verbessern, und sie führt auch leicht zu einem Übergewicht der Regie über den literarischen Text, der damit oft zum unverbindlichen Material degradiert wird. Diese negativen Tendenzen sind auch der Grund für zahlreiche neuere Versuche, literarische und theatralische Produktionsfunktionen institutionell wieder zu verbinden ("Hausdramatiker", *"playwright in residence"*).

Auch die theaterinterne Organisation der Produktionsfunktionen ist historischem Wandel unterworfen und bedingt dadurch Veränderungen in der Struktur der inszenierten Texte. So ist die moderne, extrem funktionsteilige Organisation des Theaters eine relativ neue Entwicklung, und diese

Arbeitsteiligkeit führte erst im neunzehnten Jahrhundert zur Entwicklung des Regisseurs als des Ausübers einer zentralen koordinierenden Funktion.[46] Entscheidend für die Struktur einer Aufführung ist auch, ob sie von einem festen, kontinuierlich einen Inszenierungsstil entwickelnden Ensemble realisiert wird oder von einer Gruppe von *ad hoc* dafür engagierten Künstlern, und ob sie *en suite* gespielt wird oder Teil eines Repertoires ist und sòmit im übergreifenden Zusammenhang eines Spielplans steht.[47] Dies sind alternative Organisationsformen der theatralischen Produktionsfunktionen, die nicht nur von historischem Interesse sind, sondern sich in der modernen Theatersituation nebeneinander finden. Sie bedingen die Struktur des plurimedialen Textes und sind selbst wieder von der jeweiligen ökonomischen Basis des Theaterwesens bedingt, die wiederum von der jeweiligen gesellschaftlichen Funktionsbestimmung des Theaters abhängt.

2.4.4 Mediensoziologie

Mit den Bedingungen des Vermittlungskanals und ihrem Einfluß auf die Struktur des dramatischen Texts befaßt sich die Mediensoziologie. Dies ist ein Komplex, der sich in vielen aufeinander bezogenen Einzelaspekten darbietet: da ist etwa der technologische Aspekt der technischen Mittel, die zur Realisierung des plurimedialen inszenierten Textes und zur Reproduktion des schriftlich fixierten Textsubstrats zur Verfügung stehen, der ökonomische Aspekt der Produktionskosten und ihrer Finanzierung, der juristisch-politische Aspekt staatlicher Kontrolle durch Zensur und Förderung, der organisatorische Aspekt der Einheit bzw. Differenzierung von Produktions- und Vermittlungsfunktionen und der sozialpolitische Aspekt institutionalisierter Vermittlungsorgane wie das öffentliche Bildungswesen und die journalistische Kritik.

Wir wollen uns hier auf die ökonomischen und politischen Aspekte beschränken, und müssen es auch dabei mit einigen skizzenhaften Andeutungen bewenden lassen. Gerade wegen der spezifischen Öffentlichkeit der Kommunikation über dramatische Texte wurde das Theater in seiner Geschichte immer wieder zum Politikum,[48] wurde es immer wieder von der staatlichen Obrigkeit mit besonderem Argwohn betrachtet, durch offizielle Zensurinstanzen auf religiöse, politische und moralische Orthodoxie hin restriktiv kontrolliert[49] oder durch finanzielle Subventionen in eine ökonomische Abhängigkeit gebracht, die einen gewissen Grad an Systemkonformität von vornherein gewährleistet. Andererseits sind die

Kosten für Einrichtung und Unterhalt eines Theaters und die Produktionskosten einer Inszenierung normalerweise so hoch, daß sich ein rein kommerzielles, sich selbst finanzierendes Theaterwesen nur unter soziologisch besonders günstigen Umständen entwickeln kann, wobei dann freilich das ökonomische Interesse das ästhetische Niveau der dramatischen Produktion negativ zu beeinflussen droht. So ist das Theater in seiner Geschichte immer wieder auf privates oder öffentliches Mäzenatentum und Patronat angewiesen gewesen, wobei die Motive dieser Förderung von feudalem Repräsentationsbedürfnis über ideologische Propaganda und politische Einflußnahme bis zu einer humanistisch inspirierten Förderung von Bildung und Kultur als fraglos akzeptiertem Selbstzweck reichen. Die derzeitige Theatersituation ist durch eine zunehmende Bedeutung staatlich oder kommunal betriebener Theater gekennzeichnet, die sich in Deutschland meist aus den feudalen Hoftheatern entwickelt haben, und die wenigen Privattheater, die noch nicht staatliche Institutionen sind, können nur aufgrund öffentlicher Subventionen überleben. Rein kommerzielle Privattheater finden sich allenfalls noch in den Ballungsräumen der großen Metropolen, und selbst in einem klassischen Land des kommerziellen Privattheaters wie England entwickelte sich seit dem Zweiten Weltkrieg ein Netz kommunaler, staatlicher oder öffentlich subventionierter Bühnen.[50]

Eine entscheidende mediensoziologische Frage ist auch die Frage nach der Stelle und dem Stellenwert des Theaters im jeweiligen System öffentlicher Kommunikationsmedien und im Subsystem ästhetischer Kommunikationsmedien. Auch hier zeichnet sich in der historischen Entwicklung ein weitreichender Strukturwandel ab, wenn man etwa die Situation in der Renaissance mit der aktuellen Situation vergleicht. War im Zeitalter Shakespeares das Theater neben den ebenfalls nicht schrift-gebundenen Medien der Predigt und der Straßenballade das einzige Massenkommunikationsmittel, so ist das Drama in seiner ursprünglichen Form – also das nicht technisch reproduzierte Drama – im modernen System öffentlicher Kommunikationsmedien in eine Randstellung abgedrängt. Und auch innerhalb des Subsystems ästhetisch-literarischer Kommunikation hat das Drama vor allem gegenüber narrativen Texten an Bedeutung verloren. Neuere Entwicklungen der dramatischen Form – Versuche mit mythisch-ritualistischen Formen, anti-illusionistische Tendenzen, komplizierte Experimente mit konventionsdurchbrechenden Abweichungen – sind sowohl als Reflex als auch als eine Bedingung dieses Verlusts an Zentralität im System öffentlicher Kommunikationsmedien zu betrachten.

2.4.5 Rezeptionssoziologie

Die Rezeptionssoziologie hat als ihren Untersuchungsgegenstand die Relation zwischen dem dramatischen Text und seinen Rezipienten.[51] Von primärer Relevanz ist dabei das vom Autor intendierte Publikum als der unmittelbare Adressat seines Textes, dessen Interessen und intellektuelle Voraussetzungen er in der Produktion seines Textes berücksichtigen wird, wenn ihm am Gelingen der ästhetischen Kommunikation und am ökonomischen Erfolg liegt.

Dieses intendierte Publikum kann ein sehr unterschiedliches Segment der Gesamtgesellschaft ausmachen. Ein Extremfall ist die Abwesenheit eines intendierten zeitgenössischen Publikums. In diesem Fall durchbricht der dramatische Text durch formale und/oder ideologische Innovationen die Erwartungsnormen der zeitgenössischen Dramenrezipienten so radikal, daß eine Bühnenrealisierung aus ökonomischen oder juristischen Gründen nicht in Frage kommt und sich der Dramatiker auf ein zukünftiges Publikum verwiesen sieht. Das andere Extrem markiert eine Situation, in der das intendierte Publikum mit der Gesamtgesellschaft identisch ist, das Publikum einer Aufführung dann also einen repräsentativen Querschnitt der Gesamtgesellschaft darstellt. Diesem Idealtypus kommt das Publikum der elisabethanischen Volkstheater nahe, in denen vom Lehrling bis zum Hochadel alle Stände der Stadtbevölkerung – allerdings mit Ausnahme einer streng puritanischen Schicht des Bürgertums – vertreten waren.[52] Diese Publikumsstruktur, die selbst wieder bedingt ist durch die gesamtgesellschaftliche spannungsreiche Balance der Interessen von Hof, Aristokratie und Bürgertum in der Spätphase des elisabethanischen Nationalfeudalismus, ist eine wesentliche Voraussetzung für die Struktur der Dramen Shakespeares – die perspektivenreiche Überlagerung verschiedener Stilebenen, die kontrastierenden Handlungselemente und das gemischte Personal plebejischer, bürgerlicher und höfischer Figuren.

Dieser Bedingungszusammenhang zwischen der Struktur des intendierten Publikums und der Struktur der dafür bestimmten dramatischen Texte wird noch deutlicher, wenn man die Situation des elisabethanischen Theaters mit der des Theaters der Restaurationszeit im späten siebzehnten Jahrhundert vergleicht. Nun ist das intendierte Publikum nicht mehr die Gesamtgesellschaft, sondern ein kleines Segment der Gesamtgesellschaft – der Hof und das sich am Hof orientierende städtische Großbürgertum. Diese Einengung des intendierten Publikums zeigt sich schon an der radikalen Abnahme der Zahl der Theater in London und der Verkleinerung des Auditoriums (s. o. 2.2.1). Die Tragödie und die Komödie der Restaurationszeit reflektieren diese soziale Einseitigkeit und Einheitlichkeit in je verschiedener Weise – die Tragödie in einer pathetischen Idealisierung konservativ heroischer Verhaltensnormen, die Komödie in einer realistisch verbrämten Idealisierung "moderner" hedonistischer Normen der Eleganz, des zynischen Witzes und des verfeinerten Lebensgenusses. Das Spannungsverhältnis von Komödie und Tragödie spiegelt die ideologischen Spannungen innerhalb des intendierten Publikums wider; davon abweichende gesellschaftliche Perspektiven werden jedoch völlig ausgeblendet oder satirisch abgewertet. Damit entfällt jener spannungsreiche Polyperspektivismus der Dramen Shakespeares und vieler seiner Zeitgenossen, der sie an immer neue, soziologisch veränderte Rezeptionskontexte anschließbar macht.

Für das nicht technisch reproduzierte Drama gilt diese relative soziologische Einheitlichkeit und Einseitigkeit des Publikums erstaunlicherweise auch noch in der modernen demokratischen und pluralistischen Gesellschaft. So konnte eine gut dokumentierte empirische Studie zur soziologischen Struktur des Theaterpublikums in Amerika 1966 zusammenfassend feststellen:

> (. . .) the audience is drawn from an extremely narrow segment of the American population. In the main, it consists of persons who are extraordinarily well educated, whose incomes are very high, who are predominantly in the professions, and who are in their late youth or early middle age. (. . .) Obviously, much still remains to be done before the professional performing arts can truly be said to belong to the people.[53]

Ein sozial breiter gestreutes Publikum finden dramatische Texte in den Medien Film und Fernsehen, da hier einerseits der Zugang nicht durch habitualisierte Sozialschranken erschwert wird und andererseits oft durch einen kommerziell motivierten Verzicht auf formale und ideologische Innovationen – also durch Trivialität der Texte – ein Massenpublikum intendiert wird.[54] Aber auch im Bereich des eigentlichen Theaters haben sich unterschiedliche Funktionstypen entwickelt, die sich – und das gilt wohl für die BRD in stärkerem Maße als für die USA – an soziologisch je unterschiedliche Publikumsschichten wenden. Es liegen dazu zwar keine empirischen Untersuchungen vor, doch läßt sich wohl abschätzen, daß sich die amateurhaften oder professionell-kommerziellen Volks- und Bauerntheater mehr an ein kleinbürgerliches Publikum wenden als die kommerziellen Boulevardtheater der Großstädte, und daß sich die avantgardistischen Keller- und Zimmertheater nicht an den Erwartungen eines konservativen "Bildungsbürgertums" orientieren wie die großen Staatstheater, sondern an eine kleine Gruppe mit politisch progressivem und intellektuell elitärem Selbstverständnis appellieren. Auch hier liegt die jeweilige Interdependenz der Struktur des intendierten Publikums und der Struktur der dramatischen Texte auf der Hand, harrt jedoch noch einer eingehenden literatursoziologischen Analyse.

2.4.6 Inhaltssoziologie

Die thematischen Bezüge des Textes, die referentielle Darstellungsdimension des Superzeichens Text, ist der Aspekt, unter dem literatursoziologische Forschung überhaupt erst einsetzte. Die Beschränktheit der klassischen Frage der Inhaltssoziologie nach der Darstellung der Gesellschaft in literarischen Texten zeigt sich jedoch schon darin, daß sie primär in bezug auf Werke gestellt wurde, in denen Gesellschaftliches unmittelbar thematisiert wird – etwa in der Ständesatire, im Gesellschaftsroman oder im sozialkritischen Drama. Zudem zeigt sich dabei eine Tendenz, den literarischen Text auf seine Darstellungsdimension zu verkürzen, ihn einseitig als sozialgeschichtliches Dokument aufzufassen und dabei von den spezifisch literarischen Umsetzverfahren von Realität in Fiktion zu abstrahieren.

Eine dem Objekt angemessene Inhaltssoziologie darf sich also im Bereich des Dramas weder auf die sozialen Inhalte des Textes noch auf die soziale Realität außerhalb dieses Textes in isolierender Einseitigkeit beziehen, sondern muß gerade die Relation dieser beiden Größen zum Gegenstand machen. Eine zentrale Frage ist dabei, wie selektiv das fiktionale Weltmodell, das der dramatische Text erstellt, gegenüber der sozialen Realität ist und in welcher Weise diese je spezifische Selektivität gesellschaftlich bedingt ist. So konnte Erich Auerbach in einer Studie zur "dargestellten Wirklichkeit" für das französische Drama des 17. Jahrhunderts[55] zeigen, daß sogar in der Komödie Molières, die nicht davor zurückscheut, Personen der gebildeten Gesellschaft etwa im Typ des *marquis ridicule* grotesk-farcenhaft zu karikieren, das "gemeine Volk" abseits von *la cour et la ville* nur als *personnages ridicules* erscheint, von einer wirklichen Darstellung des Lebens der statistisch größten sozialen Schicht also keine Rede sein kann. Die hierarchische Struktur der gegebenen Feudalgesellschaft wird fraglos als allgemeingültig vorausgesetzt, und dem gesellschaftlichen Ideal des allgemein gebildeten *honnête homme* gegenüber wird jede berufsständische Spezialisierung – Bauerntum, Kaufleute, Ärzte usw. – ausgeblendet oder satirisch abgewertet. Noch selektiver verfährt die zeitgenössische hohe Tragödie eines Racine, in der vom Volk allenfalls in allgemeinen Wendungen die Rede ist, und alltäglich-praktische Vorgänge, ökonomische und erwerbsbezogene Motive und menschliche Kreatürlichkeit überhaupt nicht in Erscheinung treten. Diese Abstraktion ins Ideale und Exemplarische spiegelt die Überhöhung der fürstlichen Gestalten im Absolutismus Ludwigs XIV., an dessen führende Gesellschaftsschichten sich das klassische französische Drama wandte.

Die empirische Sozialforschung stellt in der *content analysis*, der Inhalts- oder Aussagenanalyse,[56] eine Methode zur "objektiven, systematischen und quantitativen Beschreibung des manifesten Inhalts von Kommunikation" (B. Berelson) bereit, die auch für eine inhaltssoziologische Analyse dramatischer Texte fruchtbar gemacht werden kann. Dies geschah bislang allerdings nur im Bereich des trivialen Dramas,[57] da sich in der Erforschung "hoher" Literatur quantitative Ansätze gegenüber einem hermeneutisch-interpretativen Verfahren nur zögernd durchzusetzen vermögen. *Content analysis* untersucht ein bestimmtes Textkorpus, ausgehend von präzise formulierten Hypothesen, in Hinblick auf relevante Merkmale, die operational definiert sein müssen, um intersubjektive Verifizierbarkeit zu gewährleisten. Die Beschränkung auf die "manifesten Inhalte" dient ebenfalls dem Streben nach Objektivität; grundsätzlich sind aber auch die "latenten Inhalte" der Inhaltsanalyse zugänglich, sofern es gelingt, sie mit operational definierten Merkmalen zu erfassen.

Mit diesem methodischen Instrumentarium untersuchte z.B. J. S. R. Goodlad die sozialen Inhalte des populären Dramas im Fernsehen und an den Londoner West-End-Theatern von 1955 bis 1965, wobei er Einschaltquoten und Aufführungsstatistiken zum Maßstab der Popularität machte.[58] Er analysiert dieses Korpus dramatischer Texte im Hinblick auf die fünf Dimensionen der dominanten Themen, der Formtypen, der Ziele und Motive der fiktiven Figuren, des sozialen Milieus der Handlung und des Dramenausgangs und entwickelt dafür jeweils operational definierte Klassifikationen. Die statistische Auswertung ergibt, daß, wie zu erwarten, Liebesthematik und Moralitätsthematik – Probleme der Abweichung von den moralischen Normen der Gesellschaft — in der überwältigenden Mehrzahl aller untersuchten Stücke dominant sind, daß ein sozial gehobenes Milieu im Vergleich zur wirklichen Klassenstruktur überrepräsentiert ist, daß die häufigste Motivation der positiven Helden Liebe, und die der negativen Figuren Machthunger und gesellschaftlicher Aufstieg darstellt, und daß die Dramenausgänge ebenfalls in der überwältigenden Mehrzahl sich nach den Regeln des *happy endings* gestalten und die gesellschaftlich sanktionierten moralischen Normen bestätigen. Durch diese Ergebnisse sieht Goodlad die Hypothesen verifiziert, daß das Publikum populäres Drama rezipiert, um seine Erfahrungen von Gesellschaft, vor allem in bezug auf gesellschaftlich akzeptiertes Verhalten, strukturiert und bestätigt zu bekommen (expressive Funktion), und daß dieses Drama in instrumentaler Funktion dazu beiträgt, die moralischen Wertnormen, auf denen die herrschende Sozialstruktur basiert, zu verbreiten und zu definieren.

Ein solches methodisches Vorgehen und vor allem die dadurch gewonnenen Ergebnisse können natürlich nicht unverändert auf dramatische Texte hohen ästhetischen Niveaus übertragen werden. Hier bedarf es einer verstärkten Berücksichtigung qualitativer Aspekte in der Interrelation der verschiedenen Analysedimensionen, um die jeweilige Selektivität gegenüber der sozialen Wirklichkeit intentional und funktional genauer bestimmen zu können;[59] und hier ist mit einem größeren Spielraum der Innovation und Abweichung gegenüber den gesellschaftlich vorgegebenen ästhetischen und ideologischen Normen zu rechnen, dessen jeweilige Amplitude selbst wieder in seiner soziologischen Bedingtheit zu analysieren ist.

2.4.7 Soziologie symbolischer Formen

Unter dem Begriff "Soziologie symbolischer Formen" (P. Bourdieu) wollen wir die noch ausstehenden Dimensionen des Jakobsonschen Modells zusammenfassend behandeln, die auf den Code bezogene metasprachliche Dimension und die auf die Nachricht selbst reflexiv bezogene poetische Dimension.

Ein Code ist schon vom Begriff her etwas Überindividuelles, denn erst die zumindest partielle Übereinstimmung von Sender- und Empfänger-Codes macht Kommunikation überhaupt möglich. So sind die sprachlichen und außersprachlichen Codes sozial mehr oder weniger stark normierte Regelsysteme, in denen sich – wie etwa in gesellschaftlichen Verhaltensnormen, in der Kleidermode oder anderen sozialen Konventionen – die Interessen und Bedürfnisse der jeweiligen Gesellschaft oder Gesellschaftsschicht niederschlagen. Wir wollen uns hier auf die ästhetischen Sekundärcodes beschränken, die die sprachlichen und außersprachlichen Primärcodes überformen und ästhetisch funktionalisieren, obwohl auch der sprachliche Primärcode einer dramensoziologischen Analyse wichtige Anhaltspunkte liefern kann, wenn sie nach der sozialen Schichtenspezifik der Selektion aus Lexikon und Grammatik fragt.

Die Beherrschung der ästhetischen Codes einer Zeit bedeutet schon einmal die Kompetenz, zwischen ästhetischen und nicht-ästhetischen Texten unterscheiden zu können und den spezifischen Wirklichkeitsanspruch ästhetischer Texte, ihre Fiktionalität, zu kennen. Dieser ist ja im Text nicht ausformuliert, sondern ihm als unausgesprochenes soziales Einverständnis zwischen Autor und Rezipienten vorgegeben. Daß diese Kompetenz im England des späten sechzehnten und frühen siebzehnten Jahrhunderts zum Beispiel noch nicht in allen sozialen Schichten vorausgesetzt werden konnte, zeigen nicht nur zeitgenössische Berichte über das Eingreifen von Zuschauern in eine für real genommene dramatische Situation, sondern wird im Verhalten der Handwerker in Shakespeares *A Midsummer Night's Dream* ihrem eigenen Theaterstück gegenüber (V,i) und in den naiven Interventionen eines fiktiven Handwerkerpublikums in das romaneske Geschehen von Beaumont und Fletchers *The Knight of the Burning Pestle* explizit thematisiert. Als dazu konträres Phänomen finden sich innerhalb des modernen Theaters – im Bereich des Happenings, aber auch des Dokumentartheaters – Tendenzen, das sozial vorgegebene Einverständnis über den kategorialen Unterschied von realen und fiktionalen dramatischen Situationen vom Produzenten her aufzuheben und durch diese Enttäuschung der Rezipientenerwartung Fiktionalität als konventionelles Codierungsverfahren bewußt zu machen und zu kritisieren.[60]

Ein wichtiger Teil der ästhetischen Codes sind die tradierten Form- und Gattungsmuster. Als überindividuelle "Institutionen" stellen sie jeweils "eine Summe der vorhandenen ästhetischen Mittel dar, die dem Dichter zur Verfügung stehen und dem Leser bereits verständlich sind".[61] Sie strukturieren bereits die Selektionsmechanismen der Fiktionalität und sind in dieser Eigenschaft durch gesellschaftliche Interessen und Bedürfnisse bedingt. Dies hat zum Beispiel der Dramatiker Friedrich Dürrenmatt in bezug auf Tragödie und Komödie hervorgehoben:

> Die Tragödie und die Komödie sind Formbegriffe, dramaturgische Verhaltensweisen, fingierte Figuren der Ästhetik, die Gleiches zu umschreiben vermögen. Nur die Bedingungen sind anders, unter denen sie entstehen, und diese Bedingungen liegen nur zum kleineren Teil in der Kunst.
> Die Tragödie setzt Schuld, Not, Maß, Übersicht, Verantwortung voraus. In der Wurstelei unseres Jahrhunderts, in diesem Kehraus der weißen Rasse, gibt es keine Schuldigen und auch keine Verantwortlichen mehr. (. . .) Uns kommt nur noch die Komödie bei.[62]

Dürrenmatt denkt hier wohl an die Tragödie der französischen und deutschen Klassik: ihre gesellschaftlichen Prämissen sind der Glaube an das autonom handelnde und rational bewußte Individuum und ein verbindliches und in sich geschlossenes philosophisches System. Diese Prämissen sind für das moderne Drama seit dem neunzehnten Jahrhundert nicht mehr gegeben: das Individuum erscheint nun als determiniert durch biologische, tiefenpsychologische und soziale Zwänge und Einflüsse, und das verbindliche Weltbild ist einem Perspektivismus rivalisierender gesellschaftlicher Standpunkte gewichen. Damit verändert sich auch – zum Beispiel bei Büchner und im Drama des Naturalismus – die Struktur der Gattung Tragödie als Teil des ästhetischen Codes, und sie wird aus ihrer zentralen Position im System dramatischer Gattungen von der Komödie, der modernen Tragikomödie, dem Problemstück, dem absurden Theater und anderen Neuentwicklungen verdrängt.[63] Ein wichtiger formaler Aspekt des Strukturwandels der Gattung Tragödie ist dabei die Ablösung der tektonisch-geschlossenen Form durch atektonisch-offene Formen (s. u. 6.4.3), wobei diese Entwicklung im Bereich der Tragödie als Paradigma für eine allgemeine Affinität zwischen hierarchisch streng geordneten Gesellschaftsstrukturen und formaler Geschlossenheit und Normiertheit im ästhetischen Bereich gelten kann.[64]

Mit den hier skizzierten Frageansätzen ist noch kein vollständiges Beschreibungsrepertoire zur Pragmatik dramatischer Texte erstellt; unsere Intention im Rahmen dieser Einführung zielt jedoch von vornherein nicht auf Vollständigkeit ab. Absicht dieser Skizze ist vielmehr eine systematische Ordnung der Frageansätze, die die einzelnen kommunikativen Dimensionen in ihrer strukturellen Interdependenz deutlich macht.

2.5 Dramatischer Text und Publikum

2.5.1 Kollektive Rezeption und Informationsvergabe

Im vorausgehenden Abschnitt haben wir uns für das Publikum allein in Hinblick auf seine soziologische Struktur interessiert und dabei verschiedene historische Strukturtypen herausgestellt. Die Kollektivität der Rezeption dramatischer Texte an sich ist jedoch soziologisch und historisch eine Invariante, wenn man von pathologischen Ausnahmen – Beispiel: Ludwig II. von Bayern[65] – absieht. Und diese kommunikative Eigenschaft dramatischer Texte, ihre Intendiertheit für kollektive Rezeption, bedingt ihre interne Struktur wesentlich mit. Dies hat schon A. W. Schlegel in seinen *Vorlesungen über dramatische Kunst und Literatur* betont, wenn er das Theatralische dramatischer Texte in ihrer Aufgabe sieht, "auf eine versammelte Menge zu wirken, ihre Aufmerksamkeit zu spannen, ihre Teilnahme zu erregen" und von dieser Aufgabe her von einem dramatischen Text die Eigenschaften einer Volksrede – "Klarheit, Raschheit und Nachdruck" – verlangt.[66] Auch in Frankreich wurde im neunzehnten Jahrhundert von Francisque Sarcey diese rezeptionsästhetische Perspektive hervorgehoben: er erklärt das Publikum zum Gegenstand des ersten und wichtigsten Kapitels jeder dramaturgischen Abhandlung und definiert pointiert die Kunst des Dramas als die Kunst, ein Publikum im Theater zu halten.[67] In dramentheoretischen Arbeiten des zwanzigsten Jahrhunderts bleibt jedoch die Kollektivität der Rezeption und ihr Einfluß auf die Struktur dramatischer Texte weitgehend unberücksichtigt.[68]

Die kollektive Rezeption dramatischer Texte hat zur Folge, daß der einzelne Rezipient das Tempo des Rezeptionsprozesses nicht individuell variieren, ihn nicht beliebig unterbrechen und bei Verständnisschwierigkeiten partiell wiederholen kann, während ein Romanleser etwa sein Lektüretempo frei bestimmt, seinen Text jederzeit aus der Hand legen, neu wiederaufnehmen und darin nach Bedarf zurückblättern kann. Diese Eingebundenheit der individuellen in die kollektive Rezeption bedingt schon den quantitativen Umfang dramatischer Texte: während sich für narrative Texte in bezug auf den Umfang keine untere und obere Grenze angeben läßt, sie von einer Anekdote weniger Zeilen bis zum vieltausendseitigen Barockroman variieren, zeigt der Umfang dramatischer Texte eine relativ geringe Variationsbreite. Eine obere Grenze ist allein schon durch die physiologischen Voraussetzungen und Bedürfnisse des Publikums gegeben, so daß ein längerer als etwa fünfstündiger Text nur durch entsprechend lange Pausen zur physischen und psychischen Rekreation möglich ist; eine untere Grenze ist durch eine angemessene Relation zwischen persönlichem und organisatorischem Aufwand und der Textquantität gegeben. Samuel Becketts *Breath*, das nur drei Minuten dauert und doch als eigenständige Veranstaltung dargeboten wird, durchbricht auch diese Norm der unteren Grenze und macht sie gerade dadurch in ihrer normativen Geltung kritisch bewußt.

Die irreversible Linearität des Textablaufs im plurimedialen dramatischen Text, die sich aus der kollektiven Rezeption ergibt, macht die Transparenz der Informationsvergabe zu einem wichtigen dramaturgischen Problem. Sowohl auf der mikrostrukturellen Ebene der sprachlich-stilistischen Textur als auch auf der makrostrukturellen Ebene der

Figurenkonzeption, der Figurenkonstellationen und der Handlungsabläufe darf ein bestimmter Grad der Komplexität nicht überschritten werden, soll das Zustandekommen der öffentlichen Kommunikation nicht in Frage gestellt werden.[69] Dieser Komplexitätsgrad ist natürlich historisch variabel und hängt vom Bildungsstand des Publikums und den jeweiligen Rezeptionskonventionen, dem Rezeptionshabitus, ab. In einem Theater wie dem der englischen Restaurationszeit etwa, in dem der Theaterbesuch eine ausgeprägt gesellige Funktion hatte und die Rezeption des dramatischen Textes von geselligen Kontakten unterbrochen und begleitet wurde, ist dieser Komplexitätsgrad natürlich geringer als im modernen "Bildungstheater", wo aufgrund der hohen gesellschaftlichen Einschätzung des Werts von Kunst mit einer konzentrierteren Aufmerksamkeit des Publikums gerechnet werden kann. Jenseits dieser historischen und soziologischen Variabilität zeigt sich jedoch die prinzipielle Eingeschränktheit des Komplexitätsgrades in der relativ überzeitlichen Konstanz von Strategien der Informationsminderung bzw. -verdeutlichung in dramatischen Texten: Konzentration auf die zentralen Bedingungen und Situationen,[70] Transparenz der Makrostruktur, Redundanzbildung durch mehrfache Codierung derselben Information über sprachliche *und* außersprachliche Codes und durch repetitive Informationsvergabe über Vor- und Rückgriffe.[71]

2.5.2 Sozialpsychologie kollektiver Rezeption

Die bisher angeführten Aspekte lassen die Kollektivität der Rezeption allein als negativ einschränkende Bedingungen dramatischer Texte erscheinen. Dem steht jedoch die Erfahrung entgegen, daß durch die Kollektivität die Intensität der Rezeption verstärkt wird: eine komische Szene zum Beispiel wird uns bei individueller Lektüre des schriftlich fixierten Textsubstrats weniger zum Lachen reizen als bei kollektiver Rezeption im Theater. Könnte hier dieser Intensitätsunterschied noch allein auf den Unterschied zwischen rein sprachlichem und plurimedialem Text zurückgeführt werden, so bleibt dann doch noch das Phänomen zu erklären, daß dieselbe Szene bei stark unterbesetztem Zuschauerraum weniger intensiv als komisch rezipiert wird als bei voll besetztem Haus.[72] Es laufen also offentsichtlich bei kollektiver Rezeption sozialpsychologisch-gruppendynamische Prozesse ab, in denen sich die individuellen Reaktionen wechselseitig verstärken und dabei einander anpassen, also zu einer relativ homogenen Gruppenreaktion führen. Diese Prozesse sind freilich sozialpsychologisch noch kaum erforscht: ein älterer, von der Massenpsychologie Le Bons herkommender Ansatz leidet unter einer wissenschaftlich überholten und ideologisch fragwürdigen wertenden Antinomie von Rationalität des Individuums und irrationaler Emotionalität der Masse;[73] neuere experimentalpsychologische Ansätze – zum Beispiel mit dem *Meier Audience Response Recorder* – sind methodisch noch nicht genug ausgereift, als daß ihre Ergebnisse fraglos akzeptiert werden könnten.[74] Auch dieser Prozeß der wechselseitigen Verstärkung und Homogenisierung der Rezipientenreaktion ist natürlich historisch und typologisch variabel und dürfte bei Dramen mit identifikatorischer Wirkungsintention weiter vorangetrieben sein als bei den anti-identifikatorischen Texten eines Brecht, die den Zuschauer in kritischer Distanz zu den Figuren, Situationen und Problemen zu halten versuchen und an ihn als Individuum appellieren.

2.5.3 Feedback Publikum – Bühne

In Schauspielermemoiren wird diese Homogenisierung der Publikumsreaktion oft intuitiv als Erfahrung der rhythmischen Synchronisierung des Schauspielers mit dem Publikum beschrieben. Dabei wird auch häufig darauf verwiesen, daß die Reaktion des Publikums auf die Produktion zurückwirkt, den Schauspieler "trägt", seine Leistung steigert und ihn zu spontanen Improvisationen anregt, oder, im negativen Fall, ihn verunsichert und hemmt.[75] Dieser *feedback*-Effekt erklärt auch, daß selbst eine sorgfältig einstudierte Inszenierung bei jeder Aufführung aufgrund des je verschiedenen Publikums etwas anders ausfallen wird, also jede einzelne Aufführung in gewissem Sinn einmalig und unwiederholbar ist – im Gegensatz zu den technisch reproduzierbaren dramatischen Texten des Films, Fernsehspiels oder Hörspiels. Die Gleichzeitigkeit der Textproduktion – oder genauer, der Produktion bestimmter Textschichten – mit der Rezeption macht Kommunikation über dramatische Texte zumindest ansatzweise zu einer Zweiweg-Kommunikation in einem "Rückkoppelungskreis",[76] während eine literarische Kommunikation über schriftlich fixierte Texte im Normalfall eine Einweg-Kommunikation darstellt. Trotz dieses Rückkoppelungseffekts handelt es sich hier natürlich nicht einmal potentiell um eine symmetrische Zweiweg-Kommunikation mit reversiblen Sender- und Empfänger-Relationen wie im Idealfall einer *face-to-face communication,* da ja eine institutionalisierte Asymmetrie vorliegt. Diese Asymmetrie ist freilich historisch und typologisch wieder sehr variabel: spielte zum Beispiel in der *commedia dell'arte* mit ihrer Improvisationsfreiheit die Reaktion des Publikums eine große Rolle für die Textproduktion und versucht man auch in manchen modernen Theaterexperimenten wieder zu einem spontaneren Eingehen auf Publikumsreaktionen zu kommen, so hat der *feedback*-Effekt im Bildungstheater der Gegenwart nur eine höchst beschränkte Bedeutung, da einerseits das Publikum wenig spontan und extravertiert reagiert und andererseits durch den hohen professionellen Standard der Schauspieler und die Sorgfalt der Inszenierung der dramatische Text in allen seinen Schichten weitgehend fixiert und damit reproduzierbar ist.[77]

Auch mit den vorausgehenden Erwägungen zu den wahrnehmungs- und gedächtnispsychologischen Voraussetzungen der Rezeption, den sozialpsychologischen Prozessen im Publikum und der Interaktion zwischen Publikum und Schauspieler haben wir uns noch auf die Position E4 im Analysebereich des äußeren Kommunikationssystems bezogen, also auf die vom Autor intendierten Rezipienten und darüber hinaus auf die Gesamtheit der empirischen Rezipienten eines dramatischen Texts. Im folgenden werden wir uns jedoch auf die Verhältnisse im textinternen Bereich konzentrieren und müssen daher von den historischen, soziologischen und psychologischen Varianten und Invarianten der textexternen Rezipienten abstrahieren und von dem im Text implizierten Rezipienten E3 als idealisiertem Aufnahmesubjekt her argumentieren.[78] Diese Position stellt das heuristische Konstrukt des idealen Rezipienten dar, der als ideale Decodierungsinstanz alle im Text verwendeten Codes mit uneingeschränkter Kompetenz beherrscht und dessen Decodierung ausschließlich durch den Text gesteuert und nicht durch abweichende ideologische, soziologische oder psychologische Dispositionen gestört oder verzerrt wird. Und ebenso werden wir uns auf der Senderseite auf die entsprechende Position S3 des im Text implizierten Autors als Aussagesubjekt des Werkganzen beziehen, bei dem es sich wieder um ein heuristisches Konstrukt handelt.

3. INFORMATIONSVERGABE

3.1 Methodische Vorüberlegung

3.1.1 Mathematischer Informationsbegriff

Kommunikation und Information werden im umgangssprachlichen Wortgebrauch oft als gegeneinander austauschbare Synonyme gebraucht: wir wollen die beiden Begriffe jedoch im Sinn der Kommunikationstheorie differenzieren und in einen funktionalen Zusammenhang bringen: "Kommunikation ist die Übermittlung einer Information. Information ist die Neuigkeit einer Nachricht. Eine Nachricht ist eine Anordnung von Zeichen".[1] Wir schließen uns der Definition von Information als dem im Kommunikationsprozeß Übermittelten an, müssen es uns jedoch versagen, den in der Informations- und Wahrscheinlichkeitstheorie entwickelten abstrakten Informationsbegriff zu übernehmen, der die Information einer Nachricht zu einer mathematisch quantifizierbaren Größe macht, zur "Minimalzahl der zur Codierung ihrer [der Nachricht] Zeichen erforderlichen Dualschritte",[2] da dies einen den Rahmen unserer Darstellung sprengenden Formalisierungsaufwand involvieren würde.[3] Im übrigen ist beim gegenwärtigen Forschungsstand der Versuch einer mehr als modellhaften Anwendung des mathematischen Informationsbegriffs auf Superzeichen von der Komplexität eines dramatischen Texts wenig aussichtsreich.

3.1.2 Information im äußeren und inneren Kommunikationssystem

Eine weitere Schwierigkeit bei der Analyse der Informationsvergabe in dramatischen Texten ergibt sich aus der bereits beschriebenen Einbettung des inneren Kommunikationssystems in ein äußeres. Ein und dasselbe sprachliche oder außersprachliche Signal hat im Normalfall im äußeren und inneren Kommunikationssystem unterschiedlichen Informationswert. So ist zum Beispiel ein bestimmtes Interieur für die darin agierenden Figuren meist von geringem Informationswert, da ein Teil ihrer vertrauten und nur noch automatisiert wahrgenommenen Umgebung, während es dem Zuschauer wichtige Informationen über den Charakter der hier wohnenden Figuren geben kann (s.u. 5.4.2.3 zur charakterisierenden Funktion des Schauplatzes). Und so gibt es im Bereich der sprachlichen

Kommunikation Repliken, die für den fiktiven Hörer auf der Bühne kaum Neuigkeitswert haben, dem Zuschauer jedoch wichtige Zusammenhänge deutlich machen. Solche Repliken treten besonders häufig im Bereich der Exposition auf, in der dem Zuschauer im äußeren Kommunikationssystem Informationen über die Vorgeschichte übermittelt werden müssen, die den fiktiven Figuren bereits geläufig sind. Ein Beispiel dafür ist etwa Prosperos Bericht über Ariels Vorleben in Shakespeares *The Tempest* (I, ii, 250–293), der keinerlei Informationen enthält, die seinem Gegenüber im inneren Kommunikationssystem, Ariel, nicht schon bekannt wären, während sie für den Zuschauer neu und wichtig sind. Bei solchen Dialogen ist meist der Versuch des Dramatikers zu beobachten, eine solche psychologisch unglaubwürdige Gesprächssituation im inneren Kommunikationssystem zu plausibilisieren, um nach dem Prinzip des *celare artem* die rezipientenbezogene Informationsabsicht zu verschleiern (s. u. 3.7.2). So wird bei unserem Beispiel Prosperos fiktionsintern eigentlich redundanter Bericht dadurch motiviert, daß er Ariel das Maß seiner Undankbarkeit bewußtmachen soll. — Selbstverständlich gibt es auch den umgekehrten Fall, daß eine Replik im äußeren Kommunikationssystem redundant ist, aber für eine der fiktiven Figuren auf der Bühne von hohem Informationswert ist. In solchen Fällen wird die Aufmerksamkeit des bereits informierten Zuschauers freigesetzt und auf die Reaktion der noch uninformierten Figur(en) und die Form und Perspektivierung der Information durch den Mitteilenden gelenkt. Als Beispiel dafür sei auf Macbeths Brief an seine Frau verwiesen, durch den sie von der Hexen-Begegnung erfährt (I, v, 1–11), die bereits in I, iii dem Zuschauer unmittelbar dramatisch präsentiert wurde.

Die paradigmatisch angeführten Extremfälle illustrieren die grundsätzlich immer gegebene, wenn auch nicht immer so radikal realisierte Divergenz des Informationswerts einer Nachricht im inneren und äußeren Kommunikationssystem eines dramatischen Textes. Eine Analyse des dramatischen Textes vom Gesichtspunkt der Informationsvergabe her hat dies ständig zu berücksichtigen.

3.2 Vorinformation und Erwartungshorizont des Zuschauers

3.2.1 Gattungserwartung und Titel als Vorinformation

Dies zeigt sich schon daran, daß der Rezipient eines dramatischen Textes aufgrund seiner gesellschaftlich vermittelten Kenntnisse und Erfahrungen und aufgrund seiner Vertrautheit mit den Konventionen dramatischer

Texte Informationen an diesen heranträgt, die den fiktiven Figuren nicht zugänglich sind. Auf dem allgemeinsten Niveau, da historisch am wenigsten variabel, ist dies die Divergenz zwischen dem Wissen der Zuschauer um die Fiktionalität des dramatisch Präsentierten einerseits und dem "Realitätsbewußtsein" der fiktiven Figuren andererseits. Diese latent immer vorhandene Divergenz kann dadurch aktualisiert werden, daß die fiktiven Figuren ihre Realität im Bild des Theaters als scheinhaft thematisieren.[4]

Ergibt sich hier die Divergenz aus dem allgemeinsten Kriterium ästhetischer Texte überhaupt, der Fiktionalität (wobei zu bedenken ist, daß Fiktionalität in sich historisch variabel ist: die Fiktionalität einer griechischen Tragödie ist eine andere als die eines mittelalterlichen geistlichen Spiels und wieder eine andere als die eines Dramas von Brecht), so ergeben sich pointiertere Divergenzen aus spezifischen Gattungserwartungen des Zuschauers. Ein einfaches Beispiel soll dies veranschaulichen. Es ist Teil des Erwartungshorizonts eines theaterkundigen elisabethanischen Zuschauers, daß eine Komödie *per definitionem* zumindest für die positiven Figuren einen glücklichen Ausgang, ein *happy ending*, bringt. Der zeitgenössische Rezipient von Shakespeares *The Comedy of Errors* weiß also bereits im ersten Akt, daß Aegeon der drohenden Todesstrafe entgehen und seine Gattin Emilia und die Zwillingssöhne wiederfinden wird. Die Konventionen der Gattung garantieren diese untragische Lösung und erlauben es daher dem Zuschauer, die oft bedrohlichen Verwirrungen mit jener Distanz zu verfolgen, die Voraussetzung für die komische Wirkung ist,[5] während den fiktiven Figuren das Bewußtsein, in einem komischen Spiel zu agieren, und das Wissen um die Gattungskonventionen einer Komödie fehlen, sie also den bestürzenden Ereignissen mit vollem existentiellem Ernst begegnen.

Dies ist nur ein besonders deutliches Beispiel dafür, wie die Vorinformation des Zuschauers in bezug auf Gattungskonventionen die Informationsabläufe im äußeren Kommunikationssystem beeinflußt; weitere Beispiele ließen sich beliebig anführen. So bietet auch der Titel eines Dramas,[6] gemäß der rhetorischen Konvention, daß ein Titel auf ein zentrales Moment des folgenden Textes verweist, wichtige Vorinformationen, die die Rezeption bestimmen – sei es, daß er, wie in der *Oresteia*, im *Hamlet* oder in der *Mutter Courage*, auf die zentrale Figur hinweist oder diese, wie in Molières *L'Avare* oder Ben Jonsons *Volpone*, bereits einem moralischen Vor-Urteil unterwirft, sei es, daß er, wie in Shakespeares *Twelfth Night*, die Atmosphäre des Spiels vorwegnimmt oder, wie in *The Taming of the Shrew*, *Der zerbrochene Krug* oder *Waiting for Godot*, das zentrale Handlungsmoment andeutet, oder, wie in Calderons *La vida es sueño* und Marivaux' *Le jeu de l'amour et du hasard* Bewertungsschemata für das Geschehen vorschlägt.

Hier, wie auch im Fall der Gattungserwartung, kann freilich die Vorinformation eine strategische Fehlinformation sein, wenn der Autor die Konvention und die damit verbundenen Erwartungen nur anzitiert, um sie innovativ zu durchbrechen. Die Enttäuschung der Erwartung wirkt aufmerksamkeitssteigernd, erhöht den Informationswert der abweichenden Elemente und kann im Kontrast zwischen Erwartetem und Realisiertem Ironie erzeugen. In diesem Sinne wird zum Beispiel häufig im Bereich des modernen absurden Dramas mit den Gattungserwartungen in bezug auf "Komödie" und „Farce" gespielt, und in diesem Sinne schlägt in Shakespeares *Measure for Measure* der Titel ein alttestamentarisches Bewertungsschema vor, das durch das Stück selbst nicht eingelöst, sondern gerade entkräftet und transzendiert wird. Die Vorinformation, die sich aus der Gattungserwartung und aus dem Titel ergibt, ist also keineswegs verbindlich; aber auch dort, wo sie durch den Text modifiziert oder dementiert wird, beeinflußt sie als Kontrastfolie die Informationsabläufe in der Rezeption des Textes.

3.2.2 Thematische Vorinformation

Ist die Gattungserwartung eine primär formbezogene Vorinformation, so ist die Vorinformation durch den Titel, wenn er nicht gleichzeitig eine Gattungsangabe einschließt, wie etwa in der *Comedy of Errors*, primär thematisch. Solche thematische Vorinformation ergibt sich auch aus dem häufigen Rückbezug dramatischer Texte auf mythische oder historische Ereignisse, die beim intendierten Publikum als bekannt vorausgesetzt werden.[7] Die Häufigkeit dieses Rückbezugs gerade bei dramatischen Texten ist selbst wohl medial bedingt: einerseits ist sie Folge der besonderen Affinität des Dramas als kollektiv produzierter und rezipierter Kunstform zu kollektiver Sinnkonstitution, andererseits kommt der Rekurs auf kollektives Vorwissen der Notwendigkeit zu ökonomischer Informationsvergabe in dramatischen Texten (s. o. 2.5.1) unmittelbar entgegen, indem er die Exposition der Vorgeschichte entlastet. Dennoch läßt sich zum Beispiel in der griechischen Tragödie, sowohl bei Aischylos und Sophokles als auch bei Euripides, beobachten, daß die Vorgeschichte, trotz dieser Vorinformiertheit des Publikums, immer in zwar mehr oder weniger eingängiger, aber doch für das Verständnis des Folgenden in hinreichender Weise rekapituliert wird. Für diese Informationsredundanz wurden von der Forschung mehrere Gründe angegeben:

> 1. Die Zuschauer kennen den Mythos nicht so genau, daß sich eine Repetition erübrigte. 2. Der Mythos wird für das Theater in manchen Zügen verändert und ist in einigen Dramen – zumindest in der Gesamtkomposition – neu. (. . .) 3. Der Aufbau eines Dramas verlangt aus sich heraus nach der Darstellung einer *ganzen* Handlung, da zur werkimmanenten Spannung nicht nur die Richtung auf das Kommende, sondern ebenso die Voraussetzung des Vergangenen gehört.[8]

Für eine Diskussion dieser drei Erklärungshypothesen ist hier nicht der Ort; sie erübrigt sich auch, da das Problem der thematischen Vorinformiertheit des Zuschauers nicht in so isolierter Weise allein in bezug auf die Exposition gesehen werden kann. Denn das aus Mythos oder Geschichte gespeiste Vorwissen der Zuschauer umgreift ja nicht nur die Vorgeschichte, sondern den Handlungszusammenhang in seiner Totalität: der Zuschauer ist nicht nur über die Vorgeschichte informiert, sondern auch über die weiteren Entwicklungen. Um es am Beispiel zu konkretisieren: das intendierte Publikum von Aischylos' *Choephoren*, dem zweiten Stück der *Oresteia*-Trilogie, weiß schon beim ersten Auftritt des Orest, daß es zwischen ihm und Elektra zu einer Erkennungsszene kommen wird, daß die beiden gemeinsam den Racheplan gegen Klytaimestra und Aigisthos schmieden werden und daß Orestes schließlich das ehebrecherische Paar erschlagen wird. Die Informationen, die durch das Stück gegeben werden, sind daher bis zu einem gewissen Grad dieser Vorinformation gegenüber redundant. Diese Redundanz hat jedoch eine doppelte Funktion: sie erzeugt durch die Diskrepanz zwischen dem Nichtwissen der fiktiven Figuren und der Vorinformiertheit der Rezipienten (dramatische Ironie (s. u. 3.4.2), und, noch wichtiger, sie setzt die Aufmerksamkeit des Zuschauers frei für die im Stück realisierte individuelle Variante und Deutung des vorgegebenen Mythos'.[9] In diesem Bereich gerade ist die im Stück gegebene Information dem Erwartungshorizont des Zuschauers gegenüber nicht redundant, sondern von hohem Innovationswert.

An dem von uns gewählten Beispiel läßt sich noch ein Zweites veranschaulichen: die in diesem Stück dramatisierte Episode der Atridensage wurde im selben Jahrhundert in der *Elektra* des Sophokles und in der *Elektra* des Euripides wiederaufgenommen. Die Rezeption dieser Dramen war also nicht nur von der Vorinformation in bezug auf den Mythos bestimmt, sondern auch von der Kenntnis der vorausgegangenen dramatischen Gestaltung(en). Diese Kenntnis wirkt jeweils als Kontrastfolie für die neue Variante, deren abweichende Momente dadurch hervorgehoben werden und, als überraschend, erhöhten Informationswert gewinnen. So verlegt Sophokles den Fokus der Darstellung von Orest und der mit ihm verbundenen rechtsmetaphysischen Problematik von Tat und Vergeltung auf Elektras Erfahrung der Peripetie von Hoffnungslosigkeit zu Hoffnung durch die Wiedererkennung des totgeglaubten Bruders und verleiht ihr eine neue psychologische Differenziertheit durch kontrastive Gegenüberstellung in Dialogen mit Klytaimestra und der von ihm frei erfundenen Schwester Chrysothemis. Noch stärker verändert schließlich Euripides in seiner *Elektra* den Mythos: Er verlegt den Schauplatz vom mykenischen Königspalast aufs Land, wohin Elektra verbannt wurde, um ihre Rache für den erschlagenen Vater zu verhindern. Durch ihren Gatten Auturgos, von Euripides frei erfunden, läßt der Dramatiker diese stark veränderte Ausgangssituation in einem langen narrativen Prolog exponieren. Die Wiedererkennungsszene wird in mehreren Phasen breit ausgespielt, die Rache an Aigisthos und Klytaimestra zu einer in zwei Strängen geführten Intrigenhandlung erweitert und in einem abschließenden *deus-ex-machina*-Auftritt der Zeussöhne Kastor und Polydeukes, in dem die rechtsmetaphysische Problematik des Geschehens explizit thematisiert wird, der Mythos gegen sich selbst gewendet und "die Unfähigkeit der olympischen Götter, eine sittliche Ordnung unter den Menschen zu etablieren",[10] demonstriert. Dieser Sinn erschließt sich voll jedoch erst vor dem Hintergrund des überlieferten Mythos und der vorausgegangenen Dramatisierungen, deren Kenntnis als Vorinformation vorausgesetzt wird.

Gerade im Bereich dramatischer Texte finden wir häufig – die Gründe wurden bereits genannt – diesen bearbeitenden Rückbezug auf bereits vorliegende Dramatisierungen eines mythischen oder geschichtlichen Stoffes, wie ein Blick in Elisabeth Frenzels *Stoffe der Weltliteratur*[11] oder das Studium der mehrbändigen, komparatistisch angelegten Anthologienreihe *Theater der Jahrhunderte* zeigt.[12] Brecht hat dazu, in engem Zusammenhang mit seiner dramatischen Produktion, in der ja die Adaption vorliegender Dramen eine wichtige Rolle spielte, schon in den zwanziger Jahren eine Theorie der Stücke-Bearbeitung vorgelegt, in der das "Material" als die auf das Vorwissen der Zuschauer bezogene Größe und die "neuen Gesichtspunkte" als der innovative Informationsaspekt erscheinen.[13]

3.3. DIE INTERRELATION DER SPRACHLICHEN UND AUSSERSPRACH-LICHEN INFORMATIONSVERGABE

3.3.1 Matrix möglicher Interrelationen

Im vorausgegangenen Abschnitt über das Verhältnis der Vorinformation des Rezipienten zur Informationsvergabe im dramatischen Text war es nicht notwendig, die Informationsvergabe code- und kanalspezifisch aufzuschlüsseln. Diesem Problem wollen wir uns jetzt zuwenden, uns dabei aber auf das Verhältnis der sprachlichen zur außersprachlichen Informationsvergabe beschränken, also etwa die Frage nach der Relation außersprachlich-akustischer zu außersprachlich-optischer Informationsvergabe ausklammern, da sich die übergreifendere Fragestellung als die produktions- und wirkungsästhetisch relevantere erweist. Vor allem auf die quantitative Variabilität dieser Relation sind wir schon in 2.1.6 kurz eingegangen; nun wollen wir diese Relation stärker vom Aspekt ihrer qualitativ-funktionalen Variabilität her betrachten.[14]

In modellhafter Vereinfachung sind dabei prinzipiell drei Relationsmöglichkeiten denkbar: Identität, Komplementarität und Diskrepanz der über die sprachlichen und außersprachlichen Codes und Kanäle übermittelten Information. Folgende Matrix soll dies verdeutlichen:

	Identität	Komplementarität	Diskrepanz
sprachlich vermittelte Information:	+ a	+ a	+ a
außersprachliche vermittelte Information:	+ a	+ a + b / + b	− a

Dabei soll gelten, daß die Informationen "+ a" und "+ b" einander nicht ausschließen, während die Informationen "+ a" und "− a" zueinander in logischem Widerspruch stehen. Der heuristische Wert dieses Modells zeigt sich schon darin, daß es erlaubt, historische Formtypen nach der jeweils dominanten Relation zu differenzieren. So sind in einer theatertheoretischen Programmatik wie der des Wagnerschen "Gesamtkunstwerk" die Relationen der Identiät und Komplementarität dominant, in der entgegengesetzten Modellvorstellung der Brechtschen "Trennung der Elemente" die Relationen der Komplementarität und der Diskrepanz.[15]

3.3.2 Identität

Die Relation der Identität macht es möglich, daß in der Mehrzahl der vorliegenden dramatischen Texte die Kenntnis des Haupttexts allein ein hinreichendes Verständnis sichert. Je mehr diese Relation dominiert, desto redundanter ist die außersprachlich vermittelte Information gegenüber dem sprachlichen Haupttext; die bereits sprachlich vermittelte Information wird nur zusätzlich in das Medium mimisch-gestischen Spiels und konkreter Gegenständlichkeit der Bühne "übersetzt". Diese Relation der Identität liegt immer dann vor, wenn sich implizite Inszenierungsanweisungen im Haupttext finden (s. o. 2.1.4). Selten nur läßt sich freilich die Relation der Identität, diese redundante Verdoppelung der sprachlich vermittelten Information durch Übersetzung in die außersprachlichen Codes, in so idealtypischer Dominanz beobachten wie in der folgenden Textpassage aus Samuel Becketts *Happy Days:*

> WINNIE *(Pause. She takes up mirror):* I take up this little glass, I shiver it on a stone – *(does so)* – I throw it away *(does so far behind her)* (. . .).[16]

Die weitgehende Identität von Haupt- und Nebentext macht hier schon am schriftlich fixierten Textsubstrat die Verdoppelung von sprachlicher und außersprachlicher Informationsvergabe deutlich und läßt den Eindruck entstehen, daß es Beckett hier um die idealtypisch reine Isolation eines einzelnen Vertextungsverfahrens dramatischer Texte geht, die damit das Verfahren als solches bewußt macht und implizit thematisiert. Die starke Dominanz der Relation der Identität ist gleichzeitig jedoch auch vom inneren Kommunikationssystem her motiviert, da sich durch diese Identität von sprachlichem und außersprachlichem, mimisch-gestischem Verhalten Winnie als eine Figur mit pathologischem Zwang zur Versprachlichung des Banalen charakterisiert. So wird die Redundanz hier zur figurenbezogenen Information funktionalisiert.

Daß die Relation der Identität auch in Dramen der realistischen Konvention eine wichtige Rolle spielt, soll der folgende Textabschnitt aus Ibsens *Nora oder Ein Puppenheim* zeigen, die wir hier unter Auslassung der Regieanweisungen zitieren:

> HELMER: (. . .) Nora, was meinst du wohl, was ich hier habe?
> NORA: (. . .) Geld!
> HELMER: Da, bitte. (. . .) Mein Gott, ich weiß ja doch, daß in so einem Haushalt um die Weihnachtszeit allerhand draufgeht.
> NORA: (. . .) Zehn – zwanzig – dreißig – vierzig. Danke, Torvald, danke! Damit komme ich lange aus.

HELMER: Ja, das mußt du aber auch.

NORA: Bestimmt, Torvald. Aber jetzt komm und sieh dir an, was ich gekauft habe. Und alles so billig! Da, ein neuer Anzug für Ivar – und ein Säbel. Hier ein Pferd und eine Trompete für Bob. Und hier eine Puppe und ein Puppenbett für Emmi; es ist freilich sehr einfach, aber bei ihr hält ja sowieso nichts lange. Und da habe ich Kleiderstoff und Tücher für die Mädchen; unsere gute alte Marie sollte eigentlich sehr viel mehr haben.

HELMER: Und was ist da in dem Paket?

NORA: (. . .) Nein, Torvald, nein! Das darfst du erst heute abend sehen.[17]

Ein hoher Prozentsatz der sprachlich vermittelten Information wird gleichzeitig auch außersprachlich realisiert: das fragende Sich-Hinwenden an den Dialogpartner, das Entdecken des Portemonnaies, die Geldüberreichung, das Zählen, das gemeinsame Betrachten der Weihnachtseinkäufe, Helmers Interesse für das Paket und Noras Geste der Abwehr, alles Aktionen, die in der Rede des Haupttexts eindeutig impliziert sind, werden gleichzeitig in mimisch-gestisches Spiel übersetzt, und die zahlreichen Deiktika ("hier", "da", usw.) und die sprachliche Thematisierung der Objekte haben ihr informatives Korrelat in der konkreten Gegenständlichkeit des Bühnenbilds und der Requisiten.

3.3.3 Komplementarität

Doch auch in dieser an impliziten Inszenierungssignalen reichen Textpassage geht das Verhältnis von sprachlicher und außersprachlicher Informationsvergabe nicht in der analytischen Relation der Identität auf, sondern wird ständig informativ angereichert durch die synthetische Relation der Komplementarität (s.o. 2.1.6 zum Gegensatz "analytisch" – "synthetisch"). Denn die außersprachliche Informationsvergabe erschöpft sich ja nicht in der Wiederholung und Übersetzung der bereits explizit oder implizit sprachlich vermittelten Information, sondern ergänzt diese zu einem geschlossenen und konkreten Illusionskontinuum. Die in der sprachlichen Informationsvermittlung abstrakt bleibende Geste des fragenden Sich-Hinwendens wird durch das mimisch-gestische Spiel individualisierend und interpretierend konkretisiert, die genaue räumliche Relation der Dialogpartner wird festgelegt, sie selbst erscheinen eingebettet in den kohärent konkretisierten, sprachlich jedoch nur partiell thematisierten Spielraum des Bühnenbilds; der "neue Anzug für Ivar" wird zu einem in seiner konkreten Anschaulichkeit "vielsagenden" Requisit usw. So hat in dieser Textpassage, die der Konvention realistischer Dramatik folgt, die Relation der Komplementarität eine die Relation der Identität begleitende, die sprachliche Informationsvergabe zum geschlossenen Illusionsmodell von Wirklichkeit ergänzende Funktion. Dies entspricht in unserer Matrix dem Typ: sprachlich " + a", außersprachlich " + a + b".

Stärkere Eigenständigkeit gewinnt die Relation der Komplementarität im Typ: sprachlich " + a", außersprachlich " + b". Diese Relation findet sich vor allem dort, wo der Haupttext nur wenige implizite Inszenierungsanweisungen enthält, wo die sprachliche Informationsvergabe schon rein quantitativ gegenüber dem mimisch-gestischen Spiel an Bedeutung verliert und sich häufig wortloses Sich-Verhalten findet, oder wo sprachliche und außersprachliche Informationsvergabe sukzessive gegeneinander verschoben sind. Als Beispiel für den ersten Fall sei auf die zahlreichen Diskussionsszenen in Shaws Dramen verwiesen, wo sich häufig die spachliche Informationsvermittlung in der expositorischen Darlegung der Dialektik eines ideologischen Problems erschöpft, während durch das Bühnenbild und das mimisch-gestische Spiel – durch ausführliche Inszenierungsanweisungen im Nebentext des schriftlich fixierten Textsubstrats festgehalten – die ideologischen Positionen subjektiviert, emotional nuanciert und auf ein soziales Milieu bezogen werden. So enthält die folgende Dialog-Passage aus *Major Barbara* im Nebentext Inszenierungsanweisungen, die im Haupttext keineswegs impliziert sind, sondern diesen entscheidend relativieren:

> BARBARA: (. . .) We want thousands! tens of thousands! hundreds of thousands! I want to convert people, not to be always begging for the Army in a way I'd die sooner than beg for myself.
>
> UNDERSHAFT: (*in profound irony*) Genuine unselfishness is capable of anything, my dear.
>
> BARBARA: (*unsuspectingly, as she turns away to take the money from the drum and put it in a cash bag she carries*) Yes, isn't it? (*Undershaft looks sardonically at Cusins*).
>
> CUSINS: (*aside to Undershaft*) Mephistopheles! Machiavelli!
>
> BARBARA: (*tears coming into her eyes as she ties the bag and pockets it*) How are we to feed them? I can't talk religion to a man with bodily hunger in his eyes. (*Almost breaking down*) It's frightful.[18]

Der zweite Fall tritt häufig in Dramentexten auf, die durch die Figurenkonzeption reduzierter Individuen bestimmt sind. Sie funktionieren sprachlos unbewußt in sie determinierenden Systemen, und ihre Versprachlichungsversuche bleiben hilflos in Klischees stecken: Als Beispiel ein kurzer Abschnitt aus Georg Kaisers expressionistischem Drama *Von Morgens bis Mitternacht*:

Kleinbankkassenraum. Im Schalter Kassierer und am Pult Gehilfe, schreibend. Im Rohrsessel sitzt der fette Herr, prustet. Jemand geht rechts hinaus. Am Schalter Laufjunge sieht ihm nach.

KASSIERER: *(klopft auf die Schalterplatte)*

LAUFJUNGE: *(legt rasch seinen Zettel auf die wartende Hand)*

KASSIERER: *(schreibt, holt Geld unter dem Schalter hervor, zählt sich auf die Hand – dann auf das Zahlbrett)*

LAUFJUNGE: *(rückt mit dem Zahlbrett auf die Seite und schüttet das Geld in einen Leinenbeutel)*

HERR: *(steht auf)* Dann sind wir Dicken an der Reihe. *(Er holt einen prallen Lederbeutel aus dem Mantelinnern. Dame kommt. Kostbarer Pelz, Geknister von Seide)*

HERR: *(stutzt)*

DAME: *(klinkt mit einigem Bemühen die Barriere auf, lächelt unwillkürlich den Herrn an)* Endlich.

HERR: *(verzieht den Mund)*

KASSIERER: *(klopft ungeduldig)*

DAME: *(fragende Geste gegen den Herrn)*

HERR: *(zurückstehend)* Wir Dicken immer zuletzt.[19]

Auf den Fall der sukzessiven sprachlichen und außersprachlichen Informationsvergabe sind wir schon in 2.1.6 eingegangen. Auch hier ist die Relation der Komplementarität durch ein hohes Maß an Eigenständigkeit gekennzeichnet. Wenn zum Beispiel in den *dumb shows* des elisabethanischen Dramas der Seneca-Nachfolge oder in der deutschen Barocktragödie mit ihren allegorischen Tableaus[20] den Redeszenen eine pantomimisch-allegorische Darstellung ihres ideellen Sinngehalts voraus- oder nachgeschickt wird, dann wird hier nicht, der Relation der Identität entsprechend, die sprachlich vermittelte Information ins außersprachliche Medium übersetzt und in ihm wiederholt, sondern es wird der konkrete Fall, den die Redeszene darstellt, nun zum Exemplum eines generellen Sachverhalts funktionalisiert, den die pantomimische Szene ergänzend in seiner Allgemeinheit allegorisch oder emblematisch darlegt.

3.3.4 Diskrepanz

Finden sich die Relationen der Identität und der Komplementarität, wenn auch in historisch und typologisch variabler Korrelation, in allen dramatischen Texten, so scheint das dominante Auftreten der Relation der Diskrepanz eine neuere Entwicklung zu sein. Wir verstehen unter der Relation der Diskrepanz nicht schon einen dem Rezipienten psychologisch verstehbaren und damit logisch auflösbaren Widerspruch zwischen der Rede einer Figur und ihrem gestisch-mimischen Handeln, wie er etwa bei Situationen der Verstellung auftritt, da sich solche Strukturen ja noch als Extremfälle der Relation der Komplementarität auffassen lassen. Wir verstehen darunter vielmehr eine radikale, logisch nicht auflösbare Diskrepanz zwischen der sprachlich und außersprachlich vermittelten Information. Die Entwicklung dieses Relationstyps muß daher wohl auch im Zusammenhang mit innovativen Tendenzen im Drama der Moderne gesehen werden, historisch verfestigte und daher traditionell für axiomatisch gehaltene Grundprinzipien dramatischer Vertextung – wie zum Beispiel die aristotelische Konzeption des Dramas als Darstellung einer Handlung, die Fiktionalität, die Trennung von äußerem und innerem Kommunikationssystem oder das konventionelle Repertoire der Codes und Kanäle dramatischer Texte – zu durchbrechen und damit in ihrer Konventionalität bewußt zu machen. So stellt auch die Aufhebung der Relationen der Identität und der Komplementarität durch die Relation der Diskrepanz das Durchbrechen eines bisher fundamentalen dramatischen Vertextungsprinzips dar. Als Beispiel verweisen wir auf Samuel Becketts *Waiting for Godot*, wo diese Relation der Diskrepanz dreimal – und davon zweimal in besonders betonter Position am Aktschluß – mit pointierter Deutlichkeit eingesetzt wird:

ESTRAGON: I'm going.
(He does not move.)

ESTRAGON: Well, shall we go?
VLADIMIR: Yes, let's go.
(They do not move.)

VLADIMIR: Well? Shall we go?
ESTRAGON: Yes, let's go.
(They do not move.)[21]

Die Diskrepanz zwischen den in den gesprochenen Repliken implizierten Inszenierungsanweisungen und der außersprachlich vermittelten Information läßt sich hier nicht mehr rein psychologisch durch den Hinweis auf die Unentschlossenheit Estragons und Vladimirs, auf die Unvereinbarkeit ihres Wollens mit ihrem Vermögen, erklären und auflösen, sondern die Relation der Diskrepanz, die hier zwischen der sprachlichen und außersprachlichen Informationsvergabe besteht, ist das formale Korrelat einer ideologischen Position, in der die Möglichkeit intentionalen

Handelns, und damit eine der Prämissen aristotelischer Dramatik, problematisch geworden ist.

Die drei Relationstypen, die wir hier an Beispielen exemplifiziert haben, in denen jeweils ein Typ stark dominierte, treten in dramatischen Texten selbstverständlich nicht isoliert voneinander auf, sondern überlagern einander in variablen Korrelationen. Diese Variabilität gilt sowohl im Vergleich von typologisch oder historisch unterschiedlichen Texten als auch im Ablauf eines einzelnen Textes. Und da es sich hier um die Relationen zwischen sprachlicher und außersprachlicher Informationsvergabe handelt, ist ihre Analyse nicht allein am schriftlich fixierten Textsubstrat zu leisten, sondern nur am inszenierten dramatischen Text. Die Analyse bedarf also des Einbezugs der Inszenierungspraxis, und da diese historischen Veränderungen unterworfen ist, kann sich in der Inszenierungsgeschichte eines Dramas die Korrelation der Relationen verschieben. Eine *tragédie classique*, in der im Kontext der zeitgenössischen Inszenierungspraxis die Relation der Identität dominierte, kann in einer modernen psychologisierenden oder ideologiekritischen Inszenierung zu einem dramatischen Text werden, in der durch starken Einsatz der Relationen der Komplementarität und der Diskrepanz der gesprochene Haupttext problematisiert, in Frage gestellt oder dementiert wird.

3.4 Die Relationen zwischen Figuren- und Zuschauerinformiertheit

3.4.1 Diskrepante Informiertheit

Das Problem der Informationsvergabe ist nicht, wie wir das im letzten Abschnitt getan haben, allein im äußeren Kommunikationssystem zu diskutieren. Auch im inneren Kommunikationssystem werden Informationen vergeben und empfangen und verändert sich der Grad der Informiertheit der einzelnen Figuren ständig. Damit verändert sich auch ständig die Relation zwischen dem Grad der Informiertheit der Figuren einerseits und des Zuschauers andererseits. Friedrich Dürrenmatt wollte gerade in diesem Unterschied zwischen Figureninformiertheit und Zuschauerinformiertheit die entscheidende Differenzqualität des Dramatischen sehen:

Wenn ich zwei Menschen zeige, die zusammen Kaffee trinken und über das Wetter, über die Politik oder über die Mode reden, sie können das noch so geistreich tun, so ist dies noch keine dramatische Situation und noch kein dramatischer Dialog. Es muß etwas hinzukommen, was ihre Rede besonders, dramatisch, doppelbödig macht. Wenn der Zuschauer etwa weiß, daß in der einen Kaffeetasse Gift vorhanden ist, oder gar in beiden, so daß ein Gespräch zweier Giftmischer herauskommt, wird durch diesen Kunstgriff das Kaffeetrinken zu einer dramatischen Situation, aus der heraus, auf deren Boden, sich die Möglichkeit des dramatischen Dialogs ergibt.[22]

Die "Doppelbödigkeit" des dramatischen Dialogs, die Dürrenmatt hier durch sein anschauliches Beispiel erläutert, ist nichts anderes als die Überlagerung von äußerem und innerem Kommunikationssystem, die wir als *eine*, aber nicht als die einzige und hinreichende Differenzqualität dramatischer Kommunikation in 1.2.2 beschrieben haben. Leistet Dürrenmatt so zwar nicht die beabsichtigte Definition des Dramatischen, so weist er doch mit seiner Veranschaulichung der Diskrepanz von Figuren- und Zuschauerinformiertheit auf einen wichtigen Aspekt der Informationsvergabe in dramatischen Texten hin.

In der englischsprachigen Literaturwissenschaft hat sich dafür in jüngster Zeit der Begriff der *discrepant awareness* eingebürgert. Er wurde von Bertrand Evans geprägt, der Shakespeares Komödien nach ihren "arrangements of discrepant awarenesses" untersuchte, nach des

dramatist's means and ends in the creation, maintenance, and exploitation of differences in the awarenesses of participants and of differences between participants' awarenesses and ours as audience.[23]

Der Begriff der *discrepant awareness* – wir werden ihn mit "diskrepante Informiertheit" übersetzen[24] – bezieht sich also auf zwei Relationen: einerseits auf die Unterschiede im Grad der Informiertheit zwischen den dramatischen Figuren und andererseits auf die entsprechenden Unterschiede zwischen diesen und dem Publikum. Der erste Aspekt ist also ausschließlich auf das innere Kommunikationssystem bezogen, während der zweite sich auf die Relation zwischen innerem und äußerem Kommunikationssystem bezieht. Zu präzisieren ist auch der Begriff der *awareness,* der Informiertheit, sowohl hinsichtlich der dramatischen Figuren als auch des Publikums. Die Figuren bringen aus der Vorgeschichte bereits ein Vorwissen mit ins Spiel, das sie im Verlaufe der Handlung artikulieren. Nur dieses artikulierte Vorwissen ist relevant; Spekulationen über darüber hinausgehendes Vorwissen verkennen den Status fiktiver Figuren. Zu dieser Vorinformation kommen dann im Verlaufe des Textes jene Informationen, die sie im Gespräch oder durch die Beobachtung ihrer Umwelt aufnehmen. Es läßt sich so in jeder Situation des Textablaufs für jede dramatische Figur die Summe der Informationen angeben, von der aus als faktischer Basis sie die jeweilige Situation beurteilt. Durch diskrepante Informiertheit wird also ein und dieselbe Situation von den beteiligten Figuren unterschiedlich beurteilt. Um es an Dürrenmatts Beispiel zu veranschaulichen: Die Figur A, die weiß, daß der Kaffee der Figur B vergiftet ist, beurteilt die Situation anders als die ahnungslose Figur B. Oder: Wenn in symmetrischer Pointierung A weiß, daß der Kaffee von B vergiftet ist, und B, daß der Kaffee von A vergiftet ist, fällt ihre Situationsbeurteilung diametral verschieden aus. Der Begriff der Informiertheit des Publikums ist in diesem Ansatz ein relativ abstrakter, da die thematischen und formalen Vorinformationen, wie wir sie in 3.2 behandelt haben, unberücksichtigt bleiben. Relevant sind hier nur die Informationen, die es durch das Mithören der Gespräche der Figuren und über die außersprachlichen Codes und Kanäle erhält. Auch hier läßt sich also für jeden Punkt im sequentiellen Textablauf der Grad der Informiertheit des Zuschauers angeben, mit dem er die Situation beurteilt.

Die diskrepante Informiertheit von dramatischen Figuren einerseits und Publikum andererseits ergibt sich nun im wesentlichen aus zwei Momenten. Zum einen ist das Publikum bei allen Situationen als Zuschauer anwesend, während die einzelnen Figuren in der Regel nur an einer Teilmenge der präsentierten Situationen unmittelbar partizipieren. Das Publikum ist also in der Lage, die jeweils nur partielle Informiertheit der einzelnen Figuren zu summieren und miteinander zu korrelieren. Zum andern stellt das Vorwissen der Figuren für das Publikum einen Unsicherheitsfaktor dar, da der Zuschauer bis zum Textende nie weiß, ob eine Figur bereits ihr ganzes Vorwissen artikuliert hat oder ihm wichtige Vorinformationen noch vorenthält. Diese beiden Momente sind von gegenläufigem Effekt und bewirken entgegengesetzte Strukturen der diskrepanten Informiertheit. Während das erste Moment einen Informationsvorsprung des Zuschauers gegenüber den einzelnen Figuren erzeugen kann, führt das zweite Moment zu einem Informationsrückstand.[25]

3.4.1.1 Informationsvorsprung der Zuschauer

Der Informationsvorsprung der Zuschauer gegenüber den einzelnen Figuren ist im Korpus vorliegender dramatischer Texte von der Antike bis zur Gegenwart die quantitativ dominierende Struktur diskrepanter Informiertheit. Das gilt sowohl für tragische als auch für komische Dramen: sowohl das Tragische als auch das Komische realisiert sich häufig im Kontrast zwischen der überlegenen Informiertheit des Zuschauers und dem Informationsdefizit der Figuren. Lessing hat im 48. Stück seiner *Hamburgischen Dramaturgie* dieser Struktur sein eindeutiges Votum gegeben:

> Es ist wahr, unsere Überraschung ist größer, wenn wir es nicht eher mit völliger Gewißheit erfahren, daß Aegisth Aegisth ist, als bis es Merope selbst erfährt. Aber das armselige Vergnügen einer Überraschung! Und was braucht der Dichter uns zu überraschen? Er überrasche seine Personen, soviel er will; wir werden unseren Teil schon davon zu nehmen wissen, wenn wir, was sie ganz unvermutet treffen muß, auch noch so lange vorausgesehen haben. Ja, unser Anteil wird um so lebhafter und stärker sein, je länger und zuverlässiger wir es vorausgesehen haben. (. . .) Ist (. . .) alles, was die Personen angeht, bekannt: so sehe ich in dieser Voraussetzung die Quelle der allerheftigsten Bewegungen.[26]

Die Struktur des Informationsvorsprungs erlaubt es dem Zuschauer, die Diskrepanzen im Informiertheitsgrad der Figuren untereinander zu erkennen und vermittelt ihm so das Bewußtsein der Mehrdeutigkeit jeder Situation, und sie versetzt ihn in eine Position, aus der er die einzelnen Situationseinschätzungen der Figuren als abweichend von der Norm des faktisch Angemessenen beurteilen kann. Das kann in sich bereits – als Kontrast zur existentiellen Situation in der Lebenspraxis – ein nicht geringes Vergnügen sein. Dieses gelegentlich als "eskapistisch" kritisierte Moment der Rezeption von Texten dieses Typs findet seine ästhetisch-kognitive Ergänzung in der Erfahrung tragischer oder komischer Diskrepanzen zwischen objektivem Sachverhalt und subjektiver Einschätzung und in der Erfahrung der Abhängigkeit einer Wirklichkeitssicht vom Informationsstand, wie sie in dieser Struktur modellhaft demonstriert werden.

Betrachten wir die Struktur des Informationsvorsprungs an einem konkreten Beispiel, Plautus *Menaechmen* und der davon abhängigen *Comedy of Errors* von Shakespeare. Wir wählen dieses Beispiel, weil sich hier ein besonders einfaches Arrangement diskrepanter Informiertheit findet: während alle Figuren in bezug auf das zentrale Geheimnis, die Anwesenheit der Zwillingsbrüder in einer Stadt, sich in Unwissenheit befinden, also zwischen den Figuren in dieser Hinsicht keine diskrepante Informiertheit besteht, wird das Publikum sowohl bei Plautus als auch bei Shakespeare schon früh davon in Kenntnis gesetzt. Das plautinische Original und die elisabethanische Version unterscheiden sich jedoch in den Techniken, mit denen dieser Informationsvorsprung erstellt wird. Bei Plautus geschieht dies bereits vor Beginn des eigentlichen Dramas: ein anonymer Prologsprecher, der auch nicht zum Personal des dramatischen Spiels gehört, erzählt in direkter Publikumsanrede die Vorgeschichte der Zwillingsbrüder und führt somit in die Ausgangssituation ein – die Ankunft des Syrakuser Menaechmus in Epidamnum auf der Suche nach dem vermißten Zwillingsbruder. Diese frontale und direkte Informationsvermittlung ist wohl die einfachste, ökonomischste und deutlichste Technik der Erstellung des Informationsvorsprungs, allerdings wird diese Ökonomie durch den Verzicht auf dramatische Präsentation zugunsten episch-narrativer Vermittlung erkauft.

Shakespeare dramatisiert diese episch-narrative Informationsvergabe, indem er eine Figur in das Personal seiner Komödie hereinnimmt, die plausibel über die Vorgeschichte informiert ist (Aegeon, den Vater der Zwillinge), und er läßt sie die Vorgeschichte dramatisch motiviert in I, i im Dialog darlegen. Aegeon freilich kennt nur die weiter zurückliegende Vorgeschichte und weiß nicht, daß sich seine Zwillingssöhne mit dem Zwillingsdienerpaar in einer Stadt mit ihm befinden. Diese Informationen erhält der Zuschauer jedoch schon in der nächsten Szene durch das Auftreten von Antipholus und Dromio aus Syrakus und von Dromio aus Ephesus. Das Spiel der Verwechslungen und Täuschungen, das damit einsetzt und bis zum Ende auf derselben Diskrepanz der Informiertheit beruht, ist so strukturiert, daß zwei voneinander unabhängige Ereignisketten ständig ineinandergreifen. Jede einzelne Überschneidung dieser zwei Ereignisketten, das heißt jedes Zusammentreffen von Syrakusern mit Ephesern, wird von den Beteiligten aus zwei komplementären Perspektiven beurteilt, die im Laufe des Stückes durch das Hinzukommen immer neuer falsch gedeuteter Informationen immer weiter auseinanderklaffen, und nur der Zuschauer als Augenzeuge aller Begegnungen befindet sich auf einem Informationsniveau, das es ihm erlaubt, diese komplementären Perspektiven zu einem Ganzen zusammenzufügen. Daraus ergibt sich auch eine der zentralen Ironien sowohl der *Comedy of Errors* als auch der *Menaechmen:* Was den Figuren als chaotische Verwirrung erscheint, fügt sich dem Zuschauer zum geometrischen Muster komplementärer Mißverständnisse.

3.4.1.2 Informationsrückstand der Zuschauer

Die umgekehrte Struktur des Informationsrückstands dominiert wesentlich weniger häufig den Ablauf eines ganzen dramatischen Textes als die Struktur des Informationsvorsprungs. Nicht einmal in Dramen mit analytischer Technik bestimmt sie unbedingt den ganzen Textverlauf. Betrachten wir Sophokles' *Oidipus Tyrannos*, das von Schiller als Idealmodell für "tragische Analysis" genommen wurde.[27] Selbst hier wird der Zuschauer, zusätzlich zu seiner Vorinformation über den Mythos, bereits sehr früh in das zentrale Geheimnis der Vorgeschichte eingeweiht:

> Es ist in dem Aufbau dieses Stückes (...) der genialste Zug, daß ganz zu Beginn bereits die volle Wahrheit brüsk enthüllt wird. Teiresias will schweigen, aber Oidipus reißt ihm die Wahrheit aus dem Munde, daß er, der König, selbst der Mörder ist, der nun in Blutschande dahinlebt. (...) Und langsam erst, Schritt vor Schritt, füllt sich das im ersten Teil des Stückes Gesagte mit der Gültigkeit des als wahr Erkannten.[28]

Auch hier also steht, der Struktur des Informationsvorsprungs entsprechend, dem sicheren Wissen des Zuschauers das Unwissen der zentralen Figur gegenüber, die die Wahrheit zwar kennt, aber nicht als Wahrheit akzeptiert:

> Der sehende und dennoch blinde Ödipus bildet gleichsam die leere Mitte einer um sein Schicksal wissenden Welt, deren Boten stufenweise sein Innerstes erobern, um es mit ihrer grauenhaften Wahrheit zu erfüllen.[29]

Bedeutung hat die Struktur des Informationsrückstands jedoch in der ins Komische gewendeten Kontrafaktur der Oidipus-Fabel, in Kleists Lustspiel *Der zerbrochene Krug*. In den ersten Szenen des Stücks bleibt der Zuschauer über die nächtliche Eskapade des Dorfrichters Adam im unklaren, befindet er sich also gegenüber der Titelfigur im Informationsrückstand und durchschaut er seine Ausflüchte und Täuschungsmanöver noch nicht als solche. Dieser Informationsentzug weckt im Zuschauer Spannung auf seine Auflösung, vermittelt ihm das intellektuelle Vergnügen kombinatorischer Spekulation, detektivischer Hypothesenbildung. Dann jedoch häufen sich die Indizien, Andeutungen und Hinweise auf den wahren Sachverhalt, und zu Beginn des siebten Auftritts wird durch einen der wenigen Monologe Adams, ein dreizeiliges Aparte, die Ahnung zur Gewißheit: "Die werden mich doch nicht bei mir verklagen?"[30] Hier spätestens schlägt die Struktur diskrepanter Informiertheit um: der Informationsrückstand gegenüber der Titelfigur ist nun im wesentlichen abgebaut, und der Zuschauer besitzt gegenüber den ahnungslosen oder zwar ahnungsvollen, aber noch nicht sicher wissenden Gegenspielern einen deutlichen Informationsvorsprung, der es ihm erlaubt, sowohl die Komik der immer verzweifelter und absurder werdenden Finten Adams, als auch das Einkreisen der Wahrheit durch seine Gegenspieler als dramatischen Entwicklungsprozeß zu verfolgen. Diese Verbindung der beiden gegenläufigen Strukturen diskrepanter Informiertheit in *Der zerbrochene*

Krug ist sicher ein nicht unwesentlicher Faktor seiner Bühnenwirksamkeit.

Auch in den Dramen Ibsens, in denen fast durchwegs eine analytische Technik das Dramengefüge bestimmt,[31] die dramatisch präsentierte Gegenwart also als Epiphänomen weit zurückliegender Ereignisse erscheint, die im Dialog aufgedeckt werden, dominiert keineswegs die Struktur des Informationsrückstands den ganzen Textverlauf. So befindet sich zum Beispiel in *Nora* der Zuschauer nur in der ersten Hälfte des ersten Akts gegenüber der Titelfigur in einem wesentlichen Informationsrückstand, doch schon im Dialog zwischen Nora und Frau Linde erfährt er von Noras geheimer Rettungsaktion für ihren Gatten und im Dialog Nora – Krogstadt schließlich von der juristischen Problematik dieser Rettungsaktion. Der Informationsentzug in der ersten Spielphase erlaubt es dem Zuschauer anfangs nicht, Helmers ebenfalls informationsdefizitäre Sicht seiner Gattin als eines leichtsinnig-oberflächlichen und verschwenderischen Geschöpfes zu korrigieren, und diese Erfahrung macht ihm Helmers verkürzende und verzerrende Fehleinschätzung unmittelbarer einsichtig. Die Struktur des Informationsentzugs hat hier also nicht spannungsweckende oder verrätselnde, sondern identifikatorische Funktion: auch wenn Helmers Sicht später dementiert und abgewertet wird, soll sie zunächst dem Zuschauer plausibel gemacht werden. Dieser Effekt muß jedoch durch einen Verlust an "Doppelbödigkeit" erkauft werden: der Eingangsdialog Nora – Helmer ist voller ironischer Widersprüche zwischen Helmers Sicht und der Wahrheit, die bei der Erstrezeption vom Zuschauer nicht, oder höchstens im Rückblick, realisiert werden. Die Veränderung der Struktur diskrepanter Informiertheit vom Informationsrückstand zum Informationsvorsprung noch im ersten Akt trägt diesem Umstand Rechnung.

Fragt man sich, wie in den zitierten Texten die Struktur des Informationsrückstands erstellt wird, so findet man als gemeinsame Technik eine Reduktion der Mitteilungsmöglichkeiten der dramatischen Figur: der Informationsträger bleibt opak. Er wird nur im Dialog mit Figuren gezeigt, vor denen er seine Information zu verbergen hat, und es wird für ihn auf die Konvention monologischen Sprechens verzichtet. Der Zwang zu solchen Restriktionen und der erwähnte Verlust der Doppelbödigkeit des Dialogs und der Situationen machen es verständlich, daß sich nur wenige dramatische Texte mit einer alle Phasen beherrschenden Struktur des Informationsrückstands finden. Diese sind vor allem im Bereich des trivialen Dramas zu suchen, dessen Wirkungsintention sich im Erzeugen kräftiger Spannungs- und Überraschungseffekte oder im Auslösen einer spielerisch-intellektuellen detektivischen Kombinatorik erschöpft. Klassische Beispiele dafür sind natürlich die *Whodunnits* und *Thriller* der angelsächsischen Schule, in denen der Zuschauer mit dem fiktiven Detektiv in der Enträtselung der Indizien und damit der Rekonstruktion der Vorgeschichte in Konkurrenz treten will.[32] Solche Texte sind freilich nur für eine einmalige Rezeption bestimmt, da die Kenntnis des Täters ihre einzige Wirkungsintention unterläuft. Daß diese Texte dennoch immer wieder Rezipienten finden, zeigt sich nicht zuletzt daran, daß Agatha Christies *The Mousetrap* von 1952 bis heute ohne Unterbrechung in einem kommerziellen Londoner Theater *en suite* gespielt werden konnte und kann.

3.4.2 Kongruente Informiertheit

Die Kongruenz von Zuschauer- und Figureninformiertheit stellt sich in unserem Ansatz als der Grenzfall diskrepanter Informiertheit dar, bei dem die Diskrepanz den Wert Null annimmt. Diese Perspektive, in der die Diskrepanz als Normalform und die Kongruenz als abweichender Grenzfall erscheinen, ist dem vorliegenden Korpus dramatischer Texte angemessen, denn Bertrand Evans' intuitive Generalisierung, nach der die kongruente Informiertheit die Normalform darstellt ("the most prevalent way for both dramatic and narrative story-tellers past and present", "the 'normal' or standard way")[33] trifft für dramatische Texte sicher nicht zu. Gewiß tritt kongruente Informiertheit in typologisch und historisch weit gestreuten Texten immer wieder auf, aber dann meist nur in einzelnen Textphasen oder nur in der Relation zwischen *einer* Figur und dem Publikum. Wir haben auf solche kongruente Informiertheit zwischen einzelnen Figuren und dem Publikum über begrenzte Textphasen hinweg schon bei der Analyse von Texten mit dominanter Diskrepanzstruktur hingewiesen. Und es gilt zum Beispiel für alle Texte mit "geschlossenem Dramenende" (s. u. 3.7.3.1), daß in der letzten Spielphase die Informationsdiskrepanzen zwischen den Figuren und zwischen den Figuren und dem Publikum aufgelöst werden, also eine Struktur kongruenter Informiertheit hergestellt wird. Es finden sich jedoch nur relativ wenige dramatische Texte, in denen diese Struktur den ganzen Textablauf dominiert.

Als Beispiel für einen solchen Text verweisen wir auf Samuel Becketts *Waiting for Godot,* das wir schon wiederholt zur Exemplifizierung statistisch ungewöhnlicher, abweichender Strukturen herangezogen haben. Wodurch wird in diesem Text die Dominanz der Struktur kongruenter

Informiertheit bedingt? Zunächst einmal durch die besondere Konzeption von Handlung und Figur bei Beckett. Die zentralen Figuren Estragon und Vladimir erscheinen in der präsentierten Situation isoliert, ohne Vorgeschichte und nicht hinterfragbar auf ihr Vorleben. Und die präsentierte Situation selbst ist nicht eine einmalige Krisensituation im Sinn aristotelischer Definitionen von dramatischer Handlung, sondern ein Zustand, für den weder Anfang noch Ende absehbar sind und über dessen Ursachen der Text die Auskunft verweigert. Weder von den Figuren noch von der Handlungskonzeption her gibt es also ein bedingendes Vorher, über das sich die Figuren in einem Informationsvorsprung dem Zuschauer gegenüber befinden könnten. Allein der frühere Kontakt Vladimirs und Estragons mit Godot liegt der präsentierten Situation voraus, doch ist dieser Kontakt den Figuren selbst ebenso vage und rätselhaft – fand er wirklich statt und, wenn ja, in welcher Form? – wie dem Publikum. Ein Zweites kommt noch hinzu, diesmal die Konfigurationsstruktur (s. u. 5.3.3) betreffend: Vladimir und Estragon sind, von punktuellen Einschnitten abgesehen, kontinuierlich und permanent gleichzeitig auf der Bühne. Dadurch können auch in bezug auf den präsentierten Zeitabschnitt keine wesentlichen Diskrepanzen der Informiertheit zwischen den Figuren und zwischen den Figuren und dem Publikum aufgebaut werden. Durch das Zusammenwirken dieser Momente wird also in *Waiting for Godot* die Dominanz der Struktur kongruenter Informiertheit bedingt und realisiert, die wohl genauer als eine Kongruenz der Uninformiertheit analysiert werden müßte.

3.4.3 Dramatische Ironie

Die Theorie diskrepanter Informiertheit bietet einen geeigneten Rahmen für die Analyse der dramatischen Ironie. Dabei darf freilich dramatische Ironie nicht mit Ironie im Drama gleichgesetzt werden, da Ironie im Drama die disparatesten ironischen Strukturen umfaßt. So hat eines der berühmtesten Beispiele für Ironie im Drama, Antonius' refrainhaft wiederholtes "Brutus is an honourable man" in seiner Leichenrede auf den Titelhelden von Shakespeares *Julius Caesar* (III, ii), mit dramatischer Ironie im engeren Sinn nichts zu tun, da es sich hier um eine von der fiktiven Figur selbst ironisch intendierte sprachliche Äußerung handelt, deren Ironie von den fiktiven Hörern durchschaut werden soll und auch wird. Es liegt hier also ein ironischer Effekt vor, der bereits im inneren Kommunikationssystem funktioniert, während dramatische Ironie auf der

Interferenz von innerem und äußerem Kommunikationssystem beruht. Ebenso müssen, soll der Begriff "dramatische Ironie" nicht jede Schärfe verlieren, mehr auf geistige Haltungen bezogene als ästhetisch-strukturell fundierte Ironiekonzeptionen ausgeschlossen werden.[34] Das betrifft etwa den Ansatz von R. B. Sharpe, für den Drama als "Impersonation" grundsätzlich ironisch ist, da Impersonation immer die "simultaneous perception of the two concepts *art* and *nature* as at the same time contradictory and harmonious, untrue and true" impliziere; das betrifft den rezipientenbezogenen Ansatz G. G. Sedgewicks, für den dramatische Ironie allgemein auf der Verschmelzung von überlegenem Wissen und distanzierter Sympathie beruht; und das betrifft auch die von der Neurhetorik Kenneth Burkes herkommende Theorie B. O. States', der Drama als "the dancing of the ironic-dialectical attitude" definiert und dramatische Ironie in einen engen Zusammenhang mit dem Konzept der Peripetie bringt.[35] Einer klaren Begriffsbildung steht hier schließlich auch noch im Wege, daß im weitverbreiteten Jargon des *New Criticism* "Ironie" sehr allgemein als Konflikt einer Aussage mit ihrem Kontext und "dramatisch" als konflikthaft definiert wird, "Ironie" und "Drama" also weitgehend gleichgesetzt werden, und daß folglich Drama als literarische Gattung *per se* zur ironischen Gattung wird und "dramatische Ironie" auch in narrativen und lyrischen Texten aufgespürt wird.[36]

Wir werden den Begriff "dramatische Ironie" auf jene ironischen Widersprüche einschränken, die sich aus der Interferenz des inneren und äußeren Kommunikationssystems ergeben. Sie tritt immer dann auf, wenn die sprachliche Äußerung oder das außersprachliche Verhalten einer Figur für den Rezipienten aufgrund seiner überlegenen Informiertheit eine der Intention der Figur widersprechende Zusatzbedeutung erhält. Im ersten Fall handelt es sich um verbale dramatische Ironie, im zweiten um aktionale. Diese Definition von dramatischer Ironie deckt sich weitgehend mit dem Konzept der „Sophokleischen Ironie", wie es in der Altphilologie schon im 19. Jahrhundert für die ironische Diskrepanz z. B. zwischen den Intentionen von Oidipus' Reden und Handlungen und dem Vorwissen der Zuschauer um ihre Konsequenzen entwickelt wurde.[37] Während jedoch der Begriff der Sophokleischen Ironie nur zur Analyse von "tragischer Ironie" herangezogen wurde,[38] postulieren wir mit dem Begriff der dramatischen Ironie eine strukturelle Homologie zwischen tragischer Ironie und dramatischer Ironie in der Komödie.

Wir wollen diese strukturelle Homologie dramatischer Ironie in Tragödien und Komödien an zwei Beispielen aus dem Werk Shakespeares demonstrieren. Seine *Tragedy of Macbeth* ist besonders reich an dramatischen Ironien, wobei sich die einzelnen punktuellen Effekte zu einem iterativen Muster fügen. Macbeths Auftrittsworte – "So foul and fair a day I have not seen" (I, iii, 38) – stellen ein besonders transparentes und oft kommentiertes Beispiel dar. Die von ihm intendierte Bedeutung dieser Worte bezieht sich auf den Gegensatz zwischen dem herrschenden Unwetter und dem Glücksgefühl des militärischen Siegers. Der Rezipient jedoch wird durch sie an den Hexenspruch, "Fair is foul, and foul is fair" (I, i, 11), erinnert, wodurch für ihn Macbeths Auftrittsworte eine dem Sprecher selbst nicht bewußte, ominöse Zusatzbedeutung erhalten: noch bevor dieser die Hexen wahrnimmt, steht er schon unbewußt unter ihrem diabolischen Einfluß. Die dramatische Ironie wird also auf der syntagmatischen Ebene durch ein Arrangement der Situationen erzeugt, die dem Rezipienten Verbindungen zwischen ihnen sichtbar macht, die der Figur selbst nicht einsehbar sind, und die ihn eine Situation im Licht einer vorausgehenden beurteilen läßt; und sie realisiert sich auf der paradigmatischen Ebene als eine nur dem Rezipienten bewußte Zweideutigkeit einer sprachlichen oder außersprachlichen Äußerung der Figur. Eben diese Struktur liegt, ins Komische gewendet, zum Beispiel in der frühen Komödie *The Two Gentlemen of Verona* vor, wenn Julia in überschwenglicher Rhetorik die Treue ihres Proteus rühmt:

> His words are bonds, his oaths are oracles;
> His love sincere, his thoughts immaculate;
> His tears pure messengers sent from his heart;
> His heart as far from fraud as heaven from earth.
> (II, vii, 75–78)

Das Publikum rezipiert diese Rede noch völlig unter dem Eindruck des langen Monologs von Proteus in der unmittelbar vorausgehenden Szene, in dem dieser mit dem gleichen rhetorischen Aufwand sich zum Treuebruch an Julia entschließt:

> To leave my Julia shall I be forsworn;
> To love fair Silvia shall I be forsworn;
> To wrong my friend, I shall be much forsworn;
> And ev'n that pow'r which gave me first my oath
> Provokes me to this threefold perjury:
> Love bade me swear, and Love bids me forswear.
> (II, vi, 1–6)

Auch hier realisiert sich die dramatische Ironie in der Diskrepanz zwischen der von der Figur intendierten Bedeutung und der Deutung durch das Publikum; auch hier wird diese Diskrepanz durch diskrepante

Informiertheit ausgelöst, und auch hier wird diese diskrepante Informiertheit durch ein bestimmtes Arrangement der Situationsabfolge erzeugt. Die Struktur ist die gleiche; unterschiedlich ist nur die emotionale Besetzung dieser Struktur.

Wir haben aus Darstellungsgründen besonders transparente und punktuell isolierbare Beispiele dramatischer Ironie gewählt. Nicht immer ist dramatische Ironie natürlich so deutlich und in einzelne punktuelle Effekte auflösbar, da sie sich häufig als komplexes System von Relationen zwischen einander wechselseitig relativierenden Situationen, Aktionen und Repliken realisiert. Doch auch in solchen Fällen ist es einer sorgfältigen Analyse prinzipiell immer möglich, dieses System auf die beschriebene Grundstruktur zurückzuführen.

3.5 Die Perspektivenstruktur dramatischer Texte

3.5.1 Figurenperspektive vs. auktorial intendierte Rezeptionsperspektive

Die Relation von Figuren- und Zuschauerinformiertheit, wie wir sie im vorausgehenden Abschnitt beschrieben haben, ist nur ein Teilaspekt eines übergeordneten Zusammenhangs, der Perspektivenstruktur.[39] Denn die Perspektive, aus der eine Figur den dramatischen Vorgang sieht, und die perspektivische Abschattung, die sie sich von ihm macht, ist nur zum Teil durch die Vorinformationen bestimmt, über die sie verfügt. Zu dieser faktischen Basis der Vorinformation kommen noch die psychologische Disposition und die ideologische Orientierung der Figur als Determinanten ihrer Perspektive. Um das am Beispiel zu veranschaulichen: Der Syrakuser und der ephesische Antipholus in *The Comedy of Errors* sind zwar in gleicher Weise uninformiert in bezug auf den Verwechslungsmechanismus als die Ursache ihrer Erfahrungen, dennoch stellt sich ihnen die Erfahrung der Selbstentfremdung und des Identitätsverlusts in unterschiedlichen perspektivischen Abschattungen dar, sehen sie diese aus unterschiedlichen Perspektiven. Die Perspektive des Syrakuser Antipholus ist von Anfang an durch melancholische Labilität und Offenheit dem Irrationalen gegenüber bestimmt, während die Perspektive seines Zwillingsbruders aus Ephesus durch sein cholerisches Temperament, seine nur wenig entwickelte Phantasie und sein Vertrauen in die Kraft der Rationalität geprägt ist. Trotz kongruenter Informiertheit ergibt sich also aus der unterschiedlichen psychologischen Disposition und ideologischen Orientierung eine Diskrepanz ihrer Perspektiven.

Wir haben hier den Begriff der Perspektive noch recht undifferenziert und mehr metaphorisch als terminologisch abgesichert verwendet. Gerade weil dieser Begriff auch in der bisherigen Dramentheorie recht unpräzise und widersprüchlich verwendet wird,[40] erscheint daher eine kohärente und definitorisch klare Theorie- und Begriffsbildung notwendig. Nur so kann der Begriff der Perspektive auch in der Dramentheorie jene heuristische Ergiebigkeit entfalten, die er in der Theorie narrativer Texte schon seit geraumer Zeit bewiesen hat.

Ausgehend vom Modell der Überlagerung von innerem und äußerem Kommunikationssystem ist, analog zur Distinktion von Figuren- und Zuschauerinformiertheit, zwischen den Figurenperspektiven einerseits und der vom Autor intendierten Rezeptionsperspektive andererseits zu unterscheiden.[41] Beschränken wir uns zunächst auf das idealtypische Modell eines dramatischen Texts mit unvermittelter Trennung von äußerem und innerem Kommunikationssystem, also auf ein Modell, das Szondis Forderung der "Absolutheit" erfüllt (s. o. 1.2.3), so gilt, daß jede sprachliche Äußerung streng der Perspektive der jeweils sprechenden Figur zugeordnet ist, die nur artikulieren kann, was ihrer Disposition und ihrer Situation glaubhaft entspricht. Und umgekehrt gilt, daß sich in den Repliken einer Figur ihre Figurenperspektive konstituiert. Die einzelnen Figurenperspektiven müssen als autonom in bezug auf die Perspektive des Autors betrachtet werden; oder, wie Tschechow, ein wichtiger Exponent des "absoluten" Dramas, nachdrücklich und pointiert zu *Onkel Wanja* formuliert:

> Wenn man Ihnen Kaffee vorsetzt, werden Sie nicht versuchen, Bier darin zu finden. Wenn ich Ihnen die Gedanken des Professors vorsetze, dann hören Sie gut zu und suchen Sie nicht Tschechows Gedanken darin.[42]

Damit ist mit der Absolutheit des Dramas in bezug auf Autor und Publikum die Tatsache der Perspektivität jeder sprachlichen Äußerung im Drama mitgegeben.

Der "absolute" dramatische Text stellt sich also, was den sprachlichen Haupttext betrifft, als Arrangement miteinander korrespondierender und kontrastierender Figurenperspektiven dar. Er ist auf der Ebene des inneren Kommunikationssystems "polyperspektivisch". Francis Fergusson hat dieses Arrangement der Figurenperspektiven am Beispiel Hamlets zutreffend beschrieben:

> The situation, the moral and metaphysical 'scene' of the drama, is presented only as one character after another sees or reflects it; and the action of the drama as a whole is presented only as each character in turn actualizes it in his story and according to his lights.[43]

Die einzelnen Figurenperspektiven sind einander gleichgeordnet, d.h. sie besitzen denselben Fiktionalitätsgrad und für den Rezipienten prinzipiell den gleichen Grad der Verbindlichkeit.[44] Im Rahmen des geltenden Prinzips der Perspektivität kann keiner der einzelnen Figurenperspektiven von vornherein größere Bedeutung für die Konstitution der vom Autor intendierten Rezeptionsperspektive zukommen.

3.5.2 Gleichgeordnete vs. übergeordnete Figurenperspektiven

Nun ist aber das "absolute" Drama ein idealisiertes Modell ohne normative Geltung. Die unvermittelte Überlagerung von innerem und äußerem Kommunikationssystem wird in der Geschichte des Dramas auf weite Strecken hin nicht realisiert, sondern es finden sich immer wieder mehr oder weniger weit gehende Ansätze zur Etablierung eines vermittelnden Kommunikationssystems, einer Erzählfunktion (K. Hamburger). Solche Ansätze bleiben entweder punktuell, wie im informierenden oder kommentierenden Beiseite oder im Monolog einer Figur *ad spectatores*, oder sie werden strukturell institutionalisiert, wie in bestimmten Verwendungsweisen des Chors oder Songs oder in der Einführung erzählender und raisonierender "Spielleiter" (s. u. 3.6.2). Vom Chor der antiken Tragödie über die objektive Selbsterklärung der allegorischen Figuren in den mittelalterlichen Moralitäten und den häufigen direkten Publikumskontakt in der Komödie der Antike und der Neuzeit bis zum epischen Theater Brechts lassen sich solche Tendenzen der Etablierung eines vermittelnden Kommunikationssystems mit den Positionen S2 und E2 beobachten. In allen diesen Fällen, besonders deutlich jedoch bei einem strukturell institutionalisierten Vermittlungssystem, kommt es zu einer hierarchisierenden Über- bzw. Unterordnung von Figurenperspektiven. Die Perspektive der Figur, die Träger der vermittelnden Erzählfunktion ist, erscheint den übrigen Figurenperspektiven übergeordnet, hat prinzipiell einen höheren Grad der Verbindlichkeit, da sie ja die übrigen Figurenperspektiven umgreift. Das bedeutet aber nicht, daß nun die übergeordnete Figurenperspektive mit der auktorial intendierten Rezeptionsperspektive gleichgesetzt werden könnte. Auch hier bleibt die kategoriale Scheidung bestehen, denn eine solche episch vermittelnde Figur kann ebenso ironisch eingesetzt sein, wie das beim fiktiven Erzähler in narrativen Texten häufig der Fall ist (*„unreliable narrator"*). Und selbst bei einer nicht-ironischen Verwendung einer übergeordneten Figurenperspektive fällt diese nicht völlig mit der auktorial intendierten Rezeptionsperspektive zusammen, da die untergeordneten Figurenperspektiven immer in irgendeiner Weise konkretisierend, qualifizierend und relativierend wirken.

Als Beispiel für eine solche nicht-ironische Verwendung einer übergeordneten Figurenperspektive verweisen wir auf den "Sänger" in Brechts *Der kaukasische Kreidekreis*, der von einer Episode zur anderen narrativ überleitet und die dargestellte Parabel reflektierend kommentiert. Er steht über dem Geschehen und den Figuren, über die er im Präteritum berichtet, und die dargestellte Geschichte erscheint als ein von ihm inszeniertes Exemplum – dies wird noch durch den Spiel-im-Spiel-Rahmen betont – für die von ihm expositorisch ausformulierte Lehre, "Daß da gehören soll, was da ist, denen, die für es gut sind".[45] Und diese seine Figurenperspektive, aus der er das Dargestellte kommentiert, wird durch das Arrangement der untergeordneten Figurenperspektiven nicht in Frage gestellt, sondern bestätigt. – Nicht ganz so widerspruchsfrei ist dagegen das Verhältnis zwischen unter- und übergeordneten Figurenperspektiven zum Beispiel in Thorton Wilders *Our Town*, wo aus der übergeordneten Figurenperspektive des "Spielleiters" die dargestellten Ereignisse in der kleinen Stadt primär als alltäglich und trivial erscheinen, während sie sich in den untergeordneten Figurenperspektiven der Bewohner dieser Stadt als einmalig, bewegend und außerordentlich darstellen. Der Kontrast zwischen unter- und übergeordneten Perspektiven konstituiert hier eine auktorial intendierte Rezeptionsperspektive, in der einem universalen Bewußtsein das Alltägliche zum Kosmischen hin transparent wird.[46]

3.5.3 Techniken der Perspektivensteuerung

Es erhebt sich nun die Frage, wie der Zuschauer im äußeren Kommunikationssystem aus dem Ensemble der Figurenperspektiven die vom Autor intendierte Rezeptionsperspektive erstellt, oder, produktionsästhetisch gewendet, wie der Autor die Konstitution dieser Perspektive durch den Rezipienten steuert. Diese Frage stellt sich mit besonderer Schärfe in bezug auf "absolute" dramatische Texte, in denen der Autor völlig auf die Möglichkeiten einer vermittelnden Figurenperspektive verzichtet. Aber sie gilt selbstverständlich auch für Texte mit einer hierarchischen Struktur der Figurenperspektiven, da ja auch der übergeordneten, vermittelnden Figurenperspektive prinzipiell keine letzte Verbindlichkeit zukommt.

3.5.3.1 A-perspektivische Informationsvergabe

Als erstes ist daran zu erinnern, daß sich die Informationsvergabe in dramatischen Texten nicht auf das Medium des sprachlichen Haupttexts beschränkt. Nur ein historisch variabler Teil der Gesamtinformationen wird über das perspektivierende Bewußtsein der Figuren dem Rezipienten sprachlich vermittelt; der andere Teil, die AUSSERSPRACHLICHE INFORMATION, erreicht den Zuschauer direkt, unabhängig von den Figurenperspektiven. Dazu gehören Statur, Physiognomie und Kostüm, Gestik und Mimik, Bühnenbild und Requisiten, Stimmqualität, Geräusche und Musik (s. o. 1.3.2). Das Nebeneinander von a-perspektivischer und figurenperspektivisch gebundener Informationsvergabe erlaubt es dem Rezipienten, eine Figurenäußerung als perspektivisch verzerrt, da von der a-perspektivisch vermittelten Information abweichend, zu beurteilen und in der Konstitution der intendierten Rezeptionsperspektive zu korrigieren. Um ein besonders drastisches Beispiel zu wählen: In der *Comedy of Errors* beschreibt Adriana ihren Gatten, den ephesischen Antipholus, als

> (. . .) deformed, crooked, old, and sere,
> Ill-fac'd, worse bodied, shapeless everywhere;
> Vicious, ungentle, foolish, blunt, unkind;
> Stigmatical in making, worse in mind.
> (IV, ii, 19–22).

Diese Charakterisierung wird, zumindest soweit sie sich auf Antipholus' Äußeres bezieht, eindeutig durch die a-perspektivisch vergebene Information, durch den optischen Eindruck seiner bisherigen Auftritte widerlegt, und somit dem Zuschauer als stark perspektivisch verzerrt einsehbar. Er kann nachvollziehen, wie Adrianas von Anfang an durch Eifersucht und Selbstgerechtigkeit eingeengte Perspektive hier unter dem Eindruck der Täuschungen und Verwechselungen des Doppelgängerspiels zu einer völligen Deformation des Gattenbilds führt, und er kann dem sein vielschichtigeres und ausgewogeneres Bild des Antipholus entgegenstellen.

Findet sich diese Steuerungstechnik in allen dramatischen Texten aufgrund ihrer Plurimedialität, so gibt es andere, die nur in bestimmten historischen und typologischen Texttypen auftreten. Dazu gehört zum Beispiel das sehr deutliche und explizite Bewertungssignal der SPRECHENDEN NAMEN (s. u. 5.4.2.4), das schon in der Komödie der Antike verwendet wird. Es ist ein auktoriales Bewertungssignal, mit dem verbindlich die Orientierung einer Figurenperspektive markiert wird. Mit großer Konsequenz wird diese Technik zum Beispiel in der englischen Komödie der

Restaurationszeit verwendet. So wird etwa das gesamte Personal von William Congreves *The Way of the World* (1700) durch sprechende Namen auktorial bewertet. Den positiv bewerteten Figurenperspektiven des zentralen Liebespaars Mirabell und Millamant – ihre Zusammengehörigkeit wird bereits durch die phonologische, morphologische und etymologische Ähnlichkeit, und die Positivität ihrer Perspektive durch den Wohlklang ihrer Namen signalisiert – werden die Kontrastperspektiven ihrer Gegenspieler entgegengestellt, wobei deren Namen jeweils die Orientierung der perspektivischen Abweichung von der Norm markieren: die Figurenperspektiven von Mr. und Mrs. Fainall (etwa: "Hätte-gern-Alles") sind durch ökonomische Habgier verzerrt, Witwouds ("Hätte-gern-Witz") und Petulants ("Mutwillig-Launenhaft") durch einen Mangel an echtem Witz, den sie durch krampfhafte Witzelei zu kompensieren versuchen, Lady Wishforts ("Wünscht-stark") durch eine ihrem Alter und ihrer moralischen Fassade unangemessene erotische Begehrlichkeit und Mrs. Marwoods ("Würde-gern-verderben") durch ein neidisch-böswilliges Intrigantentum. So stellen hier die sprechenden Namen als auktoriale Bewertungssignale deutliche Anweisungen an den Rezipienten dar, wie er die einzelnen Figurenperspektiven in die intendierte Rezeptionsperspektive zu integrieren hat.

Über solche spezielle auktoriale Steuerungstechniken hinausgehend impliziert natürlich das gesamte VERHALTEN einer Figur Bewertungssignale ihrer Figurenperspektive. So diskreditiert, um wieder ein drastisches Beispiel zu wählen, das Verhalten Tartuffes – der im Titel als "hypocrite" bzw. "imposteur" und in der *dramatis-personae*-Liste als "faux dévot" bereits auktorial vorbewertet wird – seine perspektivischen Auffassungen von Religion und Tugend und führt zur Konstitution einer Rezeptionsperspektive, aus der Tartuffes Figurenperspektive als deformierende Verzerrung erscheint. Zu diesen primär figurenbezogenen Steuerungstechniken kommen solche, die auf den HANDLUNGSABLAUF bezogen sind, wobei sich diese beiden Kategorien zum Teil überschneiden. Zu eindeutig handlungsbezogenen Steuerungstechniken gehört zum Beispiel in dramatischen Texten, die der Konvention "poetischer Gerechtigkeit" (*poetic justice*) folgen, die Gestaltung des Dramenschlusses. Durch den für eine Figur glücklichen Handlungsausgang wird nachträglich deren Perspektive bestätigt, wie umgekehrt durch unglückliches Ende die Perspektive der betreffenden Figur verworfen wird. Auch dies ließe sich an Tartuffe illustrieren, wo die Konvention der poetischen Gerechtigkeit durch die forciert wirkende *deus-ex-machina*-Lösung implizit thematisiert wird. Außerdem wird hier deutlich, daß das Konzept der Perspektive nicht ausschließlich statisch aufgefaßt werden darf. Neben den über den ganzen Textverlauf hin gleichbleibenden Figurenperspektiven Tartuffes, Cléantes oder Dorines steht Orgons Perspektive, die eine spektakuläre Umorientierung erfährt. Und nur der "aufgeklärten" Figurenperspektive Orgons gilt natürlich die Bestätigung durch den glücklichen Handlungsausgang.

3.5.3.2 Selektion der Figurenperspektiven

Wir haben uns bisher auf Steuerungstechniken beschränkt, die sich jeweils nur auf die isolierte Einzelperspektive beziehen. Nun stellt sich jedoch, wie wir gesehen haben, der dramatische Haupttext als ein Ensemble von Figurenperspektiven dar, und aus der Strukturierung dieses Emsembles ergibt sich eine weitere implizite Steuerungstechnik für die Konstitution der auktorial intendierten Rezeptionsperspektive. Wir wollen diese Strukturierung des Ensembles der Figurenperspektiven in Analogie zu linguistischen Analyseverfahren nach zwei Dimensionen hin untersuchen: nach der paradigmatischen Dimension der Selektion und nach der syntagmatischen der Kombination.

Der paradigmatische Frageansatz zielt zunächst einmal auf den UMFANG und die STREUUNG des Angebots an Figurenperspektiven ab, das bei der Konstitution der auktorial intendierten Rezeptionsperspektive zu berücksichtigen ist. Schon der rein quantitative Aspekt des Umfangs ist steuerungstechnisch relevant, da in der Regel bei einem Angebot von nur zwei Figurenperspektiven die Rezeptionsperspektive leichter zu etablieren ist als bei einem Angebot von vielen Perspektiven. So ist zum Beispiel die größere Komplexität der Perspektivenstruktur in den Komödien Shakespeares und seiner Zeitgenossen gegenüber den komischen Interludien der Tudorzeit allein schon durch eine quantitative Erweiterung des Perspektivenangebots bedingt. An diesem historischen Beispiel läßt sich gleichzeitig der qualitative Aspekt der Perspektivenstreuung illustrieren. Während die Tudor Interludien und noch die frühen elisabethanischen Komödien in ihrer Handlungsstruktur meist einsträngig oder allenfalls zweisträngig angelegt sind, entwickeln die spät-elisabethanischen Dramatiker durch die Integration antiker, volkstümlicher und romanesker Traditionen komplexere, meist dreischichtige Handlungsstrukturen,[47] in denen sich durch die sozialen Kontraste zwischen den einzelnen Ebenen ein weit gestreutes Spektrum der Figurenperspektiven ergibt, das vom Heroisch-Romanesken bis zum Farcenhaft-Clownischen reicht. Bei einem so breiten und differenziert abgestuften Spektrum, wie es sich in Shakespeares reifen Komödien findet, ist selbstverständlich das Auffinden des virtuellen Fluchtpunkts dieser weit divergierenden Figurenperspektiven, die Konstitution der auktorial intendierten Rezeptionsperspektive, gegenüber Texten mit nur wenig gestreuten Figurenperspektiven erheblich erschwert.

In der paradigmatischen Analysedimension der Selektion situiert sich auch die Frage nach der "Gewichtung" der einzelnen Figurenperspektiven. Diesen Aspekt haben wir in unserem Modell bisher noch nicht berücksichtigt. Es ist aber doch offensichtlich so, daß in einem dramatischen Text etwa der Perspektive einer Nebenfigur, die vielleicht nur einmal auftritt und sich in nur wenigen Repliken äußert, geringere Bedeutung zukommt als der Perspektive des zentralen Protagonisten; die beiden Perspektiven werden sich ja schon durch ihre unterschiedliche Konkretisierung unterscheiden. Wir wollen diese unterschiedliche Gewichtung der Figurenperspektive mit dem Begriff des Fokus umschreiben, den schon C. Brooks und R. B. Heilman in die Dramentheorie eingeführt haben. Die Leistung des Fokus liegt nach ihnen im

> directing of the reader's attention primarily to one character, situation, or concept, and the subordination of other interests to the central one,

und sie sehen ihn als

> functionally related to the author's attitude – a means of indicating his point of view.[48]

Im Gegensatz zu Brooks/Heilman wollen wir jedoch den Begriff des Fokus nur in Zusammenhang mit der Gewichtung der Figurenperspektiven sehen, und über Brooks/Heilman hinausgehend wollen wir seine Leistung als implizite Steuerungstechnik in Hinblick auf "the author's attitude", "his point of view", also die auktorial intendierte Rezeptionsperspektive, etwas präzisieren, obwohl er sicher eine nur schwer exakt formalisierbare Kategorie darstellt. Denn es ist ja nicht nur die quantitativ genau faßbare Distribution von Zahl und Umfang der Repliken auf die einzelnen Figuren, die Tendenz einer verstärkten Identifikation des Zuschauers mit der quantitativ dominierenden Figurenperspektive, die seine Rezeptionsperspektive gegenüber den kontrastierenden Figurenperspektiven bestimmt; auch die Nachdrücklichkeit und nicht zuletzt die poetische Qualität, mit der eine Figurenperspektive artikuliert wird, werden den Zuschauer in seiner Einstellung dieser Perspektive gegenüber beeinflussen. Wenn die auktorial intendierte Rezeptionsperspektive in *Mac-*

beth so stark durch die Figurenperspektive des Titelhelden bedingt wird, so liegt das auch daran, daß diese den dominanten Fokus trägt – daß Macbeths Repliken einen hohen Prozentsatz des gesamten Haupttexts ausmachen und in einer poetisch stark aufgeladenen Sprache artikuliert werden, die immer wieder Interpreten zu dem methodischen Trugschluß verführt hat, der Figur selbst dichterische Fähigkeiten anzurechnen. Und umgekehrt ist die Verunsicherung des Publikums in Hinblick auf die auktorial intendierte Rezeptionsperspektive in den Dramen Tschechows auch darauf zurückzuführen, daß der Fokus über die einzelnen Figurenperspektiven relativ gleichmäßig verteilt ist, daß Tschechow also bewußt auf eine wichtige implizite Steuerungstechnik verzichtet.

3.5.3.3 Kombination der Figurenperspektiven

Die wichtigste implizite Steuerungstechnik stellt wohl die Strukturierung des Ensembles der Figurenperspektiven in der syntagmatischen Dimension der Kombination dar. Einen Aspekt davon haben wir schon unter dem Begriff der diskrepanten Informiertheit behandelt: der Überblick über die je verschieden informationsdefizitären Figurenperspektiven erlaubt dem Zuschauer die Korrelation der einander bestätigenden oder widersprechenden Einzelinformationen zur übergreifenden Zuschauerinformiertheit. Die Relation zwischen Figureninformiertheit und Zuschauerinformiertheit ist also ein Teilaspekt der Relation von Figurenperspektive und auktorial intendierter Rezeptionsperspektive. Die durch Kontrast- und Korrespondenzbezüge strukturierte Zuordnung der Figurenperspektiven steuert den Zuschauer in seiner Korrelation der Figurenperspektiven zur intendierten Rezeptionsperspektive. Besonders transparente Modelle einer solchen implizit wertenden Zuordnung von Figurenperspektiven sind: (1) die symmetrische Gruppierung von Figurenperspektiven, die in Richtung gegensätzlicher Extreme fehlorientiert sind, um eine zentrale Figurenperspektive, die sich in ihrer Orientierung mit der intendierten Rezeptionsperspektive deckt und als solche vom Rezipienten nur erkannt werden muß; (2) die Kontrastierung einer richtig mit einer falsch orientierten Figurenperspektive, zwischen denen der Zuschauer zu wählen hat; (3) die Kontrastierung zweier in Richtung gegensätzlicher Extreme fehlorientierter Figurenperspektiven, die dem Zuschauer die "goldene Mitte" als intendierte Rezeptionsperspektive suggeriert. Natürlich ist die Strukturierung des Perspektivenensembles in konkreten Texten selten so einfach und transparent wie in diesen schematisierten Modellen; sie läßt sich jedoch prinzipiell immer auf solche oder ähnliche Korrespondenz- und Kontrastrelationen reduzieren.

Wir wollen die implizite Steuerung der Rezeptionsperspektive durch die strukturierte Zuordnung der Figurenperspektiven am Beispiel von Shakespeares *Twelfth Night* veranschaulichen. Aus Platzmangel können wir nur die perspektivische Darstellung *eines* thematischen Aspekts verfolgen und müssen es auch dabei noch mit einer höchst vereinfachten Analyse bewenden lassen, die der differenzierten Komplexität der Korrespondenz- und Kontrastbezüge nicht annähernd gerecht wird.[49] Der thematische Komplex des Festes, der spielerischen Überhöhung des Alltags, der schon im Titel als zentral angekündigt wird (die zwölfte Nacht nach Weihnachten war im Volksbrauchtum heiterem Mummenschanz vorbehalten), scheint im Verlaufe des Spiels in immer neuen perspektivischen Brechungen auf. Die drei zentralen Perspektiven in diesem thematischen Komplex – (1) die aristokratisch verfeinerte Spielkultur der Renaissance, verkörpert durch die zeremoniellen Posen Orsinos und Olivias, ihre Freude an Musik und am feinen Narrenwitz Festes und durch das subtile Rollenspiel Violas, (2) die puritanisch spielfeindliche Welt Malvolios und (3) die dionysischen Exzesse Sir Tobys und seines tölpelhaften Nachahmers Aguecheek – werden unter fein nuancierten ethischen und ästhetischen Wertungsaspekten vergleichend und kontrastierend zueinander in Bezug gesetzt. Die diametrale Entgegensetzung der Figurenperspektiven Malvolios einerseits und Sir Tobys und seiner Kumpane andererseits und die Relativierung dieser beiden Extremperspektiven durch die Perspektiven der Liebenden und des Hofnarren implizieren eine auktorial intendierte Rezeptionsperspektive, die sich an der Perspektive der zentralen Gruppe orientiert und von der aus die Figurenperspektiven Malvolios und Sir Tobys als einseitig und verzerrt erscheinen.

3.5.4 Typen der Perspektivenstruktur

Fragt man nach den möglichen Relationen zwischen dem Ensemble der Figurenperspektiven und der auktorial intendierten Rezeptionsperspektive, so lassen sich aus diesem Frageansatz drei idealtypische Modelle der Perspektivenstruktur in dramatischen Texten entwickeln. Wir sind uns dabei – mit Volker Klotz –[50] der methodischen Problematik eines solchen Vorgehens durchaus bewußt, die darin besteht, daß der konkrete historische Text mit seinen vielfältigen individuellen Bedingtheiten notwendigerweise immer komplexer ist als die idealtypische Strukturformel. Es kann also nicht darum gehen, historische Erscheinungsformen des Dramas oder gar individuelle Texte mit den idealtypischen Abstraktionen gleichzusetzen, sondern diese in nachdrücklichem Bewußtsein ihrer Idealtypik als heuristische Hilfskonstruktionen aufzufassen, mit denen historische und typologische Transformationen dramatischer Vertextung sichtbar gemacht werden können.

3.5.4.1 A-perspektivische Struktur

Die Erkenntnis der Perspektivität jeder Figurenreplik im absoluten Drama erlaubt es uns, das Kontrastmodell eines Dramas a-perspektivischer Struktur zu entwerfen. Es ist eine Extremform des Dramas, in der das Prinzip der Absolutheit des Werks gegenüber Autor und Publikum und damit die Scheidung von innerem und äußerem Kommunikationssystem aufgehoben ist, ein Drama also, in dem der Autor in den Repliken der Figuren unmittelbar seine Intention ausspricht und die Figuren als Sprachrohr auktorialer Intention unmittelbar an das Publikum appellieren. Im sprachlichen Teil ist das Kommunikationsmodell eines solchen Textes mit dem expositorischer Texte identisch. Die einzelnen Figurenperspektiven decken sich in ihrer Orientierung alle mit der vom Autor intendierten Rezeptionsperspektive, verlaufen "parallel" mit dieser, zeigen keinerlei perspektivische Abweichung, gehen in ihr auf. Das hier entworfene idealtypische Modell einer a-perspektivischen Struktur ist nicht rein theoretisch-spekulative Konstruktion, sondern es lassen sich dazu in der Geschichte des Dramas durchaus Annäherungsformen finden.

So zum Beispiel in allegorischen Moralitätenspielen des späten Mittelalters. Ihre Funktion ist wie die der Predigt die Vermittlung noch nicht problematisch gewordener Grundwahrheiten christlicher Heilslehre und Ethik. Und wenn auch in anschaulich vergegenwärtigten Einzelepisoden die Figuren gelegentlich eine spielimmanente, eigenständige Perspektive entwickeln, dominiert doch eine homiletische Direktheit der Kommunikation zwischen dem Autor und seinem Publikum. Im Prolog wird bereits explizit auf den moralischen Lehrgehalt vorbereitet, und im Epilog wird er noch einmal deutend zusammengefaßt; die allegorischen Figuren deuten sich und ihre Handlungen ständig selbst im Sinn der intendierten Bewertung, und die direkte Wendung an das Publikum ist nicht die Ausnahme, sondern die Regel. Die Figurenperspektiven und die vom Autor intendierte Rezeptionsperspektive decken sich weitgehend. Dies zeigt sich besonders deutlich an den Laster-Personifikationen: sie begnügen sich nicht damit, in objektiver Selbstdarstellung ihre Lasterhaftigkeit zu definieren und als Verstoß gegen die Tugend in das Wertsystem des Spiels einzuordnen, sondern warnen – wider alle psychologische Plausibilität und taktische Vernunft — den Zuschauer vor den Lastern, die sie repräsentieren.

3.5.4.2 Geschlossene Perspektivenstruktur

Im Gegensatz zur "frontalen" Didaxis im Drama der a-perspektivischen Struktur, in dem die intendierte Rezeptionsperspektive im Text von allen Figuren explizit formuliert wird, muß im absoluten Drama der geschlossenen Perspektivenstruktur die Konvergenzlinie der korrespondierenden und kontrastierenden Figurenperspektiven, die auktorial intendierte Rezeptionsperspektive, vom Rezipienten selbst erschlossen werden. Dadurch zeichnet sich dieser Typ gegenüber dem Drama der a-perspektivischen Struktur durch den Entzug fertiger Lösungen aus und wird die Urteilskraft des Zuschauers aktiviert und herausgefordert. Der strukturelle Unterschied impliziert also einen funktionalen: direkte Didaxis weicht einem indirekten Vermittlungsmodus, der zur Konstitution der intendierten Rezeptionsperspektive den Rezipienten am Prozeß der Wahrheitsfindung beteiligt und durch das perspektivische Umkreisen des Gegenstands, das ihn in immer neuer Sicht aufscheinen läßt, von ihm ein komplexes, mehrdimensionales und differenziertes Bild entwirft. Doch bleibt auch im Drama der geschlossenen Perspektivenstruktur der Rezipient, wie wir gesehen haben, nicht ohne explizite und implizite Orientierungshilfen durch den Autor. Dabei lassen sich innerhalb dieses Typs zwei im Grad der Explizitheit unterschiedliche Untertypen differenzieren: Dramen, in denen die Orientierung der auktorial intendierten Rezeptionsperspektive im Text selbst als eine der Figurenperspektiven formuliert ist, die vom Zuschauer nur als solche erkannt werden muß (als Beispiel sei neben *Twelfth Night* auf Komödien Molières verwiesen, in denen, wie in *Tartuffe*, ein *raisonneur* auftritt), und Dramen, in denen der Zuschauer selbst die intendierte, aber nirgends im Text explizit realisierte Rezeptionsperspektive als "Resultante" der korrespondierenden und kontrastierenden Figurenperspektiven zu konstituieren hat.

3.5.4.3 Offene Perspektivenstruktur

Ist im Drama der geschlossenen Perspektivenstruktur die intendierte Rezeptionsperspektive zwar vom Zuschauer selbst aufzufinden, aber doch in der strukturierten Zuordnung der Figurenperspektiven und durch die übrigen Steuerungssignale eindeutig impliziert, so fehlt bei einer offenen Perspektivenstruktur eine solche einheitliche Konvergenzlinie überhaupt. Entweder durch den Verzicht auf Steuerungssignale oder durch widersprüchliche Signalvergabe bleibt die Relation der Figurenperspektiven zueinander ungeklärt und damit die auktorial intendierte Rezeptionsperspektive unbestimmt oder ambivalent. Der Entzug fertig vorgegebener Lösungen ist damit vollständig.

Hier könnte sich Wolfgang Isers Begriff der "Leerstelle" auch für eine Theorie des Dramas bewähren: zwischen den "schematisierten Ansichten" (Roman Ingarden) der Figurenperspektiven entstehen Leerstellen, und diese eröffnen "einen Auslegespielraum für die Art, in der man die in den Ansichten vorgestellten Aspekte aufeinander beziehen kann".[51] Wir schließen uns dabei aber Gerhard Kaisers differenzierender Kritik an Isers Begriff der Leerstelle an:

> Die von Iser postulierten angeblichen Leerstellen in der Epik sind etwa so zu interpretieren, daß die verschiedenen Ansichten, die der epische Text offeriert, doch einen imaginären Vereinigungspunkt haben, der vom Leser nur gefunden werden muß, (. . .) oder aber die Epik gibt, wie das auch in anderen Kunstformen möglich ist, tatsächlich divergierende oder einander ausschließende Ansichten und Bestimmungen, dann ist der Leser nicht in eine Bestimmtheit, sondern in eine Offenheit oder in einen Widerspruch verwiesen, der nur ein Spezialfall der Bestimmtheit des Kunstwerks ist und wiederum völlige Bestimmtheit in der Unbestimmtheit bedeutet.[52]

Was Kaiser als die erste Interpretationsmöglichkeit der Iserschen Leerstellen anführt, entspricht den Perspektivenrelationen im Drama der geschlossenen Perspektivenstruktur, die zweite den Perspektivenrelationen im Drama der offenen Perspektivenstruktur. Der Rezipient sieht sich angesichts der Komplexität und Widersprüchlichkeit der Zuordnung der Figurenperspektiven und angesichts mangelnder oder mehrdeutiger Steuerungssignale außerstande, das Angebot der Figurenperspektiven zu einer einheitlichen Rezeptionsperspektive zu integrieren.

Auch hier impliziert der strukturelle Unterschied einen funktionalen. Die Abwesenheit einer klar implizierten Rezeptionsperspektive wirkt als Aufforderung an die Sensibilität und das kritische Vermögen des Zuschauers, entweder ganz der perspektivischen Mehrdeutigkeit offen zu bleiben oder im Bewußtsein der perspektivischen Relativität auch seines eigenen Urteils eine auktorial nicht abgesicherte Rezeptionsperspektive anzulegen. Im Drama der offenen Perspektivenstruktur werden also weder auf direkte, noch auf indirekt-mäeutische Weise konkrete Wertnormen vermittelt, sondern gerade die perspektivische Relativität aller Wertnormen dem Rezipienten erfahrbar gemacht. Nicht die Vermittlung von fraglos vorgegebenen Normen, sondern die Problematisierung fragwürdig gewordener Normen ist diese Struktur zu leisten imstande. Das dahinterstehende Ethos hat Tschechow in einer Frage an sich selbst formuliert: "Führe ich nicht den Leser hinters Licht, da ich ja doch die wichtigsten Fragen nicht zu beantworten weiß?"[52a] Und pointierter noch konstatiert G. B. Shaw diese Offenheit, wenn er in der "Epistle Dedicatory" zu *Man and Superman* über seine Figuren schreibt:

> They are all right from their several points of view; and their points of view are, for the dramatic moment, mine also. This may puzzle the people who believe that there is such a thing as an absolutely right point of view, usually their own.[53]

Im Überblick ordnet sich die entworfene Typenreihe nach einem zunehmenden Entzug vorgegebener Lösungen und nach einer progressiven Polyperspektivität. Wir wollen abschließend die Verteilung von Mono- und Polyperspektivität im inneren und äußeren Kommunikationssystem für unsere Typenreihe in einer Matrix zusammenfassen:

	a-perspekt. Struktur	geschlossene P.struktur	offene P.struktur
inneres K.system	Monoperspektivität	Polyperspektivität	Polyperspektivität
äußeres K.system	Monoperspektivität	Monoperspektivität	Polyperspektivität

3.6 Epische Kommunikationsstrukturen im Drama

3.6.1 "Episierung" des Dramas

Wir haben schon im vorausgehenden Kapitel, im Zusammenhang mit der Überordnung von Figurenperspektiven, betont, daß die absolute Unvermitteltheit von innerem und äußerem Kommunikationssystem, die Abwesenheit einer vermittelnden Erzählfunktion, eine idealisierte Norm darstellt, die in der Geschichte dramatischer Texte immer wieder durchbrochen wird. Die theoretische Diskussion über die Geltung dieser Norm und die Berechtigung dieser Normdurchbrechungen wurde vor allem durch Bertolt Brechts Entwurf eines anti-aristotelischen, "epischen Theaters" ausgelöst,[54] und sie führte zu einem verschärften Blick für episierende Tendenzen in dramatischen Texten von der Antike bis zum Naturalismus. Die Diskussion wird jedoch zum Teil durch divergierende Füllungen des Begriffs des Epischen verunklärt. Wir schicken daher unserer Analyse epischer Kommunikationsstrukturen einen Aufriß der drei wichtigsten Tendenzen voraus, die mit dem Begriff der Episierung in Zusammenhang gebracht wurden. Die Mehrdeutigkeit ist dabei begriffsgeschichtlich zu erklären, da die Opposition "episch" vs. "dramatisch", die sich bis Aristoteles und Platon zurückverfolgen läßt (s. o. 1.2.1), von unterschiedlichen Aspekten her definiert wurde.

3.6.1.1 Aufhebung der Finalität

Eine Definition, die ihre einflußreichste Formulierung im Goethe/Schiller-Briefwechsel von 1797 gefunden hat, sieht das Epische eines Werks in der „Selbständigkeit seiner Teile", das Dramatische in der Finalität der vorwärtsdrängenden Endbezogenheit der Teile.[55] Episches Drama in dieser Sicht bedeutet also ein Drama, in dem die Einzelszenen relativ selbständig sind, d.h. die Relationen der Szenen untereinander wichtiger sind als der Bezug der Einzelszene auf den Handlungsausgang. In Brechts Konzeption des epischen Theaters geht dieser Aspekt durchaus ein, wenn diese auch nicht darin aufgeht. So erinnert zum Beispiel seine Forderung nach einem Drama, das auf die schlüssig geführte Intrige zugunsten einer "Folge verhältnismäßig selbständiger Begebnisse" verzichtet, schon in der Formulierung deutlich an Schillers Bestimmung des Epischen;[56] und so knüpft auch die Betonung der "Spannung auf den Gang" für das epische Theater im Gegensatz zur bisher dramenüblichen "Spannung auf den Ausgang" an die gattungstheoretischen Reflexionen Goethes und Schillers an.[57] Ein episches Theater dieser Bestimmung ist durch Stationen- oder Episodenstruktur gekennzeichnet, in der sich im pointierten Kontrast der Einzelszenen ihre wechselseitige Relativierung und Verfremdung vollzieht. Rezeptionsästhetisch kommt ihm primär die Funktion einer Ent-Spannung des Zuschauers zu, die ihn zu kritischer Distanz befähigt und seine Aufmerksamkeit für ein reflektiertes Vergleichen und Werten freisetzt; gleichzeitig impliziert bei Brecht die Aufhebung der Finalität ein Modell der Wirklichkeit, das diese als variabel und veränderbar darstellt.

3.6.1.2 Aufhebung der Konzentration

Eine zweite Definition, maßgebend von Hegel ausformuliert, stellt der Konzentration des Dramatischen die Breite und Detailfülle des Epischen gegenüber. Episierung des Dramas in dieser Sicht heißt dann der Versuch, Wirklichkeit in ihrer Totalität und in all ihren individuellen Details auf der Bühne präsentieren zu wollen. Diese Tendenz des Dramatischen zum Epischen hin wirft zum Beispiel schon im späten neunzehnten Jahrhundert Friedrich Spielhagen, von einem normativen Gattungspurismus ausgehend, dem Drama des Naturalismus und insbesondere den Dramen Ibsens kritisch vor, die versuchten, "dem Gewirr der Triebwurzeln bis in die kleinsten und feinsten Verzweigungen und Verästelungen" nachzuspüren, die "dem ihm unerreichbaren Ziele, der Darstellung einer epischen Idee in ihrer Totalität", zustrebten und als "dramatisierte Romane" "ganz wesentlich episch" seien.[58] Ein Drama, das in diesem Sinne episch ist, versteht sich als minutiöses Abbild von Realität, die es in einem repräsentativen Ausschnitt in intensiver Totalität darstellt, oder zielt durch eine panoramische Raum- und Zeitstruktur und durch ein umfangreiches Personal auf extensive Totalität ab. Funktion dieser Episierung ist es, psychologische, soziale und über Persönliches und Zwischenmenschliches hinausgehende Kausalzusammenhänge transparent zu machen und die Wirklichkeit in ihrem konkreten Sosein zu kritisieren.

3.6.1.3 Aufhebung der Absolutheit

Eine dritte Bestimmung des Gegensatzes von Epik und Dramatik beruht auf dem Redekriterium, auf dem Gegensatz von Bericht und Darstellung, wie er schon von Aristoteles und Platon vorformuliert wurde. Wir haben dieses Redekriterium im Rahmen unseres Kommunikationsmodells (s.o. 1.2.2) als die Anwesenheit eines vermittelnden Kommunikationssystems in narrativen Texten und als dessen Abwesenheit in dramatischen Texten beschrieben. Diese Bestimmung wird von uns, im Gegensatz zu normativen Gattungstheoretikern, nicht normativ, sondern als heuristisches Modell verstanden. Episierung des Dramas in diesem Sinn des Aufbaus eines vermittelnden Kommunikationssystems ist eine Tendenz, die sich schon lange vor Brecht an dramatischen Texten immer wieder beobachten läßt; es ist jedoch Brechts Verdienst, diese Tendenz einem normativen Gattungspurismus gegenüber gerechtfertigt und sie in seiner eigenen Dramenproduktion konsequent realisiert zu haben. Durch den systematischen Einsatz dramaturgischer Techniken wie Prolog und Epilog, Chor und Song, Montage, Spruchbänder und Projektionen, Spielleiterfiguren, Aus-der-Rolle-Fallen und Bloßlegen des theatralischen Apparats, die alle in unterschiedlicher Weise zur Etablierung eines vermittelnden Kommunikationssystems beitragen, schuf er ein Drama, in dem die Episierung nicht okkasioneller Effekt bleibt, sondern in dem die Überlagerung der Spielebene des inneren Kommunikationssystems durch eine epische Ebene der Reflexion und des Kommentars (vermittelndes Kommunikationssystem) strukturbestimmend wird. Rezeptionsästhetisch gesehen hat diese Form der Episierung eine anti-illusionistische Funktion, die einer identifikatorischen Einfühlung des Zuschauers in die Figuren und Situationen der inneren Spielebene entgegenwirkt und somit eine Haltung kritischer Distanz begünstigt. Zudem erlaubt das vermittelnde Kommunikationssystem eine direktere Steuerung des Rezipienten, die der kritisch-didaktischen Intention entgegenkommt.

3.6.2 Techniken epischer Kommunikation

Der Überblick über die drei wesentlichen Bestimmungen von Episierungstendenzen im Drama macht deutlich, daß nur die letzte für unser unmittelbares Thema, die epischen Kommunikationsstrukturen im Drama, relevant ist, während die beiden anderen Definitionen erst in Zusammenhang mit der Handlungsstruktur und der Raum- und Zeitstruktur weiter zu verfolgen sein werden. Unsere nächste Fragestellung ist also, in welchen isolierbaren dramaturgischen Kunstmitteln sich epische Kommunikationsstrukturen im Drama realisieren und wie diese zu klassifizieren sind. Nebenbei sei noch angemerkt, daß solche Episierungstendenzen typologisch unterschiedlich stark ausgeprägt sind, wobei zwischen der Komödie und epischen Kommunikationsstrukturen eine besonders ausgeprägte Affinität besteht. Darauf hat schon Bertolt Brecht in den "Anmerkungen zur *Dreigroschenoper*" hingewiesen:

> Überall aber, wo es Materialismus gibt, entstehen epische Formen in der Dramatik, im Komischen, das immer materialistischer, 'niedriger' eingestellt ist, am meisten und öftesten.[59]

3.6.2.1 Auktoriale Episierung

Es liegt nahe, nach den verschiedenen Textschichten zu klassifizieren, in denen sich das Aussagesubjekt des epischen Kommentars situiert. Dabei ist in der äußersten Textschicht der AUKTORIALE NEBENTEXT zu nennen, der gerade in neueren Dramen eine Ausweitung ins Deskriptive und Kommentierende erfahren hat, die sich oft nicht mehr völlig in die Bühnenrealisierung umsetzen läßt (s. o. 2.1.3). Als Beispiel wählen wir eine der Regieanweisungen, die in Tschechows *Kirschgarten* jedem Akt vorausgeschickt werden:

> Ein Zimmer, welches immer noch 'das Kinderzimmer' genannt wird. Eine der Türen führt in Anjas Zimmer. Morgendämmern, bald geht die Sonne auf. Es ist bereits Mai, die Kirschbäume blühen, doch im Garten ist es kalt; Morgenfrost. Die Fensterläden sind geschlossen.[60]

Hier werden nicht einfach Inszenierungsanweisungen gegeben, die sich auf die Faktizität des Bühnenraums beziehen, sondern es liegt ein literarisch durchgeformter, narrativ-deskriptiver Text vor, der die folgende dramatische Präsentation bereits unter eine interpretierende Perspektive stellt. Und diese Perspektive ist als Element des vermittelnden Kommunikationssystems den Figurenperspektiven übergeordnet und der auktorial intendierten Rezeptionsperspektive nahestehend. Bezeichnend sind die Zeitbezüge ("immer noch", "bald", "schon"), in die hier der dramatische Schauplatz bereits eingeordnet wird: gerade weil sie hier noch unerklärt bleiben, aber eine offensichtlich bedeutende Dimension eröffnen, entwerfen sie eine Orientierungslinie der Aufmerksamkeit, die jene Repliken der folgenden Dialoge betont, die die Auflösung bringen: für wen besitzt das Kinderzimmer die angedeutete Vergangenheitsdimension? in bezug auf welche ablaufende Frist ist schon das vorgerückte Datum im Mai erreicht? wann und von wem wird das Fenster geöffnet werden, das noch die blühenden Kirschbäume im Morgenfrost verbirgt? So etabliert sich in diesem Nebentext ein vermittelndes Kommunikationssystem, das aufmerksamkeitssteuernd und damit sinnschaffend die innere Spielebene interpretiert. Freilich geht dieser auktoriale Nebentext nicht unmittelbar in die Bühnenrealisierung ein, doch weist seine literarische Durchgeformtheit darauf hin, daß ihn Tschechow bei einer adäquaten Rezeption berücksichtigt haben will.[61]

Zu dieser äußersten Textschicht, die auf keine der Figuren als Aussagesubjekte bezogen werden kann, gehört auch die epische Kommentierung der inneren Spielebene durch PROJEKTIONEN, SPRUCHBÄNDER,

SZENENTITEL und ähnliches. Brecht hat solche Techniken in zahlreichen seiner Dramen eingesetzt und auch theoretisch gerechtfertigt; wir wählen jedoch als Beispiel einen Text aus der englischen Brechtnachfolge, die dramatische Revue *Oh What a Lovely War* (1963) des *Theatre Workshop* von Joan Littlewood, da sie hier besonders dicht eingesetzt werden. Während etwa das ganze Ensemble die Schlußlieder von der Verklärung des Kriegs in der Erinnerung, "And when they ask us" und "Oh it's a lovely war", singt, läuft gleichzeitig über eine Nachrichtentafel der Text,

> THE WAR TO END WARS ... KILLED TEN MILLION ... WOUNDED TWENTY-ONE MILLION ... MISSING SEVEN MILLION,

und erscheinen auf einer überdimensionalen Projektionswand Bilder wie:

> Five Tommies trying to pull a field gun out of the mud,

oder:

> Two weary British officers, both in battle dress, one with bandaged head.[62]

Sowohl durch die summarische Zusammenfassung der Schrecken des ersten Weltkriegs auf der Schrifttafel als auch durch die Darstellung seiner mehr alltäglich-trivialen Misere mit Hilfe der Projektionen wird das Lied der inneren Spielebene nachdrücklich dementiert, bzw. seine grimmige Ironie deutlich signalisiert. Auch hier also wird durch das vermittelnde Kommunikationssystem eine Ebene geschaffen, von der aus das Geschehen kommentiert und relativiert werden kann.

Eine weitere dramaturgische Technik, in der sich ein vermittelndes Kommunikationssystem etabliert, das keiner der Figuren als Aussagesubjekt zugeordnet werden kann, ist die MONTAGE. Terminus und Phänomen entstammen der Filmkunst,[63] und von seiner Entwicklung im Film seit G. W. Griffiths *Birth of a Nation* (1915) wurde die Montage-Technik im Bühnendrama unmittelbar beeinflußt. Wir haben schon in unserem Exkurs zum Film (s. o. 2.3) darauf hingewiesen, daß sich im Aufbrechen der raum-zeitlichen Kontinuität des Dargestellten durch Rückblenden und Einblendungen von Gleichzeitigem oder Zukünftigem ein Prinzip realisiert, das dem des auktorialen Erzählers in narrativen Texten analog ist. Und dies gilt auch für die Montage im Bühnendrama: die Umstellungen in der raum-zeitlichen Kontinuität implizieren eine Instanz, die diese Umstellungen vornimmt, und diese Instanz kommentiert und interpretiert das Dargestellte durch die in den Umstellungen neu geschaffenen Kontrast- und Korrespondenzbezüge (s. u. 7.2.2.2 u. 7.4.2). Besonders deutliche Beispiele dafür bietet wieder *Oh What a Lovely War*. Hier werden etwa in einer schnell ablaufenden Montage von Kurzszenen die Kriegsvorbereitungen und -pläne der beteiligten Großmächte Deutschland, Frankreich, Rußland und England gezeigt, wobei die Einzelszenen in ihrer räumlichen Situierung weit auseinander liegen und zeitlich annähernd simultan sind.[64] Im Dialog zwischen Moltke und Wilhelm II. wird ein Angriff über den rechten Flügel auf Paris geplant und davon ausgegangen, daß Rußland allenfalls 1916 für einen Kriegseintritt gerüstet ist; im Monolog Frankreichs wird ebenfalls für direkten Angriff plädiert, da ja die deutschen Kräfte durch ihren Angriff auf Rußland gebunden seien; Rußland rüstet sich angesichts seines Menschenpotentials zum Angriffskrieg; und in dem Dialog zwischen einem britischen Admiral und einem britischen General ist von der entscheidenden Rolle Englands die Rede, obwohl das Verhalten Englands von keiner der anderen Parteien auch nur diskutiert wurde und obwohl sich Marine und Armee noch auf keinen Plan einigen können. Das bloße Inhaltsresümee macht schon deutlich, daß hier das Aufbrechen der raumzeitlichen Kontinuität als intentionaler Akt einer arrangierenden Instanz erscheint, die durch dieses Szenenarrangement die Einzelszenen kommentiert, indem sie die wechselseitige Selbstaufhebung dieser Pläne aufdeckt und damit *ad absurdum* führt.

3.6.2.2 Episierung durch spielexterne Figuren

Wir kommen nun zu den epischen Kommunikationsstrukturen, die von Figuren als fiktiven Aussagesubjekten getragen werden. Hier lassen sich zwei Untertypen unterscheiden, je nachdem, ob diese Trägerfiguren *nur* im vermittelnden Kommunikationssystem fungieren, oder sowohl in diesem als auch in der Spielebene des inneren Kommunikationssystems.[65] Wir wollen, unserem Klassifizierungsprinzip gemäß, zunächst auf den erstgenannten Untertyp eingehen.

Zu ihm gehören jene PROLOGE und EPILOGE, die nicht von einer der Figuren der inneren Spielebene vorgetragen werden, sondern von einer außerhalb des inneren Kommunikationssystems bleibenden Figur – sei es nun ein anonymer Sprecher, eine allegorische Personifikation oder Götterfigur oder eine auktoriale Selbststilisierung. Ob diese nun, wie etwa in den Prologen zu den sechs Komödien von Terenz, apologetisch ein poetologisches Programm entwickelt, oder, wie meist bei Plautus, die Handlungsvoraussetzungen oder den Handlungsverlauf skizziert, in jedem Fall wird hier über ein vermittelndes Kommunikationssystem das folgende Geschehen in der inneren Spielebene kommentierend und reflektierend in eine bestimmte Perspektive gerückt. Sehr deutlich wird das in dem berühmten Epilog zu Brechts *Der gute Mensch von Sezuan*, mit dem sich einer der Schauspieler beim Publikum dafür entschuldigt, daß das Spiel ohne Lösung blieb, und es dazu auffordert, selbst einen Ausweg aus dem Dilemma zu finden, das das Spiel demonstrierte.[66] Das Geschehen in der inneren Spielebene wird hier explizit in seinem Spielcharakter exponiert: das Spiel um Shen Te wird zum exemplarischen Modell distanziert, das die Schauspieltruppe in Szene setzte, um damit dem Publikum die Unvereinbarkeit von Güte und Erfolg in einem kapitalistischen Gesellschaftssystem vorzuführen.

Auch der CHOR gehört zum ersten Untertypus, soweit er als Figurenkollektiv außerhalb der inneren Spielebene bleibt, die Situationen des Spiels kommentiert, ohne in sie involviert zu sein.[67] Diese Konzeption des Chors wird zum Beispiel von Schiller in seiner Abhandlung *Über den Gebrauch des Chors in der Tragödie* zur *Braut von Messina* vertreten:

> Was das gemeine Urteil an dem Chor zu tadeln pflegt, daß er die Täuschung aufhebe, daß er die Gewalt der Affekte breche, das gereicht ihm zu seiner höchsten Empfehlung; denn eben diese blinde Gewalt der Affekte ist es, die der wahre Künstler vermeidet, diese Täuschung ist es, die er zu erregen verschmäht. Wenn die Schläge, womit die Tragödie unser Herz trifft, ohne Unterbrechung aufeinander folgten, so würde das Leiden über die Tätigkeit siegen. Wir würden uns mit dem Stoffe vermengen und nicht mehr über demselben schweben. Dadurch, daß der Chor die Teile auseinanderhält und zwischen die Passionen mit seiner beruhigenden Betrachtung tritt, gibt er uns unsere Freiheit zurück, die im Sturm der Affekte verlorengehen würde.[67a]

Außerhalb der dramatischen Situation stehend, kann er auch den Informationsstand im inneren Kommunikationssystem überschreiten und sich "über Vergangenes und Künftiges, über ferne Zeiten und Völker (. . .) verbreiten".[68] In dieser Möglichkeit des Exkurses und der Vorwegnahme von Künftigem, in diesem situationsunbefangenen Überblick, gleicht dieser Typ des Chors dem auktorialen Erzähler als Vermittlungsinstanz in narrativen Texten.

Schillers Formulierungen verweisen in ihrer Betonung der anti-illusionistischen, reflektierende Distanz schaffenden Funktion des Chors bereits auf Brecht voraus, wenn auch die ideologische Füllung dieser Funktion bei beiden Dramatikern eine unterschiedliche ist. Ein Beispiel für einen solchen spiel-externen Chor bei Brecht[69] stellen die "Musiker" im *Kaukasischen Kreidekreis* dar, die zusammen mit dem "Sänger" die ausgesparten Zeiträume in narrativem Bericht überbrücken, den Inhalt der folgenden Szene ankündigen oder ethische Fragen aufwerfen und Entscheidungen kommentieren.

Mit dem "Sänger" im *Kauskasischen Kreidekreis* haben wir bereits einen weiteren Trägertyp für ein vom Personal der inneren Spielebene unabhängiges vermittelndes Kommunikationssystem erwähnt, die REGIEFIGUR. Funktional ist sie den Prolog- und Epilogfiguren und dem Chor ähnlich; sie unterscheidet sich jedoch formal von jenen durch ihre kontinuierlichere Bühnenpräsenz, die sich nicht auf Textanfang und -ende beschränkt, von diesem dadurch, daß es sich bei ihr nicht um ein Figurenkollektiv, sondern um eine Individualfigur handelt. Als "Sänger", "Ausrufer" (Brecht: *Das Verhör des Lukullus*), "Stage Manager" (Wilder: *Our Town*), "Explicateur" (Claudel: *Le Livre de Christoph Colomb*) oder unter ähnlichen Namen tritt sie vermittelnd zwischen die innere Spielebene und das Publikum. Über die Funktion des kommentierenden und reflektierenden Chors hinausgehend, erscheint sie als fiktives Aussagesubjekt der Textschicht der inneren Spielebene. So kann Wilders Spielleiter jederzeit das Spiel unterbrechen –

> Thank you. Thank you! That'll do. We'll have to interrupt again here. Thank you, Mrs. Webb; thank you, Emily.[70]

die Chronologie der Ereignisse umstellen –

> You see, we want to know how all this began – this wedding, this plan to spend a lifetime together. (. . .) George and Emily are going to show you now the conversation they had when they first knew that . . . that . . . as the saying goes . . . they were meant for one another.[71] –

Zeiträume aussparen und durch informative Exkurse überbrücken –

> Now we are going to skip a few hours. But first we want a little more information about the town, kind of scientific account, you might say.[72] –

das Spiel als Theateraufführung bewußt machen –

> There's some scenery for those who think they have to have scenery.[73] –

die Prinzipien seines eigenen Arrangements der Handlung thematisieren –

> The First Act was called the Daily Life. This act is called Love and Marriage. There's another act coming after this: I reckon you can guess what that's about.[74] –

oder gelegentlich selbst eine kleine Nebenrolle übernehmen –

> In this wedding I play the minister. That gives me the right to say a few more things about it.[75]

In ständigem Kontakt mit dem Publikum, an das er sich mit seinen narrativen Überleitungen, informativen Exkursen und wertenden Kommentaren wendet, entwickelt er eine eigenständige Figurenperspektive, die der der Figuren des inneren Spiels übergeordnet ist und diese umgreift (s. o. 3.5.2). Diese Überordnung seiner Perspektive zeigt sich schon darin, daß er den Figuren seines Spiels gegenüber einen absoluten Informationsvorsprung besitzt, der es ihm erlaubt, den Informationsstand im inneren Kommunikationssystem jederzeit zu durchbrechen und Künftiges vorwegzunehmen:

> Want to tell you something about that boy Joe Crowell there. Joe was awful bright – graduated from high school here, head of his class. So he got a scholarship to Massachusetts Tech. Graduated head of his class there, too. It was all wrote up in the Boston paper at the time. Goin' to be a great engineer, Joe was. But the war broke out and he died in France – All that education for nothing.[76]

In solchen Passagen wird deutlich, daß das Dargestellte für ihn, wie für den Erzähler in narrativen Texten, ein Vergangenes, ein abgeschlossenes Ganzes ist,[77] und das Tempus des Präsens, in dem die meisten Erzähleinlagen stehen, ein historisches Präsens mit Vergegenwärtigungsfunktion ist.[78] Diese Beobachtungen zusammengenommen erweisen den Typ der Regie- oder Spielleiterfigur als die strukturell deutlichste Annäherung dramatischer Texte an das Kommunikationsmodell narrativer Texte.

3.6.2.3 Episierung durch spielinterne Figuren

Wir kommen nun zu den Strukturen epischer Kommunikation, bei denen das vermittelnde Kommunikationssystem nicht von spielexternen Figuren getragen wird, sondern von Figuren, die selbst in der dramatischen Situation stehen. Diese "Personalunion" von Spielfigur und episch vermittelnder Figur kann sowohl beim Formtyp des Prologs und Epilogs, als auch beim Chor und beim individuellen Figurenkommentar auftreten. Dabei kommt es oft zu sehr komplizierten und auch mehrdeutigen Übergangsphänomenen, wenn sich eine Figur nicht plötzlich und in deutlich signalisierter Wendung aus der Spielsituation und ihrer raum-zeitlichen Deixis löst und diese dann dem Publikum kommentierend und reflektierend vermittelt, sondern wenn sich dies als Prozeß allmählich und mit Zwischenstufen vollzieht, oder wenn dieser Prozeß gar nicht zu einer völligen Lösung von der inneren Spielsituation führt.

Den PROLOG durch eine Spielfigur kennt schon das antike Drama (vgl. etwa den Prolog Merkurs zu Plautus' *Amphitruo*); wir wählen jedoch als besonders interessantes Beispiel den von Prospero gesprochenen EPILOG zu Shakespeares *The Tempest*, da hier das ambivalente Changieren zwischen Spielimmanenz und epischer Distanz rezeptionsgeschichtlich zu unterschiedlichen Interpretationen des ganzen Dramas geführt hat:

> Now my charms are all o'erthrown,
> And what strength I have's mine own,
> Which is most faint. Now, 'tis true,
> I must be here confin'd by you,
> 5 Or sent to Naples. Let me not,
> Since I have my dukedom got,
> And pardon'd the deceiver, dwell
> In this bare island by your spell;
> But release me from my bands
> 10 With the help of your good hands.
> Gentle breath of yours my sails
> Must fill, or else my project fails,
> Which was to please. Now I want
> Spirits to enforce, Art to enchant;
> 15 And my ending is despair,
> Unless I be reliev'd by prayer,
> Which pierces so that it assaults
> Mercy itself, and frees all faults.
> As you from crimes would pardon'd be,
> 20 Let your indulgence set me free.[79]

Auf die innere Spielebene bezogen ist hier zunächst einmal die optisch durch Kostüm und Maske signalisierte Identität des Epilogsprechers mit dem verbannten Herzog und Inselmagier des vorausgegangenen Spiels. Aber auch sprachlich verweist der Epilog in vielfältiger Weise auf die fiktive Welt des Stücks zurück: einzelne Handlungsmomente – das Ablegen seiner Magierrolle (V. 1 ff, 13 ff), die Rückgewinnung des Herzogtums (V. 6), die Begnadigung der Gegner (V. 7), die geplante Rückkehr nach Neapel (V. 3 ff, 10 ff) – werden zitiert, ohne daß sie explizit in ihrer Fiktionalität aufgedeckt werden; die raum-zeitliche Deixis der Inselwelt wird beibehalten (V. 4, 8), und auch sprachstilistisch bleibt der Epilog den früheren Repliken Prosperos etwa im Gebrauch ethisch wertender Abstrakta ähnlich. Diese Kontinuität mit dem inneren Kommunikationssystem wird jedoch überlagert und durchbrochen durch die Etablierung eines vermittelnden Kommunikationssystems. Die veränderte Sprechsituation wird bereits metrisch signalisiert: die vierhebigen Reimpaare kontrastieren mit dem im Spiel selbst dominierenden Blankvers. Adressat des Epilogs ist nicht mehr eine Figur der inneren Spielebene, sondern das

Publikum, dem sich der Epilogsprecher mit seiner *captatio benevolentiae* zuwendet. In dieser Hinsicht ist nicht mehr Prospero selbst der Sprecher, sondern der Schauspieler der Rolle des Prospero, der im Namen des Ensembles um Applaus bittet und diese Bitte mit der Bedeutung von *mercy* und *indulgence* begründet, wie sie das vorausgehende Stück demonstrierte. Unter dem "Schauspieler der Rolle des Prospero" ist natürlich nicht der empirische Schauspieler gemeint, der in der jeweiligen Inszenierung gerade Prospero spielt, sondern eine ebenfalls vom Autor geschaffene fiktive Schauspielerrolle (S2). Dieser kategoriale Unterschied ist analog zum Unterschied zwischen dem Autor und dem fiktiven Erzähler in narrativen Texten.

Diese Überlagerung des inneren Kommunikationssystems durch ein episch vermittelndes, diese Ambivalenz von Fiktion und Realität, in der der Epilogsprecher als Herzog von Mailand auf sein politisches Wirken und als Schauspieler auf die theatralische Aufführung zurückblickt, läßt einen wichtigen thematischen Komplex ebenfalls ambivalent werden: die semantisch miteinander korrespondierenden Begriffe "charms" (V. 1), "strength" (V. 2), "project" (V. 12), "Spirits" and "Art" (V. 14) sind einerseits direkt auf die Weiße Magie Prosperos, andererseits als epischer Kommentar auf die Aufführung selbst zu beziehen, deren quasi-magische Illusionskunst nun zu Ende gekommen ist. Diese Ambivalenz erlaubt nun jedoch keinesfalls eine Gleichsetzung von Prosperos Magie mit den poetologischen Implikationen des Dramas *The Tempest*, wie sie von allegorisierenden Interpreten verfochten wurde, und noch weniger rechtfertigt sie die häufig vertretene Gleichsetzung von Prospero und dem Schauspieler der Rolle des Prospero mit dem Autor Shakespeare, der in Prosperos Absage an die Magie und im Epilog seinen eigenen Rückzug vom Theater dramatisiert habe.

Spielen bei Prolog und Epilog in der Geschichte des Dramas die spielexterne und die durch Spielfiguren getragene Variante eine in etwa gleichberechtigte Rolle, so dominiert in bezug auf den CHOR die zweite Variante. Sie wird schon in der antiken Dramentheorie normativ verabsolutiert. So fordert etwa Aristoteles:

> Den Chor muß man behandeln wie einen der Schauspieler. Er soll ein Teil des Ganzen sein und mithandeln (. . .) wie bei Sophokles.[80]

Und Horaz formuliert noch eindeutiger:

> actoris partis chorus officiumque virile
> defendat, neu quid medious intercinat actus
> quod non proposito conducat et haereat apte.[81]

Ein Chor, der streng diesen Forderungen entspricht, ginge völlig in der inneren Spielebene als agierende Figur auf, die sich nur in ihrer Kollektivität von den anderen Figuren unterscheidet. Das geforderte "Mithandeln" beschränkt sich jedoch in den vorliegenden Texten fast immer auf die Funktion eines interessierten, meist passiv reagierenden oder allenfalls in Rat, Warnung oder Gebet verbal agierenden Beobachters. Als solcher steht er zwar in der dramatischen Situation, wie besonders in den Dialogen zwischen Chor und Protagonisten deutlich wird, kann sich aber auch immer wieder von ihr distanzieren. Und gerade in dieser Möglichkeit zur Distanz, in der Möglichkeit, von der konkreten Situation zu abstrahieren und über sie zu reflektieren, liegt der Ansatzpunkt für seine epische Vermittlungsfunktion.

So bleibt zum Beispiel der Chor der thebanischen Greise im *Oidipus Tyrannos* in den meisten seiner Lieder stark in der konkreten Situation befangen: im Einzugslied (Parodos)[82] fleht er um die Hilfe der Schutzgötter gegen die Seuche, die Theben heimsucht; im ersten Standlied (Stasimon)[83] ringt er mit den durch Teiresias geweckten Zweifeln und Befürchtungen, im dritten gibt er sich trügerischen Hoffnungen auf eine positive Wendung hin, und im vierten schließlich beklagt er Oidipus' Schicksal. In allen diesen Chorliedern herrscht ein starker thematischer Bezug auf die sie einbettende Situation und die sie umgebenden Dialoge, aus denen sie sich herauslösen oder in die sie münden, und nirgends wird in ihnen ein situativ und psychologisch plausibler Bewußtseinshorizont durchbrochen. Von ihnen unterscheidet sich das zweite Standlied (V. 863–910)[84] durch einen höheren Grad an Situationsabstraktheit: es bezieht sich weder direkt auf den vorausgegangenen Dialog Oidipus-Iokaste noch auf konkrete Details der dramatischen Situation, sondern reflektiert in persönlich bewegter, aber situations-abstrakt bleibender Weise über Recht und Vermessenheit und über die Götter als Garanten der Wahrheit. So wird dieses Standlied in seiner Distanz zur dramatischen Situation zum reflektierenden Kommentar des Dramas als Ganzem und realisiert somit ansatzweise ein zwischen dem dramatischen Geschehen und dem Publikum vermittelndes Kommunikationssystem. Die Realisierung ist nur eine ansatzweise, weil auch hier bei aller Situationsabstraktheit die innere Spielebene nicht illusionszerstörend durchbrochen und das Publikum nicht zum direkten Adressaten wird. Diese radikalere Art eines episch vermittelnden Chores findet sich jedoch in der "alten Komödie" Griechenlands – auch dies ein Beleg für die besondere Affinität zwischen Komik und Episierung – in der Form der Parabase, in der sich der Chor, den Handlungszusammenhang und die dramatische Illusion sprengend, in einer satirischen Einlage unmittelbar an das Publikum wendet. Er gehört damit in unserer Typologie zur weiter oben behandelten spielexternen Variante des Chors.

Ein modernes Äquivalent zum Chor ist der SONG, wie er in Brechts Theorie und Praxis des epischen Theaters propagiert wurde. Im Unterschied zum herkömmlichen Lied im Drama[85] ist der Song nicht ausschließlich oder überhaupt nicht in der inneren Spielebene motiviert, sondern durchbricht er das innere Kommunikationssystem im direkten *ad spectatores*. Auch hierbei treten häufig Interferenzen zwischen innerem und vermittelndem Kommunikationssystem auf. Diese Überlagerung beschreibt Brecht selbst in einem der Gedichte ("Die Gesänge") aus dem *Messingkauf:*

> Die Schauspieler
> Verwandeln sich in Sänger. In anderer Haltung
> Wenden sie sich an das Publikum, immer noch
> Die Figuren des Stücks, aber nun auch offen
> Die Mitwisser des Stückeschreibers.[86]

Insofern sie immer noch "Figuren des Stücks" bleiben, ist ihr Song Teil des inneren Kommunikationssystems; insofern sie sich jedoch als "Mitwisser des Stückeschreibers" unmittelbar an das Publikum wenden, etabliert sich in ihm ein vermittelndes Kommunikationssystem, das illusionsdurchbrechend die Fiktionalität des Spiels aufdeckt und es einem kritisch distanzierten Kommentar unterwirft. Wie unterschiedlich stark diese beiden Pole auch in Brechts Songs ausgeprägt sein können, wollen wir durch einen kurzen Vergleich des Salomon-Songs in der *Dreigroschenoper* und in *Mutter Courage* illustrieren.

Der Salomon-Song in der *Dreigroschenoper*[87] wird schon szenisch deutlich von der inneren Spielebene abgehoben: die Beleuchtung wird verändert, der Titel des Songs durch eine Schrifttafel angekündigt, Jenny tritt vor dem geschlossenen Vorhang mit einem Leierkasten an die Rampe und wendet sich mit ihrem Lied unmittelbar an das Publikum. In den "Anmerkungen zur *Dreigroschenoper*" begründet Brecht diese Trennung der Ebenen des inneren Spiels und des kommentierenden Songs:

> Indem er singt, vollzieht der Schauspieler einen Funktionswechsel. Nichts ist abscheulicher, als wenn der Schauspieler sich den Anschein gibt, als merke er nicht, daß er eben den Boden der nüchternen Rede verlassen hat und bereits singe. Die drei Ebenen: nüchternes Reden, gehobenes Reden und Singen, müssen stets voneinander getrennt bleiben, und keinesfalls bedeutet das gehobene Reden eine Steigerung des nüchternen Redens und das Singen eine solche des gehobe-

116

nen Redens. Keinesfalls also stellt sich, wo Worte infolge des Übermaßes der Gefühle fehlen, der Gesang ein. Der Schauspieler muß nicht nur singen, sondern auch einen Singenden zeigen.[88]

Durch dieses szenische Arrangement und diese Vortragstechnik wird die epische Vermittlungsfunktion des Songs verdeutlicht; der Schauspieler in der Rolle der Figur des Stücks verschwindet fast völlig hinter dem Schauspieler in der Rolle des kommentierenden Sängers. Diese Dominanz der Vermittlungsfunktion wird auch durch eine Analyse der Relation zwischen dem Song und seinem dramatischen Kontext bestätigt: er entwickelt sich nicht aus einem vorausgehenden Dialog, ist also in der inneren Spielebene unmotiviert, und erst in der letzten der fünf Strophen bezieht sich Jenny auf die dramatische Situation, den Fall Macheaths, ohne jedoch auf den entscheidenden Aspekt ihrer Mitwirkung daran einzugehen. Der Song ist also von hoher Situationsabstraktheit und somit Kommentar zum Stück als Ganzem, dessen zentrale Thematik, die bürgerlich-kapitalistische Moral, er herausstellt. In enumerativer Katalogtechnik reiht er Exempla dafür, wie eigentlich positive Eigenschaften den Menschen zu Fall bringen – die Weisheit den Salomon, die Schönheit die Kleopatra, die Kühnheit den Cäsar, der Wissensdurst den Brecht und die Sinnlichkeit den Macheath. Die metrische und syntaktische Parallelisierung der fünf Strophen, die noch durch den vierzeiligen Refrain verdeutlicht wird, betont dabei gerade die Disparatheit des Katalogs, wodurch an den dialektischen Scharfsinn des Zuschauers appelliert wird, diese Inkongruenzen und Ironien aufzulösen. Die Tatsache schließlich, daß der Autor selbst als eines der Exempla zitiert wird, durchbricht die Illusion völlig und exponiert das ganze Stück als etwas Gemachtes und zur Vorführung Bestimmtes.

In der wesentlich späteren *Mutter Courage und ihre Kinder* ist der Salomon-Song, der hier um einige Strophen erweitert, um andere gekürzt wieder erscheint, wesentlich stärker in die primäre Spielebene integriert.[89] Er wird hier vom Koch und der Mutter Courage gemeinsam als Bettellied gesungen, ist also durch die dramatische Situation motiviert, aus der er sich entwickelt und in die er wieder mündet. Rein dramaturgisch gesehen, durchbricht er also nicht das innere Kommunikationssystem; von seinen thematischen Bezügen her überschreitet er jedoch die innere Spielebene.[90] Dies schon einmal dadurch, daß die konkrete Bettelszene in einen weltgeschichtlichen Horizont gerückt und zum Exemplum für unrentable Moral reduziert wird. Zum andern besteht ein deutlicher Kontrast zwischen der Ideologie des Songs und dem Charakter des Kochs, der ja keineswegs als

Opfer unrentabler Moral gelten kann, so daß der Song seine Figurenperspektive durchbricht. In einem solchen Aus-der-Rolle-Fallen löst sich der Schauspieler als vermittelnde Instanz von der durch ihn dargestellten Rolle, wird er zum Träger eines vermittelnden Kommunikationssystems. Und schließlich besteht auch zwischen dem Verhalten der Mutter Courage als Figur der inneren Spielebene und ihrem Song ein Spannungsverhältnis, indem die im Song behauptete Wertlosigkeit allen uneigennützigen oder hochherzigen Handelns durch den gleichzeitigen Entschluß der Courage, ihre stumme und verkrüppelte Tochter nicht im Stich zu lassen, dementiert wird. Die stärkere Integration des Songs in die innere Spielebene bedeutet hier also nicht den Verzicht auf epische Kommunikationsstrukturen überhaupt, sondern deren Verfeinerung hin zu größerer Indirektheit und Implizitheit.

Die bisher angeführten epischen Kommunikationsstrukturen stellen alle fest umrissene Einheiten dar, die vom Dialog der inneren Spielebene deutlich abgegrenzt sind. Daneben finden sich jedoch Vermittlungsstrukturen, die im Dialog und Monolog selbst punktuell auftreten. Dies setzt voraus, daß die dramatische Figur in deutliche Distanz zur Situation tritt, diese sozusagen "von außen" kommentiert. Kriterium der Episierung ist hier also der Grad der Situationsabstraktheit des Sprechens und das Verlassen der raumzeitlichen Deixis der Situation. Dabei kann es zu einem Auseinanderrücken des unmittelbar in der Situation involvierten Rollen-Ichs und eines distanziert kommentierenden Ichs kommen, das im Extrem zum Aus-der-Rolle-Fallen und damit zur Illusionsdurchbrechung führt, wobei der zweite Pol vom "Schauspieler" übernommen wird, der nun hinter der Rolle als epische Vermittlungsfigur hervortritt.

Wir wollen an einigen Beispielen unterschiedliche Grade dieser Distanzierung aufzeigen, und wenn es sich dabei durchgehend um Beispiele aus Komödien handelt, ist das nicht zufällig, sondern spiegelt erneut die besondere Affinität der Komödie zum Epischen wider.[91] Schon bei Plautus findet sich häufig punktuelles Durchbrechen des inneren Kommunikationssystems.[92] Besonders oft zeichnen sich hier Diener- und Parasitenfiguren durch einen leut- und redseligen Kontakt mit dem Publikum aus, das sie in ihre Pläne einweihen und dem sie ihre Meinung über andere Figuren kundtun. So zum Beispiel der Parasit Artotrogus über seinen Herrn im *Miles Gloriosus:*

> Freilich ist's noch gar nichts,
> Mit dem verglichen, was ich noch von Euch
> An Heldentaten zu berichten wüßte –

(*zum Publikum*)
Die leider nie geschehen sind. Liebe Leute!
Wenn einer einen größeren Renommisten
Und Lügenbold als diesen Menschen hier
Sein Lebtag gesehen haben sollte,
Der melde sich![93]

Sind die ersten drei Zeilen als Schmeichelrede an seinen bramarbasierenden Dialogpartner gerichtet, so wendet er sich im folgenden BEISEITE-
SPRECHEN (s. u. 4.5.3) direkt AN DAS PUBLIKUM (*ad spectatores*), dem er
seine wirkliche Meinung mitteilt. In dieser Direktanrede etabliert sich ein
vermittelndes Kommunikationssystem, über das der Zuschauer über die
Doppelbödigkeit der Rolle des Artotrogus informiert wird und den Prahl-
hans richtig einzuschätzen lernt. Trotz dieses *ad spectatores* wird hier
jedoch die dramatische Illusion nicht wirklich zerstört, da ja der kommentierende Artotrogus dabei nicht aus seiner Rolle des intrigierenden Para-
siten fällt, sondern nur seine wahre Meinung gegenüber der scheinhaften
Schmeichelei aufdeckt. Die Direktanrede an das Publikum soll auch diesem nicht seine Rolle als Theaterpublikum und das Dargestellte als Theateraufführung bewußt machen, sondern es wird behandelt, als wäre es
eine Gruppe zufällig anwesender Beobachter einer realen Situation. Das
ad spectatores impliziert also eine fiktive Zuschauerrolle (E2), die weder
mit dem impliziten (E3) noch mit dem realen Publikum (E4) identisch
ist, und zwischen der von der Situation distanzierten Figur und dieser
fiktiven Zuschauerrolle verläuft die epische Kommunikation.

Eine ILLUSIONSDURCHBRECHUNG liegt dagegen vor, wenn der Schauspieler aus seiner Rolle fällt und *ex persona* das Geschehen als Theater,
sich selbst als Schauspieler und die Zuschauer als Theaterpublikum
exponiert. Als Beispiel dazu eine Replik der Zeugen in Plautus' *Poenulus*:

All das wissen wir – wenn nur das werte Publikum es weiß! Denn das Spiel
wird für die Leute, die es ansehn, aufgeführt. Denen sagt Bescheid, damit sie,
was gespielt wird, recht verstehn! Unserhalb seid ohne Sorge! Denn wir kennen
unsern Text, haben ihn beim Einstudieren ja zugleich mit Euch gelernt.[94]

Die Replik ist in der inneren Spielebene motiviert durch die Weigerung
der Zeugen, noch einmal mit Agorastokles den Intrigenplan durchzu-
sprechen, sie sprengt diese aber, indem sie sie unvermittelt vom äußeren
Kommunikationssystem her betrachtet. Das Publikum ist zwar nicht der
direkte Adressat, aber das explizite Thema; und Sprecher sind nicht mehr
die fiktiven Zeugenfiguren, sondern die Schauspieler. Die Kommunikationsabläufe präzisierend ist hinzuzufügen, daß es sich dabei natürlich

immer noch um fiktive Aussagesubjekte handelt, um fiktive Schauspieler-rollen (Position S2), ebenso wie das hier thematisierte Publikum (E2), das das *ex persona* als bare Münze nimmt, nicht mit dem implizierten oder dem Publikum im äußeren Kommunikationssystem (E3/4) identisch ist, das das Aus-der-Rolle-Fallen ja als neue Fiktion durchschaut oder durch-schauen sollte.[95] Funktion dieses vermittelnden Kommunikationssystems ist es, die theatralische Aufführung als solche bewußtzumachen und sie dadurch zu "verfremden". Die Verfremdung bewirkt hier freilich nicht, wie bei Brecht, kritische Distanzierung, sondern betont das spielerische Moment und erzeugt komische Diskrepanz.[96]

Die bisher zitierten Beispiele epischer Strukturen im Dialog zeichnen sich durch ihre Eindeutigkeit und Transparenz aus. Einer sorgfältigen Analyse erschließen sich jedoch – vor allem, aber nicht nur, im Bereich des komischen Dramas[97] – weitere Techniken der Überformung des inneren Kommunikationssystems durch ein vermittelndes der Information und des Kommentars, bei denen jedoch die Zuordnung zu einer der beiden Ebenen nicht mehr explizit und deutlich signalisiert wird.

Ein Beispiel dafür sind narrative Repliken von Figuren, wie sie in der Form von EXPOSITIONSERZÄHLUNGEN (s. u. 3.7.2) und BOTENBERICHTEN (s. u. 4.2.2) konventionalisiert wurden.[98] Nach unserer Definition gehören solche Erzählungen nicht *per se* zu den epischen Kommunikationsstruk-turen im Drama,[99] da sie ja zunächst im inneren Kommunikationssystem situiert sind. Es etabliert sich jedoch in ihnen immer dann ein episch ver-mittelndes Kommunikationssystem, wenn sie in der inneren Spielebene ohne plausiblen Adressaten bleiben und so wenig, oder so oberflächlich, motiviert erscheinen, daß sich das Publikum als primären Adressaten empfindet.

Analog ist bei monologischen oder dialogischen REFLEXIONEN und KOMMENTAREN zu differenzieren. Sind sie auch rein oberflächenstruk-turell immer Teil des inneren Kommunikationssystems, transzendieren sie dieses doch, sobald die Reflexion und der Kommentar von der gegebenen dramatischen Situation weitgehend abstrahieren und zur allgemeingülti-gen Maxime oder Sentenz gerinnen, oder wenn Reflexion und Kommentar den Bewußtseinsstand der Figur überschreiten. Nach diesen Kriterien der Situationsabstraktheit und der Bewußtseinsinadäquatheit erscheinen zum Beispiel die "objektive Selbstdarstellung" der Lasterpersonifika-tionen in den Moralitäten oder die Kommentare von peripheren, "chori-schen" Kommentatorfiguren als Elemente eines vermittelnden Kom-munikationssystems. Da ist ferner der pointierte ANACHRONISMUS, der anachronistische Bezug auf die Aktualität des Publikums (s. u. 7.4.1), der zwischen der fiktiven Realität des Spiels und der realen Welt des Publikums vermittelt und durch seine komische Unangemessenheit das Spiel als Fiktion aufdeckt. Und da sind schließlich noch die sprachlich witzige Pointierung der Repliken oder Replikenfolgen und die Verdichtung eines Arguments zur bündigen SENTENZ, die zwar ebenfalls rein formal innerhalb des inneren Kommunikationssystems bleiben, in denen jedoch der Bezug auf das Publikum über den Bezug auf den Sprecher und den Dialogpartner dominieren kann. Diese Dominanz, die solchen Repliken ihr Moment epischer Vermittlung verleiht, wird dabei meist auch außersprachlich durch ein rollendistanziertes Spiel zum Publikum hin verdeutlicht.

3.6.2.4 Außersprachliche Episierung

Abschließend noch ein Hinweis auf außersprachliche epische Strukturen. Gerade im komischen Spiel läßt sich häufig ein Schauspielerstil der Rollendistanz beobachten, in dem der Schauspieler nicht in der Rolle aufgeht, sondern seine artistische Virtuosität sich immer wieder vor die Rolle schiebt. Der Schauspieler erfüllt damit eine deutliche Vermittlungsfunktion seiner Rolle gegenüber, die er in bewußter Distanz zu ihr demonstrierend vorführt. Besonders ausgeprägt ist das etwa in der Commedia dell'arte, in der die statisch festgelegten Figuren und die ebenfalls statisch vorgegebenen Halbmasken einem identifikatorischen Aufgehen des Schauspielers in seiner Rolle entgegenwirken und zu einer deutlichen Spannung zwischen dem Schauspieler, der seine Rolle dem Publikum virtuos demonstriert, und der Rolle selbst führen. Hier ist bereits in der Praxis – wenn auch mit anderer Funktion – die Brechtsche Theorie eines anti-identifikatorischen Schauspielerstils, seine Konzeption eines "Gestus des Zeigens", vorweggenommen. Diesem Schauspielerstil entspricht im Bereich der Bühnengestaltung ein Bloßlegen des theatralischen Apparats, ein illusionszerstörendes Bewußtmachen der Kulissen als Kulissen und der Requisiten als Requisiten, das den Unterschied zwischen der Realität der Gegenstände und den durch sie repräsentierten Gegenständen betont und ihnen somit eine epische Vermittlungsfunktion zuordnet (s. u. 7.1).

3.6.2.5 Repertoire der Episierungstechniken

Den aufgezeigten epischen Kommunikationsstrukturen ist gemeinsam, daß sie das Modell der Absolutheit des Dramas gegenüber Autor und

Publikum durchbrechen. Ihre scheinbare Disparatheit ergibt sich daraus, daß sie an je verschiedenen Ebenen und Schichten des dramatischen Werks einsetzen. Zusammengenommen stellen sie das Repertoire formaler Techniken der Episierung der Kommunikationsabläufe dar; als solches decken sie nur einen Aspekt des "epischen Theaters"ab, da die Episierung im Sinn der Aufhebung der Finalität und der Tendenz zur Totalität in diesem Zusammenhang nicht behandelt werden konnte. Dieses Repertoire ist prinzipiell ein offenes, das durch die Entwicklung neuer Darstellungstechniken jederzeit erweitert werden kann; darüber hinaus erhebt unsere Beschreibung dieses Repertoires nicht einmal den Anspruch der Vollständigkeit in bezug auf bereits vorliegende Texte. Nicht Vollständigkeit war hier, wie überall in dieser Einführung, unsere Intention, sondern Beschränkung auf das Wichtigste und Schlüssigkeit der Systematik. Zum besseren Überblick stellen wir die beschriebenen Strukturen noch einmal in ihrer systematischen Ordnung in einem Verzweigungsdiagramm dar. (S. 123)

3.7 Sukzession und Informationsvergabe

3.7.1 Simultaneität und Sukzession

Wir haben bei unseren bisherigen Überlegungen zur Informationsvergabe und zu den Kommunikationsstrukturen weitgehend vom Verlaufscharakter des dramatischen Texts abstrahiert, von der grundlegenden Tatsache, daß er sein Informationspotential sukzessive und in streng fixierter Abfolge aktualisiert. Ein dramatischer Text läuft, wie jeder literarische Text, in der Zeit ab, und somit ist die Dimension der Zeit eine seiner Wirkungsdimensionen.[100] Dies ist einer Analysemethode entgegenzuhalten, die, wie etwa der *spatial approach* des *New Criticism*, einen dramatischen Text retrospektiv als überzeitlich-zeitlose, gleichsam räumliche Struktur korrespondierender und kontrastierender Elemente betrachtet.[101] Hier wird die Abstraktion von der zeitlichen Sukzession der Informationsvergabe, die sich für uns aus systematischen Darstellungsgründen vorübergehend notwendig erwiesen hat, zum permanenten und dominanten Analyseprinzip erhoben und damit das Analyseobjekt verfehlt. Denn die Informationsvergabe in dramatischen Texten hat zwei zeitliche Achsen: die Achse der Simultaneität – in jedem Augenblick werden über die verschiedenen Codes und Kanäle gleichzeitig Informationen vermittelt – und die Achse der Sukzession – über jeden der Codes und Kanäle werden im zeitlichen

Epische Kommunikationsstrukturen

- **+ sprachlich**
  - **– figurenbezogen**
    - kommentierender Nebentext
    - Projektionen, Spruchbänder etc.
    - Titel
    - Montage
  - **+ figurenbezogen**
    - *spielexterne Figur*
      - Prolog, Epilog
      - Chor
      - Spielleiter, Erzähler etc.
    - *spielinterne Figur*
      - Prolog, Epilog
      - Chor
      - Song
      - ad spectatores
      - ex persona
      - Grenzfälle: narrative Repliken; Reflexion und Kommentar; Anachronismus, Sentenz, etc.
- **– sprachlich**
  - **– figurenbezogen**
    - Bloßlegen des theatralischen Apparats
  - **+ figurenbezogen**
    - Rollendistanz; Gestus des Zeigens

Nacheinander linear-akkumulativ Informationen vermittelt. Wir wollen uns auf zwei Aspekte konzentrieren, die in der Zeitabfolge besonders markiert sind und in denen der Sukzessivität der Informationsvergabe besondere Bedeutung zukommt – auf die Exposition und das Dénouement.

3.7.2 Informationsvergabe am Drameneingang

Die Frage nach der Informationsvergabe am Drameneingang[102] überschneidet sich mit dem klassischen dramentheoretischen Problem der Exposition, einem der am intensivsten bearbeiteten formalen Aspekte des Dramas.[103] Wenn wir jedoch Exposition definieren als die Vergabe von Informationen über die in der Vergangenheit liegenden und die Gegenwart bestimmenden Voraussetzungen und Gegebenheiten der unmittelbar dramatisch präsentierten Situationen, wird sofort deutlich, daß sich weder die Exposition auf die Eingangsphase des Textes beschränken noch die Informationsvergabe in der Eingangsphase des Textes in der Expositionsfunktion aufgehen muß.

3.7.2.1 Exposition und dramatischer Auftakt

Es empfiehlt sich also, zwischen Exposition und Texteingang, von E. Th. Sehrt in metaphorisierender Terminologie "dramatischer Auftakt" genannt,[104] zu differenzieren. Haben wir der Exposition eine primär informativ-referentielle Funktion zugeschrieben, so kommen dem Auftakt darüber hinaus die phatischen Funktionen (zur Terminologie s.u. 4.2.5) der Aufmerksamkeitsweckung des Rezipienten und der atmophärischen Einstimmung in die fiktive Spielwelt zu. Der Auftakt kann natürlich mit der Exposition zusammenfallen; die beiden Funktionen können aber auch als zwei isolierbare Phasen des Textverlaufs aufeinanderfolgen. Beispiele für das Zusammenfallen von Auftakt und Exposition stellen alle Tragödien Racines dar; Beispiele für ihr Nacheinander finden sich häufig im Drama Shakespeares. So konfrontiert die erste Szene in *The Tempest* den Zuschauer mit der spektakulären, heftig bewegten Darstellung eines Schiffbruchs im Sturm, die seine Aufmerksamkeit gefangennimmt und gerade dadurch, daß sie ihn über die Voraussetzungen dieser Szene im unklaren läßt, sein Interesse für das Folgende weckt, während dann in I, ii in einem ruhigen Expositionsdialog Prospero seine Tochter Miranda und damit indirekt den Zuschauer erst über die Vorgeschichte und Bedingungszusammenhänge informiert.

Die Gleichsetzung von Exposition und Drameneingang oder -auftakt, wie sie eine normative Dramentheorie bis Gustav Freytag und darüber hinaus fordert, deckt also nur einen historisch höchst begrenzten Formtyp ab. Dieser Gleichsetzung liegt eine Auffassung von Exposition zugrunde, die nicht primär auf dem Kriterium der Informationsvergabe beruht, sondern auf rhetorischen Traditionen der Disposition eines Textes in klar getrennten *partes orationis*.[105] So wie in einer nach rhetorischen Regeln gebauten Rede *exordium, narratio, argumentatio, refutatio* und *peroratio* in der festen Ordnung isolierbarer Einheiten aufeinanderfolgen, so hat sich der dramatische Text nach dem Dreierschema von *protasis – epitasis – katastrophe* oder nach Gustav Freytags fünfteiligem Schema von Einleitung – Steigerung – Höhepunkt – Umkehr – Katastrophe zu gliedern, wobei die Aktgrenzen die einzelnen Teile voneinander abheben.[106] Für eine auf dem Kriterium der Informationsvergabe basierende Auffassung stellt dieser Typ von Exposition jedoch einen Sonderfall dar, der in einer systematischen Dramentheorie nicht normativ verabsolutiert werden kann.

3.7.2.2 Initial-isolierte vs. sukzessiv-integrierte Exposition

Dieser Sonderfall läßt sich vielmehr in eine Typologie von Formen der Exposition einordnen, die von ihrer Position im Textganzen ausgeht. Ein Extrem des typologischen Spektrums wird dabei von der gerade beschriebenen Expositionsform besetzt, in der alle Informationen über die Voraussetzungen der Eingangssituation in einem deutlich abgegrenzten Block in der Eingangsphase des Textes gegeben werden. Die Kriterien dieses Typs sind also Initialposition, Isolation und Blockhaftigkeit. Ein Beispiel dafür ist etwa die Exposition in Racines *Andromaque*, wo im Dialog von Oreste und Pylade (I, 1) alle Voraussetzungen der Situation thematisiert werden und erst nach dem deutlichen Szeneneinschnitt, der durch das Abtreten Pylades und den Auftritt von Pyrrhus und Phoinix markiert wird, das Entwicklungspotential der Situation in Handlung umgesetzt wird (I, ii.). Das entgegengesetzte Extrem ist dann gegeben, wenn die Exposition nicht mehr an die Eingangsphase des Texts gebunden ist, sondern in die fortschreitende Handlung integriert und in zahlreiche kleine Teilmengen aufgelöst wird.[107] Auch bei diesem Typ läßt sich jedoch meist eine stärkere Konzentration expositorischer Informationsvergabe in den

Eingangsphasen des Textes und eine graduelle Abnahme im weiteren Textverlauf feststellen. Selbst diese eingeschränkte Privilegierung des Textanfangs kann aber aufgehoben werden, wie das Beispiel von Dramen mit streng analytischer Struktur lehrt, in denen sich die Handlung als ständig fortschreitender Prozeß der Aufdeckung der Bedingungszusammenhänge der Eingangssituation vollzieht. Dabei kann es, wie etwa in Sophokles' *Oidipus Tyrannos* zu einer Konzentration expositorischer Informationsvergabe gegen Textende kommen. Zu solch expositorischer Informationsvergabe in den Schlußphasen des Textes gehört auch die von Aristoteles beschriebene Anagnorisis (*Poetik*, Kap. 11, 14, 16), soweit sich das "Wiedererkennen" auf Fakten bezieht, die der Eingangssituation bedingend zugrunde liegen, und diese Fakten nicht nur für die Figuren, sondern auch für die Zuschauer zumindest partiell neu sind.

Wir subsumieren hier unter dem Begriff der expositorischen Informationsvergabe also auch Phänomene wie Analyse und Anagnorisis, die in vorliegenden Dramentheorien meist kategorial getrennt sind. Dies gilt auch noch für P. Pütz (1970), der Exposition und Analysis als zwei getrennte "Formen des Rückgriffs" einander gegenüberstellt (S. 165–207), obwohl er selbst zugibt, daß man die "Analysis als eine besondere Form der aktualisierten Vorgeschichte" (S. 202), also als Sonderform eines Expositionstyps, betrachten kann. Der Widerspruch zwischen dieser Einsicht und der kategorialen Trennung der beiden Begriffe zeigt, daß hier einmal mit dem Kriterium der Informationsvergabe argumentiert, dann aber doch ein theoretisch nicht begründeter Rekurs auf das traditionelle Kriterium der Initialposition zugrunde gelegt wird. Nur eine eindeutige Entscheidung zugunsten des Kriteriums der Informationsvergabe und ein Verzicht auf das rhetorisch fundierte Kriterium der Initialposition kann hier zu einer stringenten Terminologie führen, die strukturell verwandte Phänomene auch unter einem Begriff subsumiert und die notorische Frage nach den "Grenzen der Exposition"[108] als Scheinproblem *ad acta* legt. Die angegebenen Kriterien von Initialposition vs. Distribution über den ganzen Textverlauf, von Isolation vs. Integration und von Blockhaftigkeit vs. Aufgelöstheit in Teilmengen bieten dann einen Beschreibungsraster, der bei differenzierter Skalierung eine genaue Beschreibung der positionellen Einstrukturierung der expositorischen Informationsvergabe in den Gesamttext erlaubt.

3.7.2.3 Dominanter Zeitbezug

Eine weitere typologische Differenzierung ergibt sich aus der Frage nach dem Kontext, in den die expositorische Informationsvergabe eingebettet ist. Hier ist vor allem die Frage nach dem dominanten Zeitbezug wichtig.[109] Bei dominantem VERGANGENHEITSBEZUG dominiert die expositorische Informationsvergabe den Kontext und bleibt die Gegenwart der dramatischen Situation ihr untergeordnet. Am stärksten ist diese Dominanz dann ausgeprägt, wenn die expositorische Informationsvergabe in der inneren Spielebene völlig unmotiviert ist, etwa von einer spielexternen Prologfigur episch vermittelt wird. So referiert der Prologsprecher zu Plautus' *Poenulus*, außerhalb der fiktiven Spielebene stehend und in engem Kontakt mit dem Publikum, dessen Verhalten er anfangs kommentiert, in narrativem Gestus die Vorgeschichte. Erst gegen Ende des Prologs läßt er sie dann in die gegenwärtige Situation einmünden, indem er sie in Relation zum szenischen Schauplatz, den einander gegenüberliegenden Häusern in Kalydon, bringt und ihre konflikthaften Konsequenzen für die folgende Eingangssituation andeutet. Die Dominanz des Vergangenheitsbezugs ist hier eine absolute, da eine dramatische Gegenwart überhaupt noch nicht etabliert ist. Etwas stärkeres Gewicht hat dagegen die dramatische Gegenwart, bei immer noch dominierendem Vergangenheitsbezug, in Plautus' *Captivi*, wo der Prologsprecher neben die gefesselten Kriegsgefangenen Philokrates und Tyndarus tritt und, von ihrer augenblicklichen Situation ausgehend, diese in einem narrativen Exkurs in ihren vorgegebenen Bedingungszusammenhängen transparent macht. Bei beiden Beispielen liegt der positionelle Typ blockhafter Isolation vor, wie generell eine ausgeprägte Affinität zwischen Vergangenheitsdominanz und blockhafter Isolation der expositorischen Informationsvergabe besteht.

Bei dominantem GEGENWARTSBEZUG wird die expositorische Informationsvergabe durch die gegenwärtige dramatische Situation motiviert und bleibt ihr funktional untergeordnet. Bedingende Vorgeschichte wird hier nicht in systematischem Zusammenhang referiert, sondern jeweils nur in jenen partiellen Aspekten, die für die bestehende Situation relevant sind. Und diese Situation ist nicht nur durch den Akt des Erzählens von Vorgeschichte bestimmt, sondern durch davon unabhängige Aktivitäten und Vorgänge. So ist in der Eingangsszene des *Curculio*, um ein weiteres plautinisches Beispiel zu wählen, die expositorische Informationsvergabe eingebettet in den Handlungskontext des Aufbruchs zu einer nächtlichen Werbungsszene, wobei Phädromus seinen Diener Palinurus auf dessen drängende Fragen hin über den Charakter der umworbenen Geliebten, die

Hindernisse, die seiner Werbung im Wege stehen, und die bereits in die Wege geleiteten Gegenmaßnahmen aufklärt. Der expositorischen Rückwendung in die Vorgeschichte geht hier die Exposition der Fakten, die die augenblickliche Situation definieren, voraus: die Identität, der Charakter und das Verhältnis der beiden Dialogpartner zueinander werden durch die wechselseitigen Anreden und durch ihr Sprachverhalten etabliert, und Schauplatz und Zeitpunkt werden durch Thematisierung im Dialog fixiert.

Diese Konvention der expositorischen Situationsdefinition am Texteingang parodiert Ionesco in der ersten Replik von *La cantatrice chauve:*

> Mme SMITH: Tiens, il est neuf heures. Nous avons mangé de la soupe, du poisson, des pommes de terre au lard, de la salade anglaise. Les enfants ont bu de l'eau anglaise. Nous avons bien mangé, ce soir. C'est parce que nous habitons dans les environs de Londres et que notre nom est Smith.[110]

In schöner Vollständigkeit werden hier, wie in unserem plautinischen Beispiel und in zahllosen dramatischen Texten der Weltliteratur, Zeit, Ort und Personal der gegenwärtigen Situation durch Thematisierung im Haupttext exponiert. Die völlige Unmotiviertheit dieser expositorischen Informationsvergabe legt parodistisch die Konvention bloß und macht die zuschauerbezogene Funktion bewußt, die sonst durch Motivierung mehr oder weniger geschickt verdeckt wird.

Die Gegenwart, in die die expositorische Informationsvergabe eingelagert ist, kann dabei mehr als statische Situation ausgebildet sein, wie im gerade zitierten Beispiel des geruhsamen Geplauders nach Dinner in *La cantatrice chauve,* oder sie kann sich bereits in einer dynamisch-präzipitierenden Bewegung hin auf eine noch unbekannte Zukunft befinden. Die Integration der expositorischen Informationsvergabe in einen solchen Kontext mit dominant FUTURISCHEM BEZUG stellt für Goethe, und auch für Schiller, der ihm hierin zustimmt, die Idealform einer dramatischen Exposition dar:

> (...) aber eben deshalb, dünkt mich, macht die Exposition dem Dramatiker viel zu schaffen, da man von ihm ein ewiges Fortschreiten fordert, und ich würde das den besten dramatischen Stoff nennen, wo die Exposition schon ein Teil der Entwicklung ist.[111]

Wenn wir auch der normativen Verabsolutierung dieses Expositionstyps, wie sie sich aus dem Kontext der klassischen Dramentheorie der Finalität ergibt (s. o. 1.1.1), nicht folgen werden, läßt sich der beschriebene Typ in unsere auf dem Kriterium des dominanten Zeitbezugs basierende Typologie einordnen. Annäherungen an diesen Typ sah Goethe in Molières *Tartuffe*,[112] Schiller in *König Oidipus*, Shakespeares *Comedy of Errors* und *Macbeth* und in *Die Räuber*.[113]

Wir wählen als Beispiel zur Illustration dieses Typs Shakespeares *Macbeth*. Diese Tragödie beginnt mit dem eindrucksvollen dramatischen Auftakt des Hexenauftritts bei Sturm und Blitz. Die erste Replik, "When shall we three meet again?", eröffnet bereits eine futurische Dimension, und auch die expositorische Information über die gerade tobende Schlacht zwischen Schotten und Norwegern wird in diese zukunftsbezogene Perspektive gerückt: sie werden sich wieder treffen.

> When the hurlyburly's done,
> When the battle's lost and won.
> (I, i, 3 f)

Das gilt auch für die expositorische Einführung des Titelhelden, die im Kontext ebendieser Verabredung fällt – "There to meet with Macbeth" (Z. 7). In der folgenden Szene I, ii wird zwar durch die beiden Botenberichte dieser vorwärtsdrängende Impetus verringert und die unmittelbar zurückliegende Vergangenheit dominant, aber schon in der nächsten Szene, der Begegnung von Macbeth und Banquo mit den Hexen (I, iii), ist die expositorische Informationsvergabe wieder in einen stark zukunftsbezogenen Kontext integriert: die Hexenprophezeiungen verbinden expositorische Informationsvergabe mit dem dominanten Verweis auf die Zukunft, und im folgenden Dialog Banquo-Macbeth und in den folgenden Monologen Macbeths wird die Charakterdisposition der beiden Figuren gerade durch die unterschiedliche Reaktion auf diese Zukunftsperspektive exponiert.

Die hier skizzierte Typologie geht, was wir zusammenfassend noch einmal betonen wollen, nicht von festen Typen als Bauformen aus, sondern beruht auf dem Spektrum möglicher Dominanzrelationen der Zeitbezüge von expositorischer Informationsvergabe und ihrem Kontext. In jedem konkreten Einzelfall überlagern sich zwar präteritale, präsentische und futurische Bezüge,[114] aber diese Überlagerung weist je verschiedene Dominanzrelationen auf. Extreme Positionen innerhalb dieses Spektrums ergeben sich daraus, daß entweder der Vergangenheitsbezug der expositorischen Informationsvergabe bei einer noch nicht oder noch kaum etablierten dramatischen Gegenwart dominiert, oder die gegenwärtige Situation so sehr im Vordergrund steht, daß die Exposition in der Funktion der Situationserhellung und Situationsdefinition aufgeht, oder daß schließlich die expositorische Rückwendung und die gegenwärtige Situation ganz in eine stark präzipitierende Bewegung auf die Zukunft zu hineingenommen sind.

3.7.2.4 Monologische vs. dialogische Vermittlung

In einem dritten typologischen Ansatz gehen wir von der Frage aus, ob die expositorische Information monologisch oder dialogisch vergeben wird und wie dabei die Sprecherpositionen jeweils besetzt sind. So ist bei MONOLOGISCHER EXPOSITION der Sprecher entweder eine spielexterne oder eine spielinterne Figur. Im ersten Fall liegt eine episch vermittelte expositorische Informationsvergabe vor (s. o. 3.6.2.2); ihre bekannteste Form ist der Expositionsprolog durch eine spielexterne Prologfigur. Beispiele dafür, Plautus' *Poenulus* und *Captivi*, haben wir schon im Zusammenhang mit der Frage nach dem Zeitbezug zitiert. Die Exposition erscheint hier als dem Spiel vorangehendes und von ihm isoliertes Element, und die vergangenen und gegenwärtigen Bedingungszusammenhänge werden *en bloc* narrativ vermittelt. Ein solcher *prologus argumentativus* geht jedoch in den meisten Fällen nicht in der narrativen Expositionsfunktion auf, sondern verbindet diese oft mit den Exordialfunktionen der Publikumsbegrüßung und -einstimmung und der Darlegung poetologischer Programmatik. Dabei wird durch den engen Kontakt zwischen dem Prologsprecher und dem Publikum der epische Vermittlungsmodus betont. Diese Form der Exposition führt das Publikum in einem allmählichen Prozeß aus der Realität in die fiktive Wirklichkeit des Spiels hinüber und legt gleichzeitig dessen Fiktionalität bloß; seine wichtigste Funktion besteht jedoch darin, das innere Kommunikationssystem von der Aufgabe expositorischer Informationsvergabe zu entlasten. – Das über den Expositionsprolog durch eine spielexterne Figur Gesagte gilt prinzipiell auch für den Expositionsprolog, der von einer spielinternen Figur gesprochen wird. Plautinische Beispiele dafür sind die Expositionsprologe Merkurs im *Amphitruo* und Palästrios im *Miles gloriosus*. Der wesentliche Unterschied zum vorher genannten Typ besteht darin, daß die Isoliertheit der expositorischen Informationsvergabe vom eigentlichen Spiel abgeschwächt ist, da hier der Übergang von narrativer Exposition und dramatischem Spiel fließend gestaltet werden kann. Diese Tendenz hin zur Integration ist im Expositionsprolog zum *Miles gloriosus* besonders deutlich ausgeprägt. Der Prolog ist hier von der konventionellen Initialposition auf die zweite Szene (II, i) verschoben, wodurch Palästrio sich in seiner Exposition auf eine bereits im dramatischen Auftakt (I, i) etablierte Situation beziehen kann. Und noch stärker ist die Verbindung zur folgenden Szene, indem Palästrio nach der Publikumsbegrüßung und der narrativen Darlegung der Vorgeschichte allmählich zur Definition der gegenwärtigen Situation in Hinblick auf Personal und Schauplatz überleitet und dann mit den Worten,

Doch horcht! Die Tür knarrt: aus dem Nachbarhause
Kommt der besagte nette alte Herr
(II, i, 156 156 f),

aus der epischen Distanz zum Geschehen in die Situation eintritt, an der er ab II, ii aktiven Anteil nimmt.

Von dieser rein epischen Vermittlung von Exposition im monologischen Prolog ist die Vergabe expositorischer Information in einem fiktionsimmanenten Monolog zu unterscheiden, also in einem Monolog, der von einer spielinternen Figur gesprochen wird und das innere Kommunikationssystem nicht in einem expliziten *ad spectatores* durchbricht. Als Beispiel dafür verweisen wir auf den berühmten Eingangsmonolog des Titelhelden in Shakespeares *Richard III.*[115] Wenn dieser Monolog auch sicher auf der publikumsnahen Vorderbühne gesprochen wurde und somit in seiner mimisch-gestischen Realisierung in episch vermittelndem Bezug zum Publikum stand, bleibt er doch in seiner sprachlichen Gestaltung innerhalb des inneren Kommunikationssystems. Von daher schon ist hier also die expositorische Informationsvergabe stärker in das dramatische Geschehen integriert als im Expositionsprolog. Das dreimalige "now" des ersten Monologteils (V. 1, 5, 10) etabliert einen dominanten Bezug zur gegenwärtigen Situation, wobei die expositorische Rückwendung jeweils als kontrastierender Vergleich von Vergangenheit und Gegenwart einstrukturiert ist. Im zweiten Teil (V. 14–27), in dem Gloucester durch seine Selbstvorstellung weiter zur Situationsdefinition beiträgt, begründet er seine Schurkenhaftigkeit mit den vergangenen und gegenwärtigen Erfahrungen seiner Außenseiterrolle als Krüppel, um schließlich durch den Hinweis auf bereits in die Wege geleitete und noch geplante Intrigen von Vergangenheit und Gegenwart in die Zukunft überzuleiten (V. 28–40). An die Erwähnung von Clarence schließt sich dann unmittelbar dessen Auftritt und der Dialog Gloucester-Clarence an. Die Isolation der monologischen Exposition vom Kontext der dramatischen Situation ist hier also noch weiter abgebaut; der Wechsel von der monologischen Sprechsituation zur dialogischen und von einem publikumsbezogenen Spiel zu einem "absoluten" markiert jedoch immer noch einen merklichen Einschnitt.

Dieser Einschnitt kann nur durch die Einbettung der expositorischen

Informationsvergabe in einen Dialog, durch eine DIALOGISCHE EXPOSITION, vermieden werden. Die einfachste Lösung, die jedoch nur ein Minimum an Integration von Exposition und dramatischer Situation leistet, besteht darin, dem Träger der Expositionsinformation einen Dialogpartner zur Seite zu stellen, der keine andere Funktion hat, als die expositorische Informationsvergabe durch Fragen und Einwürfe zu motivieren, und der nach Erfüllung dieser Funktion aus dem Stück verschwindet. Diese recht transparente Technik der Dialogisierung und damit Dramatisierung der Exposition wurde bereits von den spätlateinischen Theoretikern der antiken Komödie unter dem Stichwort "protatische Figur" analysiert. Donats Definition der protatischen Figur im Kommentar zu Terenz' *Andria* deckt sich mit unserer Beschreibung; nach ihm ist eine protatische Figur eine Figur

quae semel inducta in principio fabulae in nullis deinceps fabulae partibus adhibetur.[116]

Die Dialogisierung einer wesentlich doch monologischen Exposition ist bei der *Andria* des Terenz schon aus dem Verhältnis zur Quelle ablesbar: Menanders *Andria* bot dieselbe Exposition im Monolog des alten Herren, dem Terenz dann den Freigelassenen Sosia als protatischen Dialogpartner zur Seite stellt.[117] Sie ist aber auch an der Dialogstruktur selbst ablesbar, indem schon die rein quantitative Relation der Repliken des alten Simo zu denen Sosias stark asymmetrisch zugunsten Simos ist und indem alle Dialogimpulse von Simo ausgehen und Sosia nur mit Fragen, die weitere Informationsvergabe durch Simo motivieren, oder mit Ausrufen des Erstaunens reagiert. Von seiner Funktion her ist also die protatische Figur kein echter Dialogpartner, sondern der kaum verschleierte Repräsentant der Informationsinteressen des Publikums auf der Bühne.[118] Und in dieser Funktion weist der Dialog mit einer protatischen Figur eine latente Tendenz zu epischer Informationsvergabe auf, wie sie im Expositionsprolog noch offenkundig manifest war.

Auch in dieser Form der dialogischen Exposition ergibt sich noch ein Einschnitt zwischen der Exposition und dem eigentlichen dramatischen Spiel, da ja hier der Expositionsdialog durch den einmaligen Auftritt der protatischen Figur vom übrigen Text abgehoben ist. Dieses Isolationsmoment wird in den im klassischen französischen Drama häufigen Expositionsdialogen zwischen einer Hauptfigur und ihrem *confident* aufgehoben.[119] Denn die Figur des Vertrauten tritt im Gegensatz zur protatischen Figur nicht nur in einer einzigen Szene auf, sondern begleitet den Helden durch das ganze Stück hindurch. Alle Tragödien Racines verwenden diese

Konfiguration Held-*confident* in den Expositionsdialogen, und wir wollen daher unser Beispiel aus diesem Textkorpus wählen. So wird in der *Andromaque* der Großteil der expositorischen Informationsvergabe im Eingangsdialog Oreste-Pylade (I,i) vermittelt, wobei ihre Funktion im äußeren Kommunikationssystem durch fiktionsimmanente Motivierung besser verschleiert wird als im vorher diskutierten Typ. Das überraschende Zusammentreffen der Freunde nach sechsmonatiger Trennung (V. 7) macht die Mitteilungen über die Vorgeschichte und die gegenwärtigen Verhältnisse psychologisch und situativ plausibel,[120] und die Asymmetrie der Relation zwischen den beiden Dialogpartnern ist gegenüber dem Dialog mit protatischer Figur wesentlich gemildert. Sowohl Oreste als auch Pylade vermitteln expositorische Information, und beide fungieren sowohl als Fragende als auch als Antwortende. Eine eigentliche Gleichberechtigung der Dialogpartner ist jedoch auch hier nicht gegeben, da sowohl Orestes langer narrativer Exkurs über die Vorgeschichte seiner Werbung um Hermione und seine politische Mission (V. 37–104) als auch Pylades kürzerer Bericht über die Hintergründe der gegenwärtigen Situation am Hof des Pyrrhus (V. 105–132) allein für die Handlungsentwicklung um Oreste relevant sind und Pylade auch im weiteren Textverlauf kein eigenständiges Interesse des Zuschauers beanspruchen kann, sondern in der Funktion des Informationszuträgers, Informationsempfängers und Beraters von Oreste aufgeht. So ist auch hier die dialogische Expositionsvergabe noch nicht völlig in den dramatischen Kontext integriert und die Dialogstruktur noch nicht durch eine völlige Gleichberechtigung der Dialogpartner gekennzeichnet. Trotz der beschriebenen Techniken der Funktionsverschleierung ist auch der *confident* noch als Repräsentant der Informationsinteressen des Zuschauers erkennbar, zumal die Relation Oreste-Pylade über die Freundschaftsbindung hinaus, die den Informationsaustausch motiviert, keine weiteren Bestimmungen erfährt, die ihr dramatischen Eigenwert verleihen könnten.

Die Einstrukturierung der expositorischen Informationsvergabe in einen echt dialoghaften Dialog (s. u. 4.5.1.2), also nicht nur in einen mehr oder weniger transparent dialogisierten Monolog, ist unabhängig vom Status der Dialogpartner, kann bei einem Dialog zwischen Hauptfiguren ebenso vorliegen wie bei einem zwischen Nebenfiguren oder einem, der Haupt- und Nebenfigur verbindet. Wir wählen als Beispiel den weniger naheliegenden Fall eines Dialogs zwischen zwei Nebenfiguren, um zu zeigen, daß auch eine solche expositorische Informationsvergabe durch periphere Figuren in den Gesamttext integriert und beziehungsreich dialogisch motiviert sein kann. So werden in Hugo von Hofmannsthals *Der*

Schwierige die ersten Informationen zur Vorgeschichte und zur Situation über den Eingangsdialog der Domestiken Lukas und Vinzenz vermittelt. Beide Figuren erscheinen nicht nur in dieser Szene, sondern auch im weiteren Textverlauf in wechselnden Konfigurationen, und ihre Funktion geht nicht in der Vermittlung expositorischer Information auf. Die Spannung zwischen dem diskreten, die Wünsche seines Herrn intuitiv erahnenden Lukas und dem selbstbewußt-vorlauten, jedes Gefühl für Nuancen entbehrenden Vinzenz, dem Bewerber um eine Dienerstelle bei Graf Bühl, ist eine weitere Variation des zentralen thematischen Gegensatzes zwischen differenziertem Bewußtsein und Plattheit. Im Zusammenhang damit kommt den beiden Dienerfiguren auch die Funktion der impliziten Charakterisierung ihres Herren zu: die Tatsache, daß Bühl Lukas schon vor Jahren zu seinem Kammerdiener gemacht hat und er Vinzenz nach kurzer Probezeit gegen Ende des Dramas entläßt, definiert seine Position in diesem Spannungsfeld. Im Gegensatz zu protatischen Figuren oder *confidents* begleiten sie auch nicht einfach die zentrale Figur, sondern verfolgen eigene Absichten und Ziele und konstituieren somit Handlungssequenzen von relativ eigenständigem Interesse. Dies ist besonders deutlich bei Vinzenz, der sich um einen Dienerposten bei Bühl bemüht, sich dazu sorgfältig vorzuinformieren versucht (I, i), in seinen ersten Diensthandlungen durch anbiedernde Initiativen die Gunst des neuen Herrn erringen will und schließlich von ihm entlassen wird (III, xii). Die Einführung Vinzenz' in seinen neuen Tätigkeitsbereich durch Lukas und sein Wunsch, möglichst viel über den neuen Herren zu erfahren, motiviert auch innerdramatisch die Expositionsvergabe im Eingangsdialog. Dieser Dialog ist bereits durch das Spannungsverhältnis der beiden Dienerfiguren gekennzeichnet, da Vinzenz allein an indiskreten Einblicken in das Privatleben der Herrschaft interessiert ist, während Lukas nur über die konkreten Einzelheiten des Dienstes zu reden gewillt ist und darum dessen neugierigem Drängen immer wieder ausweicht:

> VINZENZ: (*tritt ein*) Was arbeitet er? Majoratsverwaltung? Oder was? Politische Sachen?
> LUKAS: Durch diese Spalettür kommt der Sekretär herein.[121]

Lukas' Diskretion und Takt unterlaufen so immer wieder das Informationsbedürfnis auch des Zuschauers und machen die expositorische Informationsvergabe zu einem spannungsreichen Prozeß, in dem Vinzenz durch despektierliche Spekulationen über die Lebensumstände des Grafen Lukas zu Richtigstellungen provoziert:

VINZENZ: (...) Wenn man einmal die geschlagene Vierzig auf dem Rücken hat. –
LUKAS: Der Erlaucht vierzigster Geburtstag ist kommendes Jahr.[122]

Die Wahl von Nebenfiguren als Träger der ersten expositorischen Informationsvergabe läßt hier die Zentralfiguren und ihre Vorgeschichte in perspektivischer Verkürzung – aus der "Domestikenperspektive" – aufscheinen. Bühls vergangene Liebesabenteuer und seine eventuellen erotischen Absichten für die Zukunft werden zu Argumenten für oder wider Vinzenz' Hoffnungen auf eine gesicherte und kommode Lebensstellung banalisiert, was später dann durch weitere expositorische Rückwendungen Bühls selbst und seiner früheren Geliebten Antoinette Hechingen korrigiert und in ein differenzierteres Licht gerückt wird. In der Spannung der miteinander kontrastierenden perspektivischen Rückwendungen realisiert sich das, was Peter Pütz als "perspektivische Exposition" bezeichnet hat.[123] Perspektivisch ist zwar jede expositorische Informationsvergabe, die über eine der Figuren vermittelt wird; von perspektivischer Exposition wollen wir jedoch erst dann sprechen, wenn dieser prinzipiell gegebene Perspektivismus durch ein Arrangement von miteinander korrespondierenden und kontrastierenden perspektivischen Rückwendungen bewußtgemacht wird.

3.7.2.5 Deskriptive vs. normative Theorie der Exposition

Die drei vorgeschlagenen Typenreihen zur expositorischen Informationsvergabe – nach den Kriterien der Isolation vs. Integration, des dominanten Zeitbezugs und der monologischen vs. dialogischen Vermittlung – wollen als systematische Ordnung von Sturkturvarianten verstanden werden, nicht als normative Reihen nach wachsendem ästhetischen Wert. Eine integrierte, dominant futurische und in "echten" Dialogen vermittelte expositorische Informationsvergabe ist daher nicht von vornherein ästhetisch wertvoller als ihr Gegentyp einer isolierten, dominant vergangenheitsbezogenen und in einem epische Prolog vermittelten Exposition. Dies zu behaupten hieße, einen historischen Typ des Dramas, das Drama der realistischen Konvention, normativ zu verabsolutieren und ihm gegenüber wesentliche Teile des Korpus der dramatischen Weltliteratur – von der griechischen Tragödie über die lateinische Komödie und das mittelalterliche Drama bis zur *tragédie classique* und zum epischen Theater der Moderne – ästhetisch abzuwerten. Eine solche Verwechselung von typologischen mit ästhetisch wertenden Kategorien wird schon in Ludwig Tiecks *Der Gestiefelte Kater* in den abschätzigen Bemerkungen des fiktiven Zuschauers Leutner über Lorenz' Expositionsrede zum Spiel im Spiel parodiert:

> LORENZ: Ich glaube, daß nach dem Ableben unsers Vaters unser kleines Vermögen sich bald wird einteilen lassen. Ihr wißt, daß der selige Mann nur drei Stücke von Belang zurückgelassen hat, ein Pferd, einen Ochsen und jenen Kater dort. Ich, als der Älteste, nehme das Pferd, Barthel, der nächste nach mir, bekommt den Ochsen, und so bleibt denn natürlicherweise für unsern jüngsten Bruder der Kater übrig.
>
> LEUTNER: *(im Parterre)* Um Gotteswillen! hat man schon eine solche Exposition gesehen! Man sehe doch, wie tief die dramatische Kunst gesunken ist!
>
> MÜLLER: Aber ich habe doch alles recht gut verstanden.
>
> LEUTNER: Das ist ja eben der Fehler, man muß es dem Zuschauer so verstohlnerweise unter den Fuß geben, aber nicht so gradezu in den Bart werfen.
>
> MÜLLER: Aber man weiß doch nun, woran man ist
>
> LEUTNER: Das muß man ja aber nicht so geschwinde wissen; daß man so nach und nach hineinkömmt, ist ja eben der beste Spaß.[124]

Leutner, voll Stolz auf seine Kenntnis der besten und neuesten dramaturgischen Regeln, kritisiert hier ein dramatisiertes "Kindermärchen" – so Tiecks Untertitel – mit den typologisch unangemessenen Maßstäben der Dramaturgie der Aufklärung, während sich die naive Befriedigung Müllers über die Transparenz und Explizitheit der expositorischen Informationsvergabe hier als angemessener erweist.[125]

3.7.2.6 Außersprachliche expositorische Informationsvergabe;
   point of attack und Exposition

Abschließend weisen wir noch auf zwei Aspekte hin, die sich unserer primär typologisch orientierten Darstellung bisher entzogen haben. Der erste bezieht sich darauf, daß auch die expositorische Informationsvergabe nicht auf verbale Kommunikation beschränkt ist, sondern sich auch außersprachlicher Kanäle und Codes bedient. In dieser Hinsicht haben wir in unserer Typologie, die allein die verbale Informationsvergabe berücksichtigt, die Plurimedialität des Textes verkürzt. Dabei ist gerade am Textanfang die außersprachliche Informationsvergabe durch Bühnenbild, Requisiten, Kostüme, Statur und Physiognomie, Gestik und Mimik von großer Bedeutung für die expositorische Funktion der Situationsdefinition: sie wirkt oft entscheidend mit, Ort und Zeit zu fixieren und die Figuren charakterisierend einzuführen. Dieser Einsatz außersprachlicher Mittel für die expositorische Informationsvergabe läßt sich jedoch kaum typologisieren, sondern nur quantitativ skalieren.

Der zweite Aspekt besteht darin, daß der Exposition nicht in allen dramatischen Texten die gleiche Relevanz zukommt. Dies hängt unmittelbar mit ihrer Zeitstruktur zusammen (s. u. 7.4). Hat ein dramatischer Text einen späten *point of attack* (s. u. 7.4.3.2), geht also der dramatisch präsentierten Eingangssituation eine umfangreiche Vorgeschichte voraus, dann liegt auch eine große Menge von Informationen vor, die expositorisch vermittelt werden müssen. Dies gilt zum Beispiel für die meisten der antiken Tragödien, aber auch für die analytischen Dramen Ibsens, in denen in direkter dramatischer Präsentation jeweils nur die kritische Endphase eines Handlungszusammenhangs von großer zeitlicher Erstreckung erscheint. In Dramen dieser Art kommt also der Exposition schon rein quantitativ eine große Bedeutung zu. Das entgegengesetzte Extrem markieren Texte mit einem sehr frühen *point of attack*, mit einem Einsatzpunkt der dramatisch präsentierten Handlungsphasen, der mit dem Anfang der Geschichte zusammenfällt. Setzen im ersten Typ die dramatisch präsentierten Handlungsphasen *in medias res* ein, so wird hier die Geschichte *ab ovo* dramatisch präsentiert. Dementsprechend bedarf es hier keiner Vermittlung von Vorgeschichte, so daß sich die expositorische Informationsvergabe auf die Situationsdefinition nach Personal, Ort und Zeit reduziert. Der Idealtyp einer solchen Präsentation *ab ovo* ist wohl historisch nicht realisiert, es sei denn in mittelalterlichen *Mystery Cycles*, in denen die Heilsgeschichte des Menschen von der Erschaffung der Welt bis zum Jüngsten Gericht in ihren wichtigsten Stationen dramatisch präsentiert wird. Annäherungen dazu stellen auch einige Dramen Shakespeares, wie z. B. *The Two Gentlemen of Verona*, dar, in denen auch die Anfänge des Konflikts nicht in narrativen Rückwendungen, sondern in unmittelbarer dramatischer Präsentation dargestellt werden. In solchen Texten kommt also der expositorischen Informationsvergabe schon rein quantitativ eine untergeordnete Bedeutung zu, da sie sich auf den beschränkten Satz von Informationen zur Situationsdefinition beschränkt.

3.7.3 Informationsvergabe am Dramenende

Der Theorie der Exposition für den Dramenbeginn entspricht in der klassischen Poetik des Dramas für den Dramenausgang die Theorie der *Lusis* (Auflösung), der *Peripetie* (Handlungsumschwung), der *Anagnorisis*

(Wiedererkennen) und der *Katastrophe* bei Aristoteles,[126] der *solutio* und *inversio* bei den lateinischen Theoretikern und des *Dénouements* in der Dramaturgie der französischen Klassik. Die Relation dieser Begriffe zueinander ist dabei keineswegs eindeutig und einheitlich geklärt, wenn sich auch im achtzehnten Jahrhundert eine Differenzierung zwischen Dénouement und Katastrophe verfestigt, indem nun das Dénouement die Auflösung der Intrige als die letzte Peripetie bezeichnet und die Katastrophe den dadurch erreichten Zustand.[127] Es ist hier nicht der Ort für eine referierende Darstellung oder gar eine kritische Diskussion dieser verschiedenen Nomenklaturen, und wir werden uns in diesem Kontext auch nur mit einem Aspekt des Dramenschlusses beschäftigen, dem der Informationsvergabe. Unsere Zusammenstellung der historischen Termini konnte nicht mehr als ein Hinweis auf die Geschichtlichkeit unserer Fragestellung sein.

3.7.3.1 Geschlossenes Dramenende

Auf unseren Aspekt verweisen vor allem die Begriffe Anagnorisis, *solutio* und Dénouement. Ihnen liegt eine bestimmte Konzeption dramatischer Handlung zugrunde, in der eine Figur oder Figurengruppe durch Intrigen, Selbsttäuschung oder inadäquate Informiertheit in eine Situation der Bedrängnis gerät, die durch zusätzliche Informationen – etwa ein neuaufgedecktes Faktum der Vorgeschichte oder ein neues Handlungsmoment – in der Komödie eine glückliche und in der Tragödie eine unglückliche Lösung erfährt. Dabei verändert sich meist auch die Struktur diskrepanter Informiertheit, indem sowohl die Informationsdiskrepanzen zwischen den Figuren selbst abgebaut werden als auch die Informationsdiskrepanzen zwischen Figuren und Publikum.

Wir wollen diesen Typ, den allein die klassische Dramentheorie erfaßt und beschreibt, als geschlossenes Dramenende bezeichnen. In seiner idealtypischen Form setzen hier die Einlösung aller noch offenen Fragen, die Aufhebung aller Informationsdiskrepanzen und die Entscheidung aller Konflikte ein deutlich markiertes Schlußsignal, das in der szenischen Darbietung oft noch durch Konventionen wie den Auftritt des ganzen Ensembles, Reden resümierenden und eine gesicherte Zukunft antizipierenden Inhalts, Tanz und festliches Spiel und eine Wendung ans Publikum verstärkt wird.[128] Mit der Auflösung und Aufhebung aller faktischen Informationsdefizite und Diskrepanzen der Informiertheit korrespondiert auf der thematischen Ebene die Klärung oder Entscheidung aller Wertambivalenzen und -konflikte und damit die endgültige Fixierung der intendierten Rezeptionsperspektive. Seine konsequenteste Form findet dies in der Konvention der "poetischen Gerechtigkeit", wie sie in Poetiken und Dramentheorien des siebzehnten und achtzehnten Jahrhunderts zur Norm erhoben wurde. Nach dieser Konvention – sie ist im übrigen nicht nur für dramatische Texte relevant – müssen alle ethischen Konflikte im Dramenausgang durch die Belohnung der normkonformen und die Bestrafung der normverletzenden Figuren entschieden werden, wovon man sich eine zum Guten ermutigende bzw. vom Bösen abschreckende Wirkung auf die Zuschauer versprach. Innerhalb dieser Konvention stellt also die Situation einer Figur am Dramenausgang ein eindeutiges Bewertungssignal in bezug auf ihre Verhaltensnormen dar (s. o. 3.5.3.1).

Der beschriebene Typ des geschlossenen Dramenausgangs läßt sich in zwei Untertypen unterteilen, je nachdem, ob die Auflösung der Informationsdefizite und der Wertkonflikte mit Notwendigkeit und Plausibilität aus den bereits gegebenen Informationen selbst entwickelt, oder ob sie durch einen Eingriff von außen, durch die Intervention einer im bisherigen Textverlauf noch nicht exponierten Figur herbeigeführt wird. Die klassische Form dieses zweiten Typs ist der spektakuläre Auftritt eines *deus ex machina* in der antiken Tragödie (vor allem bei Euripides).[129] So erscheint in der ursprünglichen und verlorengegangenen Fassung des Dramenausgangs von Euripides' *Iphigenie in Aulis* die Göttin Artemis und verkündet, daß sie auf dem Opferaltar Iphigenie durch eine Hirschkuh ersetzen werde, und löst damit den Wertkonflikt Agamemnons, der um Hellas' willen seine Tochter zu opfern bereit war; und so läßt noch Plautus am Ende des *Amphitruo* Jupiter auf einer Wolke herniederschweben und durch ihn dem verwirrten Ehemann völlige Aufklärung über das Geschehen zuteil werden. Wenn auch in der Dramentheorie des sechzehnten und siebzehnten Jahrhunderts solche *deus-ex-machina*-Lösungen allgemein abgelehnt werden, finden sie sich doch in zeitgenössischen Texten, wenn auch in säkularisierter Form, wieder. So wird in Molières *Tartuffe* angesichts eines völlig hilflosen und ohnmächtigen Orgon und eines auf ganzer Linie triumphierenden Tartuffe die Peripetie zu einem Dramenausgang nach den Prinzipien der poetischen Gerechtigkeit nur durch den überraschenden Auftritt eines königlichen Kommissars erreicht, der die Entlarvung des Heuchlers durch den König verkündet und die Information nachträgt, daß die letzten und scheinbar bedrohlichsten Phasen der Intrige Tartuffes bereits unter königlicher Kontrolle standen. Der Rückgriff auf die theoretisch verpönte Technik des *deus-ex-machina* ist hier im äußeren Kommunikationssystem als Reverenz und Appell Molières an Ludwig XIV. motiviert.

3.7.3.2 Offenes Dramenende

Als Gegenentwurf zum geschlossenen Dramenende hat sich gerade im modernen Drama das offene Dramenende entwickelt.[130] Diese Abweichung vom klassischen Schema, der Verzicht auf einen Dramenschluß, in dem die Informationsdiskrepanzen aufgehoben und die Konflikte gelöst werden, kann dabei unterschiedliche Funktionen haben. Sie kann sich aus einer veränderten Handlungskonzeption ergeben, die nicht mehr auf einer einmaligen Krisen- oder Konfliktkonstellation beruht, sondern auf der Demonstration eines dauernden Zustands, für den – wie etwa in Dramen Samuel Becketts – eine Lösung oder ein Abschluß undenkbar ist, sondern allenfalls ein zyklisch-repetitives Wiedereinmünden in den Anfang (s. u. 7.4.4.3). Oder sie kann – wie etwa bei Brecht – in der Verweigerung einer Lösung den Fall als Problem an das Publikum delegieren. Ein deutliches Beispiel dafür ist der Dramenschluß des *Guten Menschen von Sezuan*. Die Götter, selbst ratlos darüber, wie ihre ethischen Forderungen mit dem Überleben in dieser Welt vereinbar sein sollen, entschwinden in pointierter Verkehrung eines *deus-ex-machina*-Schlusses auf einer "rosa Wolke" in den Himmel und demonstrieren damit szenisch-anschaulich den Entzug einer Lösung des Problems. Dies wird schließlich noch durch den Epilogsprecher explizit thematisiert:

> Verehrtes Publikum, jetzt kein Verdruß:
> Wir wissen wohl, das ist kein rechter Schluß.
> (. . .)
> Wir stehen selbst enttäuscht und sehn betroffen
> Den Vorhang zu und alle Fragen offen.[131]

So völlig "offen" freilich, wie hier gesagt wird, bleiben die Fragen jedoch nicht, denn wenn auch explizite Lösungen und Instruktionen fehlen, sieht sich der Zuschauer, an den das Dilemma delegiert wird, nicht in die Ratlosigkeit verwiesen, sondern aufgrund impliziter Bewertungssignale zur Kritik an dem System aufgefordert, das dieses Dilemma hervorbringt.[132]

Bezieht sich hier die Offenheit des Schlusses ausschließlich auf die thematische Ebene der Normkonflikte, so finden sich jedoch gerade im modernen Drama auch Texte, in denen rein faktische Fragen für die Figuren und die Zuschauer offenbleiben. Wir wählen als Beispiel Tom Stoppards *Jumpers* (1972), da hier ebenfalls der konventionssprengende Entzug wichtiger Informationen am Dramenende explizit thematisiert wird. *Jumpers* folgt einem detektivischen Handlungsschema, das jedoch entscheidend modifiziert wird: der Mord an dem Logik-Professor McFee, in der Eingangsphase des Textes auf offener Bühne dargestellt, bleibt auch am Schluß unaufgeklärt. Diese Informationsdiskrepanz zwischen dem nicht-identifizierten Täter und den anderen Figuren und das Informationsdefizit des Publikums sind hier das dramenstrukturelle Korrelat der erkenntnistheoretischen Thematik des Stücks. Darauf verweist mit programmatischer Deutlichkeit eine der abschließenden Repliken:

> The truth to us philosophers, Mr. Crouch, is always an interim judgment. We will never even know for certain who did shoot McFee. Unlike mystery novels, life does not guarantee a denouement; and if it came, how would one know whether to believe it?[133]

Die Konvention des Dénouements wird hier von einer der Figuren explizit zitiert und ihre Durchbrechung im offenen Dramenausgang als Annäherung an die Offenheit der Realität und als Konsequenz einer erkenntnistheoretischen Skepsis begründet.

Eine vergleichbare Kritik der Konvention des geschlossenen Dramenendes findet sich im Rahmen einer naturalistischen Dramentheorie schon bei Gerhart Hauptmann. Bei ihm jedoch wird diese Kritik noch nicht in den dramatischen Texten selbst thematisiert oder formal konkretisiert, sondern bleibt sie werkexterne Reflexion:

> Das wahre Drama ist seiner Natur nach endlos. Es ist ein fortdauernder innerer Kampf ohne Entscheidung. In dem Augenblick, da diese fällt, bricht das Drama ab. Da wir aber jedem Bühnenwerk eine Entscheidung zu geben gezwungen sind, hat jedes gespielte Drama im Grunde etwas Pedantisches, Konventionelles an sich, was das Leben nicht hat. Das Leben kennt nur den fortdauernden Kampf, oder es hört überhaupt auf. Das ideelle Drama, das ich schreiben möchte, wäre eines, das keine Lösung und keinen Abschluß hätte . . . Der Schlußakt ist fast immer ein Zwang, den der Dramatiker sich oder der Handlung auferlegt. Ja, in den meisten Fällen ist er sogar eine Vergewaltigung der Handlung.[134]

Gleichzeitig mit der Programmatik eines offenen Dramenendes entwickelt Hauptmann hier die Gründe für die Diskrepanz zwischen dieser theoretischen Programmatik und seiner dramatischen Produktion – die für ihn zum normativen Zwang gewordene ästhetische Konvention des in sich abgeschlossenen Kunstwerks.

3.7.4 Informationsvergabe und Spannungspotential

Wir wollen im Kontext der sukzessiven Informationsvergabe auch das Problem der dramatischen Spannung behandeln, da wir uns hiervon eine

Präzisierung und Operationalisierung dieses Begriffs erhoffen, die über pauschale Gleichsetzungen von Spannung mit Konflikthaftigkeit oder zukunftsorientierter Finalität hinausgeht.[135] Es muß jedoch vorausgeschickt werden, daß im Rahmen unserer Darstellung Spannung nicht primär als Kategorie des Rezeptionsprozesses im äußeren Kommunikationssystem behandelt werden soll, sondern als innertextuelle Relationierung, als "Spannungspotential" des dramatischen Textes selbst.[136] Spannung als Aktualisierung des Spannungspotentials eines Textes im Rezeptionsprozeß ist ja von sehr vielen individuellen und überindividuellen Parametern abhängig (z. B. der individuellen Aufmerksamkeitsstruktur, dem über-individuellen Rezeptionshabitus, den äußeren Aufführungsbedingungen usw.), die nur von einer systematischen Pragmatik vollständig erfaßt werden könnten. So wächst zum Beispiel die Spannung im Rezipienten mit dessen individuellem identifikatorischem Engagement für Figur und Situation, und so verringert sie sich mit dessen Abgelenktheit durch innere und äußere Störfaktoren.

Spannung im engeren Sinn (*suspense*) bezieht sich auf die linearsequentielle Ablaufstruktur des Textes; Spannung im weiteren Sinn (*tension*) ergibt sich dagegen aus der Relation des Kontrasts und Gegensatzes zwischen gleichzeitig gegebenen oder in einem von der zeitlichen Dimension des Nacheinander abstrahierenden Analyseansatz als gleichzeitig betrachteten Elementen eines Textes. Diesen weiteren Begriff der Spannung werden wir im folgenden nicht berücksichtigen, da er nicht dramenspezifisch ist, sondern ein allgemeines Merkmal ästhetisch strukturierter Texte bezeichnet.[137] Die Spannung im engeren Sinn ist zwar keine Differenzqualität dramatischer Texte, da sie ja auch in narrativen Texten auftritt und sich dramatische Texte finden, in denen sie kaum entwickelt ist; sie ist jedoch gerade in dramatischen Texten häufig eine dominante Wirkungsintention.

3.7.4.1 Spannung und partielle Informiertheit

Das Spannungspotential als Kategorie der linear-sequentiellen Ablaufstruktur ergibt sich dabei immer aus einer nur partiellen Informiertheit von Figuren und/oder Rezipienten in bezug auf folgende Handlungssequenzen.[138] Sowohl bei einer totalen Informiertheit von Figuren und/oder Rezipienten in bezug auf die folgenden Handlungssequenzen – ein Fall, der wohl kaum je eintritt – als auch bei einer totalen Offenheit und Unvorhersagbarkeit der fiktiven Zukunft kann kein Spannungspotential aufgebaut werden. Spannung realisiert sich also immer im "Spannungs-feld" von Nichtwissen und antizipierender Hypothese aufgrund gegebe-ner Informationen. Eine total offene Zukunft würde die völlige Unmög-lichkeit antizipierender Hypothesenbildung implizieren und somit den einen Pol des Spannungsfeldes ausschalten, während totale Informiertheit jedes Nichtwissen aufheben und damit den anderen Pol ausschalten würde. Im ersten Fall ergeben sich keine pointierteren Fragen in bezug auf Zukünftiges, im zweiten Fall erübrigen sich solche Fragen.

3.7.4.2 Was-Spannung und Wie-Spannung

Von diesem Ansatz her hebt sich der häufig postulierte kategoriale Unter-schied zwischen "Was-Spannung" (= "Spannung auf den Ausgang") und "Wie-Spannung" (= "Spannung auf den Gang") auf und läßt sich in einen quantitativen überführen.[139] Ist der Rezipient in einem Drama mit Was-Spannung gezwungen, aufgrund mangelnder Vorinformation Hypo-thesen selbst über die Makrostruktur der anschließenden Handlungs-sequenzen bis zum Dénouement zu bilden, so kann sich in Dramen, in denen durch den Rückbezug auf kollektives Vorwissen (Mythos, Ge-schichte usw.) oder durch epische Informationsvergabe (etwa durch einen die ganze Geschichte enthüllenden *prologus argumentativus*) dem Rezi-pienten die groben Handlungsumrisse vorgegeben sind, ein gewisses Spannungspotential aus der Notwendigkeit antizipierender Hypothesen-bildung über die Textur, die konkrete, individuelle Realisierung der vorgegebenen Handlungsstruktur in Hinblick auf Charakter und Motiva-tion der Figuren, Auswahl der dramatisch präsentierten Situationen oder die ideologische Auffüllung entwickeln.[140] Sowohl struktur- als auch texturbezogene Spannung läßt sich also auf antizipierende Hypothesen-bildung auf der Basis partieller Informiertheit zurückführen, wobei sich der Unterschied zwischen struktureller und textureller Spannung qualita-tiv als der einer unterschiedlichen "Reichweite" der Spannungsbögen (s. u. 3.7.4.4) beschreiben läßt: können im ersten Fall einzelne Spannungs-bögen den ganzen Text überwölben, so kommt es im zweiten Fall immer nur zu kürzeren Spannungsbögen, und kann im ersteren Fall ein einziger Spannungsbogen dominant sein, so handelt es sich im zweiten Fall immer um ein Neben- und Ineinander mehrerer Spannungsbögen.

3.7.4.3 Parameter der Spannungsintensität

Unsere Feststellung, das Spannungspotential eines dramatischen Textes ergebe sich aus einer nur partiellen Informiertheit von Figuren und/oder Rezipienten in bezug auf folgende Handlungssequenzen, umschreibt nur die allgemeine Bedingung für den Aufbau von Spannungspotential, sagt jedoch noch nichts darüber aus, von welchen Faktoren die Intensität des Spannungspotentials abhängt. Es gilt also, die Parameter anzugeben, die die Spannungsintensität bedingen, und wir werden dies an einem konkreten Beispiel tun. Wir wählen dazu H. G. Clouzots Verfilmung von George Arnauds *Le salaire de la peur* (1952), da in diesem zum Genre des "Thrillers" gehörenden Text die Erzeugung von Spannung, wie der Name des Genres schon deutlich macht, die dominante Wirkungsintention ist. Die Tatsache, daß es sich hier nicht um einen rein dramatischen Text handelt (s. o. 2.3.), ist für unseren Zusammenhang unerheblich.

Ein Faktor, der unmittelbar die Spannung beeinflußt, ist der Grad der IDENTIFIKATION des Rezipienten mit der fiktiven Figur, die das Subjekt der folgenden Handlungssequenzen ist. Je stärker diese Identifikation ist, um so engagierter wird der Rezipient deren Pläne, Alternativen und Risiken mitverfolgen, und um so stärker wird er auf die folgenden Handlungssequenzen gespannt sein. Dieser Identifikationsgrad bleibt nicht völlig dem Rezipienten überlassen, sondern wird durch den Text selbst gesteuert. So hat etwa in Clouzots Film die relativ breit angelegte Einführung in das Milieu der gestrandeten Abenteurer und Landstreicher in Guatemala nicht nur sozialkritische Funktion, sondern dient vor allem als Identifikationsangebot an den Rezipienten, der auf diese Weise die Zentralfiguren intim kennenlernt und deren Probleme, Ängste und Hoffnungen zu teilen lernt. Solche Techniken des Identifikationsangebots finden sich nicht nur im trivialen Thriller; sie finden sich durchaus auch in der klassischen Tragödie, in der Situation, Charakter und Motivation des Helden dem Rezipienten schon früh und sorgfältig plausibel gemacht werden.

In bezug auf die Handlungssequenzen selbst, die die Figuren und Rezipienten in Planung und hypothetischen Prognosen antizipieren, gilt, daß das Spannungspotential mit der Größe des involvierten RISIKOS wächst. In *Le salaire de la peur* riskieren die vier Zentralfiguren nichts Geringeres als ihr Leben: bei erfolgreichem Transport des hochexplosiven Nitroglycerins erwartet sie eine, gemessen an ihren Umständen, erhebliche Geldprämie, während das Scheitern des Transports nichts anderes als ihren Tod bedeuten kann; eine Zwischenlösung scheint ausgeschlossen. Die

Realität dieses Risikos für den "Helden" Gérard wird hier schon dadurch demonstriert, daß auf der gefährlichen Fahrt tatsächlich der eine der beiden Sattelschlepper explodiert und die Besatzung getötet wird und dann auch Gérard bei einem schwierigen Manöver lebensgefährlich verletzt wird und kurz vor dem Ziel stirbt. Diese Struktur des Alles-oder-Nichts, des maximalen Risikos, findet sich ebenfalls nicht nur im Thriller, sondern auch in klassischen Dramen: auch dem Helden der klassischen Tragödie droht und ihn ereilt der Tod, und selbst in der Komödie erstrebt der Held meist das *summum bonum* des dauernden Ehebündnisses, demgegenüber ihm das Scheitern seiner Werbung als völlige Entwertung seiner Existenz erscheint. Auch die klassizistische Theorie der "Fallhöhe", nach der der tragische Held hohen gesellschaftlichen Standes sein muß, um seinen Untergang als besonders radikalen und damit besonders erschütternden Glückswechsel erscheinen zu lassen, kann in Zusammenhang mit dieser Technik spannungsintensivierender Maximierung des Risikos gesehen werden.

Das Spannungspotential ist in seiner Intensität auch von der Zahl und Pointiertheit der zukunftsorientierten Informationen abhängig, von denen die Figuren und die Rezipienten in ihrer antizipierenden Hypothesenbildung ausgehen können. Solche ZUKUNFTSORIENTIERTE INFORMATIONS-VERGABE bieten explizit ankündigende Planungsreden, Schwüre, Prophezeiungen und Träume und implizit andeutende atmosphärische und psychische Omina.[141] Gerade aus dem Wissen um Pläne und mögliche Hindernisse ergibt sich jene partielle Informiertheit in bezug auf die folgenden Handlungssequenzen, die wir als Grundbedingung für den Aufbau eines Spannungspotentials bezeichnet haben. So werden in *Le salaire de la peur* der Sprengstofftransport und mögliche Gefahren und Hindernisse in intensiven Planungsgesprächen bis ins Detail besprochen, wobei gerade durch diese Detailliertheit die Möglichkeit unvorhergesehener Schwierigkeiten wahrscheinlich gemacht wird. Dazu kommt noch ein weiteres wichtiges Moment zukunftsorientierter Informationsvergabe – die zeitliche Terminierung des Vorhabens. Wir wissen, daß das Vorhaben bis zu einem gewissen Zeitpunkt abgeschlossen sein muß, weil sonst der Sprengstoff in der glühenden Mittagssonne detoniert. Der Transport wird zum Wettlauf gegen die Zeit, das bloße Verstreichen der Zeit zu einem bewußt realisierten, bedrohlichen Prozeß, der immer neue Hypothesenbildungen über die Chancen für einen erfolgreichen Abschluß des Vorhabens in Gang setzt. Im Gegensatz dazu kann sich bei wenig entwickelter zukunftsorientierter Informationsvergabe selbst dann kein hohes Spannungspotential entwickeln, wenn stärkste Schockeffekte und maximales

Risiko eingesetzt werden. Zahlreiche romaneske Abenteuerdramen und melodramatische Sensationsstücke demonstrieren diesen negativen Sachverhalt, daß das völlig Unvorhersehbare allenfalls den punktuellen Effekt der Überraschung, eines *coup de théâtre* produziert, nicht aber Spannung. Und positiv bestätigen den dargestellten Zusammenhang zwischen zukunftsorientierter Informationsvergabe und Spannungsintensität die Filme des *suspense*-Virtuosen Alfred Hitchcock oder Harold Pinters *comedies of menace* (etwa *The Birthday Party*), in denen oft allein durch intensive Manipulation von Erwartungen ein hohes Spannungspotential aufgebaut wird, ohne daß der erwartete Schrecken sich dann realisieren müßte.

Ein weiterer wichtiger Parameter, von dem die Intensität des Spannungspotentials abhängt, ist der INFORMATIONSWERT der folgenden Handlungssequenz. Informationstheoretisch (s. o. 3.1.1) nimmt der Informationswert eines Ereignisses mit der Wahrscheinlichkeit seines Eintretens ab; umgekehrt gilt, daß einem Ereignis ein um so höherer Informationswert zukommt, je geringer die Wahrscheinlichkeit seines Eintretens ist. Das heißt, daß ein Ereignis in der antizipierenden Hypothesenbildung der Figur und/oder des Rezipienten aufgrund gegebener Informationen ein um so größeres Spannungspotential bewirkt, je geringer die Wahrscheinlichkeit seines Eintretens ist. Auch diese Relation läßt sich an *Le salaire de la peur* demonstrieren: aufgrund der gegebenen Informationen über die Schwierigkeiten des Transports – die Erschütterungsempfindlichkeit des Sprengstoffs, der schlechte Zustand des Wegs, die psychischen Voraussetzungen der Fahrer, die zeitliche Terminierung usw. – kommt der erfolgreichen Lösung der Aufgabe ein sehr geringer Wahrscheinlichkeitswert und damit ein sehr hoher Informationswert zu. Dieser hohe Informationswert läßt sich als Summe binärer Entscheidungen darstellen, die im Verlauf der Lösung der Aufgabe bei jeder Teilaufgabe auftreten: wird es ihnen gelingen, den blockierenden Felsen aus dem Weg zu räumen? wird es ihnen gelingen, den Sattelschlepper aus dem Ölschlamm zu befreien? usw.[142] Und auch für jede dieser Detailaufgaben kommt der erfolgreichen Lösung ein hoher Informationswert zu, da sie aufgrund der gegebenen Informationen wenig wahrscheinlich erscheint.

Dieser informationstheoretische Aspekt der Spannung, den wir hier nur skizzenhaft und ohne mathematische Formalisierung entwickelt haben, darf jedoch nicht isoliert werden, sondern muß im Kontext der anderen Parameter gesehen werden. Isoliert betrachtet, würde ja daraus folgen, daß ein völlig unwahrscheinliches und daher völlig unvorhersehbares Ereignis das größtmögliche Spannungspotential erzeugen würde; dem widerspricht jedoch, was wir in bezug auf zukunftsorientierte Informationsvergabe ausgeführt haben. Die Maximierung des Informationswerts zur Spannungsintensivierung hat offensichtlich einen Grenzwert, der nicht überschritten werden darf, und dieser Grenzwert liegt wohl dort, wo die geringe Wahrscheinlichkeit ins völlig Unvorhersehbare umschlägt. Jenseits dieses Grenzwertes bricht das Spannungsfeld von Nichtwissen und antizipierender Hypothesenbildung zusammen, auf dem die Spannung beruht.[143]

3.7.4.4 Finalspannung und Detailspannung

Wir haben bisher nur die Parameter angegeben, die die Intensität eines einzigen Spannungsbogens bestimmen. Das Spannungspotential eines dramatischen Textes an einem bestimmten Punkt seines Ablaufs ergibt sich dagegen meist aus dem Zusammenwirken mehrerer Spannungsbögen. Diese können von verschiedener Reichweite sein: eine Finalspannung, wie sie sich oft in Dramen der geschlossenen Form findet, überwölbt makrostrukturell den ganzen Textablauf, während eine Detailspannung mikrotexturell jeweils nur kürzere Handlungssequenzen umfaßt.[144] In *Le salaire de la peur* zum Beispiel liegt eine alles überwölbende Finalspannung vor, die durch einzelne Detailspannungen immer wieder aktualisiert wird, ebenso wie diese durch die übergreifende Finalspannung intensiviert werden. Das Spannungspotential ist hier also nicht einfach die Summe von Final- und Detailspannungen, sondern diese verstärken sich gegenseitig. Dagegen wird in einem Text, in dem sich eine solche wechselseitige Verstärkung von übergreifenden Spannungsbögen großer Reichweite und untergeordneten Detailspannungsbögen nicht findet, das Spannungspotential an jedem Punkt seines Ablaufs immer geringer sein und sein Gesamtspannungspotential sich als einfache Summierung der Detailspannungen darstellen. – Aus dem Zusammenwirken mehrerer Spannungsbögen und aus ihrer unterschiedlichen Reichweite und Intensität ergibt sich, daß das Spannungspotential über den ganzen Textablauf hinweg variiert. So muß, nicht zuletzt durch expositorische Informationsvergabe, am Textanfang erst die Grundlage für antizipierende Hypothesenbildung und damit für ein Spannungspotential geschaffen werden, und so wird bei Dramen mit geschlossenem Ende durch die Lösung aller Fragen und Konflikte auch das Spannungspotential am Schluß völlig aufgelöst.

3.7.4.5 Meßbarkeit der Spannung?

Die Vielzahl der beteiligten Parameter und das Problem ihrer Quantifizierbarkeit lassen es als wenig aussichtsreich erscheinen, einen "Meßwert" für die Intensität des Spannungspotentials ermitteln zu wollen. Der von I. und J. Fónagy vorgeschlagene "Meßwert der dramatischen Spannung" löst diese Aufgabe jedenfalls in keiner Weise, da er allein die Zahl der an einem Punkt des Textablaufs wirkenden Spannungsbögen registriert, nicht aber deren Intensität und Interferenzen. Als einziger Parameter gilt ihnen: "Die Spannung wird größer, wenn die Zahl der Fragen wächst, und verringert sich mit der Lösung der aufgeworfenen Frage".[145] Indem sie den Parameter der Zahl der beteiligten Spannungsbögen verabsolutieren und Art und Gewicht der Frage, Reichweite des Spannungsbogens und Identifikationsintensität des Rezipienten nicht berücksichtigen, kommen sie zu Werten, die sich offensichtlich mit intuitiver Rezeptionserfahrung nicht vereinbaren lassen. Wer würde schon meinen, daß Shakespeares *King Lear* fast doppelt so spannend ist (Wert 12,2) wie *Hamlet* (6,2) und Racines *Iphigénie* sogar mehr als doppelt so spannend (14,0)? Geht man davon aus, daß eine wissenschaftliche Analyse der Spannung die intuitive Rezeptionserfahrung zu begründen und präzise abzubilden hat, widerlegt sich dieser Ansatz durch sein Ergebnis von selbst.

4. SPRACHLICHE KOMMUNIKATION

4.1 Dramatische Sprache und Normalsprache

4.1.1 Überlagerung zweier Ebenen

Eine dramatische Rede[1] hat mit einer normalsprachlichen Rede in einem alltäglichen Dialog das Moment der situativen Gebundenheit an das *hic et nunc* der Gesprächsteilnehmer gemeinsam; diese situative Gebundenheit setzt beide ab von der mehr oder weniger stark ausgeprägten Situationsabstraktheit narrativer oder expositorischer Rede. Die dramatische Rede ist jedoch "semantisch viel komplizierter" als eine Rede in einem gewöhnlichen Gespräch, denn bei ihr kommt noch

> ein weiterer Faktor hinzu: das Publikum. Dies bedeutet, daß hier zu allen direkten Dialogteilnehmern noch ein weiterer Beteiligter tritt, der schweigt, aber doch wichtig ist, denn alles, was im Theaterdialog gesagt wird, zielt auf ihn und soll auf sein Bewußtsein wirken.[2]

Diese semantische Kompliziertheit weist die dramatische Rede jedoch nicht nur in ihrem Empfängerbezug auf, sondern, und dies ebenfalls aufgrund der Überlagerung eines inneren und eines äußeren Kommunikationssystems, auch in ihrem Senderbezug: eine dramatische Replik hat nicht nur zwei Adressaten, sondern auch zwei Aussagesubjekte – als fiktives Aussagesubjekt die dramatische Figur und als reales Aussagesubjekt den Autor. Die oft zu beobachtende naive Gleichsetzung der beiden Aussagesubjekte durch Rezipienten, mit der zum Beispiel die Replik einer Figur zum lebensweisen Kalenderspruch des Autors simplifiziert wird, wie auch das entsprechende produzentenbezogene Phänomen der Verwendung einer Figur als "Sprachrohr" für die Meinungen und Ansichten des Autors, wie es in manchem *drame à thèse* zu finden ist, verweisen gerade auf die Notwendigkeit dieser prinzipiellen Unterscheidung. Der Figurenbezug und der Autorbezug können dabei freilich in unterschiedlicher Dominanzrelation zueinander stehen: während etwa der Witz in den Repliken einer Komödie Oscar Wildes den Rezipienten ständig "episch" auf den Witz des Autors zurückweist und zurückverweisen soll, versucht ein Autor naturalistischer Programmatik wie Arno Holz, die absolute Dominanz des Figurenbezugs zu etablieren und den Bezug auf sich selbst weitmöglichst zu tilgen (s. u. 4.4.2).

4.1.2 Abweichungsdimensionen

Die dramatische Rede weicht auch in ihrer ästhetisch funktionalisierten Sprachverwendung von normalsprachlicher Rede ab: ihr Abweichungscharakter zeigt sich in Normdurchbrechungen des linguistischen Primärcodes (etwa durch innovative Wortfügungen oder Verwendung von Archaismen) und in Zusatzstrukturierungen (etwa durch rhetorische Stilisierung oder metrische Bindung).[3] So steht zum Beispiel die Sprache der französischen klassischen Tragödie in sehr großer Distanz zur Normalsprache (und das nicht nur aufgrund ihrer metrischen Bindung), und auch im modernen Versdrama eines T. S. Eliot oder eines Christopher Fry ist diese Distanz stark ausgeprägt. Sie kann jedoch auch bis zur Assimilation verkürzt sein, wie etwa im Drama des Naturalismus, im zeitgenössischen englischen *kitchen-sink*-Drama oder in den deutschen neonaturalistischen Dramen eines Rainer Werner Fassbinder oder Franz Xaver Kroetz. Aber auch bei solchen extremen Annäherungen an den Stil der Normalsprache zeigt sich eine Abweichungsqualität zumindest noch im verdeutlichenden Bewußtmachen der Stilzüge normalsprachlicher Rede. Bei Kroetz etwa wird die sprachliche Reduktion zu einem neuen Stilisierungsprinzip, das den restringierten Sprachcode seiner Figuren auf ihr restringiertes Bewußtsein hin transparent macht.[4] So variiert allein im modernen Drama der Abweichungsgrad von der extrem artifiziellen Stilisierung in einem Liebesdialog Christopher Frys –

> TEGEUS: I feel as the gods feel:
>   This is their sensation of life, not a man's:
>   Their suspension of immortality, to enrich
>   Themselves with time. O life, O death, O body,
>   O spirit, O Dynamene.
> DYNAMENE: O all
>   In myself; it so covets all in you,
>   My care, my Chromis. Then I shall be
>   Creation.[5] –

bis zur minutiösen Assimilation des Sprachregisters der sozial Deklassierten in der Szene "Gedanken zur Liebe" aus Kroetz' *Michis Blut*:

> MARIE: Wennst das Letzte in Dreck ziehst, is aus.
> KARL: Nix is aus.
> MARIE: Weilst es ausnutzt, daßd mich hast, weilst deine Wut an meiner auslaßt, weilst mich nimmer magst, weilst keine andere findst, weilst –
> KARL: Weil man genug hat von deiner.
> MARIE: Glaubst, das weiß ich nicht, glaubst, ich bin dumm.

KARL: Wenn du wissn tätst, wiest ausschaust, tätst anders redn.
MARIE: Hab kein Spiegel.
KARL: Dann kaufst dir ein.
MARIE: Hab kein Geld.
KARL: Dann kauf ich ihn dir.[6]

Zu dieser historisch und typologisch äußerst variablen stilistischen Abweichung der dramatischen Rede von der normalsprachlichen Rede[7] kommt als zweite Dimension der Abweichung die von den etablierten Konventionen der Bühnensprache. Definiert sich die erste Abweichungsdimension im synchronen Nebeneinander von dramatischer und normalsprachlicher Rede, so definiert sich die zweite im diachronen Nacheinander von einander ablösenden Konventionen der Bühnensprache. Um das an unseren beiden Textbeispielen zu konkretisieren: Frys Versdramen weichen in ihrem Rückgriff auf die poetische Überhöhung des elisabethanischen Versdramas und in ihrer Übertragung von stilistischen Verfahren moderner Lyrik auf das Drama bewußt und radikal von der argumentierenden oder witzig pointierten Prosa der vorausgegangenen Problemstücke eines G. B. Shaw oder John Galsworthy und der Boulevard-Komödien eines Noel Coward oder Terence Rattigan ab; Kroetz' dramatische Sprache wendet sich in Fortsetzung der anti-idealistischen Tradition Marieluise Fleißers und Ödon von Horváths gegen die Normen einer am elaborierten Code der gesellschaftlichen Oberschicht orientierten Bühnensprache. – Dramatische Rede situiert sich also immer im Spannungsfeld von mindestens zwei Abweichungsdimensionen,[8] wobei eine Reduktion der Abweichung von der Normalsprache oft eine Verstärkung der Abweichung von etablierten Konventionen der Bühnensprache implizieren kann und umgekehrt.

4.2 DIE POLYFUNKTIONALITÄT DRAMATISCHER SPRACHE

4.2.1 Polyfunktionalität

Eine dramatische Replik erfüllt schon im inneren Kommunikationssystem immer mehrere Funktionen gleichzeitig, wobei eine bestimmte Funktion jedoch dominieren kann.[9] Wir wollen dies an einer Replik des gerade zitierten Dialogs von Franz Xaver Kroetz zeigen:

KARL: Wenn du wissn tätst, wiest ausschaust, tätst anders reden.

Dominant ist hier die auf den Partner gerichtete APPELLFUNKTION: Karl will Marie beeinflussen; er will sie dazu bringen, ihr Verhältnis zu ihm zu überdenken und zu revidieren. Gleichzeitig hat diese Replik jedoch eine expressive AUSDRUCKSFUNKTION: Karls Charakter schlägt sich in seiner Rede nieder, seine Rede charakterisiert ihn. Diese expressive Selbstcharakterisierung ist zum Teil bewußt und von ihm intendiert (er will als der Überlegene erscheinen, der der wenig attraktiven Marie nicht bedarf), zum andern Teil ist sie unwillkürlich und von ihm nicht intendiert (er enthüllt sich durch seinen Sprachstil als Angehöriger einer niederen sozialen Schicht und durch das Gesagte als ein zu Brutalität neigender Mensch reduzierten Bewußtseins). Und schließlich erfüllt diese Replik eine referentielle DARSTELLUNGSFUNKTION: Karl stellt seine Sicht des Verhältnisses zwischen ihm und Marie dar, und er stellt — in impliziter Inszenierungsanweisung (s. o. 2.1.4) – Marie als wenig attraktiv dar.[10]

Die hier in einem ersten Ansatz entwickelten drei Funktionen werden jedoch der Komplexität der Sprache nicht gerecht. Um zu einem differenzierteren Analyseraster zu kommen, greifen wir daher auf Roman Jakobsons Modell sprachlicher Kommunikation zurück, das wir bereits bei der Analyse der Relationen im äußeren Kommunikationssystem eingeführt und verwendet haben (s. o. 2.4.2). Jakobson ordnet jeder Position seines Kommunikationsmodells – Sender, Empfänger, Inhalt, Nachricht, Kanal und Code – eine kommunikative Funktion zu: dem Sender die emotive oder expressive Funktion der Selbstdarstellung seiner Haltung dem Gegenstand gegenüber, dem Empfänger die "conative" oder appellative Funktion der Beeinflussung, dem Redeinhalt die referentielle Funktion der Darstellung eines Redegegenstands, der Nachricht als dem sprachlichen Superzeichen die poetische Funktion des reflexiven Rückbezugs auf die konkrete Materialität und Strukturiertheit des Zeichens, dem Kanal die phatische Funktion der Herstellung und Aufrechterhaltung des kommunikativen Kontakts und dem Code die metasprachliche Funktion der Thematisierung und Bewußtmachung des Codes.

Wenn wir diese Kategorien im folgenden auf die Analyse dramatischer Sprache anwenden und damit weiter konkretisieren werden, müssen wir natürlich gleichzeitig berücksichtigen, daß einer Replik diese Funktionen nicht nur im inneren, sondern auch im äußeren Kommunikationssystem zukommen. Die für eine einzelne Replik geltende Relationierung und Hierarchisierung der Funktionen im inneren Kommunikationssystem deckt sich dabei im Normalfall nicht mit der Relationierung und Hierarchisierung im äußeren Kommunikationssystem, sondern es treten wichtige Funktionsdiskrepanzen auf. Um dies durch ein Beispiel zu verdeutlichen: besteht in Macbeths Brief an seine Frau (I, v) im inneren Kommunikationssystem eine Dominanz der referentiellen Funktion, da es ja Macbeth vor allem darum geht, seiner Frau die Hexenprophezeiung und den bevorstehenden Besuch des Königs mitzuteilen, so ist für das Publikum aufgrund seiner Informiertheit hauptsächlich die auf Lady Macbeth als Empfängerin bezogene appellative Funktion relevant, indem es vor allem daran interessiert ist, wie sie diese Nachrichten aufnehmen und wie sie darauf reagieren wird.

4.2.2 Referentielle Funktion

Die referentielle Funktion dominiert stark in konventionellen dramatischen Redeformen des Berichtens, wie zum Beispiel der Expositionserzählung (s. o. 3.7.2), dem Botenbericht (s. o. 3.6.2.3) und der Teichoskopie (s. u. 6.2.2.2). In narrativer Vermittlung werden hier Handlungs- und Geschehensabläufe rein sprachlich dargestellt, die aus ökonomischen oder bühnentechnischen Gründen nicht unmittelbar szenisch präsentiert werden können.

Kommt einem solchen narrativen Bericht die referentielle Funktion nur im äußeren Kommunikationssystem zu, weil die in ihm vermittelten Informationen gegenüber der Informiertheit der Adressaten im inneren Kommunikationssystem redundant sind, dann realisiert sich darin eine Tendenz zu epischer Kommunikation. Auch wenn der Berichtende dabei nicht aus seiner Rolle fällt und nicht das Publikum explizit adressiert, empfindet sich der Rezipient angesichts der referentiellen Funktionslosigkeit des Berichts im inneren Kommunikationssystem als der primäre Adressat. Ein Beispiel dafür haben wir bei unserer Behandlung expositorischer Informationsvergabe zitiert: die Expositionserzählung des Lorenz in Tiecks *Der gestiefelte Kater* ist, wie sein einleitendes "Ihr wißt . . ." nur zu deutlich macht, im inneren Kommunikationssystem von redundanter referentieller Funktion (s. o. 3.7.2.5).

Solche Episierungstendenzen werden sowohl in der klassischen als auch in der naturalistischen Dramaturgie vermieden: hier sind berichtende Reden in ihrer referentiellen Funktion weder im inneren noch im äußeren Kommunikationssystem redundant. Wir wollen das an einem Beispiel zeigen, dem Botenbericht des schwedischen Hauptmanns über Max Piccolominis Heldentod in Schillers *Wallensteins Tod* (IV, x):

> Wir standen, keines Überfalls gewärtig,
> Bei Neustadt schwach verschanzt in unserm Lager,

Als gegen Abend eine Wolke Staubes
Aufstieg vom Wald her, unser Vortrab fliehend
(5) Ins Lager stürzte, rief: der Feind sei da.
Wir hatten eben nur noch Zeit, uns schnell
Aufs Perd zu werfen, da durchbrachen schon,
In vollem Rosseslauf dahergesprengt,
Die Pappenheimer den Verhack, schnell war
(10) Der Graben auch, der sich ums Lager zog,
Von diesen stürmschen Scharen überflogen.
Doch unbesonnen hatte sie der Mut
Vorausgeführt den andern, weit dahinten
War noch das Fußvolk, nur die Pappenheimer waren
(15) Dem kühnen Führer kühn gefolgt –
(. . .)
Von vorn und von den Flanken faßten wir
Sie jetzo mit der ganzen Reiterei,
Und drängten sie zurück zum Graben, wo
Das Fußvolk, schnell geordnet, einen Rechen
(20) Von Piken ihnen starr entgegenstreckte.
Nicht vorwärts konnten sie, auch nicht zurück,
Gekeilt in drangvoll fürchterliche Enge.
Da rief der Rheingraf ihrem Führer zu,
In guter Schlacht sich ehrlich zu ergeben,
(25) Doch Oberst Piccolomini –
(. . .)   ihn machte
Der Helmbusch kenntlich und das lange Haar,
Vom raschen Ritte wars ihm losgegangen –
Zum Graben winkt er, sprengt, der erste, selbst
Sein edles Roß darüber weg, ihm stürzt
(30) Das Regiment nach – doch – schon wars geschehn!
Sein Pferd, von einer Partisan durchstoßen, bäumt
Sich wütend, schleudert weit den Reiter ab,
Und hoch weg über ihn geht die Gewalt
Der Rosse, keinem Zügel mehr gehorchend.
(. . .)
(35) Da ergriff, als sie den Führer fallen sahn,
Die Truppen grimmig wütende Verzweiflung.
Der eignen Rettung denkt jetzt keiner mehr,
Gleich wilden Tieren fechten sie, es reizt
Ihr starrer Widerstand die Unsrigen,
(40) Und eher nicht erfolgt des Kampfes Ende,
Als bis der letzte Mann gefallen ist.
(V. 3018–3060)

Thekla, die Adressatin des Berichts im inneren Kommunikationssystem, und das Publikum wissen bereits seit Szene IV, v, daß Max im Kampf gegen die Schweden gefallen ist, aber weder Thekla noch das Publikum kennen die näheren Umstände seines Todes. Sie werden in diesem Botenbericht nachgeliefert. Die starke Dominanz der referentiellen Funktion ist hier schon dadurch gewährleistet, daß der Sprecher, den Konventionen des Botenberichts gemäß, nur in dieser einen Szene auftritt und daher nur wenig Interesse für sich als Figur beanspruchen kann. Er versucht auch kaum, sich selbst in expressiver Funktion darzustellen. So fehlt schon das Personalpronomen der ersten Person Singular; er hebt vielmehr seine Individualität in dem kollektiven "Wir" auf und bleibt sowohl als narrativer Vermittler als auch als Partizipant am narrativ vermittelten Geschehen im Hintergrund. Er spricht in seinem Bericht auch nicht in Betonung einer appellativen Funktion die Adressatin direkt an, sondern beschränkt sich auf die möglichst anschauliche Darstellung seines Gegenstands. Dieser Veranschaulichung des Dargestellten dienen die zahlreichen raum-zeitlichen Deiktika, die Funktionalisierung aller Details auf den Ereigniszusammenhang hin, die rhythmische und die syntaktische Gestaltung, die die Hektik des dargestellten Geschehens mimetisch abbildet, die Vergegenwärtigung des Vergangenen, die im Tempuswechsel vom Präteritum zum historischen Präsens (V. 37 ff) gipfelt.

Und doch geht auch dieser Botenbericht bei aller Dominanz der referentiellen Funktion nicht in dieser auf. Denn die Anschaulichkeit des Berichts dient ja nicht nur der möglichst lebendigen und genauen Darstellung des Gegenstandes, sondern auch der Weckung und Aufrechterhaltung der Aufmerksamkeit der Hörer im inneren und äußeren Kommunikationssystem, der Sicherung eines kommunikativen Kontakts zwischen Sprecher und Hörer. Diese phatische Funktion ist freilich im äußeren Kommunikationssystem wichtiger als im inneren, da Thekla als die Verlobte von Max von vornherein dessen tragisches Ende mit äußerstem Engagement verfolgt. Ihr Engagement für den Geliebten, dem Hauptmann durch ihren Ohnmachtsanfall bei der Todesnachricht bewußtgemacht (IV, v und ix), begründet auch die appellative Dimension des Berichts: der Hauptmann will die tief Betroffene schonen, erklärt sich im einleitenden Dialog nur zögernd bereit, überhaupt von dem Schmerzlichen zu sprechen, will seine Rede in einem kurzen Replikenwechsel zwischen V. 34 und 35 abbrechen und bemüht sich, durch die Herausstellung des heroischen Verhaltens von Max sie zu trösten. Theklas mimisch-gestische Reaktionen auf den Bericht, durch Nebentext nach V. 15 und V. 25 signalisiert, sind das Korrelat dieser appellativen Funktion. In dem Versuch des Hauptmanns, taktvoll und schonend vorzugehen, stellt sich dieser in expressiver Funktion doch selbst dar: er ist nicht völlig neutrales Medium narrativer Vermittlung, sondern charakterisiert sich implizit durch die Art und Weise seines Berichts. Und schließlich kommt dem Botenbericht, dies freilich nur im äußeren Kommunikationssystem, poetische Funktion zu: durch die ästhetische Strukturierung – die metrisch-rhythmische Gestaltung, die vokalischen und konsonantischen Wiederholungsmuster (etwa die Häufung des a-Vokals in V. 9–11), die rhetorischen Figuren (etwa die etymologische Figur in V. 15), die bereits genannten Techniken der Veranschaulichung und Vergegenwärtigung usw. – wird das sprachliche Superzeichen seines automatisierten Bezugs auf das Bezeichnete entbunden und in reflexivem Selbstbezug bewußt und wahrnehmbar gemacht. Zu dieser poetischen Funktion gehört auch, daß Schiller diesen Botenbericht in der historischen Reihe vorliegender Botenberichte gesehen und als besonders vielschichtig funktionalisiert gewürdigt wissen will.

Wir haben also gesehen, daß selbst eine dramatische Rede, in der die referentielle Funktion stark dominiert, noch andere Funktionen erfüllt; umgekehrt gilt selbstverständlich auch, daß sich referentielle Funktion nicht nur in Berichten findet, sondern in jeder dramatischen Rede. Somit sehen wir uns bei der funktionalen Analyse dramatischer Rede immer auf das bereits postulierte Axiom der Polyfunktionalität und auf die Aufgabe verwiesen, die je spezifische Dominantensetzung, die hierarchisierende Korrelation der verschiedenen Funktionen, zu beschreiben.

4.2.3 Expressive Funktion

Die expressive Funktion des Ausdrucks, die auf den Sprecher einer Replik zurückverweist, ist vor allem im äußeren Kommunikationssystem ständig von großer Bedeutung, da die Konkretisierung einer Figur durch die Wahl ihrer Redegegenstände, durch ihr sprachliches Verhalten und durch ihren Sprachstil zu den wichtigsten Techniken der Figurencharakterisierung im Drama gehört (s. u. 4.4.2 und 5.4.2.3). Expressive Funktion kommt im äußeren Kommunikationssystem einer Replik also auch dann zu, wenn deren Sprecher mit ihr primär die Darstellung eines Sachverhalts, die Überredung des Dialogpartners oder die Herstellung eines kommunikativen Kontakts intendiert. Ben Jonsons Betonung des engen Zusammenhangs zwischen Sprecher und Rede –

Language most shows a man: speak that I may see thee. It springs out of the most retired, and inmost parts of us, and is the image of the parent of it, the mind. No glass renders a man's form, or likeness, so true as his speech.[11] –

gilt also in besonderer Weise für die dramatische Rede.

Als vom Sprecher intendierte Funktion im inneren Kommunikationssystem kommt ihr dagegen nicht dieselbe Permanenz der Bedeutung zu. In besonders reiner und daher besonders stark dominierender Form findet sie sich in knappen Ausrufen, wie etwa in dem folgenden Replikenwechsel zwischen Franz und Weislingen aus dem 5. Akt von Goethes *Götz von Berlichingen*:

> FRANZ: (*außer sich*): Gift! Gift! Von Eurem Weibe! – Ich! Ich! (*Er rennt davon*)
> WEISLINGEN: Marie, geh ihm nach. Er verzweifelt. (*Maria ab.*) Gift von meinem Weibe! Weh! Weh! Ich fühl's. Marter und Tod![12]

Zwar haben Franz' Ausrufe als elliptisch verkürzte Aussage noch die wichtige referentielle Funktion, seinem Herrn mitzuteilen, daß er ihn, angestiftet durch Adelheid, vergiftet habe; ihre Verdoppelung (die rhetorische Figur der *geminatio*) verweist jedoch nur noch auf den Sprecher selbst und seine äußerste Erregtheit zurück. Dies gilt vollends für die Ausrufe Weislingens, die nur noch seine Haltung dem Geschehen gegenüber ausdrücken und darüber hinaus weder etwas mitteilen noch jemanden beeinflussen wollen.

Eine weitere Form dramatischer Rede, in der die expressive Funktion häufig stark isoliert und dominant auftritt, ist der Reflexionsmonolog. Ohne hier schon auf die besonderen Probleme monologischen Sprechens eingehen zu wollen (s. u. 4.5), sei doch angemerkt, daß sich dabei die Dominanz der expressiven Funktion aus der Absicht des Sprechers ergibt, sein Selbstverständnis zu artikulieren, um sich dadurch über sich selbst klar zu werden, sich zu rechtfertigen oder zu einem Entschluß zu kommen. So etwa Macbeth in einem seiner zahlreichen Monologe:

> I have almost forgot the taste of fears.
> The time has been my senses would have cool'd
> To hear a night-shriek, and my fell of hair
> Would at a dismal treatise rouse and stir
> As life were in't. I have supp'd full with horrors;
> Direness, familiar to my slaughterous thoughts,
> Cannot once start me.
> (V, v, 9–15)

Auch hier verweist die Rede kaum mehr auf Sachverhalte, die dem Bewußtsein des Sprechers extern sind, und schon die Häufigkeit der Pronomina der ersten Person Singular macht deutlich, daß hier der Sprecher im Versuch, sich selbst auszudrücken, nicht nur Subjekt, sondern auch Objekt seiner Rede ist. Und auch die monologische Sprechsituation wirkt einer Dominanz referentieller und appellativer Funktionen entgegen.[13]

4.2.4 Appellative Funktion

Umgekehrt gilt, daß gerade die appellative Funktion von der dialogischen Sprechsituation abhängt und mit der Intensität des Partnerbezugs (s. u. 4.5.1 und 4.6) zunimmt. Sie ist um so stärker ausgeprägt, je mehr der Sprecher versucht, seinen Dialogpartner zu beeinflussen, ihn umzustimmen, und je mehr er in Verfolgung dieser Intention auf dessen Vorbehalte und Reaktionen eingeht. Eine Sonderform dieser Beeinflussung und Umstimmung ist der Befehl, der eine bestimmte Abhängigkeits- und Autoritätsrelation zwischen den Dialogpartnern voraussetzt. In solchen Formen dramatischer Rede, in denen die appellative Funktion dominiert, wird der allgemein geltende Handlungscharakter dramatischer Rede (s. o. 1.2.5) besonders evident: Umstimmung und Befehl stellen Sprechakte dar, und unabhängig davon, ob der Umstimmungsversuch glückt oder nicht und ob dem Befehl Folge geleistet wird oder nicht, wird durch sie handelnd die Situation verändert (s. u. 4.3). Es verwundert daher nicht, daß die Dominanz der appellativen Funktion in dramatischer Rede besonders häufig auftritt, und daß Überredungs- und Umstimmungsdialoge über weite Perioden der Dramengeschichte hinweg fast obligate Bauelemente darstellen.

Oft markieren solche Dialoge mit dominant appellativer Funktion dramatische Höhepunkte mit großer Spannungsintensität. So zum Beispiel im Dialog Odoardo-Emilia in Lessings *Emilia Galotti* (V, vii). Emilia sieht als einzige Lösung ihrer tragischen Situation den Freitod und versucht ihren Vater dazu zu bewegen, ihr den Dolch zu überlassen, mit dem dieser schon vorher Gonzaga und Marinelli zu töten beabsichtigte:

> EMILIA: Um des Himmels willen nicht, mein Vater! – Dieses Leben ist alles, was die Lasterhaften haben. – Mir, mein Vater, mir geben Sie diesen Dolch.
> ODOARDO: Kind, es ist keine Haarnadel.
> (5) EMILIA: So werde die Haarnadel zum Dolche! – Gleichviel.
> ODOARDO: Was? Dahin war es gekommen? Nicht doch, nicht doch! Besinne dich. – Auch du hast nur *ein* Leben zu verlieren.
> EMILIA: Und nur *eine* Unschuld!

ODOARDO: Die über alle Gewalt erhaben ist. –

(10) EMILIA: Aber nicht über alle Verführung. – Gewalt! Gewalt! wer kann der
Gewalt nicht trotzen? Was Gewalt heißt, ist nichts: Verführung ist die
wahre Gewalt. – Ich habe Blut, mein Vater, so jugendliches, warmes
Blut als eine. Auch meine Sinne sind Sinne. Ich stehe für nichts. Ich bin
für nichts gut. (. . .) –

(15) Geben Sie mir, mein Vater, geben Sie mir diesen Dolch!
ODOARDO: Und wenn du ihn kenntest, diesen Dolch! –
EMILIA: Wenn ich ihn auch nicht kenne! – Ein unbekannter Freund
ist auch ein Freund – Geben Sie mir ihn, mein Vater, geben
Sie mir ihn!

(20) ODOARDO: Wenn ich dir ihn nun gebe – da! (*Gibt ihr ihn*)
EMILIA: Und da! (*Im Begriffe, sich damit zu durchstoßen, reißt der Vater
ihr ihn wieder aus der Hand*)
ODOARDO: Sieh, wie rasch! – Nein, das ist nicht für deine Hand.
EMILIA: Es ist wahr, mit einer Haarnadel soll ich – (*Sie fährt

(25) mit der Hand nach dem Haare, eine zu suchen, und bekömmt die
Rose zu fassen*) Du noch hier? – Herunter mit dir! Du gehörest
nicht in das Haar einer, – wie mein Vater will, daß ich
werden soll!
ODOARDO: O, meine Tochter!

(30) EMILIA: O, mein Vater, wenn ich Sie erriete! – Doch nein, das
wollen Sie auch nicht. Warum zauderten Sie sonst? (. . .) Ehedem
wohl gab es einen Vater, der, seine Tochter vor der Schande zu
retten, ihr den ersten den besten Stahl in das Herz senkte – ihr
zum zweiten das Leben gab. Aber alle solche Taten sind von ehe-

(35) dem! Solcher Väter gibt es keine mehr!
ODOARDO: Doch, meine Tochter, doch! (*Indem er sie durchsticht*)[14]

Die Dominanz der appellativen Funktion in Emilias Repliken zeigt sich
schon in der dreifachen Wiederholung des Appells an den Vater, ihr den
Dolch zu überlassen (Z. 2f, 14f, 18f), wobei die Intensität des Appells
durch den Einsatz rhetorischer Repetitionsfiguren jeweils noch gesteigert
wird. Auch die ständige Wiederholung der Anrede – "mein Vater",
"meine Tochter" – und die Kürze der Einzelrepliken intensivieren den
Bezug auf den Dialogpartner und damit die appellative Funktion. Mit
immer neuen Argumenten versucht sie, ihren Vater umzustimmen, und
keine einzige Replik, ja nicht einmal ein einziger Abschnitt ihrer Repliken
findet sich, der nicht als Aufforderung, oder als Argument für die Aufforderung, der appellativen Funktion untergeordnet wäre: die Verweigerung des Dolches könnte ihren Selbstmord nicht verhindern, da sich ja
andere Waffen finden ließen (Z. 5); der Verlust ihres Lebens zähle nicht
im Vergleich zum Verlust ihrer Unschuld (Z. 8); ihre Unschuld sei der Ge-

walt der Verführung gegenüber machtlos (Z. 10 ff); der Dolch sei, von wem er auch komme, das Geschenk eines Freundes (Z. 17 f); ein Vater, der ihr in dieser Situation den Tod verweigere, diskreditiere sich moralisch, da er den Verlust ihrer Unschuld billige (26 ff); und schließlich verweist sie als letztes und den Vater überzeugendes Argument auf die römische Anekdote von Virginius und Virginia als Exemplum eines heroischen Vater-Ethos (Z. 31 ff). Diese Kette von Argumenten entwickelt sie jedoch nicht aus sich selbst heraus, einem logischen Argumentationsmuster folgend, sondern in permanentem Rückbezug auf die Einwürfe und Gegenappelle des angesprochenen Dialogpartners, wie schon die ständige Wiederaufnahme von Einzelwörtern, Satzteilen und Satzmustern aus den Einwürfen ihres Vaters in die eigenen Repliken deutlich macht ("Haarnadel" – "Haarnadel", Z. 4 f; "*ein* Leben" – "*eine* Unschuld", Z. 7 f; "über alle Gewalt" – "nicht über alle Verführung", Z. 9 ff; "wenn du ihn kenntest" – "Wenn ich ihn auch nicht kenne", Z. 16 f; "da!" – "Und da!", Z. 20 f).

Der Dialog besitzt als Folge der Dominanz appellativer Funktion eine hohe Spannungsintensität im Sinne unserer Definition: aufgrund der psychischen und ideologischen Disposition der beiden Dialogpartner ist der Erfolg oder Mißerfolg der wechselseitigen Umstimmungsversuche schwer voraussagbar und daher Odoardos Handlung von hohem Informationswert. Und auch das involvierte Risiko ist groß, denn es geht ja hier um Leben und Tod der beiden Dialogpartner und darüber hinaus um ihrer beider ethische Integrität. In der Unvereinbarkeit der wechselseitigen Appelle und der gleichzeitig gegebenen Berechtigung der unvereinbaren Appelle eröffnet sich hier ein tragisches Dilemma, dessen Lösung im Sinn eines ethischen Rigorismus gleichzeitig die unterlegenen Argumente des Herzens verklärt und das problematisch gewordene Verhältnis zwischen den beiden Dialogpartnern versöhnt.

Erweist sich die appellative Funktion als die wohl wichtigste im inneren Kommunikationssystem dramatischer Texte, so gilt dies keineswegs generell für das äußere Kommunikationssystem. Die Appellfunktion des dramatischen Textes an den Rezipienten erscheint vielmehr im Vergleich zu expositorischen oder narrativen Texten meist zurückgenommen, wenn man von Lehrstücken oder Thesendramen absieht, in denen dann aber der direkte Appell an das Publikum bezeichnenderweise häufig die Etablierung eines vermittelnden Kommunikationssystems durch epische Kommentatorfiguren oder Figuren als "Sprachrohre" des Autors bedingt. Dieser Aspekt läßt sich jedoch keineswegs zu einer Gattungskonstante generalisieren, sondern erfährt historisch und typologisch äußerst vielfältige Ausprägungen. Sie reichen von einer Dramaturgie der Objektivität (etwa im Naturalismus), die dem Zuschauer nur Fakten zuspielen will und auf eindeutige Appelle verzichtet, bis zu einer Dramaturgie der engagierten Parteilichkeit, die einen ideologisch eindeutigen Appell ausformuliert, und von Texten, die sich allein an das Amüsierbedürfnis des Rezipienten wenden, bis zu solchen, die ihn mit ethischen Problemen konfrontieren.

4.2.5 Phatische Funktion

Die phatische Funktion, die auf den Kanal zwischen Sprecher und Hörer bezogen ist und der Herstellung und Aufrechterhaltung des Kontakts zwischen ihnen dient, ist dagegen vor allem im äußeren Kommunikationssystem von hoher Relevanz. Mit "Kanal" und "Kontakt" ist dabei nicht nur die rein physikalische Verbindung gemeint, die den Informationstransport zwischen Sender und Empfänger ermöglicht, sondern auch die psychische Kommunikationsbereitschaft der beiden. So dienen im äußeren Kommunikationssystem der phatischen Funktion so unterschiedliche Faktoren wie die räumliche Zuordnung von Bühne und Auditorium, die eine optimale akustische und optische Wahrnehmbarkeit gewährleisten soll (s. o. 2.2.1), die Weckung des Interesses durch Werbung und Titel und schließlich die Engagierung des Rezipienten durch die Spannungsstruktur, durch epische Kommunikationsstrukturen und durch die Identifikationsangebote des Textes selbst.

Im inneren Kommunikationssystem dient die phatische Funktion der Herstellung und Intensivierung des Partnerbezugs im Dialog. Einige der Phänomene, auf die wir bereits unter dem Stichwort "appellative Funktion" verwiesen haben, sind also auch phatisch funktionalisiert. So etwa die Anrede des Dialogpartners, durch die sich der Sprecher des kommunikativen Kontakts mit ihm versichert, oder das Eingehen auf seine Repliken, das den kommunikativen Kontakt bestätigt. Wichtig wird die phatische Funktion vor allem dann jedoch, wenn aufgrund gestörter Kommunikation der Kontakt erst hergestellt werden muß oder wenn die "Kontaktpflege" zum dominanten oder gar einzigen Anliegen der dialogischen Kommunikation wird. Beispiele dafür finden sich in reicher Fülle gerade im modernen Drama, das häufig das Problematisch-Werden zwischenmenschlicher Kommunikation darstellt, den Versuch und sein Scheitern, aus solipsistischer Isolation und Entfremdung in eine dialogische Beziehung auszubrechen. So verfolgen die beiden Landstreicher in Samuel Becketts

Waiting for Godot mit ihren Dialogen selten irgendwelche Absichten der Selbstdarstellung, der Mitteilung von Sachverhalten oder der Beeinflussung, sondern ihr fortwährendes Gerede hat oft nur noch die Funktion, miteinander in Kontakt zu bleiben und spielend eine Kommunikation zu simulieren, der in Wirklichkeit alle Voraussetzungen bereits entzogen sind:

> (*Silence*)
> VLADIMIR and ESTRAGON (*turning simultaneously*): Do you –
> VLADIMIR: Oh, pardon!
> ESTRAGON: Carry on.
> VLADIMIR: No no, after you.
> ESTRAGON: No no, you first.
> VLADIMIR: I interrupted you.
> ESTRAGON: On the contrary.
> (*They glare at each other angrily.*)
> VLADIMIR: Ceremonious ape!
> ESTRAGON: Punctilious pig!
> VLADIMIR: Finish your phrase, I tell you!
> ESTRAGON: Finish your own!
> (*Silence. They draw closer, halt.*)
> VLADIMIR: Moron!
> ESTRAGON: That's the idea, let's abuse each other.[15]

Die extreme Reduziertheit der expressiven Funktion, der kaum mehr gegebene Rückbezug der einzelnen Äußerungen auf ein individuelles Aussagesubjekt, zeigt sich hier schon in der Identität und Austauschbarkeit der Repliken; die referentielle Funktion beschränkt sich auf die Thematisierung der Absicht, etwas zu sagen, wobei selbst diese Absicht nur noch eine vorgegebene ist, aus der jeder versucht, entbunden zu werden; und die appellative Funktion, die normalerweise bei gegenseitigen Beschimpfungen stark ausgeprägt ist, ist hier aufgehoben, da ja keine Beleidigungsabsicht besteht, sondern die Beschimpfung hier ebenso wie die Höflichkeitsbezeugung nur ein Sprachspiel zum Zeitvertreib ist. Das Reden ist also zum Selbstzweck geworden, zur rein phatischen Kommunikation, die den Figuren dominant nur noch dazu dient, sich ständig der Existenz eines Kommunikationskanals zu versichern. Daß ihnen selbst dies nicht als Mangel bewußt wird, pointiert noch die Reduziertheit dieses Dialogs auf eine Funktion.

4.2.6 Metasprachliche Funktion

Die metasprachliche Funktion, die auf den Code bezogen ist, ist wie die phatische meist nur latent vorhanden. Es gibt jedoch – sowohl in normalsprachlicher Rede, wie auch im dramatischen Dialog – Situationen, in denen sie in den Vordergrund tritt. Dies ist immer dann der Fall, wenn der verwendete Sprachcode als solcher explizit oder implizit thematisiert wird. Die innerdramatische Motivation für eine solche Thematisierung und Bewußtmachung des Sprachcodes liegt häufig in einer gestörten Kommunikation, in einem Nicht-mehr-Funktionieren der Kommunikation aufgrund von zu großen Divergenzen zwischen den Codes – oder, genauer, den Subcodes – der einzelnen Dialogpartner, die diese veranlaßt, metasprachlich über ihre Sprache zu sprechen. Diese Divergenz der Codes ist dabei häufig soziologisch bedingt, wie zum Beispiel in dem folgenden Dialog des obdachlosen Alkoholikers Loach mit dem ehemaligen Lehrer Ash aus dem zeitgenössischen englischen Drama *The National Health* (1970) von Peter Nichols:

> ASH: (. . .) My wife couldn't have children. (. . .)
> LOACH: Was it to do with her underneaths?
> ASH: I'm sorry.
> LOACH: To do with her womb, was it?
> ASH: Yes.
> LOACH: Womb trouble.
> ASH: That sort of thing, yes.[16]

Loach, gehemmt durch sein Bewußtsein der Diskrepanz zwischen seinem und Ashes Sprachregister, zwischen seinem "restringierten" und Ashes "elaboriertem Code",[17] ringt hier offensichtlich um einen unanstößigen Ausdruck für den weiblichen Unterleib und verfällt dabei auf die ungewöhnliche Umschreibung "underneaths". Ash hingegen empfindet das ganze Thema weiblicher Sexualität und weiblicher Geschlechtsteile als so peinlich, ja geradezu traumatisch, daß er Loaches Verweis nicht versteht oder, was noch wahrscheinlicher ist, vorgibt, ihn nicht zu verstehen: "I'm sorry". In einem zweiten Versuch, sich verständlich zu machen, bedient sich Loach des üblichen Ausdrucks "womb", und nun kann Ash nicht mehr umhin, Verständnis zu signalisieren. Sein kurz angebundenes "yes" ist gleichzeitig ein stilistisches Signal dafür, daß er diesen heiklen Gegenstandsbereich der sexuellen Anatomie seiner Frau nicht weiterverfolgen will. Loach jedoch überhört uneinfühlsam dieses deutliche Signal, daß für Ash das Gespräch darüber abgeschlossen ist, und fährt fort zu präzisieren: "Womb trouble". Wieder nimmt Ash Loaches Ausdruck nicht auf, aber, da er ihn zum Freund gewinnen

und so die Differenz der sprachlichen Codes und Register nicht weiter ausspielen will, lenkt er unverbindlich ein: "That sort of thing, yes".

Solche Thematisierungen des Sprachcodes finden sich zwar in modernen Dramen besonders häufig, sind aber keineswegs ein völliges Novum,
wie etwa durch eine genauere Analyse von Shakespeare-Dialogen leicht
nachzuweisen wäre. Darüber hinaus ist zur Verstärkung der metasprachlichen Funktion auch nicht die explizite Thematisierung des Sprachcodes
notwendig, denn es genügt auch die implizite Thematisierung durch ein
kontrastierendes Nebeneinander verschiedener Codes oder das Herausstellen eines von der allgemeinen Sprachnorm besonders deutlich abweichenden Codes, um die Bedeutung des Codes in der Kommunikation bewußtzumachen.[18]

Expliziter oder impliziter metasprachlicher Bezug auf den Code ist jedoch nicht immer, wie die bisher angeführten Beispiele vielleicht nahelegen, mit gestörter Kommunikation verbunden. Die Dominanz metasprachlicher Funktion kann im Gegenteil auch durch besondere sprachliche Virtuosität, durch ein Spiel mit dem Regelsystem des Codes, motiviert sein. Solche Wort- und Sprachspiele treten besonders häufig in der
Komödie auf, wie ein Blick auf die zahlreichen *puns* in den Dialogen von
Shakespeares Komödien zeigt; wir verweisen jedoch, um uns zeitraubende
sprachhistorische Kommentierung zu ersparen, als Beispiel auf eine von
Shakespeares Wortkomik inspirierte Dialogpassage aus Georg Büchners
Leonce und Lena (I, iii):

> LEONCE: (. . .) Valerio, gib den Herren das Geleite!
> VALERIO: Das Geläute? Soll ich dem Herrn Präsidenten eine Schelle anhängen?
> Soll ich sie führen, als ob sie auf allen vieren gingen?[19]

Durch das Spiel mit ähnlich klingenden Wörtern – "Geleite"/"Geläute",
"führen"/"vieren" – macht Valerio die willkürliche Beziehung zwischen
der phonologischen und der semantischen Ebene des Sprachcodes bewußt
und demonstriert er, wie durch kleine phonologische Änderungen entscheidende semantische Volten erreicht werden können: aus Leonces höf-
licher Aufforderung wird eine Beleidigung. In seiner folgenden Replik
verdeutlicht Leonce die metasprachliche Funktion, indem er Valerios
Sprachspielerei thematisiert; dessen Antwort darauf besteht in neuen
Wortspielen, die diesmal nicht die Relation von Phonologie und Semantik betreffen, sondern die Möglichkeiten der Bedeutungsveränderung
durch Präfixe:

> LEONCE: Mensch, du bist nichts als ein schlechtes Wortspiel. Du hast weder
> Vater noch Mutter, sondern die fünf Vokale haben dich miteinander erzeugt.

VALERIO: Und Sie, Prinz, sind ein Buch ohne Buchstaben, mit nichts als Gedankenstrichen. – Kommen Sie jetzt, meine Herren! Es ist eine traurige Sache um das Wort "kommen". Will man ein Einkommen, so muß man stehlen; an ein Aufkommen ist nicht zu denken, als wenn man sich hängen läßt; ein Auskommen hat man jeden Augenblick mit seinem Witz, wenn man nichts mehr zu sagen weiß, wie ich zum Beispiel eben, und Sie, *ehe* Sie noch etwas gesagt haben. Ihr Abkommen haben Sie gefunden, und Ihr Fortkommen werden Sie jetzt zu suchen ersucht.[20]

Im äußeren Kommunikationssystem ist die metasprachliche Funktion nicht auf den primären Sprachcode bezogen, sondern auf die Konventionen dramatischer Texte als eines Systems sekundärer Codes. Nicht die Thematisierung der Sprache, sondern die Thematisierung von Drama und Theater läßt also hier die metasprachliche Funktion dominant werden. Auch hier kann der Bezug auf den Code explizit oder implizit sein. Die expliziteste Form ist eine Thematisierung über ein vermittelndes Kommunikationssystem, wie sie sich häufig im epischen Theater des Brechtschen Typs findet (s. o. 3.6.2); sie kann jedoch auch weniger direkt dem Publikum über die Repliken der Figuren zugespielt werden, wie im folgenden Beispiel aus Lessings Komödie *Minna von Barnhelm* (V, ix):

FRANZISKA: Und nun, gnädiges Fräulein, lassen Sie es mit dem armen Major gut sein.

DAS FRÄULEIN: O, über die Vorbitterin! Als ob der Knoten sich nicht von selbst bald lösen müßte.[21]

Minna von Barnhelm spielt mit ihrer Knoten-Metapher auf die klassische Theorie des Schürzens und Lösens der Intrige im Drama an. Der von ihr nur bildlich-uneigentlich gemeinte Verweis auf das Drama wird jedoch vom Rezipienten gleichzeitig ins Eigentliche übersetzt: in Szene V, ix darf er, den Konventionen der klassischen Intrigenkomödie entsprechend, nun wirklich die Lösung des Knotens, das Dénouement, erwarten.

Möglichkeiten der impliziten Verdeutlichung des Code-Bezugs im äußeren Kommunikationssystem sind schließlich (1) die kontrastierende Gegenüberstellung unterschiedlicher Konventionen in einem Text, wie sie sich zum Beispiel im Kontrast zwischen dem Spiel im Spiel der Handwerker mit seiner betont primitiven Dialog-, Figuren- und Handlungsgestaltung und dem formal komplexen primären Spiel in Shakespeares *A Midsummer Night's Dream* findet, und (2) die starke Abweichung von den den Rezipienten vertrauten dramatischen Konventionen. So ist zum Beispiel in den Stücken von Franz Xaver Kroetz dem Rezipienten ständig die im Vergleich zum klassischen Drama radikal reduzierte Sprache bewußt, und so wird gerade einem literaturhistorisch nicht geschulten Rezipienten bei seiner ersten Erfahrung etwa mit einem Drama Corneilles die starke sprachliche Stilisierung als eine ihm unvertraute Konvention auffallen und ihn befremden.

4.2.7 Poetische Funktion

Die poetische Funktion realisiert sich im reflexiven Bezug der Nachricht auf sich selbst, der ihre konkrete Materialität und Strukturiertheit bewußt macht, während diese Dimension in normalsprachlicher Rede durch den automatisierten Bezug der Nachricht auf den Gegenstand verdrängt wird. Sie ist im Normalfall nur für das äußere Kommunikationssystem von Relevanz, nicht für die Kommunikation der fiktiven Figuren untereinander. Diesen Sachverhalt zu verkennen, kann in der praktischen Analysearbeit zu gravierenden Fehlinterpretationen führen. Ein konkretes Beispiel soll dieses Mißverständnis verdeutlichen. In Shakespeares *Richard II* finden sich vor allem ab Szene III,ii immer wieder Reden des Titelhelden von starker poetischer Stilisierung, wie etwa die folgende:

> Dear earth, I do salute thee with my hand,
> Though rebels wound thee with their horses' hoofs.
> As a long-parted mother with her child
> Plays fondly with her tears and smiles in meeting,
> So weeping – smiling greet I thee, my earth,
> And do thee favours with my royal hands;
> Feed not thy sovereign's foe, my gentle earth,
> Nor with thy sweets comfort his ravenous sense;
> But let thy spiders, that suck up thy venom,
> And heavy-gaited toads lie in their way,
> Doing annoyance to the treacherous feet,
> Which with usurping steps do trample thee.
> (III,ii,6–17)

Diese und mehrere vergleichbare Passagen aus den Reden Richards zeichnen sich durch eine große poetische Dichte aus, wie sie hier realisiert wird durch die eindringliche Verbindung von Sprache und Gestik, die wiederholten Apostrophen und die Personifikation der apostrophierten Erde, die anschauliche Bildlichkeit der Vergleiche und Metaphern, die Variation der syntaktischen Muster, die funktionale Korrelation von Metrum und Syntax, die vokalischen und konsonantischen Klangmuster, die rhythmische Gestaltung und anderes mehr. Dies hat namhafte Interpreten wie Mark Van Doren[22] dazu verleitet, König Richard selbst als einen Dichter zu sehen, der über seinen Hang zu poetischen Reden politisches Handeln vernachlässigt und dadurch als Regent tragisch scheitert. Gegen eine solche Interpretation spricht jedoch in diesem Fall schon, daß die Gründe von Richards Scheitern bereits in den ersten beiden Akten in einer Reihe politischer Fehlentscheidungen exponiert wurden und daß Richards Reden erst jene poetische Dichte erlangen, wenn sein Fall bereits besiegelt ist. Und prinzipiell spricht gegen eine solche Interpretation, daß diesen Reden ihre poetische Funktion dominant im äußeren, nicht im inneren Kommunikationssystem zukommt. Um es etwas überpointiert zu formulieren: die Poesie, die wir hier finden, ist die Shakespeares, nicht Richards, und sie wird als solche nicht von Richards Dialogpartnern auf der Bühne empfunden, sondern vom Publikum im Auditorium.[23] Die Tatsache, daß Richards Reden im wesentlichen erst ab Akt III diese poetische Intensität erlangen, verweist darauf, daß es angesichts seiner beschränkten Handlungsfähigkeit Shakespeare nun primär darum gehen muß, Bewußtseinsvorgänge im Inneren des Helden darzustellen. Darüber hinaus dient die poetische Aufladung seiner Sprache der Sympathielenkung zugunsten des scheiternden Helden – auch dies eine Strategie im äußeren Kommunikationssystem.

Was wir hier an einem konkreten Einzelfall gezeigt haben, ist natürlich generalisierbar: so ist zum Beispiel die poetische Funktion der metrischen Gebundenheit der Sprache in einem Versdrama nur im äußeren Kommunikationssystem gegeben. und nicht im inneren, denn sonst müßten sich ja die Figuren über diese "unnatürliche" Redeweise verwundert äußern.[24] Das heißt aber nicht, daß im inneren Kommunikationssystem prinzipiell keine poetische Funktion wirksam werden kann. Dazu bedarf es jedoch ihrer expliziten oder impliziten Thematisierung in den Repliken der Figuren: explizit dadurch, daß Sprecher oder Hörer einer Replik diese als ästhetisch stilisiert und poetisch bezeichnen (wie das zum Beispiel immer wieder in Shakespeares *Love's Labour's Lost* geschieht); implizit dadurch, daß die Repliken einer Figur in pointiertem Kontrast zu denen der übrigen Figuren durch ihre poetische Stilisierung auffallen. Das zweite gilt nun aber bis zu einem gewissen Grad für die Repliken König Richards, die in ihrer Bildlichkeit und Euphonie in deutlichem Kontrast zur mehr prosaischen Nüchternheit der Repliken seines Gegenspielers Bolingbroke stehen. Die im vorhergehenden Abschnitt gemachte Zuordnung der poetischen Funktion der Reden Richards zum äußeren Kommunikationssystem muß also eingeschränkt werden – freilich nicht so weitgehend, daß nun doch der überspitzten These vom Dichter Richard zugestimmt werden müßte (s. u. 4.4.1).

4.2.8 Polyfunktionalität in normalsprachlicher Rede und in narrativen Texten

Wir haben die verschiedenen Sprachfunktionen jeweils anhand von Textpassagen dargestellt, in denen eine von ihnen stark dominiert; unsere Textauswahl war von dem Kriterium der möglichst weitgehenden Isolation und der möglichst starken Dominanz einer Sprachfunktion bestimmt. In dieser Beziehung sind also die selektierten Textpassagen nicht repräsentativ für den dramatischen Dialog generell, in dem sich normalerweise die verschiedenen Spachfunktionen in einem ausgewogeneren Verhältnis zueinander befinden. Dennoch gilt auch für unsere gerade wegen ihrer Asymmetrie ausgewählten Textbeispiele das Prinzip der Polyfunktionalität im inneren und äußeren Kommunikationssystem, wenn auch hier jeweils bestimmte Funktionen nur sehr schwach ausgeprägt sind. Die Polyfunktionalität ist jedoch für sich genommen keine Differenzqualität, die eine Scheidung zwischen normalsprachlicher und dramatischer Rede erlauben wird; solche Differenzqualitäten sind vielmehr – wie bereits dargestellt (s. o. 1.2) – die Überlagerung von innerem und äußerem Kommunikationssystem und die dabei auftretenden Funktionsverschiebungen. Darüber hinaus läßt sich jedoch zumindest für das klassische Drama eine gegenüber der normalsprachlichen Rede abweichende Dominanz der appellativen Funktion im inneren Kommunikationssystem behaupten. – Im Vergleich mit der Funktionsverteilung und -korrelation in narrativen Texten fällt schließlich eine tendenziell geringere Bedeutung der referentiellen Funktion sowohl im inneren als auch im äußeren Kommunikationssystem auf, da die dramatische Sprache in dieser Beziehung durch außersprachliche Informationsvergabe entlastet werden kann. Dies ist ein Aspekt, den dramatische Rede mit normalsprachlicher Rede teilt und der beide von narrativen Texten abhebt:

> (. . .) the spoken word in real life (and, to some extent on the stage) derives much of its significance from the context of situation, the relation of language to all those extralinguistic features which, in a novel, must be rendered consciously and explicitly (. . .) by linguistic means. (. . .) fictional dialogue [d. h. Dialog in einem Roman; MPf] is likely to be more heavily burdened with informative and suggestive detail than the speech of everyday life, though this burden is also shared by non-dialogue elements.[25]

4.3.1 Identität von Rede und Handlung

Wenn wir Handlung mit A. Hübler vorläufig definieren als "die nach Situationsorientierung aus mehreren Möglichkeiten absichtsvoll gewählte, nicht kausal bestimmte Überführung einer Situation in eine andere im Sinne einer Entwicklung",[26] dann ist evident, daß eine solche intentionale Situationsveränderung in einem dramatischen Text häufig in der Sprachäußerung einer der Figuren vollzogen wird. Wir abstrahieren vorläufig von Dramen, die im Sinn obiger Definition handlungslos sind (s. u. 6.1.2.3) und von Grenzformen des Dramas, die sprachlos sind. Eine Figur erteilt einen Befehl, verrät ein Geheimnis, stößt eine Drohung aus, gibt ein Versprechen, stimmt eine andere Figur um usw. – in jedem dieser und ähnlicher Sprechakte vollzieht sie sprechend eine Handlung, durch die die Situation und damit die Relation der Figuren untereinander intentional verändert wird.[27] Solch sprechendes Handeln, solch aktionales Sprechen, findet sich in dramatischen Texten sehr häufig, und in ihm wird jene Identität von Rede und Handlung deutlich, die wir schon unter den Aspekten des Performativen (s. o. 1.2.5) und der Dominanz des Appellativen (s. o. 4.2.4) angesprochen haben. Daneben gibt es in dramatischen Texten natürlich auch Handlungen, die nicht sprechend vollzogen werden, sondern in stummem Spiel (Umarmen, Erdolchen, Gesten des Drohens usw.). Doch auch solche sprachlose Aktionen werden meist von den Sprechhandlungen der Planung, Absichtserklärung, Begründung oder Rechtfertigung begleitet.

4.3.2 Nicht-Identität von Rede und Handlung

4.3.2.1 Bezogenheit von Rede und Handlung

Hier zeichnet sich schon ab, daß wir mit einer variablen Distanz von Rede und Handlung zu rechnen haben, wobei die Distanzlosigkeit der Identität als ein Sonderfall erscheint, dem in dramatischen Texten quantitativ und qualitativ eine von anderen Textsorten abweichende Relevanz zukommt. Dramatisches Sprechen ist zwar immer im Sinn der Sprechakt-Theorie ein performatives Sprechen, ein Sprechen als Form des Handelns, aber es gilt nicht für jede dramatische Replik jene Identität von Rede und intentional situationsverändernder Handlung, wie wir sie gerade beschrieben haben.

So ist ein kommentierendes Begründen oder Rechtfertigen einer Handlung zwar auch ein in Sprache sich vollziehendes Handeln, aber dieses Begründen oder Rechtfertigen ist doch nicht identisch mit der kommentierten Handlung als einer intentionalen Situationsveränderung. Solch kommentierendes Sprechen ist eine Form der Bezogenheit, des Gegenübers von Rede und Handlung, die in dramatischen Texten häufig auftritt, sei es nun, daß die handelnde Figur ihre eigene Handlung oder die einer anderen Figur kommentiert, sei es, daß ein episch vermittelnder Kommentar vorliegt. In allen Fällen löst sich die sprechende Figur mehr oder weniger stark von der Situation, in der sie sich befindet, bezieht sie zu ihr eine reflektierende und abstrahierende Distanz, während sie im Fall der Identität von Rede und Handlung völlig in der Situation verbleibt, die sie ja sprechend verändern will.[27a]

4.3.2.2 Unbezogenheit von Rede und Handlung

Bei einem Gegenüber von Rede und Handlung ist zwar die Rede nicht identisch mit der Handlung, bleibt jedoch unmittelbar auf sie bezogen. Die Distanz zwischen Rede und Handlung ist durch die Aufgabe dieses unmittelbaren Handlungsbezugs, wie er für das kommentierende Sprechen gilt, noch weiter zu steigern. Man kann dann von einer Unbezogenheit, einem Nebeneinander von Rede und Handlung, sprechen. So finden sich in dramatischen Texten – vor allem im Bereich der Komödie und des modernen Dramas – Dialogpassagen, die die Struktur einer Konversation aufweisen[28] und abgelöst von der dramatischen Situation in einem selbstzweckhaft phatischen Gespräch um des Gesprächs willen ständig ihre thematische Orientierung ändern. Beispiele dafür sind etwa die Witzgeplänkel von Dienern und Clowns in den Komödien Shakespeares, aber auch Dialoge in den Dramen eines Samuel Beckett, die auf dem Axiom der Unmöglichkeit intentional situationsverändernder Handlung beruhen und daher von vornherein die Handlungsbezogenheit der Rede negieren. Die Unbezogenheit der Rede auf die Handlung bedeutet natürlich nicht deren Funktionslosigkeit, da ja gerade solche aus ihrem Handlungsbezug entbundene Dialoge der Figurencharakterisierung, der Konkretisierung des Milieus, dem zweckfreien Spiel oder anderen Aufgaben dienen können.

Auch die hier vorgeschlagene Typologie zur Relation von Rede und Handlung ist wieder im Sinn eines Spektrums möglicher Relationen zu verstehen, wobei die angegebenen Kategorien der Identität und Nicht-

Identität und der Bezogenheit und Unbezogenheit jeweils bestimmte Positionen in diesem Spektrum markieren, zwischen denen sich bei der differenzierteren Analyse konkreter dramatischer Repliken Übergangsformen in feiner Abstufung herausarbeiten lassen. Dies ist jedoch in unserem Rahmen einer allgemeinen Theoriebildung nicht notwendig, in der es uns vor allem um eine modellhaft vereinfachte Darstellung von Relationstypen gehen muß.

4.4 SPRACHLICHE KOMMUNIKATION UND FIGUR

4.4.1 Einschränkungen des Figurenbezugs

Bei der Darstellung der expressiven Funktion der Sprache (s. o. 4.2.3) haben wir schon auf die Bedeutung der Sprache für die Konstitution einer dramatischen Figur verwiesen: durch das, was eine Figur sagt, und dadurch, wie sie es sagt, stellt sie sich willkürlich oder unwillkürlich, bewußt oder unbewußt, explizit oder implizit selbst dar und wird sie, ergänzt durch außersprachliche Mittel der Selbstdarstellung, dem Rezipienten überhaupt erst als Figur mit einer bestimmten Charakterstruktur greifbar.[29] Dieser induktive Schluß des Rezipienten von der Sprache auf die Figur hat seine Rechtfertigung in der produktionsästhetischen Konzeption der Anpassung einer Rede an die soziale und psychische Disposition der redenden Figur – eine Konzeption, die noch von keiner Poetik des Dramas je völlig in Frage gestellt wurde und die vom antiken Theater bis zum Theater des achtzehnten Jahrhunderts durch die rhetorische Norm des *decorum*, der Angemessenheit von Sprache und Sprechendem begründet[30] und später dann durch realistische Programmatiken gestützt wurde.

4.4.1.1 Überlagerung der expressiven Funktion durch die poetische

Diese Korrespondenz zwischen Rede und Figur, dieser Figurenbezug der Rede, ist jedoch, wenn auch als Prinzip nie ganz negiert, in der Geschichte des Dramas mehr oder weniger streng gefaßt worden und ist auch generell einzuschränken. Diese Einschränkungen ergeben sich wieder aus der Überlagerung zweier Kommunikationssysteme im Drama. So wirkt zum Beispiel in der klassischen französischen Tragödie dem Prinzip der

Korrespondenz zwischen Rede und Figur das im äußeren Kommunikationssystem wirksame ästhetische Prinzip der sprachlichen Homogenisierung entgegen: die Figuren sprechen im wesentlichen alle die gleiche Sprache eines rhetorisch hohen und metrisch gebundenen Stils. Dabei reflektiert diese sprachlich-stilistische Homogenität zwar die soziale Homogenität des Personals und realisiert somit einen Figurenbezug, doch findet die psychische Individualität der einzelnen Figuren nur begrenzten Niederschlag in sprachlich-stilistischen Nuancen. Die Tendenz zur sprachlichen Homogenisierung läßt sich allgemein im Drama der geschlossenen Form[31] und im Versdrama beobachten, wo ja bereits die rhythmische Homogenisierung durch metrische Bindung das ästhetische Prinzip der Vereinheitlichung exponiert. Im Gegensatz dazu ist etwa im Drama des Naturalismus der Figurenbezug sehr streng gefaßt und, dem Prinzip der sprachlichen Differenzierung gemäß, jeder Figur ihr ganz individueller Sprachstil zugeordnet. Auch hier entfaltet sich also wieder zwischen den beiden Extrempositionen der absoluten sprachlichen Homogenisierung und Differenzierung ein Spektrum historisch realisierter Möglichkeiten, mit Zwischenpositionen wie der Ausbildung typisierter schichtenspezifischer Soziolekte (z.B. niederer Stil und Prosa für Diener, gehobener Stil und Vers für Herren) und der Andeutung individueller Idiolekte.

Diese verschiedenen Möglichkeiten ergeben sich offensichtlich aus unterschiedlichen Dominanzrelationen zwischen der expressiven Funktion im inneren Kommunikationssystem und der poetischen Funktion im äußeren: bei sprachlicher Homogenisierung dominiert die poetische Funktion, bei sprachlicher Differenzierung die expressive. Beim induktiven Rückschluß von der Sprache auf die Figur ist also nicht der gesamte linguistisch-stilistische Befund ihrer Repliken relevant, da diese ja nicht im Figurenbezug aufgehen. Dies stellt sich bei jeder konkreten Einzelanalyse einer Figur als methodisches Problem, und unterschiedliche Bewußtheit dieses Problems und unterschiedliche Beurteilung der Dominanzrelationen im konkreten Fall sind häufig die Ursache eines Dissenses zwischen den Interpreten ein und derselben Figur. Als *modus procedendi* eines Analyseverfahrens, das diesem methodischen Problem gerecht wird, empfiehlt es sich also, vom linguistisch-stilistischen Befund der Reden einer Figur das zu subtrahieren, was sie mit den Reden aller übrigen Figuren gemeinsam haben, also nur jeweils die Abweichungs- und Differenzqualitäten zu allen anderen Figuren als charakterisierend für diese Figur zu berücksichtigen.

4.4.1.2 Überlagerung des Figurenbezugs durch epische Kommunikationsstrukturen

Die Unmittelbarkeit bzw. Mittelbarkeit des Bezugs zwischen Figur und Sprache hängt auch von der gewählten Figurenkonzeption ab (s. u. 5.4.1.5): im Rahmen einer konsequent naturalistischen, psychologischen Figurenkonzeption bleibt das Bewußtsein einer Figur immer im Rahmen des psychologisch und situativ Plausiblen und überschreitet auch ihre Rede und Artikulationsfähigkeit nie diesen Rahmen. Eine solche Konzeption vertrat schon der einflußreiche Theoretiker der italienischen Renaissance Lodovico Castelvetro in seiner *Poetica d'Aristotele vulgarizzata et sposta* (1570), indem er forderte:

> Dramatische Rede muß genau dem gleichen, oder ihm gleich scheinen, was der Sprecher sagen würde, wenn er auf wunderbare Weise außerhalb des Dramas in der gegebenen Situation lebendig würde.[32]

Diese Programmatik wurde von den Theoretikern des naturalistischen Dramas wiederaufgenommen, die, wie Ibsen, jede episch vermittelnde Informationsvergabe und auch die Versform ablehnten und sich "der weit schwierigeren Kunst" befleißigten, "in einer durchweg echten Wirklichkeitssprache zu dichten".[33] Bei einer konsequenten Realisierung dieses Programms muß sich der Dramatiker jede ästhetische Zusatzstrukturierung der Sprache, die nicht im inneren Kommunikationssystem motiviert ist, verbieten und bei Figuren, die nicht fiktionsimmanent bereits geschulte Redner sind, ein sehr geringes Maß an Artikuliertheit in Kauf nehmen. An die Stelle der gewohnten – unrealistischen – Beredtheit der Figuren und der ästhetischen Strukturiertheit ihrer Sprache treten dann eine reduzierte Artikulationsfähigkeit, die bis zur Sprachlosigkeit reichen kann, und die linguistischen Charakteristika mündlicher Normalsprache (brüchige Syntax, dysfunktionale Repetitionen, lexikalische Beschränkungen, vage Andeutungen, Pausen usw.). Harold Pinter hat in seiner programmatischen Schrift *Writing for the Theatre* (1964) diese radikal mimetische Konzeption ausdrücklich bestätigt, wenn auch eine genaue Analyse seiner eigenen Texte ästhetische Strukturen aufdecken würde, die ihr widersprechen:

> Given characters who possess a momentum of their own, my job is not to impose upon them, not to subject them to false articulation, by which I mean forcing a character to speak where he could not speak, of making him speak of what he could never speak.[34]

Besteht im Rahmen einer solchen Konzeption der dramatischen Figur und ihrer Sprache ein unmittelbarer Bezug zwischen Figur und Sprache und kann dann jedes Detail der linguistischen Form und des sprachlichen Verhaltens als psychologisches und ideologisches Symptom gewertet werden, so verzichtet eine transpsychologische Figurenkonzeption auf einen solchen unmittelbaren und uneingeschränkten Bezug. So formuliert G. B. Shaw 1923, der naturalistischen Schule Ibsens entwachsen:

> Neither have I ever been what you call a representationist or realist. I was always in the classic tradition, recognising that stage characters must be endowed by the author with a conscious self-knowledge and power of expression . . . and a freedom from inhibitions, which in real life would make them monsters of genius. It is the power to do this that differentiated me (or Shakespeare) from a gramophone and a camera.[35]

Die Über-Artikuliertheit der dramatischen Figur, die, von konsequent naturalistischen Texten abgesehen, in je verschieden stark ausgeprägtem Maß eine historische Konvention des Dramas darstellt und hier von Shaw nachdrücklich verteidigt wird, läßt sich beschreiben als die replikeninterne Überlagerung des inneren Kommunikationssystems durch ein vermittelndes, über das der Autor seine Figuren analysiert und interpretiert. Das hohe Maß an Bewußtheit und an Artikulationsbereitschaft und -fähigkeit, das sich in Repliken dieses Dramentyps findet, ist also nicht unmittelbar und uneingeschränkt auf die Figur selbst zu beziehen, sondern – analog zu den ästhetischen Zusatzstrukturierungen wie etwa dem Vers – zumindest zum Teil auf den Autor. Auch hier muß dann wieder gelten, daß vor allem den Unterschieden zwischen den einzelnen Figuren eines Dramas charakterisierende Funktion zukommt und daß eine figurenbezogene Sprachanalyse die historische Konvention, in der der einzelne Text steht, und die im Text selbst etablierte immanente Poetik sorgfältig berücksichtigen muß, um nicht durch eine Verwechslung von Kommunikationsniveaus zu verzerrten Ergebnissen zu kommen.

4.4.1.3 Überlagerung des Figurenbezugs durch den Situationsbezug

Eine weitere Einschränkung der Korrespondenz zwischen Rede und Figur und damit der Möglichkeit des Rückschlusses von der Sprache auf den Charakter der Figur ergibt sich daraus, daß die Sprache einer Figur ja nicht nur von ihrer Charakterdisposition bestimmt wird, sondern auch von der Situation, in der sie sich jeweils befindet. Die Repliken einer Figur brauchen also nicht stilistisch homogen zu sein, sondern können je nach Redesituation und -intention stilistisch variiert und differenziert werden.[36]

Die virtuosen sprachlichen Verstellungskünste eines Tartuffe oder eines Richard III. demonstrieren diese situative Variation des Sprachstils sehr deutlich; wir wählen jedoch ein Beispiel, in dem die stilistischen Unterschiede weniger einer strategischen Absichtlichkeit der Figur selbst entspringen als dem unmittelbaren Druck der Situation. Hier die zwei Reaktionen Brabantios, des Vaters der Desdemona aus Shakespeares *Othello*, auf den Verlust seiner Tochter – die erste unmittelbar nach der Entdeckung ihrer Flucht gesprochen (I, i), die zweite vor dem venezianischen Senat (I, ii):

> It is too true an evil. Gone she is;
> And what's to come of my despised time
> Is nought but bitterness. Now, Roderigo,
> Where didst thou see her? – O unhappy girl! –
> With the Moor, sayst thou? – Who would be a father? –
> How didst thou know 'twas she? – O, thou deceivest me
> Past thought! – What said she to you? – Get more tapers;
> Raise all my kindred. – Are they married, think you?
> (I, i, 161–168)

> O thou foul thief, where hast thou stow'd my daughter?
> Damn'd as thou art, thou hast enchanted her;
> For I'll refer me to all things of sense,
> If she in chains of magic were not bound,
> Whether a maid so tender, fair, and happy,
> So opposite to marriage, that she shunn'd
> The wealthy curled darlings of our nation,
> Would ever have, to incur a general mock,
> Run from her guardage to the sooty bosom
> Of such a thing as thou – to fear, not to delight.
> Judge me the world, if 'tis not gross in sense,
> That thou has practis'd on her with foul charms,
> Abus'd her delicate youth with drugs or minerals
> That weakens motion. I'll have't disputed on;
> 'Tis probable, and palpable to thinking.
> (I, ii, 62–76)

Die erste Passage wird von einer hektisch erregten Figur gesprochen, die sich, umgeben von ihren Dienern und auf nächtlicher Straße, nicht zu sprachlicher Förmlichkeit zwingen muß. Dem entsprechen stilistisch die sehr unruhige Rhythmik, die immer wieder das alternierende Prinzip des Blankverses durchbricht und Vers- und Satzgrenzen gegeneinander verschiebt, die Kürze der Sätze und ihre mehr assoziative als logische Aneinanderreihung, die zahlreichen Parenthesen, der Sprachgestus eines drängenden Fragens, das die Antworten immer bereits antizipiert oder hastig überspringt, und eines Befangenseins im Konkreten, das zu abstrahierender und logisch folgernder Distanz unfähig zu sein scheint. Die zweite Passage ist dagegen von völlig anderer stilistischer Textur, bedingt vor allem durch die völlig verschiedene Situation, in der nun gesprochen wird: es handelt sich um eine Gerichtsrede, die als solche bereits eine rhetorische Förmlichkeit des Sprechens und eine logische Folgerichtigkeit des Argumentierens aufweist, und sie wird von einer Figur gesprochen, die sich nun ihrem Thema gegenüber in einer zeitlichen Distanz befindet und dadurch auch zu einer rationaleren Haltung fähig ist. Die Frage, die sie stellt, bleibt nun nicht ohne Antwort, sondern die Antwort wird in doppeltem Durchgang (V. 64–72, 73–77) durch den Appell an die Normen der Vernunft in Form eines Evidenz-Beweises begründet. Dieser Haltung rationaler Begründung entsprechen die ruhigere Rhythmik, die weit ausholenden Hypotaxen, die eindringliche Reihung paralleler Satzglieder (V. 67f, 72, 74f, 77) und die Verwendung eines mehr abstrakten Wortschatzes (vgl. etwa die Wörter aus dem Bereich des Denkens V. 65, 73, 77).

Trotz dieser erheblichen Unterschiede in der stilistischen Textur und im sprachlichen Verhalten sind beide Repliken natürlich demselben Sprecher-Subjekt Brabantio zuzuordnen, der in verschiedenen situativen Kontexten verschieden spricht. Er wird also weder durch die erste, noch durch die zweite Passage allein charakterisiert, sondern gerade durch die Unterschiedlichkeit seiner Rede je nach situativem Kontext, wobei die stilistische Amplitude den Maßstab seiner emotionalen Bandbreite abgibt. Was wir hier am Beispiel dargestellt haben, gilt generell, und daraus ist als methodische Forderung abzuleiten, daß der Rückschluß von der Sprache auf die Figur nicht auf der Basis einer einzelnen Replik vollzogen werden kann, sondern daß die Menge aller ihrer Repliken dabei berücksichtigt werden muß.

4.4.2 Die sprachliche Konstituierung der Figur

Fragen wir nun danach, wie sich eine Figur in ihren sprachlichen Repliken konstituiert, so lassen sich mehrere Schichten voneinander abheben. Es ist grundsätzlich zu unterscheiden, ob die sprachliche Selbstdarstellung explizit ist oder implizit bleibt und ob die implizite Selbstdarstellung willkürlich oder unwillkürlich ist. Diese Formen der Selbstdarstellung überlagern sich zwar fast in jeder Replik, sind jedoch in ihrem Signalwert für den Rezipienten von kategorial unterschiedlichem Status.

4.4.2.1 Explizite Selbstdarstellung

In der expliziten Selbstdarstellung (s. u. 5.4.2.2 zum "Eigenkommentar") thematisiert eine Figur bewußt ihr Selbstverständnis, sei es im Monolog oder im Dialog. Die Informationen, die der Rezipient dadurch über die Figur erhält, sind für ihn nicht objektiv und verbindlich, sondern werden von ihm als subjektiv gebrochene Selbstdarstellung gewertet – wenn man von der a-perspektivischen Technik einer "objektiven Selbstdarstellung" absieht, wie sie sich als Konvention im mittelalterlichen und gelegentlich noch im elisabethanischen Drama findet.[37] Sonst aber ist sie prinzipiell als bewußte Selbstdarstellung figurenperspektivisch gebrochen und deckt sich damit nicht mit der auktorial intendierten Rezeptionsperspektive auf diese Figur. Dazu kommt noch, besonders bei einer dialogischen expliziten Selbstdarstellung, als weiterer Verzerrungsfaktor die strategische Intentionalität des Sprechers, der ja häufig mit seiner Selbstdarstellung als einer bewußten Selbststilisierung den Dialogpartner zu beeinflussen versucht; aber auch im Monolog können solche Verzerrungen als tragische oder komische Selbsttäuschungen auftreten. Der Rezipient muß also die Information, die er dadurch über die Figur erhält, durch die Mechanismen der Perspektivensteuerung korrigieren, wie wir sie in 3.5.3 dargestellt haben, um zum intendierten Bild der Figur zu gelangen.

4.4.2.2 Implizite Selbstdarstellung

Anders verhält es sich mit einer impliziten, unwillkürlichen, dem Sprecher nicht bewußten und also von ihm nicht intendierten sprachlichen Selbstdarstellung (s. u. 5.4.2.3). Sie ist als solche nicht subjektiv gebrochen, nicht figurenperspektivisch verzerrt, sondern in ihr enthüllt sich dem Rezipienten unmittelbar die charakterologische und ideologische Disposition der Figur. Freilich sieht sich dabei der Rezipient aus der Explizitheit in die Implizitheit verwiesen und so mit der Aufgabe konfrontiert, nicht Zeichen zu decodieren, sondern Anzeichen zu interpretieren (s. o. 1.3.2).

Solche Anzeichen, die einen Rückschluß auf die Disposition der Figur erlauben, finden sich bereits im PARALINGUISTISCHEN BEREICH, indem zum Beispiel schon die Stimmqualität eine Figur charakterisieren kann: so assoziiert man etwa konventionell mit einer hohen, schneidenden Stimme Entschlossenheit oder Fanatismus, während eine weiche, leise Stimme eher auf eine träumerische oder sensible Charakterdisposition verweist. Im schriftlich fixierten Textsubstrat wird zwar dieser paralinguistische Bereich nur gelegentlich im Nebentext angesprochen, im plurimedial realisierten Text ist er jedoch immer relevant. Ein Dramatiker wie Shaw, der seine Texte oft wie Opern orchestrierte, betonte gerade diesen paralinguistischen Bereich und forderte:

> In selecting the cast no regard should be given to whether the actor understood the play or not (players are no walking encyclopedias); but their ages and personalities should be suitable, and their voices not alike. The four principals should be soprano, alto, tenor, and bass. Vocal contrast is of the greatest importance (. . .). The director must accordingly take care that every speech contrasts as strongly as possible in speed, tone, manner and pitch with the one who provokes it, as if coming unexpected as a shock, surprise, stimulant, offence, amusement, or what not. It is for the author to make this possible, for in it lies the difference between dramatic dialogue and epic narrative.[38]

Im Gegensatz dazu ist die STILISTISCHE TEXTUR als charakterisierendes Anzeichen bereits im literarischen Textsubstrat fixiert. Wir können hier auf eine exemplarische Analyse verzichten, da wir sie bereits am Beispiel der beiden Repliken Brabantios ansatzweise vorgeführt haben; wir wollen jedoch die wichtigsten Frageaspekte einer solchen Texturanalyse kataloghaft anführen. Da ist zunächst einmal die übergreifende Frage, ob die Sprache einer Figur einem regionalen oder sozialen Subcode angenähert ist, die Figur also durch die Verwendung von Hochsprache oder Dialekt, von elaboriertem oder restringiertem Code oder von einer besonderen Fachsprache (etwa einer juristischen, nautischen oder medizinischen) bereits in ihrem *background* charakterisiert wird. Ebenfalls ein transphrastischer, also ein über die Satzgrenze hinausgehender, stilistischer Aspekt ist die Frage nach der Beziehung der einzelnen Sätze einer Replik untereinander: hier haben zum Beispiel eine streng logische Verbindung, eine mehr assoziative Reihung oder ein unverbundenes Nebeneinander Hinweischarakter auf die Bewußtseinsstruktur der Figur. Und schließlich können alle relevanten Abweichungen von den "normalen" Häufigkeitsrelationen[39] im Bereich der syntaktischen und lexikalischen Selektion und Kombination charakterisierende Funktion haben – die Häufigkeit bestimmter Satzarten (Aussagesatz, Fragesatz usw.), die Dominanz von Hypotaxe oder Parataxe, von aktivischen oder passivischen Formulierungen, die Verwendung von Parallelismen und Antithesen, ein mehr abstrakter oder mehr konkreter Wortschatz, ein dominant figuratives oder literales Sprechen, die Dominanz bestimmter Wortfelder, die Häufigkeit idiomatischer oder klischeehafter Wendungen usw. Die charakterisierende Funktion erschöpft sich auch hierbei nicht in der Identifizierung der einzelnen Figuren, sondern sie deckt ihre charakterologische Disposition auf.

Ein letzter Aspekt bezieht sich vor allem auf die Relation der Repliken der verschiedenen Figuren untereinander; in ihr wird das SPRACHLICHE VERHALTEN einer Figur als ein weiteres Charakteristikum greifbar. So charakterisiert sich eine Figur durch die Art und Weise, wie sie auf die vorausgehende Replik eingeht, auf die Gesprächssituation reagiert: eine in den eigenen Idiosynkrasien oder Interessen befangene Figur wird dazu neigen, auf die vorausgehende Replik nicht einzugehen, sondern ihren "eigenen Faden fortspinnen" und häufig in monologhaftes Sprechen verfallen; eine um Rationalität bemühte Figur wird dagegen die Argumente der vorausgehenden Replik explizit aufnehmen und diskutieren. Wir brauchen hier auf die verschiedenen Möglichkeiten nicht näher einzugehen, da wir auf sie noch einmal im Zusammenhang mit der Struktur des Dialogs zurückkommen werden (s. u. 4.6.4); es genügt vorläufig, den Begriff des sprachlichen Verhaltens durch einige weitere Beispiele zu konkretisieren. So kann bereits die Replikenlänge für eine Figur charakteristisch sein, sie als geschwätzig oder vorsichtig abwägend charakterisieren; so kann eine stark ausgeprägte Tendenz zu monologischem Sprechen auf Egozentrik verweisen; so kann häufiges Ins-Wort-Fallen und Unterbrechen der Repliken des Dialogpartners auf Ungeduld oder Dominanzstreben schließen lassen, und so äußert sich in häufigen Maximen oder abstrahierenden Analysen der Situation oft eine distanzierte Rationalität. Auch die Neigung zu Verstellung oder die Fähigkeit, den eigenen Sprachduktus dem Dialogpartner und der Situation anzupassen (Partnertaktik), gehören in das weite Feld charakterisierenden sprachlichen Verhaltens, für das erst im Rahmen einer linguistischen Pragmatik ein systematisches Repertoire erstellt werden könnte. In ihrer jetzigen Form ist sie von diesem Ziel jedoch noch weit entfernt.[39a]

4.5 Monologisches Sprechen

4.5.1 Monolog und Dialog

4.5.1.1 Situative und strukturelle Differenzkriterien

Der Begriff des Monologs, obwohl einer der gängigsten Begriffe der Theorie dramatischer Rede, erweist sich bei näherer Betrachtung als mehrdeutig.[40] Den verschiedenen Handbuch-Definitionen von Monolog ist eigentlich nur gemeinsam, daß sie den Monolog im Drama in Opposition zum Dialog definieren und daß sich für sie jede dramatische Replik eindeutig einer dieser beiden formalen Kategorien zuordnen läßt. Die Definition von Monolog hängt also davon ab, wie der Gegensatz von Monolog und Dialog gefaßt wird. Dafür finden sich im wesentlichen zwei Kriterien in der vorliegenden Forschung: (1) das situative Kriterium der Einsamkeit des Sprechers, der seine Replik als Selbstgespräch an kein Gegenüber auf der Bühne richtet, und (2) das strukturelle Kriterium des Umfangs und des in sich geschlossenen Zusammenhangs einer Replik. Nach dem ersten Kriterium sind etwa ein längerer Botenbericht oder eine große Rede kein Monolog, da sie ja an Figuren auf der Bühne gerichtet sind; nach dem zweiten Kriterium handelt es sich bei ihnen jedoch um Monologe, da sie ja in sich geschlossene Solo-Reden größeren Umfangs sind. In der angelsächsischen Terminologie sind diese beiden unterschiedlichen Konzeptionen auch begrifflich differenziert, indem im ersten Fall von *soliloquy* und im zweiten von *monologue* gesprochen wird:

> (. . .) monologue is distinguished from one side of a dialogue by its length and relative completeness, and from the soliloquy (. . .) by the fact that it is addressed to someone. (. . .) A soliloquy is spoken by one person that is alone or acts as though he were alone. It is a kind of talking to oneself, not intended to affect others.[41]

Die beiden Kriterien sind Klassifikationsprinzipien unterschiedlicher Art. Das situative Kriterium erlaubt eine eindeutige binäre Klassifikation, da sich die Frage, ob eine Replik an ein Gegenüber auf der Bühne adressiert ist, prinzipiell immer mit "Ja" oder mit "Nein" beantworten läßt. Sie ist zu verneinen, wenn die Figur allein auf der Bühne ist, sich allein wähnt oder von der Anwesenheit der anderen Figuren während ihrer Rede keine Notiz nimmt.[42] In allen diesen Fällen liegt also nach dem situativen Kriterium ein Monolog vor, in allen anderen ein Dialog. Anders verhält es sich dagegen mit dem strukturellen Kriterium: die Frage, ob das Kriterium des Umfangs und der inneren Geschlossenheit erfüllt ist, läßt sich nicht mit einem eindeutigen "Ja" oder "Nein" beantworten, sondern nur mit einem "Mehr" oder "Weniger". Eine binäre Klassifikation ist hier also nicht möglich, sondern nur eine Skalierung nach einem Mehr oder Weniger. In der Sprache der Kybernetik: die erste Typologie modelliert digital, die zweite analog.

4.5.1.2 Monolog vs. Monologhaftigkeit, Dialog vs. Dialoghaftigkeit

Wir wollen für die Unterscheidung nach dem situativen Kriterium die Be-Begriffe Monolog und Dialog beibehalten und die Typenskala, die sich nach dem strukturellen Kriterium ergibt, durch ein Mehr oder Weniger an Monologhaftigkeit bzw. Dialoghaftigkeit, durch Abstufungen des Monologischen bzw. Dialogischen bezeichnen. Daraus ergibt sich, daß wir bei der Analyse konkreter Repliken mit dem Auftreten von dialoghaften oder dialogischen Monologen und von monologhaften oder monologischen Dialogen rechnen müssen.

Das Handbuch-Kriterium des Monologischen – größerer Umfang und in sich geschlossener Zusammenhang – ist jedoch noch zu vage und zu wenig operationalisiert, um eine differenziertere Analyse zu ermöglichen. Zudem ist sein Zusammenhang mit dem situativen Kriterium noch nicht geklärt. Hier kann durch einen Rückgriff auf J. Mukařovskýs dialektische Gegenüberstellung von Dialog und Monolog größere Klarheit erreicht werden.[43] Nach Mukařovský beruht ein Dialog immer auf der Polarität oder Spannung zwischen zwei (oder mehreren) Subjekten, die ein "Sich-Durchdringen und Sich-Lösen von mehrerlei, wenigstens zweierlei Kontexten" bedingt (S. 116):

> Da es beim Dialog mehr als einen Teilnehmer gibt, gibt es hier auch einen mehr-fachen Kontext: die Redeäußerungen jeder der Personen bilden, obwohl sie mit den Äußerungen der zweiten Person (bzw. der übrigen Personen) abwechseln, eine gewisse Sinneinheit. Da die Kontexte, die sich im Dialog solcherart gegenseitig durchdringen, verschieden, oft sogar gegensätzlich sind, kommt es an den Übergängen der einzelnen Repliken zu scharfen semantischen Richtungs-änderungen. Je lebhafter ein Gespräch ist, je kürzer die einzelnen Repliken sind, desto deutlicher offenbart sich dieses Aufeinanderprallen der Kontexte; es ent-steht so ein eigener semantischer Effekt, für den die Stilistik sogar einen Be-griff gebildet hat: die Stichomythie. (S. 117)

Hier wird also aus dem situativen Kriterium, der Beteiligung nur eines Sprechers oder mehrerer Sprecher, das strukturelle Kriterium entwickelt –

beim Dialog die semantischen Richtungsänderungen zwischen den Repliken und beim Monolog die einheitliche semantische Richtung, beim Dialog die Tendenz zur Kürze der einzelnen Replik, beim Monolog die Tendenz zur Länge. Daraus ergibt sich auch für Mukařovský die Notwendigkeit, den binären Gegensatz von Dialog und Monolog in einer Typenskala aufzulösen und, analog zu unserem Begriff der Monologhaftigkeit oder des Monologischen, bzw. der Dialoghaftigkeit und des Dialogischen, von mehr oder weniger stark ausgeprägtem Dialog- bzw. Monologcharakter zu sprechen (S. 145).[44] Je häufiger und radikaler in einer Textpassage die semantischen Richtungsänderungen sind, desto stärkeren Dialogcharakter weist sie auf und umgekehrt. Dazu kommt noch, daß Mukařovský mit Recht den Begriff des Subjekts nicht mit dem der Figur gleichsetzt (S. 128–137), sondern nachweist, daß auch in der Rede einer einzelnen Figur sich mehrere Kontexte durchdringen und ablösen können. So kann sich ein Monologsprecher mit "Du" ansprechen, und so kann sich innerhalb eines Monologs ein Gegeneinander unterschiedlicher Standpunkte ("Kontexte") finden – etwa ein Gegeneinander von Seele und Leib, von Herz und Verstand, von Pflicht und Neigung, von früherem und jetzigem Sein usw. Einem solchen Monolog kommt dann Dialogcharakter zu, und das um so mehr, je häufiger und radikaler dadurch semantische Richtungsänderungen auftreten. Und umgekehrt kann man zum Beispiel bei einem Dialog zwischen Figuren, die sich in völligem Einverständnis befinden, alle Figuren als ein einziges Subjekt auffassen; diesem Dialog kommt dann aufgrund mangelnder semantischer Richtungsänderungen ein stark ausgeprägter Monologcharakter zu.

4.5.1.3 Monologisierung des Dialogs

Definiert man, ausgehend davon, einen idealtypischen "dialoghaften Dialog" als eine störungsfreie Zwei- oder Mehrwegkommunikation zwischen zwei oder mehreren Figuren, die zueinander in einem Verhältnis der Polarität und Spannung stehen, in ihren Repliken ständig aufeinander Bezug nehmen und aufgrund prinzipieller Gleichberechtigung einander jederzeit unterbrechen können, so daß sich eine ausgewogene quantitative Relation ihrer Repliken ergibt, so lassen sich anhand dieser Definition die verschiedenen Faktoren entwickeln, die zu einer Monologisierung, zur "Aushöhlung" des Dialogs durch Monologhaftigkeit führen. Eine solche Monologisierung des Dialogs kann auf GESTÖRTER KOMMUNIKATION beruhen, die ihrerseits dadurch bedingt sein kann, daß zwischen den Dialogpartnern kein oder ein stark gestörter Kanal besteht (sie sind physisch oder psychisch kommunikationsunfähig oder -unwillig), daß sie sich stark divergierender Codes bedienen und dadurch Verständnislosigkeit oder gravierende Mißverständnisse entstehen, oder daß schließlich ihre referentiellen Kontexte so verschieden sind, daß jener Minimalkonsens fehlt, der Voraussetzung jeder funktionierenden Kommunikation ist. Beispiele dafür lassen sich gerade im modernen Drama in reicher Fülle finden.

Eine Tendenz zum Monologischen ergibt sich auch aus der Aufhebung unserer zweiten Bestimmung des idealtypischen Dialogs, des Spannungsverhältnisses zwischen den Figuren. Besteht zwischen ihnen ein vollständiger KONSENSUS, dann kommt es zu keinen semantischen Richtungsänderungen; die Monologhaftigkeit ist dann so stark, daß man fast von einem Monolog mit verteilten Rollen sprechen könnte, wie in dem folgenden Dialog aus Maeterlincks Einakter *Intérieur* (1895):

FREMDER: In diesem Augenblick lächeln die Leute in der Stube schweigend . . .
ALTER MANN: Sie sind ruhig . . . Heute erwarten sie ihn nicht . . .
FREMDER: Sie lächeln ohne Bewegung . . . aber sieh, der Vater hält den Finger an den Mund . . .
ALTER MANN: Er weist auf das Kind, das am Herzen der Mutter eingeschlafen ist . . .
FREMDER: Die Mutter wagt es nicht, den Blick zu heben, aus Furcht, sie könnte das Kind aus dem Schlummer wecken . . .
ALTER MANN: Sie arbeiten nicht mehr . . . Es herrscht tiefe Stille.[45]

Die Tatsache, daß hier ein einziger Kontext vorliegt, obwohl zwei Figuren sprechen, zeigt sich an diesem Beispiel schon daran, daß die Zuordnung der Repliken zu den Figuren verkehrt werden kann und daß auch die Replikengrenzen verschoben werden können, ohne daß sich der Dialog wesentlich verändern würde.

Die nächste Bestimmung, die Bezugnahme der Repliken aufeinander, betrifft vor allem die appellative Funktion. Ist sie nicht mehr gegeben, zerfällt der Dialog in eine Reihe einander ablösender BEZIEHUNGSLOSER REPLIKEN, deren Sprecher voneinander nur wenig oder keine Notiz nehmen und aneinander vorbeireden. Dies wird zum Beispiel in N. F. Simpsons *One Way Pendulum* (1959) auf die Spitze getrieben, eine absurde Farce, in der jede Figur so völlig in ihren eigenen Idiosynkrasien befangen ist, daß sie über weite Textpassagen hinweg aneinander vorbeimonologisieren. Was auch immer um sie herum geschieht, oder worüber auch immer gesprochen wird, Aunt Mildred kennt nur ein Thema – ihre Reisepläne und ihre Frustration darüber, daß sie an ihren Rollstuhl gefesselt ist.

Und schließlich führt auch die Auflösung der Gleichberechtigung und damit die DOMINANZ EINER FIGUR zu einer Monologisierung, indem der Kontext der dominanten Figur die übrigen Kontexte quantitativ und qualitativ so sehr überwiegt, daß es kaum mehr zu semantischen Richtungsänderungen kommen kann. Diese Dominanz ist zum Beispiel in der öffentlichen Rede institutionalisiert, in der einer Figur von vornherein die Rednerfunktion, den übrigen eine mehr oder weniger passive Hörerfunktion zugeteilt ist und der Umfang der Rede unverhältnismäßig größer ist als der Umfang eventueller Zwischenrufe. Die Darstellung einer solcen öffentlichen Rede im Drama – etwa der beiden Leichenreden in Shakespeares *Julius Caesar* (III, ii) – bringt also immer eine Monologisierung des Dialogs mit sich.

4.5.1.4 Dialogisierung des Monologs

Das analoge, aber umgekehrte Phänomen der Dialogisierung des Monologs beruht immer darauf, daß die Identität von Sprecher und Hörer, die sich für den Monolog aus dem situativen Kriterium ergibt, in ein Gegenüber von Sprecher und Angesprochenem aufgelöst wird und es dadurch zu einem Gegeneinander semantischer Kontexte kommt. Die reine Reflexivität, die für das Monologische charakteristisch ist, kann dabei schon durch die Anrede, die APOSTROPHE an eine Gottheit, an ein Objekt oder an ein imaginiertes Wesen aufgebrochen werden – eine Technik, die sich zum Beispiel bei Aischylos und Sophokles an allen, und bei Euripides an den meisten Monologen beobachten läßt.[46] Das Gegenüber, das hier durch die Anrede jeweils geschaffen wird, antwortet zwar nicht unmittelbar, es entstehen jedoch semantische Richtungsänderungen innerhalb des Monologs, indem der Sprecher die Reaktionen und damit den semantischen Kontext des angesprochenen Wesens imaginiert.

Eine noch stärkere Dialogisierung ergibt sich aus der Aufspaltung des Sprechers in zwei oder mehrere Subjekte, die einander widerstreiten. In dieser Form, die man als "INNEREN DIALOG" bezeichnen könnte, wird häufig das Gegenüber zweier Subjekte schon durch die Pronominalisierung verdeutlicht, durch eine Selbst-Apostrophierung in der zweiten Person, in der sich das Auseinandertreten von raisonierendem und in der Situation befangenem Ich niederschlägt. So zum Beispiel im folgenden Selbstgespräch der euripideischen Medea:

Nicht durch ein feig Erbarmen schänd ich meine Hand.
Ach, ach!
Nein, nein, o Seele, wage dies Verwegne nicht!
O laß die Kinder, schone sie, Unselige.
Mit dir im Banne lebend, sind sie Wonne dir.[47]

Im Widerstreit von natürlicher Mutterliebe, der die Ermordung der eigenen Kinder der äußerste Frevel ist, und einer triebhaften Rache, der die Schonung der Kinder Feigheit ist, kommt es zu sehr radikalen und sehr schnell aufeinanderfolgenden semantischen Richtungsänderungen, die hier durch die emphatische Verdoppelung der Negation, die Selbstanreden und den Wechsel der Personalpronomina stark markiert werden.[48]

Auf einer anderen Ebene liegt schließlich eine Dialogisierungstendenz, die ihr apostrophiertes Gegenüber in der WENDUNG ANS PUBLIKUM findet. Hier ist zwar das situative Kriterium des Monologs erfüllt, da sich der Sprecher ja an kein Gegenüber auf der Bühne richtet und eine Einwegkommunikation vorliegt. Der Sprecher verläßt jedoch das innere Kommunikationssystem und etabliert in seinem *ad spectatores* ein episch vermittelndes Kommunikationssystem (s. o. 3.6.2.3). Auch hier findet durch den Appell an einen Adressaten und durch die Berücksichtigung seines semantischen Kontexts eine Dialogisierung des Monologs statt. Diese Dialogisierung vollzieht sich auch dann, wenn das reale Publikum in keiner kommunikativ relevanten Weise – etwa durch Applaus, Zwischenruf usw. – auf das *ad spectatores* reagiert, denn der Adressat ist ja nicht das reale Publikum, sondern ein fiktives, das durch die Publikumsanrede erst konstituiert wird.

4.5.2 Monolog

Wir wollen nun, nach diesen allgemeinen Vorüberlegungen, einen typologischen Raster für die verschiedenen historischen Formen des Monologs entwickeln, das die erste Typenskala, die sich aus dem Grad der Dialogisierung des Monologs ergibt, ergänzen soll.

4.5.2.1 Konvention vs. Motivation

Der Monolog beruht primär auf einer Konvention, einer nicht ausgesprochenen Übereinkunft zwischen Autor und Rezipient, daß eine Dramenfigur im Gegensatz zu einem wirklichen Charakter laut denkt, mit sich selbst spricht. Ansätze zu einem solchen laut denkenden Selbstgespräch finden sich zwar auch in der Realität, wo jedoch ein längeres Sprechen mit sich selbst als pathologische Abweichung bewertet wird, während sich bei nicht pathologisch gestörten Individuen ein lautes Denken auf knappe Ausrufe beschränkt. Der Monolog als Konvention des Dramas geht also weit über diese reale Basis hinaus, indem er den pathologischen Sonderfall zu einer Normalform kommunikativen Verhaltens stilisiert. Die Konvention bezieht ihre Rechtfertigung nicht aus einem mimetischen Wirklichkeitsbezug (sonst müßte sich ja die ganze illustre Gesellschaft klassischer Dramenhelden als eine Galerie pathologisch verhaltensgestörter Individuen darstellen), sondern aus den Funktionen, die sie zu erfüllen vermag. Es sind dies Funktionen, wie sie in narrativen Texten meist durch das vermittelnde Kommunikationssystem des Erzählers erfüllt werden. Daher kann der Monolog als eine Konvention betrachtet werden, die die Abwesenheit dieses vermittelnden Kommunikationssystems im Drama kompensieren soll.

So dient der Monolog häufig dazu, dem Zuschauer in ökonomisch geraffter Form Informationen über die Vorgeschichte oder über Handlungsabsichten zu übermitteln – wie etwa in der römischen Komödie, in der dem Zuschauer durch die Monologe ein fortlaufender Handlungskommentar gegeben wird, der ihm das Verständnis der oft durch Verstellungen, Verwechslungen und Verkleidungen recht unübersichtlich geratenen Intrigen erleichtert. Informationen dieser Art werden in narrativen Texten meist durch den Erzähler vermittelt. Zu dessen Aufgaben gehört es auch, uns das Bewußtsein der Figuren zu erschließen, uns an ihren unausgesprochenen Denkprozessen teilhaben zu lassen. Im Drama, das im wesentlichen auf die Figuren als sprechende Subjekte beschränkt ist, wird uns dieser Bereich wieder durch die Konvention des Monologs, des lauten Denkens, erschlossen. Zwar können die Figuren eines Dramas auch im Dialog einander ihre Gedanken mitteilen, doch wird solchen dialogischen Mitteilungen jene intime Unmittelbarkeit und strategische Unverzerrtheit fehlen, wie sie die Konvention des Monologs ermöglicht. Neben solchen informationsvermittelnden Funktionen kommen dem Monolog schließlich noch strukturell gliedernde Funktionen zu: als Brückenmonolog verbindet er Szenen miteinander und verhindert damit den Einschnitt, der sich bei leerer Bühne ergeben würde, als Auftritts- und Abgangsmonolog dient er der Vorbereitung und der Zusammenfassung von Handlungsentwicklungen, und als Binnenmonolog und in allen anderen Positionen kann er als retardierendes Moment im Fortgang der Handlungsabläufe wirken und reflektierende Distanz schaffen.[49]

Die Vielfalt der Funktionen, die der Monolog zu erfüllen vermag und die in dramatischen Texten nur schwer anders realisiert werden können, erklärt die lange Lebensdauer dieser an sich recht artifiziell und unrealistisch wirkenden Konvention. Es lassen sich jedoch schon im siebzehnten und achtzehnten Jahrhundert, im Kontext einer rationalistischen Philosophie und Ästhetik, gewisse Vorbehalte gegenüber dem Artifiziellen dieser Konvention feststellen, wenn diese auch noch nicht poetologisch explizit ausformuliert werden. So verzichtet die klassische französische Tragödie auf die besonders eklatant gegen die Normen des Natürlichen verstoßenden erzählenden Monologe und ersetzt sie durch Dialoge mit *confidents,* die freilich noch von starker Monologhaftigkeit bleiben. Und Lessing begnügt sich nicht mit diesem Verzicht, sondern versucht darüber hinaus, den bewußtseinserschließenden Monolog durch die Annäherung an den Stil spontanen Sprechens (s. u. 4.5.2.2) und durch eine innere Dialogisierung – beides im Rückgriff auf das Vorbild der Monologe Shakespeares – "natürlicher" zu gestalten. Im Rahmen einer realistischen und naturalistischen Ästhetik muß dann jedoch der Monolog als Konvention völlig fallen und wird nun auch explizit poetologisch abgelehnt. So rühmt sich Henrik Ibsen in einem Brief an Georg Brandes, daß er in *Brand* (1866) ganz ohne die Konvention des Monologs ausgekommen sei:

> Die Form habe ich mit Sorgfalt behandelt und unter anderem das Kunststück vollbracht, mir ohne einen einzigen Monolog, ja ohne eine einzige, "zur Seite' gesprochene Replik zu helfen.[50]

Die Ablehnung des Monologs als Konvention bedeutet natürlich nicht die Ablehnung des Monologs überhaupt, denn, wie wir gesehen haben, hat der Monolog ja auch eine gewisse Basis in der Realität normalsprachlichen Verhaltens. Der Monolog kann also noch verwendet werden, soweit er realistisch motiviert ist – das heißt, als knapper, spontaner Ausruf, als Selbstgespräch eines pathologischen Individuums oder unter besonderen Bedingungen wie denen des Halbschlafs, der extremen Müdigkeit oder des Rausches. August Strindberg erhebt dies im Vorwort zu *Fräulein Julie* (1888) zum dramaturgischen Programm:

> Der Monolog ist (heutzutage) von unseren Realisten als unwahrscheinlich verbannt worden. Aber wenn ich ihn motiviere, wird er glaubhaft, und ich kann ihn daher mit Vorteil benutzen. Es entspricht ja der Wahrscheinlichkeit, daß ein Redner allein in seinem Zimmer umhergeht und seine Rede laut durchliest, ebenso daß ein Schauspieler seine Rolle laut memoriert, eine Magd mit einer Katze spricht, eine Mutter mit ihrem Kind scherzt, eine alte Jungfer mit ihrem Papagei schwatzt, ein Schlafender im Schlaf redet.[51]

Die vorausgehenden Abschnitte sind nicht als selbstzweckhafter Exkurs zur Geschichte des Monologs vom siebzehnten bis zum späten neunzehnten Jahrhundert zu verstehen, sondern dienen einer systematischen Typologie. Denn der Monolog als Konvention, wie er sich im klassischen Drama findet, und der motivierte Monolog, wie ihn der Naturalismus allein erlaubt, sind nicht zwei historische Entwicklungsformen ein und derselben Struktur, sondern zwei kategorial verschiedene Strukturen. Ist der Monolog als Konvention ein Teil der sekundären Codes, der Codes, die die Kommunikation zwischen Autor und Rezipient im äußeren Kommunikationssystem regeln, so ist der motivierte Monolog bereits in den kommunikativen Bedingungen des inneren Kommunikationssystems begründet. Damit bekommt der motivierte Monolog im äußeren Kommunikationssystem den Charakter eines Anzeichens: eine Figur wird nun schon allein durch die Tatsache, daß sie Monologe spricht, als unfähig oder unwillig zu dialogischer Kommunikation charakterisiert. Dieser veränderte Stellenwert des Monologs im semiotischen System des Dramas erklärt auch, warum dem Monolog gerade nach der "Verbannung" des konventionellen Monologs durch die naturalistische Ästhetik dann im Drama des zwanzigsten Jahrhunderts eine eher gesteigerte Bedeutung zukommt, ja sogar Dramen – sogenannte Monodramen – entstehen, deren ganzer Haupttext sich im Monolog einer einzelnen Figur erschöpft, wie zum Beispiel in Becketts *Krapp's Last Tape* (1958) und Helmut Qualtingers *Der Herr Karl* (1961). Der Monolog ist hier eben nicht ein in sich bedeutungsneutrales, durch das Medium vorgegebenes Formelement, sondern verweist auf die Thematik der gestörten Kommunikation und der Isolation und Entfremdung des Individuums.

Der Gegensatz zwischen konventionellem und motiviertem Monolog, wie wir ihn gerade herausgearbeitet haben, ist natürlich kein absoluter, sondern markiert wieder idealtypische Extreme in einem Spektrum möglicher Zwischenformen. So stehen etwa Shakespeares Monologe durchaus innerhalb der Monolog-Konventionen, wie sie für das elisabethanische Drama galten,[52] andererseits läßt sich jedoch an ihnen die Tendenz beobachten, die Einsamkeit des Sprechers und sein Sprechen mit sich selbst aus seiner psychischen Disposition und sozialen Situation heraus zu motivieren: die Tatsache, daß Hamlet Monologe spricht, ist nicht nur ein konventioneller technischer Kunstgriff zur Erschließung seines Bewußtseins, sondern spiegelt auch seine Isoliertheit, seine problematische Individualität und seinen Hang zur Introspektion wider.

4.5.2.2 Disposition vs. Spontaneität

Mit dem Gegensatz zwischen konventionellem und motiviertem Monolog deckt sich tendenziell der stilistisch-texturelle Gegensatz zwischen Monologen mit klarer, oft rhetorischen Mustern folgender Disposition und solchen, in denen eine mehr assoziative und kumulative Reihung Spontaneität des Sprechens fingieren soll. Ergibt sich im ersten Fall der Eindruck rationaler Distanz und einer inhaltlichen und formalen Geschlossenheit, wie sie sich in der Realität nur in einer vorbereiteten Rede finden würde, so soll im zweiten Fall eine distanzlose Gleichzeitigkeit von Fühlen, Denken und Sprechen vermittelt werden. Betrachten wir als Beispiel für einen Monolog von klarer und geschlossener Disposition den ersten Monolog Don Rodrigues in Corneilles *Le Cid* (I, 7).[53] Der Monolog ist schon metrisch sehr klar in sechs zehnzeilige Stanzen gegliedert, aber auch auf der Ebene der Argumentationsstruktur ergibt sich ein klarer und einfacher Aufbau: in den ersten drei Stanzen stellt Rodrigue das Dilemma dar, in dem er sich befindet, den tragischen Konflikt zwischen der Verpflichtung seinem Vater und der seiner Geliebten gegenüber; in den zweiten drei Stanzen entscheidet er sich für *honneur* und gegen *amour*. Oder genauer: Stanze 1 stellt die Situation dar (*narratio*), in Stanze 2 und 3 werden die beiden Alternativen des Dilemmas durchgespielt (*argumentatio*), in Stanze 4 und 5 wird der Ausweg des Selbstmords verworfen (*refutatio*) und Stanze 6 bringt die Entscheidung, den Vater zu rächen und auf die Geliebte zu verzichten (*conclusio*). Auch bei dieser differenzierteren, vom rhetorischen Dispositionsschema ausgehenden Analyse ergibt sich eine axialsymmetrische Gliederung der Teile und ein logisch folgerndes Vorwärtsschreiten von der Situationsdarstellung zum Entschluß. Die Ausgewogenheit der Disposition steht dabei in einem unrealistischen Gegensatz zur psychischen Disposition des Sprechers und macht dadurch die "transpsychologische" (s. u. 5.4.1.5) Konventionalität des Monologs evident.

Als Kontrast dazu nun der Monolog aus Georg Büchners *Woyzeck*, der die Szene "Freies Feld" ausmacht:

> WOYZECK: Immerzu! Immerzu! Still, Musik! (*Reckt sich gegen den Boden.*) Ha, was, was sagt ihr? Lauter, lauter! Stich, stich die Zickwolfin tot? – Stich, stich die – Zickwolfin tot! – Soll ich? Muß ich? Hör ich's da auch, sagt's der Wind auch? Hör ich's immer, immerzu: Stich tot, tot![54]

Auch hier steht, wie in dem Monolog aus *Le Cid*, der Sprecher vor einer Entscheidung: Woyzeck, der den Tanz Maries mit dem Tambourmajor beobachtet hat, sieht sich zur Eifersuchtstat gedrängt. Aber während Rodrigue in autonomem Bewußtsein seine Entscheidung fällt, ist Woyzeck seiner "Natur" und den Stimmen der Elemente ausgeliefert, mangelt ihm volle Verantwortlichkeit und rationale Distanz. Dies motiviert auch den Monolog selbst: bedrängt von Stimmen und Visionen, dem Wahnsinn nahe, sucht er die Einsamkeit, wo sich seine Empfindungen in stammelnden Ausrufen entladen. So fehlen seinem Monolog, im Gegensatz zu dem Don Rodrigues, sowohl die metrische Gliederung als auch die syntaktische Strukturierung durch weitgespannte hypotaktische Satzgebilde. Und an die Stelle einer logisch gegliederten Abfolge von Argumenten treten assoziativ gereihte Wortfetzen, die als in sich kreisender Strom andrängender Obsessionen und Erinnerungen – das "Immerzu", das Marie im Tanz dem Tambourmajor zugerufen hatte – emphatisch wiederholt und immer wieder aufgegriffen werden.

Die von uns gewählten Beispiele illustrieren den Gegensatz zwischen klarer Disposition und assoziativ ungeordneter Spontaneität in besonders extremer Weise. Betrachtet man jedoch die Fülle des vorliegenden historischen Materials, so zeigt sich auch hier, daß die Mehrzahl der Monologe als Zwischenformen auf dem Spektrum zwischen diesen beiden Extrempositionen einzuordnen sind. Und es zeigt sich, daß sich zwar allgemein eine Tendenz konventioneller Monologe zu klarer Disposition und motivierter Monologe zur Ungeordnetheit, bzw. zur verdeckten Ordnung des Spontanen feststellen läßt, daß aber auch hier Verschiebungen und Gegenbewegungen auftreten können.[55]

4.5.2.3 Aktionale vs. nicht-aktionale Monologe

Die formal-strukturelle Typologie muß durch eine funktionale ergänzt werden. Hierzu finden sich in der Forschung bereits Ansätze, die sich terminologisch in Begriffsbildungen wie "lyrischer Monolog", "Reflexionsmonolog", "Entscheidungsmonolog", "Planungsmonolog" oder "Konfliktmonolog" niedergeschlagen haben. Der Nachteil solcher Klassifizierungsansätze liegt darin, daß aufgrund der dabei verwendeten disparaten Kriterien Abgrenzungen nur sehr unscharf vorgenommen werden können und daß sich die Reihe der Klassen beliebig erweitern läßt. Wir wollen daher versuchen, unsere funktionale Typologie auf *einem* Kriterium aufzubauen, dem der Relation von Rede und Handlung (s. o. 4.3).

Nach diesem Kriterium ist generell zwischen aktionalen und nicht-aktionalen Monologen zu unterscheiden. In einem aktionalen Monolog vollzieht sich im Sprechen Handlung als Situationsveränderung. In sol-

chen Monologen sieht sich der Sprecher meist mit mehreren Handlungsmöglichkeiten konfrontiert und trifft unter ihnen seine Entscheidung;
auch ein Aufheben der Entscheidung hat dabei natürlich Handlungscharakter. Beide im vorausgehenden Abschnitt zitierten Beispiele, Rodrigues
Monolog aus *Le Cid* und Woyzecks Monolog, gehören eindeutig diesem Typ zu. Die nicht-aktionalen Monologe lassen sich in zwei Untertypen unterteilen: in informierende und kommentierende. Sie unterscheiden sich durch ihren unterschiedlichen Handlungsbezug, indem in informierenden Monologen dem Zuschauer Handlungen und Sachverhalte erst
zur Kenntnis gebracht werden, während in kommentierenden Monologen
eine dem Zuschauer bereits bekannte Handlung in figurenperspektivischer
Brechung gespiegelt wird. Gemeinsam unterscheiden sie sich von den
aktionalen Monologen dadurch, daß sie zwar Handlung vermitteln, sich
in ihnen jedoch nicht unmittelbar situationsveränderndes Handeln vollzieht. In beiden Formen des nicht-aktionalen Monologs realisieren sich
häufig mehr oder weniger latent epische Kommunikationsstrukturen
(s. o. 3.6.2.3). Im informierenden Monolog – besonders deutlich im Expo-
sitionsmonolog – wird der Zuschauer direkt und gezielt in Handlungs-
zusammenhänge eingeführt, wobei die epische Funktion um so offen-
kundiger wird, je weniger die Informationsvergabe im inneren Kommunikationssystem motiviert wird. Und für den kommentierenden Monolog
gilt, daß er um so epischer wirkt, je situationsabstrakter der Kommentar ist und in je größerer Distanz der Sprecher zu sich selbst als Han-
delndem steht. Im Extremfall kann es hier sogar zur *ex-persona*-Rede
kommen, in der der Kommentar über den Bewußtseinsstand der sprechenden Figur hinausschießt und zu einem Kommentar wird, der von der
Figur ablösbar ist und die intendierte Rezeptionsperspektive episch vermittelt.[56] Der Monolog übernimmt damit die Funktionen der vermittelnden Kommentierung, wie sie im antiken Drama vom Chor erfüllt
wurden.

Aktionaler, informierender und kommentierender Monolog sind natürlich wieder als Idealtypen zu verstehen, in denen eine Funktion isoliert
und dominant erscheint. Im konkreten Monolog überlagern sich Information, Kommentar und Handlungsvollzug in je spezifischen Dominanzrelationen, und oft gliedert sich ein Monolog in Abschnitte unterschiedlicher Dominanzrelation. Eine so starke Annäherung an einen Idealtyp,
wie sie sich für den aktionalen Monolog in *Le Cid* ergab, ist also keinesfalls die Regel; aber selbst hier tritt das aktionale Moment nicht völlig
isoliert auf, denn Don Rodrigues Reflexionen über die alternativen Handlungsmöglichkeiten stellen ja auch einen Handlungskommentar dar.

4.5.3 Beiseite-Sprechen

Das Beiseitesprechen (*aparté, aside*) ist weder immer ein Monolog, noch ist es immer ein monologisches Sprechen; wir wollen es dennoch an dieser Stelle behandeln, weil es sich in wichtigen Punkten mit dem Monolog berührt.[57]

4.5.3.1 Monologisches Beiseite: Konvention vs. Motivation

Die größte Ähnlichkeit zum Monolog besteht bei einem Beiseite wie dem folgenden aus Calderóns *Die Dame Kobold*: Don Luis verliert im Duell mit Don Manuel sein Stichblatt und reflektiert dann über seine Lage in einem Beiseite:

> DON MANUEL:
>> Das ist Mangel nicht des Muts,
>> Nur des Glücks und Zufalls Fehler.
>> Geh und hol ein andres Schwert.
>
> DON LUIS:
>> Du bist tapfer, du bist edel. –
>> (*Beiseite*) Schicksal, was nun soll ich tun
>> In so mächtiger Bedrängnis?
>> Denn nimmt er die Ehre mir,
>> Schenkt er, siegend, mir das Leben.
>> Suchen muß ich einen Vorwand,
>> Wahr nun oder falsch, um ernstlich
>> Zu bedenken, welchen Weg
>> Ich in solchem Zweifel wähle.[58]

Mit einem Monolog hat dieses Beiseite gemeinsam, daß es an kein Gegenüber auf der Bühne gerichtet ist; es unterscheidet sich von ihm jedoch dadurch, daß der Sprecher weder allein auf der Bühne ist, noch sich allein wähnt, noch vergessen hat, daß er in Gegenwart anderer Figuren ist. Dadurch erscheint ein Beiseite dieser Form noch mehr als eine Konvention, die realen Bedingungen widerspricht, als der konventionelle Monolog, denn zur psychologischen Unrealistik eines längeren lauten Denkens kommt hier noch der Verstoß gegen alle Gesetze der Akustik, nach denen ja eine Rede, die vom nahen Partner auf der Bühne nicht wahrgenommen wird, vom weiter entfernten Publikum noch viel weniger gehört werden dürfte. Wir wollen diese Form des Beiseite aufgrund seiner kommunikativ-strukturellen Affinität mit dem konventionellen Monolog ein konventionelles monologisches Beiseite nennen.[59] Wie der konventionelle Monolog ermöglicht das konventionelle monologische Beiseite die unmittelbare Darstellung des Bewußtseins einer Figur (wie im vorliegenden Beispiel), die freimütige, von strategischen Erwägungen unabhängige Kommentierung einer Situation durch eine Figur (wie oft durch Intriganten, die dadurch die komische oder tragische Ironie einer Situation pointieren) und eine ökonomische Informationsvergabe über die Absichten einer Figur oder die Hintergründe einer Situation.

Eine Sonderform des konventionellen monologischen Beiseite ist in folgendem Beispiel aus Shakespeares *Julius Caesar* gegeben:

CAESAR: Good friends, go in and taste some wine with me;
And we, like friends, will straightway go together.
BRUTUS: (*aside*) That every like is not the same, O Caesar,
The heart of Brutus earns to think upon! (II, ii, 126–129)[60]

Auch hier bricht, wie in Don Luis' Beiseite aus *Die Dame Kobold*, einer der Dialogpartner aus dem Dialog in ein Beiseite aus, diesmal jedoch ist das Beiseite, wie die Apostrophe an Caesar zeigt, zumindest äußerlich an den Dialogpartner adressiert. Dennoch bleibt das Beiseite ein monologisches Beiseite, da ja Caesar Brutus' Replik nicht hören soll; die uneigentliche Dialogisierung dient hier gerade dazu, die tragische Unmöglichkeit eines echten dialogischen Kontakts zwischen Brutus und Caesar zu pointieren.

Brutus' Beiseite bleibt ein konventionelles Beiseite, wenn es auch schon aufgrund seiner Kürze im Vergleich zu Don Luis' Beiseite wesentlich plausibler und weniger artifiziell wirkt. Analog zum motivierten Monolog gibt es aber natürlich auch ein motiviertes monologisches Beiseite, das als kurzer, unbedacht spontan auf eine Situation reagierender Ausruf auch naturalistischen Normen der Plausibilität gerecht wird. Neben dieser Verkürzung und dem spontanen Situationsbezug kann als weitere Technik der Motivation des Beiseite die Darstellung einer Reaktion des Dialogpartners betrachtet werden, wie sie sich im "aufgefangenen Beiseite" findet, bei dem dem Partner das Beiseitesprechen auffällt, ohne daß er jedoch versteht, was gesprochen wurde.[61] Eine solche Bestätigung des Beiseitesprechens durch ein Gegenüber auf der Bühne situiert es auch im inneren Kommunikationssystem, während das rein konventionelle Beiseitesprechen ein Element der sekundären Codes im äußeren Kommunikationssystem darstellt.[62]

4.5.3.2 Beiseite *ad spectatores*

Wie für den Monolog, so gibt es auch für das Beiseite die Möglichkeit einer Dialogisierung durch die Wendung *ad spectatores;* und wie im Monolog *ad spectatores* durch die Publikumsanrede das innere Kommunikationssystem durchbrochen und explizit ein vermittelndes Kommunikationssystem etabliert wird, so kommt auch dem Beiseitesprechen *ad spectatores* eine deutliche epische Vermittlungsfunktion zu. Es entspricht der bereits mehrfach erwähnten Affinität zwischen komischem Spiel und epischer Informationsvergabe (s. o. 3.6), daß sich diese Form des Beiseite vor allem, jedoch nicht ausschließlich, in der Komödie findet. Sie läßt sich schon in der Komödie Menanders nachweisen,[63] und findet sich auch in den Komödien eines Shakespeare – und auch später noch – in großer Zahl. Sprecher sind, wie auch im folgenden Beispiel aus Shakespeares *The Merchant of Venice*, meist die besonders "publikums-kontaktfreudigen" Intriganten- und Dienerfiguren:

> OLD GOBO: Master young man, you, I pray you, which is the way to master Jew's?
> LAUNCELOT GOBBO: (*Aside*) O heavens! This is my true begotten father, who, being more than sand-blind, high-gravel blind, knows me not. I will try confusions with him.
> (. . .)
> GOB.: (. . .) Can you tell me whether one Launcelot, that dwells with him, dwell with him or no?
> LAUN.: Talk you of young Master Launcelot? (*Aside*) Mark me now; now will I raise the waters. (II, ii, 30–43)

Launcelots erstes *aside* ist zwar noch nicht explizit als Publikumsanrede ausgewiesen, dennoch ist auch hier schon die epische Funktion der direkten Information des Publikums offenkundig, da die Hinweise zur Identität und Blindheit des hier erstmals auftretenden Old Gobbo im inneren Kommunikationssystem unmotiviert bleiben, für das Verständnis der folgenden Szene jedoch eine wesentliche Voraussetzung darstellen, und da mit der Enthüllung des Intrigenplans mit dem Wort *"confusions"* ein Fachausdruck der Intrigenkomödie und damit der sekundäre Code des äußeren Kommunikationssystems anzitiert wird. Die hier im Haupttext noch implizit bleibende Wendung ans Publikum, die mimisch-gestisch jedoch leicht verdeutlicht werden kann, wird im zweiten *aside* durch den sprachlich thematisierten Gestus des Zeigens und den Imperativ explizit gemacht. Funktion dieser *asides* ist es nicht nur, das Publikum über die Voraussetzungen der Situation und die Pläne des Sprechers zu informieren und damit Spannung auf das Kommende zu wecken und den für die komische Wirkung wichtigen Informationsvorsprung gegenüber dem Opfer der Intrige zu sichern, sondern auch lustspielhafte Distanz aufzubauen und durch die "Komplizenschaft", den phatischen Kontakt zwischen intrigierender Figur und Publikum, die Atmosphäre der Heiterkeit zu verstärken.

4.5.3.3 Dialogisches Beiseite

Die letzte Form des Beiseite, das dialogische Beiseite,[64] gehört nicht in den Kontext des Monologs und des monologischen Sprechens, sondern stellt eine Sonderform des Dialogs dar (s. u. 4.6.3.2); wir wollen sie jedoch hier schon einführen, da sie ja gemeinsam mit dem monologischen Beiseite und dem Beiseite *ad spectatores* auf der Konvention beruht, daß eine Rede auf der Bühne zwar vom Publikum, nicht jedoch von bestimmten Figuren auf der Bühne gehört wird. Die akustisch-physikalische Implausibilität dieser Konvention kann hier leicht – wie auch beim Beiseite *ad spectatores* – durch die Figurengruppierung gemildert oder beseitigt, und damit die Konvention motiviert werden: es brauchen nur die miteinander im Dialog beiseitesprechenden Figuren eng an der publikumsnahen Rampe zusammengruppiert und in räumliche Distanz zu den übrigen Figuren gebracht zu werden. Dies ist auch das Figurenarrangement, das meist für die Inszenierung solcher dialogischer Beiseitegespräche gewählt wird – so zum Beispiel des Beiseite-Dialogs, in dem Malcolm und Donalbain ihre Flucht vor dem Terrorregime Macbeths vereinbaren und damit die Gegenhandlung einleiten (*Macbeth*, II, iii, 119–124), oder des Beiseite-Dialogs zwischen Sir Toby, Sir Andrew und Fabian über Malvolio in der Belauschungsszene aus *Twelfth Night* (II, v, 21–158). Die hier gewählten Beispiele aus dem Bereich der Tragödie und Komödie sind charakteristisch für die innerdramatische Motivation des dialogischen Beiseite: es ist meist bedingt durch ein konspiratives Sprechen oder durch ein Sprechen in einer Belauschungssituation.[65]

4.6 DIALOGISCHES SPRECHEN

4.6.1 Normative vs. deskriptive Poetik des Dialogs

In normativen Gattungspoetiken wird der Dialog als die Grundform des Dramas betrachtet; Monolog und außer-dialogische epische Kommunikationsstrukturen erscheinen dann als mehr oder weniger gerechtfertigte "Zutaten". So definiert Hegel: "Die vollständige dramatische Form ist der Dialog",[66] und noch K. L. Berghahn legt in seiner Studie zum Dialog bei Schiller generell fest: "Drama ist Handlung durch Sprache im Dialog".[67] Dieser normativen Verabsolutierung des Dialogs ist eine konfliktorientierte Theorie des Dramas implizit (im Widerspruch der dialogischen Repliken konkretisiert sich der dramatische Konflikt), die nur einen Teil des historischen Textkorpus abdeckt und zum Beispiel an modernen Dramen zu einem negativen Ergebnis kommen muß, wenn sie sie überhaupt beachtet. Durch diese Betonung des Konflikts wird gleichzeitig der aktionale Dialog zur idealtypischen Norm erhoben, der Dialog, in dem sich in jeder Replik situationsveränderndes Handeln vollzieht, während nicht-aktionale Dialoge, in denen nicht unmittelbar handlungsbezogen ein Thema entfaltet wird (wie zum Beispiel häufig in spielerischen Witzgeplänkeln der Komödie) als undramatische Auswüchse abgewertet werden.[68] Unserem überhistorisch-systematischen Ansatz verbietet sich dagegen eine solche wertende Einengung; zudem erlaubt auch die differenzierende Relativierung des Gegensatzes von Monolog und Dialog, von Monologisch und Dialogisch, wie wir sie in 4.5.1 entwickelt haben, ein solches Denken in absoluten Antinomien nicht. Wir wollen uns daher auch hier wieder darauf beschränken, die wichtigsten Strukturtypen des Dialogs zu beschreiben und ihre Relation zu den übrigen Formen der Informationsvergabe im Drama zu analysieren.

4.6.2 Quantitative Relationen

In einem ersten Ansatz betrachten wir rein quantitativ faßbare Relationen zwischen den Repliken eines Dialogs, wobei sich erweisen wird, daß solche quantitativen Relationen nicht reine Oberflächen-Phänomene sind, sondern durch die semantische Tiefenstruktur des Textes bedingt sind und diese selbst wieder bedingen.

4.6.2.1 Zwiegespräch und Mehrgespräch

Dies gilt schon für die quantitative Differenzierung des Dialogs in das Zwiegespräch (Duolog) von zwei Figuren und in das Mehrgespräch (Polylog) von drei und mehr Figuren, eine Differenzierung, deren Relevanz in vorliegenden Arbeiten zum dramatischen Dialog nicht hinreichend gewürdigt wird. Der Unterschied zwischen einem Dialog mit zwei und einem mit mehr als zwei Dialogsprechern geht ja nicht einfach in der quantitativen Differenz auf, sondern bedeutet einen qualitativen Sprung: im Mehrgespräch sind Relationen möglich, die das Zwiegespräch nicht kennt – etwa die triadische Relation zwischen zwei miteinander streitenden Figuren und einer Mittler- oder Kommentatorfigur. Von daher sind Mehrgespräche potentiell semantisch komplexer als Zwiegespräche, und diese Tatsache wird auch dadurch bestätigt, daß in der Entwicklung sowohl der griechischen Tragödie als auch des mittelalterlichen Dramas das Zwiegespräch dem Mehrgespräch vorausging.

4.6.2.2 Unterbrechungsfrequenz und Replikenlänge

Quantitativ faßbar ist auch die Länge der einzelnen Repliken und damit die Unterbrechungsfrequenz des Dialogs, die Häufigkeit, mit der durch den Sprecherwechsel die semantische Richtung wechselt. Diese Unterbrechungsfrequenz ist zum Beispiel in der griechischen Tragödie äußerst variabel: sie reicht von einer Stichomythie, in der nach jeder Verszeile der Sprecher wechselt, bis zu einer Replikenlänge von 110 Versen, wie sie sich in euripideischen Botenberichten findet.[69] Sie variiert nicht nur innerhalb eines einzelnen Textes, sondern die durchschnittliche Unterbrechungsfrequenz variiert auch historisch und typologisch (so neigt etwa die Komödie zu einer durchschnittlich höheren Unterbrechungsfrequenz als die Tragödie), von Autor zu Autor (so beträgt der durchschnittliche Umfang der längeren Repliken bei Aischylos 20, bei Euripides 25 Verse). und von Werk zu Werk eines Autors (für Sophokles betragen die Extremwerte 20 Verse in *König Ödipus* und 29 Verse in *Die Trachinierinnen*). Die durchschnittliche Unterbrechungsfrequenz stellt einen Parameter dar, dessen Bedeutung für epochenstilistische, gattungsstilistische und individualstilistische Untersuchungen noch kaum ausgeschöpft wurde, und auch die Variation der Unterbrechungsfrequenz im Ablauf eines einzelnen dramatischen Textes ist ein Formaspekt, dem in Interpretationen oft kaum Beachtung geschenkt wird.[70]

Betrachtet man Dialoge mit hoher Unterbrechungsfrequenz, dann läßt sich eine deutliche Tendenz zu engem Bezug zwischen den Dialogpartnern, also zu einer stark ausgeprägten Dialoghaftigkeit (s. o. 4.5.1) und zu aktionalem Sprechen feststellen. Wir wählen als Beispiel den stichomythischen Dialog zwischen der Chorführerin und Orestes, der die Gerichtsverhandlung in Aischylos' *Eumeniden* einleitet, weil hier die extreme Replikenkürze gleich am Dialoganfang thematisiert und damit die Stichomythie als Kunstmittel bloßgelegt wird:

> CHORFÜHRERIN: (. . .) Kurz wird unsere Rede sein.
> Du aber setz' in deiner Antwort im Wechsel Vers gegen Vers.
>
> (V. 585 f)[71]

Was dann folgt, ist ein Verhör zwischen Anklägerin und Angeklagtem, in dem Orestes jeweils auf die gezielten Fragen der Chorführerin antwortet, die dann aus diesen Antworten ihre nächste Frage ableitet. Der starken Dialoghaftigkeit, die sich schon aus diesem engen Bezug der Repliken aufeinander ergibt, entspricht auch die Ebenbürtigkeit der Dialogpartner, die symmetrische Verteilung der Replikenanteile und die Tatsache, daß Orestes nicht nur Antwortender ist, sondern selbst zum Fragenden werden kann, indem er das Ethos der Anklägerin hinterfrägt (Z. 604 u. 606). Wenn die beiden Figuren auch über dasselbe Thema sprechen, kommt es doch nach jeder Replik zu scharfen semantischen Richtungsänderungen, da sie den Sachverhalt – den Muttermord des Orest – völlig gegensätzlich beurteilen. Das rasche Widerspiel der Repliken ist also hier in Hinblick auf den zentralen Konflikt hin funktionalisiert, und diese Funktionalisierung auf einen Konflikt hin gilt auch für die übrigen inhaltlichen Typen der Stichomythie in der antiken Tragödie – Streit, Überredung und Information.

Es bedeutet jedoch eine unzulässige Verallgemeinerung, diese historische Funktionalisierung einer Struktur als generelle Norm zu setzen, die Stichomythie einseitig als Struktur konflikthaften Sprechens zu sehen und das konflikthafte Sprechen wiederum zum Ideal dramatischen Sprechens zu verabsolutieren. Dagegen spricht schon, daß sich die stichomythische Struktur — oder, allgemein, der Dialog mit hoher Unterbrechungsfrequenz – gelegentlich auch dort findet, wo das Sprechen auf Konsensus beruht. Als Beispiel ein Mehrgespräch aus Shakespeares Komödie *As You Like It*:

> PHEBE: Good shepherd, tell this youth what 'tis to love.
> SILVIUS: It is to be all made of sighs and tears;
>   And so am I for Phebe.
> PHEBE: And I for Ganymede.

ORLANDO: And I for Rosalind.
ROSALIND: And I for no woman.
SILVIUS: It is to be all made of faith and service;
And so am I for Phebe.
PHEBE: And I for Ganymede.
ORLANDO: And I for Rosalind.
ROSALIND: And I for no woman.
(V, ii, 76–86)

Wenn sich die einzelnen Sprecher im Objekt ihrer Liebe unterscheiden, so sind sie sich in ihrer Verliebtheit doch einig. Und es ist gerade dieser Konsensus, der hier durch die stichomythische Replikenfolge und durch die anaphorische Verknüpfung der Repliken verdeutlicht wird. Darüber hinaus wird durch das mehrmalige Durchlaufen der Sprecherfolge Silvius – Phebe – Orlando – Rosalind (eine zweite Wiederholung haben wir aus Raumgründen ausgelassen) als artifizielles Stilisierungsprinzip die Parallelität der beiden Liebeshandlungen und durch die anaphorischen Parallelismen die Komik der einander überkreuzenden Wünsche verdeutlicht.

Neigen Dialoge mit hoher Unterbrechungsfrequenz zu einem hohen Maß an dialogischer Partnerorientiertheit und Situationsgebundenheit und wirkt der häufige Wechsel des semantischen Kontexts temposteigernd, so läßt sich bei Dialogen aus langen Repliken die entgegengesetzte Tendenz zu monologischem Selbstbezug des Sprechers, zu distanzierterer Situationsabstraktheit und zu verlangsamtem Tempo feststellten.[72] Dieser Unterschied wird besonders deutlich wenn, wie etwa in der Eingangsszene von Molières *Tartuffe*, innerhalb eines geschlossenen szenischen Zusammenhangs die Unterbrechungsfrequenz stark variiert. Das Mehrgespräch von Madame Pernelle, Elmire, Mariane, Damis, Dorine und Cléante beginnt als wahrer Replikenwirbel, in dem die erzürnte Madame Pernelle ihren Dialogpartnern immer wieder ins Wort fällt und deren Einwände unterbricht, bevor sie noch formuliert werden können, und sie eine Figur nach der anderen mit beleidigenden Anschuldigungen überschüttet. Der Streit geht um die unterschiedliche Beurteilung der Rolle Tartuffes in Orgons Haushalt, und auf diese Situation bleiben die einzelnen Repliken streng bezogen. Im weiteren Dialogverlauf verringert sich jedoch die Hektik des Wortwechsels, die Repliken werden länger und damit auch zu kohärenteren Artikulationen der einzelnen Figurenperspektiven. Dabei wird zwar die gegebene Situation nicht aus den Augen verloren, aber doch in den weiteren Horizont ihrer Vorgeschichte und ihrer gesellschaftlichen Wirkungen gestellt und schließlich auch im Licht situationsabstrakter, allgemeiner Maximen beurteilt.

4.6.2.3 Proportionale Distribution auf die Figuren

Als letzten quantitativen Aspekt wollen wir den Mengenanteil des Haupttextes und den Anteil an der Gesamtzahl aller Repliken nennen, der den einzelnen Figuren zugeordnet ist. Beide Größen haben, indem sie den Fokus der dramatischen Darstellung beeinflussen, perspektivensteuernde Funktion (s. o. 3.5.3.2), und sie geben einen Hinweis auf die Strukturierung des Personals nach Haupt- und Nebenfiguren (s. u. 5.3.1.2). Die durchschnittliche Replikenlänge für eine Figur, die sich aus den beiden Werten errechnen läßt, kann schließlich charakterisierende Funktion haben, vor allem wenn sie deutlich nach oben oder unten von den Mittelwerten der anderen Figuren abweicht: sie kann, als Teil des Sprachverhaltens einer Figur, auf Geschwätzigkeit, Beredtheit oder Wortkargheit verweisen (s. o. 4.4.2.2).

4.6.3 Zeitliche Relationierung: Sukzession und Simultaneität

Die Normalform in der zeitlichen Relationierung der einzelnen Repliken und der einzelnen Dialoge ist die Sukzession, das lineare Nacheinander von einer Replik und der folgenden, von einem Dialog und dem folgenden. Dieses Prinzip kann jedoch sowohl innerhalb eines Dialogs als auch in der Relationierung mehrerer Dialoge zueinander variiert und durchbrochen werden.

4.6.3.1 Relation der Repliken

In der Sukzession der Repliken kommt es zu partiellen Überschneidungen und damit zu einer partiellen Simultaneität der Repliken, wenn eine Figur der anderen ins Wort fällt, deren Replik unterbricht. Ein solches INS-WORT-FALLEN findet sich, wie bereits erwähnt, wiederholt in der Eingangsszene von *Tartuffe*:

> DORINE: – Si . . .
> MME PERNELLE: – Vous êtes, mamie, une fille suivante
>   Un peu trop forte en gueule et fort impertinente;
>   Vous vous mêlez sur tout de dire votre avis.
> DAMIS: – Mais . . .
> MME PERNELLE: – Vous êtes un sot en trois lettres, mon fils:
>   C'est moi qui vous le dis, qui suis votre grand-mère. (I, i, 13 – 16)[73]

Diese Struktur der Unterbrechung der vorausgehenden Replik durch Madame Pernelle wiederholt sich in ununterbrochener Reihenfolge noch dreimal und wirkt schon allein durch die Mechanik der Wiederholung bei ständig wechselndem Dialogpartner komisch; gleichzeitig verweist sie als eine Form des Sprachverhaltens zurück auf die Sprecherin und charakterisiert sie in ihrem rechthaberischen Dominanzstreben.

Das Prinzip der Sukzession der Repliken kann jedoch durch SIMULTANE REPLIKEN auch völlig durchbrochen werden, wie in dem folgenden Beispiel aus Becketts *Waiting for Godot*, das wir schon in Zusammenhang mit phatischer Kommunikation betrachtet haben (s. o. 4.2.5):

> VLADIMIR: You must have had a vision.
> ESTRAGON: (*turning his head*) What?
> VLADIMIR: (*louder*) You must have had a vision!
> ESTRAGON: No need to shout!
> (*They resume their watch. Silence*)
> VLADIMIR and ESTRAGON: (*turning simultaneously*) Do you –[74]

Auch hier ist der Effekt ein komischer: er beruht darauf, daß die beiden sich referentiell nichts zu sagen haben, andererseits aber nun plötzlich gleichzeitig reden wollen. Es ist dies eine recht konventionelle Dialogstruktur aus dem Bereich des *slap-stick* und der Farce (Gattungen, die Beckett häufig anzitiert), und sie kommt sowohl in der vorliegenden Form der Identität der simultanen Repliken als auch in der Form nicht-identischer simultaner Repliken vor. Diese zweite Form findet sich ebenfalls bei Beckett, und zwar als dominante Dialogstruktur am Anfang und am Ende von *Play* (1963), wo durch das simultane Sprechen der drei Figuren die extreme Monologhaftigkeit ihres Sprechens verdeutlicht wird. Gleichzeitig hat jedoch die konsequente Simultaneität der Repliken auch die bei Beckett häufige Funktion, durch die Negation einer Normalform – hier der Sukzessivität der Repliken – diese als konventionelle Struktur des Dramas bloßzulegen.

Der Durchbrechung des Prinzips der Sukzession in Richtung auf Simultaneität hin entspricht als umgekehrtes Verfahren die "Dehnung" der Sukzession durch Pausen, durch SCHWEIGEN zwischen den Repliken.[75] Wie simultane Repliken sind auch längere Pausen zwischen den Repliken zwar keineswegs eine völlige Neuentwicklung des modernen Dramas, werden jedoch erst im modernen Drama mit innovativer Konsequenz eingesetzt. Pausen innerhalb der Repliken und Pausen zwischen den Repliken, Pausen, die von mimisch-gestischem Spiel gefüllt werden, und Pausen, die auch außersprachlich leer bleiben – sie alle verweisen auf

Formen gestörter Kommunikation, auf ein monologisches Eingebundensein der Figur in die eigene Vorstellungswelt, auf Kontaktunfähigkeit, auf sprachliche Ohnmacht. Zwar kennt auch das klassische Drama das Schweigen; es hat dort aber die primär rhetorische Funktion eines "beredten Schweigens" – die Funktion der Spannungsweckung, der Emphase, der Zeitaussparung für die Reaktion des Publikums. Die funktionierende sprachliche Kommunikation erscheint als die Norm, die durch solches Schweigen nicht in Frage gestellt wird, während im Schweigen im modernen Drama oft die Unmöglichkeit des Sprechens implizit thematisiert wird. Das Innovative dieses Schweigens betont Franz Xaver Kroetz im programmatischen Vorspruch zu den Dramen *Heimarbeit, Hartnäckig* und *Männersache:*

> Ich wollte eine Theaterkonvention durchbrechen, die unrealistisch ist: Geschwätzigkeit. Das ausgeprägteste Verhalten meiner Figuren liegt im Schweigen; denn ihre Sprache funktioniert nicht. (...) Ihre Probleme liegen so weit zurück und sind so weit fortgeschritten, daß sie nicht mehr in der Lage sind, sie wörtlich auszudrücken.[76]

Das Schweigen ist also hier auf die metasprachliche und die phatische Dimension der Sprache bezogen, und da diese von zentraler Bedeutung in Kroetz' Dramen sind, muß ihm auch an einer möglichst genauen Notation der Pausen im schriftlich fixierten Textsubstrat liegen. Dieses Problem spricht er in einer einleitenden Regieanweisung zu dem Gefängnisstück *Dolomitenstadt Lienz* an und findet dafür eine recht originelle Lösung:

> Menschliche Beziehungen, die unter besonders schlechten Umständen stattfinden müssen, sind besonders kompliziert aufzuschreiben. Die Zeiten, in denen jemand etwas sagt oder etwas tut und nichts sagt, oder nichts tut und nichts sagt, sind dann besonders wichtig.
> Deshalb schien mir die konventionelle Lösung untauglich: man schreibt einfach kleine oder große Pause. Deshalb habe ich mir etwas anderes ausgedacht. Ganz einfach: wenn etwas auf dem Papier steht, wird es gesagt, und wenn nichts drauf steht, wird geschwiegen. Eine Seite entspricht also einer Zeiteinheit, jede Seite der gleichen.[77]

Wir zitieren diesen Vorschlag, der eine präzise Notation der Pausendauer erlaubt, weniger wegen seines Inhalts als wegen seines Hinweischarakters auf den neuen Stellenwert von sukzessionsdehnenden Pausen zwischen den Repliken und den sich daraus ergebenden neuen Problemen der Relationierung von literarischem Textsubstrat und plurimedialem Text (s. o. 2.1).

4.6.3.2 Relation der Dialoge

Auch bei der zeitlichen Relation der Dialoge untereinander können wir von der Sukzession als nicht-markierter Normalform ausgehen, und auch hier finden sich nicht nur im modernen Drama abweichende Strukturen der Simultaneität. Auf eine Form der simultanen Überlagerung von zwei Dialogen haben wir bereits in Zusammenhang mit dem Beiseite-Sprechen verwiesen – dem Beiseite-Dialog in einer Belauschungssituation, der der Kommentierung eines primären Dialogs oder Monologs der Belauschten dient (s.o. 4.5.3.3). Solche Überlagerungen eines primären Dialogs oder Monologs durch einen sekundären, diesen kommentierenden sind jedoch keineswegs auf Belauschungssituationen beschränkt, sondern die zeitliche Überlagerung zweier oder mehrerer Dialoge findet sich häufig in figurenreichen Szenen, in denen das Mehrgespräch schon durch die Personengruppierung auf der Bühne in mehrere Separatgespräche zerfällt. Separate Regiegespräche zwischen Intriganten in Anwesenheit der Intrigenopfer oder satirisch kommentierende Dialoge von Beobachterfiguren über die Dialoge satirisierter Figuren sind nur zwei Beispiele für die Funktionalisierungsmöglichkeiten solcher Strukturen. Dabei kann es, über die Verzahnung der den verschiedenen Dialogen zugehörenden Repliken hinausgehend, auch zur Simultaneität von Repliken aus verschiedenen Gesprächskontexten kommen. Beispiele für Überlagerungen beider Typen finden sich in reicher Fülle in den Dialogen der satirischen Komödien eines Ben Jonson; wir begnügen uns damit, auf ein besonders extremes Beispiel in *The Alchemist* (IV, v, 24–32) zu verweisen, in dem während eines fingierten Wahnsinnsmonologs von Dol Common sich Face und Epicure Mammon über die Ursachen ihres Wahnsinns unterhalten, wobei im schriftlichen Textsubstrat diese Simultaneität von Monolog und Dialog durch die Regieanweisung "They speak together" und durch das typographische Nebeneinander der Repliken signalisiert wird.[78] Als dominantes, den ganzen Text strukturierendes Prinzip erscheint die Simultaneität von Dialogen in Peter Handkes *Quodlibet* (1969), in dem die elf sprechenden Figuren ständig auf der Bühne sind und im Rahmen einer Art Abendgesellschaft plaudernd und in wechselnder Gruppierung auf und ab wandeln. Die Dialoge der einzelnen Gruppen, vom Autor nur in Stichpunkten und vorschlagsweise fixiert, überlagern einander permanent, wobei durch diese Simultaneität den Figuren nicht bewußte, für den Rezipienten aber enthüllende semantische Querverbindungen entstehen (etwa das auf KZs verweisende Paradigma "Goldzahn", "Dusche", "Verladerampe", "Seife" usw.).[79] Charakteristisch für die Innovationen des experimentellen Theaters ist auch hier wieder die Negation eines konventionellen Prinzips (hier das der Sukzessivität von Dialogen) und die Verabsolutierung dieser Negation zur konsequent durchgehaltenen Strukturdominante.

4.6.4 Syntaktik des Dialogs

Für die syntaktische Analye[80] einer dialogischen Replik ergeben sich drei Analyseperspektiven: (1) die Relationierung der einzelnen Teile der Replik selbst, (2) die Relationierung der Replik mit den vorausgehenden Repliken derselben Figur und (3) die Relationierung der Replik mit den vorausgehenden Repliken der anderen Figuren. In bezug auf diese drei Relationen ist vor allem zu fragen, inwieweit für sie das textlinguistische Kriterium der Kohärenz erfüllt ist, inwieweit also im inneren Kommunikationssystem die einzelne Replik, die Menge der Repliken einer Figur oder aber die Gesamtmenge aller Repliken als "Text" gelten kann, dessen konstitutive Kohärenz durch semantische Isotopien und durch syntagmatische Substitution gewährleistet wird.[81]

4.6.4.1 Relationierung der Teile einer Replik

Auf die erste Analyseperspektive, die Interrelation der einzelnen Teile einer Replik, brauchen wir hier nur kurz einzugehen, da wir die wichtigsten Aspekte bereits im Zusammenhang mit dem Monolog angesprochen haben. Eine einzelne dialogische Replik kann, wie eine monologische Replik, in ihrer semantischen Orientierung und in ihrem Situationsbezug kohärent sein, sie kann aber auch semantische Richtungswechsel und Wechsel im Situationsbezug aufweisen. Eine solche Replik besitzt dann in sich bereits Dialogcharakter, indem ihre einzelnen Segmente unterschiedlichen Bewußtseinsschichten, Seinsmöglichkeiten oder Rollen des Sprechers als ihren Aussagesubjekten zuzuordnen sind. Die semantischen Richtungswechsel können dabei die transparente Tektonik logischer Argumentationsschritte oder rhetorischer Dispositionsmuster haben oder aber sich rationaler Kontrolle entziehen und den verdeckten Gesetzmäßigkeiten des Assoziativen folgen (vgl. dazu unsere Beispiele für die analoge Distinktion beim Monolog, 4.5.2.2). Im ersten Fall sind im Satzbau Hypotaxen und logisch relationierende Konjunktionen und Satzverknüpfungen zu erwarten, im zweiten Fall dagegen Parataxen, Anakoluthe,

Pausen, asyndetische Reihung von Satzteilen und Sätzen und logisch mehrdeutige Verknüpfungen durch die Kopula "und".[82]

4.6.4.2 Relationierung einer Replik mit den vorausgehenden derselben Figur

Die Frage nach der Relationierung einer Replik mit den vorausgehenden derselben Figur impliziert die weitergehende Frage nach der semantischen Kohärenz und stilistischen Homogenität der Summe der Repliken einer Figur in einem Dialog und auch im dramatischen Text als Ganzem. Diesem Bezug kommt besondere Bedeutung in der sprachlichen Konstituierung der Figur zu (s.o. 4.4.2), da sich in den semantischen Isotopien zwischen den Repliken einer Figur deren Perspektive etabliert und auch durch die Wiederkehr bestimmter stilistischer Merkmale eine Figur in ihrer Identität von den übrigen abgehoben wird. Wie gut dies im Normalfall funktioniert, zeigt sich daran, daß die Sprecherangaben im Nebentext nach der ersten Einführung der Figuren meist redundant sind, das heißt, die Lektüre zwar erleichtern, aber für sie nicht absolut notwendig sind. Diese Äquivalenzrelationen zwischen den Repliken einer Figur können durch wörtliche Wiederholungen verdeutlichend aktualisiert werden, wenn zum Beispiel eine Figur sich selbst zitiert oder — eine weitverbreitete Konvention der Komödie und der Farce – mit der sprachlichen Idiosynkrasie einer starren Redewendung auf die unterschiedlichsten Situationen reagiert. So zum Beispiel in Johann Nestroys Posse *Einen Jux will er sich machen* der Hausknecht Melchior, der alles "klassisch" findet, und Marie, die ständig "Es schickt sich nicht" sagt. Daß eine solche völlige Identität jedoch als komische Abweichung erscheint, weist darauf hin, daß die Norm in einer flexibleren Äquivalenzrelation besteht, in einem Ineinandergreifen von Repetition und Variation. In der entgegengesetzten Richtung verstößt gegen diese Norm eine Verabsolutierung des Prinzips der Variation, eine totale semantische und stilistische Inkohärenz und Diskontinuität zwischen den Repliken einer Figur. In jedem Fall fungieren jeweils die vorausgehenden Repliken einer Figur als Hintergrund, vor dem der Rezipient die neue Replik wahrnimmt, und im Normalfall wird die neue Replik den Erwartungsraster der bisher beobachteten semantischen Isotopien und stilistischen Rekurrenzen partiell bestätigen und partiell durchbrechen.

4.6.4.3 Relationierung einer Replik mit den vorausgehenden anderer Figuren

Am wichtigsten für die Analyse des Dialogs, da auf das spezifisch Dialoghafte abzielend, ist die dritte Untersuchungsperspektive, die Frage nach der Relation einer Replik zu den vorausgehenden Repliken der anderen Figur(en), oder, um den Bezug einzuengen und damit besser analysierbar zu machen, zur unmittelbar vorausgehenden Replik des Dialogpartners. Auch hier läßt sich wieder ein Spektrum möglicher Relationen feststellen, das von der Extremposition der IDENTITÄT bis zur Extremposition der BEZIEHUNGSLOSIGKEIT reicht. Beide Extrempositionen haben wir bereits in Zusammenhang mit der Monologisierung des Dialogs angesprochen (s. o. 4.5.1.3). Im ersten Fall kommt es zu keinerlei semantischem Orientierungswechsel zwischen einer Replik und der vorausgehenden, weil die beiden Partner über dieselben relevanten Informationen verfügen und sich auch ihre Einstellungen zu diesen Informationen decken ("Konsensusdialog"); im zweiten Fall kommt es zu einer totalen semantischen Inkohärenz zwischen den beiden aufeinanderfolgenden Repliken, weil die Figuren über völlig Verschiedenes reden ("Aneinander-Vorbeireden") oder weil sie kein Kanal verbindet bzw. ihre Codes zu diskrepant sind ("gestörte Kommunikation").

Da wir den Konsensusdialog an anderer Stelle bereits exemplifiziert haben, können wir uns nun darauf beschränken, die entgegengesetzte Extremposition der Beziehungslosigkeit zwischen zwei dialogischen Repliken am Beispiel zu konkretisieren. Wir wählen dafür den Beginn von II,ii aus Tschechows *Kirschgarten:*

> LOPACHIN: Man muß sich endgültig entschließen – die Zeit drängt. Die Frage ist lächerlich einfach. Sind Sie bereit, das Land in Parzellen zu verpachten, oder nicht? Antworten Sie mit einem Wort: ja oder nein? Ein einziges Wort.
> LJUBOW ANDREJEWNA: Wer raucht hier so abscheuliche Zigarren . . . (*Setzt sich*).
> GAJEW: Seit man die Bahn gebaut hat, ist es bequem georden. (*Setzt sich.*) Da fährt man in die Stadt und frühstückt . . . den Gelben in die Mitte! Ich möchte noch vorher ins Haus gehen, eine Partie spielen . . .[83]

Diese Passage ist schon in Hinblick auf unsere erste Analyseperspektive interessant, die interne Strukturierung der einzelnen Replik. Denn in dieser Beziehung schon stehen die Repliken Lopachins und Gajews in deutlichem Kontrast: sind alle Sätze Lopachins pragmatisch einer einzigen Rede-Intention untergeordnet, nämlich eine verbindliche Antwort auf seinen Vorschlag zur ökonomischen Sanierung des Gutes zu erzwingen, und stehen sie zueinander in einer argumentationslogisch und rhetorisch transparenten Relation, die schon durch die lexikalischen und semantischen Rekurrenzen verdeutlicht wird, so findet man innerhalb von Gajews Replik einen völligen semantischen Bruch nach den ersten beiden Sätzen, einen Bruch, der durch eine Pause markiert wird. Nach den ersten beiden Sätzen, die auf seinen Plan bezogen sind, in die Stadt zu fahren, um dort einen Bankkredit zu erwirken und die auch durch den unmittelbaren situativen Kontext der Szene ausgelöst wurden (man sieht die Bahnlinie und die ferne Stadt im Hintergrund), wendet er sich mit dem nächsten, elliptischen Satz seiner Lieblingsbeschäftigung des Billardspielens zu. Die Beziehung zwischen den beiden Replikenabschnitten ist dabei eine rein assoziative, im Text nicht ausformulierte: der Gedanke an die Pflicht, den er sich durch die Erinnerung an die Annehmlichkeiten der Nebenumstände attraktiver machen will, wird gleich wieder durch den Gedanken an die Muße verdrängt. Die unterschiedliche Strukturierung der Repliken hat durchaus charakterisierende Funktion: Lopachins Redestil und Sprachverhalten implizieren Konsequenz und utilitaristische Rationalität und charakterisieren ihn damit als Vertreter eines neuen, aufsteigenden Unternehmerstandes, tüchtig, arbeitsam und nüchtern, während Gajews Redestil und Sprachverhalten ihn als inkonsequenten, emotional labilen und leistungsunwilligen Repräsentanten der untergehenden Landaristokratie ausweisen.

Betrachtet man nun die Relation der Repliken zur jeweils vorausgehenden, so fällt auf, daß dabei keinerlei semantische Isotopien auftreten: die Figuren reden aneinander vorbei, indem sie auf das Redethema des Dialogpartners nicht eingehen, nicht an dieses anknüpfen, sondern jeweils ein neues Thema setzen. Besonders eklatant ist das in der Replik der Andrejewna, da ja an sie eine direkte und entscheidende Frage gerichtet wurde und sich der Vorredner jegliche Ausflucht oder vage Beantwortung seiner Frage verbeten hat. Statt, wie zu erwarten, an diese Frage der vorausgehenden Replik anzuknüpfen, knüpft Andrejewna ihre Replik an den Kontext der äußeren Situation an – den Geruch von Jaschas Zigarre, die dieser in der vorausgegangenen Szene angezündet hat. Gerade wegen der beschriebenen pointierten Beziehungslosigkeit ihrer Replik zur vorausgehenden Lopachins erscheint sie jedoch pragmatisch doch auf diese bezogen, indem der totale semantische Bruch als Verweigerung der Kommunikation, als Ausdruck des Unwillens, die gestellte Frage zu beantworten, gewertet werden muß. Das Aneinander-Vorbeireden ist also hier nicht völlig monologisch, sondern eine indirekt und implizit formulierte Geste mangelnder Kommunikationsbereitschaft bzw. Kommunikationsfähigkeit. – Gajews Replik schließlich ist weder auf die Lopachins, noch auf die Andrejewnas bezogen, sondern knüpft ebenfalls an den Kontext der äußeren Situation an – die Eisenbahnlinie und die Stadt am Horizont.[84] Bezogen sind die beiden semantisch disparaten Teile seiner Replik jedoch auf eigene frühere Repliken – seinen Plan, wegen eines Bankkredits in die Stadt zu fahren (II, xv), und seine permanenten Verweise auf das Billiardspiel (zuletzt in II, xv). Eine solche Dominanz des Rückbezugs auf eigene Repliken über den Bezug auf die Repliken der Dialogpartner muß als Ausdruck einer monologischen Sprechhaltung gelten, die im Rahmen eines Dialogs Symptom gestörter Kommunikation ist.

Eine Dialogstruktur wie die gerade am Beispiel Tschechows beschriebene wurde von August Strindberg in seinem Vorwort zu *Fräulein Julie* (1888) programmatisch gefordert, da sie allein die Realität normalsprachlicher Dialoge abbilde, während die konventionellen Dialoge im vornaturalistischen Drama die reale zwischenmenschliche Kommunikation verfälschten:

> Was schließlich den Dialog betrifft, so habe ich insofern etwas mit der Tradition gebrochen, als ich meine Personen nicht zu Katecheten gemacht habe, die eine dumme Frage stellen, um eine geistreiche Antwort zu provozieren. Ich habe das im konstruierten französischen Dialog übliche Symmetrische und Mathematische vermieden und die Gehirne unregelmäßig arbeiten lassen, so wie sie es in Wirklichkeit tun. (. . .) Und deshalb irrt der Dialog auch hin und her (. . .)[85]

Im Normalfall liegt die Relation einer Replik zur vorausgehenden zwischen diesen Extrempositionen der Identität und der Beziehungslosigkeit, indem die Nachfolgereplik bestimmte Momente der Vorrede aufnimmt, sie aber in einen veränderten Kontext stellt. Häufig auftretende Beziehungsschemata[86] sind dabei die Relationen von Frage und Antwort, bzw. Verweigerung der Antwort, Befehl und Quittierung, bzw. Zurückweisung des Befehls, Mitteilung und positive, bzw. negative Reaktion auf die Mitteilung, Behauptung und Bestätigung. bzw. Widerlegung oder Einschränkung der Behauptung usw. Die Vorrede eröffnet also immer dem Sprecher der folgenden Replik die Möglichkeit der Wahl aus zwei Alternativen; beide Alternativen, die des positiven und die des negativen Bezugs, bedeuten jedoch ein Eingehen auf die Replik des Vorredners und führen zu semantischen Isotopien.

Die Alternative der Negation oder Einschränkung ist im konfliktorientierten klassischen Drama besonders häufig vertreten. H. G. Coenen hat sie im Dialog der Tragödien Racines sehr detailliert untersucht und dafür ein vollständiges Repertoire der Varianten erstellt.[87] Wir werden uns im folgenden auf Coenen stützen, ohne jedoch dessen für Racine spezifische Ergebnisse zu referieren, da es uns primär um allgemeine kognitive Einheiten und ihre Integration in einen Analyseraster geht. Coenens Analyse folgt zwei Hauptaspekten: der Wahl des Bezugspunkts aus der vorausgehenden Replik, der Vorrede, (S. 9–83) und der Verarbeitung des gewählten Bezugspunkts (S. 84–133).

Als BEZUGSPUNKT für die folgende Replik wird oft der "Zeicheninhalt" der Vorrede gewählt. In seiner vordergründigsten Form ist der Bezug auf den "Gegenstand", wobei sein ursprünglicher Stellenwert in der Vorrede verändert oder ignoriert werden kann. Eine solche Veränderung oder Ignorierung des Stellenwerts hat oft komische Funktion, wenn zum Beispiel die Vorrede in irgendeiner beiläufigen Weise von der Geliebten handelt, der Liebende in seiner Replik aber den ursprünglichen Zusammenhang ignoriert und nur vom ihn einzig Interessierenden, der Geliebten, spricht. Ein präziseres Eingehen auf die Vorrede ergibt sich beim Bezug auf den "Gedanken", dessen mangelnde Übereinstimmung mit moralischen Normen, mit den Gesetzen der Logik oder mit dem wirklichen Sachverhalt zum Thema der Replik werden kann. Beim Bezug auf den "Nebeninhalt" wird der ausdrückliche Inhalt der Vorrede ignoriert und dafür der den Hauptinhalt bedingende Affekt des Sprechers, oder sein außersprachliches Sich-Verhalten thematisiert. Ein Bezug auf den Affekt ist zum Beispiel die *captatio benevolentiae*, die versöhnlich den Affekt des Dialogpartners anerkennt, sein sachliches Anliegen jedoch dann ablehnt; ein Bezug auf die außersprachliche *actio* ist das Eingehen auf eine affektverratende Reaktion des Vorredners.

Beim Bezug auf das "Zeichen" knüpft die Replik nicht am Inhalt an, sondern an der Tatsache, daß ein solcher Inhalt überhaupt vorgebracht wurde; die Vorrede wird hier also nicht in ihrem Inhalt, sondern in ihrem Handlungscharakter thematisiert. Dazu gehören Repliken, die den Redeakt gegen seinen Inhalt ausspielen, indem sie etwa an der Vorrede kritisieren, daß die Nennung eines Verdienstes das Verdienst aufhebt; dazu gehören auch die Kritik an der Unangemessenheit der Rede in bezug auf die Situation (Ort, Zeitpunkt, Sprecher, Adressat), d.h. an Verstößen gegen die Normen des *decorum* und *aptum*, und das Aufdecken von besonderen Redeintentionen wie der Verschleierung, der Verstellung oder der Lüge. Schließlich kann sich die Replik auch kritisch auf die Unangemessenheit der Reaktion in der Vorrede auf eine dieser vorausgehenden Vor-Vorrede beziehen.

Der Bezug auf den "Kommunikationsvorgang" spielt im Dialog des klassischen Dramas nur eine untergeordnete Rolle, da er nur dann auftritt, wenn die dialogische Kommunikation gestört ist. Aber auch dort findet er sich gelegentlich, wenn zum Beispiel angesichts der Ungeheuerlichkeit des Mitgeteilten die eigene Sprachlosigkeit thematisiert wird. Im modernen Drama jedoch ist gerade dieser Bezug häufig und stellt sich als Dominanz der phatischen und metasprachlichen Funktionen dar (s. o. 4.2.5. u. 6).

Schließlich gibt es noch imaginäre Bezugspunkte, Bezugspunkte, die in der Vorrede nicht wirklich gegeben sind, sondern absichtlich oder unabsichtlich vom Sprecher der folgenden Replik in sie hineingelegt werden, indem er den Affekt oder die Absicht mißdeutet. Solche imaginären Bezugspunkte sind oft Ursache oder Folge eines komischen, bzw. tragischen Verkennens und Mißverständnisses.

Die VERARBEITUNG DES GEWÄHLTEN BEZUGSPUNKTS läßt sich in zwei Grundstrategien klassifizieren: den Erweis des Gegenteils und die Entkräftung der gegnerischen Argumentation, die eine abgeschwächte Negation bedeutet, da sie nicht eine Gegenposition begründet, sondern sich mit dem Nachweis der unzureichenden Begründung der gegnerischen Position begnügt. Für den Erweis des Gegenteils gibt es eine Reihe rhetorisch-dialektischer Argumentationsschemata, auf die der Sprecher zurückgreifen kann. Die wichtigsten sind das Autoritätsargument (etwa in Form einer Anrufung der *communis opinio*, der allgemeinen Meinung, die der Position der Vorrede widerspricht, oder eines *argumentum ad hominem*, das eine frühere, gegenteilige Meinung des Vorredners gegen die jetzt von ihm vertretene ausspielt), die *demonstratio ad oculos*, die auf den Widerspruch zwischen dem Behaupteten und dem offensichtlichen Sachverhalt hinweist, das Argument aus der Voraussetzung, das die Bedingungen des Behaupteten negiert und damit diesem widerspricht, das Argument aus der Folge, das von der Abwesenheit der Folge auf die Abwesenheit des behaupteten Grundes schließt, und die ironische *reductio ad absurdum*, die aus der gegnerischen Argumentation eine widersinnige Konsequenz ableitet. – Bei der Entkräftung der gegnerischen Argumentation wird die ihr zugrundeliegende *propositio* als allgemein geltendes Prinzip entweder völlig abgelehnt (etwa durch eine leidenschaftliche Absage an die Normen der Vernunft oder des ethischen Handelns) oder zwar grundsätzlich anerkannt, aber in ihrer Anwendbarkeit im vorliegenden Fall bestritten.

Die von Coenen erarbeiteten Typen des Bezugs einer Replik auf die vorausgehende bilden in ihrer Gesamtheit nicht nur deshalb einen Sonderfall ab, weil sie die Extremposition der Identität und der Beziehungslosigkeit ausklammern, sondern auch dadurch, daß sie ein Funktionieren der dialogischen Kommunikation voraussetzen. Dies ist jedoch gerade im modernen Drama oft nicht mehr gegeben. Hier finden sich Dialogstrukturen, in denen die Figuren sich in ihren Repliken zwar auf die vorausgehende beziehen, dieser Bezug aber bestimmte semantische und pragmatische Regeln verletzt. Eine wichtige Klasse solcher Regelverletzungen stellen die PRÄSUPPOSITIONSREGELN dar, wobei wir Präsuppositionen mit R. C. Stalnaker definieren als "propositions implicitly supposed before the relevant linguistic business is transacted".[88] So liegen etwa der Aufforderung, "Gib mir das Buch auf dem Tisch!", unter anderem die Präsuppositionen zugrunde, daß auf dem Tisch ein Buch liegt und daß der Sprecher berechtigt ist, dem Angesprochenen etwas aufzutragen. Ist eine oder sind beide dieser Präsuppositionen nicht gegeben, dann ist die Äußerung unsinnig und der Angesprochene kann dann verbal nur sinnvoll darauf reagieren, indem er die Präsuppositionsverletzung thematisiert. Im Dialog des absurden Theaters eines Ionesco häufen sich solche unsinnige, weil präsuppositionsverletzende Äußerungen, wie wir an einer kurzen Passage aus *La cantatrice chauve* zeigen wollen:

> M. SMITH: (*toujours dans son journal*) Tiens, c'est écrit que Bobby Watson est mort.
>
> MME. SMITH: Mon Dieu, le pauvre, quand est-ce qu'il est mort?
>
> M. SMITH: Pourquoi prends-tu cet air étonné? Tu le savais bien. Il est mort il y a deux ans. Tu te rappelles, on a été à son enterrement, il y a un an et demi.
>
> MME. SMITH: Bien sûr que je me rappelle. Je me suis rappelé tout de suite, mais je ne comprends pas pourquoi toi-même tu as été si étonné de voir ça sur le journal.
>
> M. SMITH: Ça n'y était pas sur le journal. Il y a déjà trois ans qu'on a parlé de son décès. Je m'en suis souvenu par association d'idées![89]

Aufgrund der außersprachlich realisierten Kommunikationsumstände – M. Smith liest in seiner Zeitung – muß Mme. Smith präsupponieren, daß ihr Gatte die Nachricht von Bobby Watsons Tod der Zeitung entnimmt, daß sein "c'est écrit" als ein "c'est écrit dans le journal" zu verstehen ist; in M. Smiths übernächster Replik wird diese Präsupposition jedoch ausdrücklich dementiert. Ihrer erstaunten Reaktion darauf ("air étonné") liegt anscheinend die weitere Präsupposition zugrunde, daß die Todesnachricht für sie Neuigkeitswert besitzt und daß sie – dem Sprechakt der Frage gemäß – über den Zeitpunkt des Ablebens von Bobby Watson uninformiert ist; beides wird in der folgenden Replik des Gatten ebenfalls zurückgewiesen. Wenn sie in ihrer eigenen Folgereplik dieser Korrektur zustimmt und erklärt, sie wäre ja nicht über den Tod Bobby Watsons erstaunt gewesen, sondern über die Tatsache, daß darüber jetzt erst in der

Zeitung zu lesen stehe, eröffnet sich ein nicht auflösbarer Widerspruch zu ihrer ersten Frage nach dem Todeszeitpunkt. Im weiteren Dialogverlauf, den wir hier nicht mehr wiedergeben, wird schließlich auch noch der semantischen Präsupposition der Boden entzogen, daß der Eigenname "Bobby Watson" auf *ein* existierendes Individuum verweist: es stellt sich nämlich heraus, daß alle männlichen und weiblichen Mitglieder einer Familie diesen Namen tragen. Damit werden gleichzeitig zwei auf soziokulturellen Normen beruhende Präsuppositionen verletzt, denn normalerweise gilt für den Gebrauch von Vornamen, daß diese gerade zur Differenzierung der Familienmitglieder dienen und daß sie die Geschlechtszugehörigkeit markieren.

Die hier exemplarisch aufgezeigten Präsuppositionsverletzungen sind wohl das zentrale sprachliche Mittel zur Erzeugung jener Absurdität, auf die Ionesco in seinen theoretischen Äußerungen verwies und der das absurde Theater seinen Namen verdankt. Sie erscheint als historische Transformation des Komischen, denn wie das Komische beruht sie auf einer Diskrepanz – hier der Diskrepanz zwischen den kontrastierenden Präsuppositionen der Figuren und/oder der Diskrepanz zwischen den Präsuppositionen des Rezipienten und denen der Figuren.

4.6.5 Rhetorik des Dialogs

4.6.5.1 Drama und Rhetorik

Zur Analyse der paradigmatischen und syntagmatischen Dimensionen des dramatischen Dialogs kann auch das Beschreibungsrepertoire der Rhetorik herangezogen werden, und das prinzipiell nicht nur, wenn der jeweilige Text produktionsästhetisch bereits durch ein rhetorisches Normen- und Formensystem bedingt wurde.[90] Denn zwischen dem rhetorischen Sprechen und der klassischen Form des dialogischen Sprechens im Drama besteht eine Affinität der Intention: beide wollen "das situationsverändernde Einwirken durch Worte".[91] Es ist jedoch das Modell rhetorischen Sprechens nicht ohne Einschränkungen auf das Drama übertragbar, da es auf einer spezifischen Sprechsituation beruht – der monologischen Einwegkommunikation zwischen einem individuellen Redner und einem Kollektiv von Hörern. Und diese Situation ist ja gerade normalerweise im dramatischen Dialog nicht gegeben, wenn sie auch, in der Form "großer Reden", gelegentlich durchaus und im klassischen Drama sogar recht häufig auftritt. Daß sich rhetorische Analysen bisher im wesentlichen auf die Analyse großer Reden im Drama beschränkt haben, ist daher zwar verständlich, heißt aber, das heuristische Potential der Rhetorik nicht voll auszuschöpfen.[92]

4.6.5.2 Logos – ethos – pathos

Rhetorik als Lehre vom wirkungsbezogenen Sprechen hat als oberste Intention die *persuasio*, die Überredung und Überzeugung. Die dafür entwickelten Grundstrategien sind von so hoher Allgemeinheit, daß sie auch noch nach Abstraktion vom zugrundeliegenden Modell der öffentlichen Rede Gültigkeit beanspruchen und damit auch zur Analyse dramatischer Dialogrede verwendet werden können. Die drei Grundstrategien ergeben sich aus dem jeweils dominanten Bezug auf den Redegegenstand (*logos* oder *pragma*), den Sprecher (*ethos*) oder den Hörer (*pathos*). Diese Triade deckt sich partiell mit Positionen des Jakobsonschen Kommunikationsmodells, mit der referentiellen, der expressiven und der appellativen Funktion (s. o. 4.2), ist aber durch ihre Funktionalisierung in Hinblick auf Überredung inhaltlich enger bestimmt.

Die LOGOS-STRATEGIE will durch ein parteiliches Eingehen auf den vorliegenden Sachverhalt überzeugen; dieses Eingehen ist je nach dem Gegenstand narrativ-deskriptiv oder argumentativ. Die wichtigsten Techniken der parteilichen Argumentation haben wir bereits im vorausgehenden Abschnitt über das Verhältnis von Replik und Vorrede des Gesprächspartners behandelt (s. o. 4.6.4.3); die rhetorischen Instruktionen zu einem parteilichen Erzählen und Beschreiben zielen auf Anschaulichkeit und Evidenz ab, da durch diese Qualitäten der Hörer am unmittelbarsten zu positiver oder negativer Reaktion bewegt wird. Im Bereich des Dramas betreffen die Techniken der Logos-Strategie vor allem argumentative Monologe und Dialoge und die narrative Vermittlung von Vorzeithandlung (Exposition) und verdeckter Handlung.

Die ETHOS-STRATEGIE beruht auf dem Herausstellen der Zuverlässigkeit und Glaubwürdigkeit des Sprechers, der seine eigene moralische Integrität oder seine sachliche Autorität zum Hauptargument für die Richtigkeit seiner Ansichten macht. Wenn diese moralische Integrität und sachliche Autorität nicht wirklich gegeben ist, muß sie vom Redner fingiert werden. Solche Selbststilisierungen eines Sprechers zum uneigennützigen, moralisch unbescholtenen, sachlich kompetenten und arglosen Ratgeber finden sich häufig in dramatischen Texten, wie zum Beispiel in der für ihre rhetorische Brillanz berühmten Leichenrede Marcus Antonius' in Shakespeares *Julius Caesar*:

213

> I am no orator, as Brutus is,
> But, as you know me all, a plain blunt man,
> That love my friend (. . .)
> For I have neither wit, nor words, nor worth,
> Action, nor utterance, nor the power of speech
> To stir men's blood; I only speak right on.
> (III, ii, 217—223).

Die Selbststilisierung zum schlichten, suggestiver Rednergabe ermangelnden Mitmenschen weckt Vertrauen bei seinen Hörern und macht sie damit seiner Argumentation aufgeschlossen. Der Kontrast zwischen dieser Selbststilisierung und der Wirklichkeit wird von den Hörern im inneren Kommunikationssystem nicht durchschaut; dem Publikum im äußeren Kommunikationssystem ist jedoch die manipulative Strategie bewußt, mit der hier nach dem Prinzip des *celare artem* die suggestive Kunst des Redners verschleiert werden soll, während sie ja in dieser Absage an die Rhetorik, den römischen Zuhörern unbewußt, demonstriert wird. Was wir hier am Beispiel einer großen Rede gezeigt haben, findet sich auch im dialogischen Replikenwechsel: alle großen Intrigantenfiguren – Shakespeares Richard III und Jago, Ben Jonsons Volpone, Molières Tartuffe und viele andere – bauen im Dialog mit ihren Opfern solche Masken positiver Selbststilisierung auf, wobei diese expliziten Selbstdarstellungen (s. o. 4.4.2.1) vom Gegenüber auf der Bühne als bare Münze genommen, vom besser informierten Zuschauer jedoch in ihrer strategischen Funktion durchschaut werden. Das Opfer der Intrige schreibt dem Intriganten die positiven Charaktermerkmale moralischer Integrität zu, der Zuschauer dagegen die Merkmale der Verstellungskunst und rhetorischen Bravour.

Die PATHOS-STRATEGIE schließlich zielt unmittelbar auf die Erregung der Affekte des Hörers ab: durch das Aufwühlen heftiger Emotionen soll er zur Identifikation mit der Position des Sprechers gebracht werden. Dazu ist eine Kenntnis der psychischen und ideologischen Disposition der Hörer Voraussetzung, denn nur bei ihrer Berücksichtigung kann das wirkliche oder fingierte Pathos des Redners beim Hörer wirksam werden. Sprachliche Techniken der Pathos-Rhetorik sind ein durch Tropen und Figuren überhöhter Stil und Appellfiguren wie die rhetorische Frage, die ihre Antwort schon impliziert und sie damit dem Hörer aufdrängt, die Apostrophe an die Hörer oder der leidenschaftliche Ausruf; außersprachliche Techniken sind das Vorzeigen affekthaltiger Gegenstände – in der Rede des Marcus Antonius zum Beispiel das Vorzeigen von Cäsars dolch-durchlöchertem Umhang (III, iii, 170 ff) – oder die emotional aufgeladene große Gebärde. Wenn wir auch nicht Emil Staigers normativer Verabsolutierung zustimmen können, nach der dramatische Rede wesentlich pathetisch sei,[93] ist sicher zu konzedieren, daß die Erregung der Affekte des Hörers gerade im klassischen Drama oft die dominante Redestrategie ist – und dies nicht nur in bezug auf den Hörer im inneren, sondern auch auf das Publikum im äußeren Kommunikationssystem. Die meist negativ gemeinte Charakterisierung der Sprache von Schillers und neuerdings von Rolf Hochhuts Dramen als "rhetorisch" zielt auf diese Dominanz des Pathos ab. Aber auch im modernen Drama fehlt der pathetische Bezug auf die Affekte des Hörers nicht, wenn man Pathos als intentionale Kategorie versteht und nicht mit einem historisch spezifischen Repertoire sprachlicher Techniken gleichsetzt. In diesem Sinn wird in modernen Texten die klassische Pathos-Rhetorik des überhöhten Stils und des direkten Appells oft ersetzt durch ein neues Pathos des *understatement* und der Verunsicherung des Hörers.

Unsere Bemerkungen zu *logos, ethos* und *pathos* wollen und können im Rahmen dieser Einführung nicht mehr sein als ein exemplarischer Hinweis auf die Möglichkeiten, rhetorische Analysekategorien für eine Beschreibung dramatischer Texte fruchtbar zu machen. Diese Möglichkeiten erschöpfen sich auch nicht in einer Analyse der Sprache im Drama, sondern sind auch in Hinblick auf die Analyse übergreifender Kompositionsstrukturen gegeben. So kann zum Beipiel die rhetorische Unterscheidung zwischen *ordo naturalis* und *ordo artificialis*[94] bei der Beschreibung des Verhältnisses der Sukzession auf der Ebene des Dargestellten zur Sukzession auf der Ebene der Darstellung (s.u. 6.1.1) herangezogen werden, wobei *ordo naturalis* dann vorliegt, wenn das Nacheinander der Darstellung dem Nacheinander des Dargestellten folgt, also die Geschichte ohne expositorische Rückgriffe und Umstellungen *ab ovo* in dramatische Präsentation umgesetzt wird, und *ordo artificialis,* wenn durch einen Einsatz *in medias res* Dargestelltes und Darstellung in ihrer Sukzession gegeneinander verschoben sind. Und so liegt klassischen Theorien zur Einteilung des Dramas in drei (*protasis – epitasis – katastrophe,* bzw. Exposition – Intrige – Dénouement) oder fünf Teile (Exposition – steigende Handlung – Peripetie – fallende Handlung – Katastrophe) eine Analogie zu drei- oder fünfteiligen Dispositionsschemata für den Aufbau einer Rede zugrunde.[95]

4.6.5.3 Figuratives Sprechen

Wir wollen uns abschließend jedoch noch einem sprachlichen Aspekt näher zuwenden, der in der rhetorischen Theorie eingehend behandelt wird und dem vor allem im Versdrama große Bedeutung zukommt – dem figurativen, uneigentlichen Sprechen. Es ist hier nicht nötig, das differenzierte rhetorische System der Tropen und Figuren zu entfalten, denn wir wollen uns von vornherein auf einige wenige Formen des uneigentlichen Sprechens – auf die Tropen Metapher, Vergleich, Synekdoche und Metonymie – beschränken und dabei auch nicht klassifikatorisch vorgehen, sondern nach ihren Funktionen im dramatischen Text fragen.

Für die Frage nach den Funktionen bildlichen, figurativen Sprechens im Drama kommt der Kontroverse um die Bildersprache Shakespeares seit den dreißiger Jahren paradigmatische Bedeutung zu.[96] Im wesentlichen standen und stehen dabei drei Hauptpositionen einander gegenüber: Eine Richtung sieht in den leitmotivisch wiederkehrenden Bildbereichen einen Index zur Persönlichkeit des Autors, indem häufig wiederkehrende uneigentliche Ausdrücke (etwa aus dem Bereich der Seefahrt, der Jurisprudenz oder des Gartenbaus) als unwillkürliche Selbstkundgaben der Interessen und Ansichten des Autors gewertet werden.[97] Die Problematik dieses Ansatzes braucht uns im Rahmen unserer nicht produktionsästhetischen Einführung nicht weiter zu beschäftigen. Auf werkinterne Funktionen bezogen ist dagegen die Bildanalyse des *New Criticism*, die von der zeitlichen Dimension dramatischer Texte abstrahiert und die dynamische Entwicklung von Handlungsabläufen und Figuren in eine statisch-räumliche Struktur korrespondierender und kontrastierender Bilder projiziert. Einem solchen *spatial approach* stellt sich der dramatische Text nicht mehr als mimetische, plurimediale Repräsentation von Handlungsabläufen und Figurenkonstellationen dar, sondern als *expanded metaphor*.[98] Gegen eine solche Ablösung der Metaphern- und Bildkomplexe von ihrem dramatischen Kontext, von ihrem Figuren- und Handlungsbezug, wendet sich schließlich die dritte Richtung, die gerade nach der Integration und Funktionalisierung bildlichen Sprechens im dramatischen Text fragt und dabei die besonderen medialen Bedingungen des Dramas – lineare Zeiterstreckung und Plurimedialität – mitreflektiert.[99] Unserem Ansatz, dem es um die Analyse der kommunikativen Relevanz einzelner Vertextungsverfahren im Drama geht, liegt diese dritte Richtung besonders nahe, wenn wir auch einzelne Ergebnisse des *spatial approach* in unsere Darstellung integrieren werden können.

Im Rahmen der rhetorischen Theoriebildung kommen dem figurativen

Sprechen drei wesentliche Funktionen zu – die Funktionen des Schmucks, der Veranschaulichung und Konkretisierung eines Sachverhalts und der aufmerksamkeitssteuernden Emphase; alle drei Funktionen sind ihrerseits funktional bezogen auf die übergreifende Intention persuasiven Sprechens. Diese drei Funktionen kommen dem bildlichen Sprechen im Drama sowohl im inneren als auch im äußeren Kommunikationssystem ebenfalls zu; darüber hinaus jedoch kann es weitere, dramenspezifische Funktionen entwickeln.

So kann dem figurativen Sprechen im Drama eine CHARAKTERISIERENDE FUNKTION zukommen; es kann zum Teil der sprachlichen Techniken impliziter Selbstdarstellung werden (s. o. 4.4.2.2). Die Tatsache, daß eine Figur häufig figurativ spricht, muß jedoch nicht unbedingt diese charakterisieren, sondern kann ja Teil des stilistischen Codes des ganzen Werks sein. Dies ist der Fall, wenn der ganze Haupttext – wie oft im Versdrama – durch eine dichte Verwendung von Metaphorik gekennzeichnet ist, also alle Figuren häufig metaphorisch sprechen. Hier kann dann zwar nicht mehr der Tatsache, daß eine Figur metaphorisch spricht, charakterisierende Funktion zukommen, wohl aber bestimmten Präferenzen in der Wahl der Bildbereiche (*vehicle*) oder figurativ umschriebenen Themen (*tenor*).[100] Dies läßt sich überzeugend an Shakespeares Jago und Othello exemplifizieren: beide Figuren bedienen sich ständig bildlicher Ausdrücke, aber während Othello dabei meist hyperbolische, weit ausgreifende und licht- und farbintensive Bilder evoziert und diese meist auf sich selbst bezieht, zitieren Jagos Bilder häufig mit Bezug auf andere eine niedere, oft abstoßende Tierwelt (Fliegen, Spinnen, Ziegen, Wölfe usw.) und niedere Körperfunktionen.[101]

Die Bilder in den Repliken mehrerer Figuren wirken oft in einer RAUMSCHAFFENDEN FUNKTION zusammen, die die konkrete Anschaulichkeit des Bühnenbilds ergänzt ("Wortkulisse") und ein Bewußtsein für die übergreifende räumliche Einbettung des Geschehens vermittelt. In dieser Funktion kann das figurative Sprechen Beschränkungen des theatralischen Apparats und die prinzipiellen Beschränkungen der Raumdarstellung im Drama kompensieren.[102] Es geht also nicht nur darum, daß die begrenzten bühnenbildnerischen Darstellungsmittel etwa der elisabethanischen Bühne durch Metaphorik sprachlich unterstützt werden, sondern es geht auch darum, den präsentierten Weltausschnitt zum umgreifenden geographischen, sozialen oder sogar kosmischen Umraum in Beziehung zu setzen. Diese Ausweitung des dargestellten Raumes kann zwar auch durch nicht-figuratives Sprechen geleistet werden; das figurative Sprechen erlaubt jedoch ein "zwangloseres", weil nicht streng faktisch zu motivierendes Bezugnehmen auf den engeren und weiteren Umraum. Wir wählen wieder ein Beispiel aus dem Korpus der Dramen Shakespeares, weil sich hier die beiden Funktionen der Konkretisierung des szenisch präsentierten Schauplatzes und der Transzendierung des Schauplatzes auf seine weitere Einbettung hin überlagern. Besonders deutlich ist dies in *The Tempest*, wo Flora und Fauna der Insel, das Erdreich und der Äther darüber immer wieder metaphorisch beschworen und in reicher Detailfülle "ausgemalt" werden, wo aber auch der engere und weitere Umraum, das Meer und seine Wogen und Tiefen, mit seinen Korallen und Perlen, und die entlegenen Küsten Italiens und Afrikas ständig im Bewußtsein der Figuren und des Publikums präsent gehalten werden.[103] Dadurch wird nicht nur der Schauplatz in seiner konkreten Gegenständlichkeit und seiner Situierung mitgeschaffen, sondern auch das Inselgeschehen selbst in enge Beziehung zu elementaren Kräften und Abläufen gesetzt und ihm ein symbolhafter Repräsentanzwert verliehen (s. u. 7.3.1).

Hier weitet sich die raumschaffende zu einer allgemein THEMATISCHEN FUNKTION. In dieser Funktion bereichert die Bildersprache die thematischen Implikationen des Geschehens, bietet sie interpretierende Anschauungsmodelle für den Handlungsablauf des ganzen Dramas. Dies gilt in *The Tempest* vor allem für die leitmotivische Sturm- und Meeresmetaphorik, deren zentrale Bedeutung ja schon durch den Titel markiert wird. Der Seesturm in I,i löst gleichsam eine Kette von Sturm- und Meeresbildern der Verwandlung und der Bedrohung und Rettung aus, die die Schicksale der einzelnen Figuren und die Dialektik von Schuld und Vergebung metaphorisch kommentieren.

Eine solche leitmotivische Metaphorik hat auch INTEGRIERENDE FUNKTION, indem sie Figur an Figur und Situation an Situation bindet und damit Korrespondenz- und Kontrastrelationen stiftet. Gerade im Drama der offenen Form leistet die "metaphorische Verklammerung" auf textureller Ebene jene Integration, die auf der strukturellen Ebene der Szenenfolge aufgegeben wurde.[104] In der Interrelation konkret präsentierter Objekte und Geschehnisse und ihrer sprachlichen Spiegelung in metaphorischen Bildern können diese dabei – wie etwa der Sturm in *Tempest* – zu zentralen Symbolen erhoben werden.

Zieht in *The Tempest* ein szenisch präsentiertes Ereignis eine Folge von darauf bezogenen Bildern nach sich, so findet sich in anderen dramatischen Texten auch das umgekehrte Verfahren des vorausdeutenden Bezugs figurativer Wendungen auf kommendes Geschehen. In diesem vorausdeutenden Vorverweis auf Kommendes, das im Rezipienten antizipierende Hypothesenbildung auslöst, ohne ihm sichere Vorinformationen zu vermitteln, erfüllt solche Metaphorik eine SPANNUNGSERZEUGENDE FUNKTION (s. o. 3.7.4).[105] Besonders in Tragödien findet sich häufig diese Technik einer metaphorischen Antizipation des tragischen Ende, einer atmosphärischen Überschattung der Eingangssituationen durch ominöse Sprachbilder. Shakespeares Juliet, die ihre Liebe mit dem Blitz vergleicht, "Which doth cease to be / Ere one can say 'It lightens'" (*Romeo and Juliet*, II, ii, 118 f), Büchners Danton, dem seine Geliebte Julie ein "süßes Grab", ihre Lippen "Totenglocken", ihre Stimme sein "Grabgeläute", ihre Brust sein "Grabhügel" und ihr Herz sein "Sarg" sind,[106] Oscar Wildes Page der Herodias, dem der aufsteigende Mond als "dead woman", "looking for dead things", erscheint[107] – dies sind nur einige wenige Beispiele dafür, wie durch das metaphorische Sprechen der Figuren Spannung und gattungsspezifische Erwartungen geweckt werden. Die ominösen Implikationen ihrer Metaphern sind dabei den sprechenden Figuren oft nicht voll oder überhaupt nicht bewußt; damit eröffnet sich eine Diskrepanz zwischen dem Bewußtsein der Figuren und dem des Publikums, die dramatische Ironie erzeugen kann (s. o. 3.4.4).

Aufgrund der bereits diskutierten Polyfunktionalität der dramatischen Sprache (s. o. 4.2) treten die hier analytisch isolierten Funktionen selten rein auf, sondern überlagern einander in je spezifischen Dominanzrelationen. Weitere Formen uneigentlichen Sprechens, die bei unserer Darstellung der Funktionen von Metaphern, Vergleichen, Synekdochen und Metonymien nicht berücksichtigt wurden, jedoch in dramatischen Texten häufig relevant sind, können wir hier nur erwähnen: es sind dies vor allem das WORTSPIEL, dem im Bereich der Komödie große Bedeutung zukommt (s. o. 4.2.6),[108] und die von der Figur intendierte und auch im inneren Kommunikationssystem wirkende VERBALE IRONIE (s. o. 3.4.3).

5. PERSONAL UND FIGUR

5.1 Die Interdependenz von Handlung und Figur

Die Frage nach der Relation von Figur und Handlung im Drama stellte sich in älteren Dramentheorien, aber auch in neueren dramaturgischen Programmen, vor allem als Frage nach dem Primat, der Dominanz von Figur oder Handlung. Ohne dieser Frage in ihrer Geschichtlichkeit nachgehen zu wollen, sei doch angemerkt, daß die Tradition derer, die auf dem Primat der Handlung bestehen, von Aristoteles' *Poetik* (6. Kap.) über Gottscheds *Versuch einer kritischen Dichtkunst* (II, ix und x) bis zu Brechts *Kleinem Organon für das Theater* reicht,[1] während die Gegenposition, von Lessing im 51. Stück der *Hamburgischen Dramaturgie* noch allein für die Komödie behauptet, erst in der Poetik des Sturm und Drang durch Jakob Michael Reinhold Lenz in seinen *Anmerkungen übers Theater* und durch Goethe in seiner Rede zum *Schäkespears Tag* nachdrücklich vertreten wurde[2] und in der naturalistischen Dramaturgie weiterwirkte.

In unserem Zusammenhang ist jedoch weniger diese Frage nach dem produktions- und wirkungsästhetischen Primat der einen oder anderen Kategorie von Interesse, da es sich hierbei ja um eine historische Variable handelt, als vielmehr das Problem der immer gegebenen strukturellen Interdependenz der beiden Kategorien. So wie der Begriff der Handlung bereits den Begriff eines handelnden Subjekts impliziert und umgekehrt die Begriffe der Person oder des Charakters den Begriff der Handlung – sei es nun einer aktiven oder passiven, einer äußeren oder inneren – impliziert, ist auch im Drama eine Figurendarstellung ohne die Darstellung einer wenn auch nur rudimentären Handlung und eine Handlungsdarstellung ohne die Darstellung einer wenn auch noch so reduzierten Figur undenkbar. Definiert man Handlung als die Veränderung einer Situation und Situation als die gegebene Relation von Figuren zueinander und zu einem gegenständlichen oder ideellen Kontext, wird die dialektische Bezogenheit der Kategorien von Figur und Handlung evident. – Wenn wir in unserer Darstellung mit der Kategorie der Figur beginnen, wollen wir also dabei keinerlei Primat implizieren, sondern haben wir diese Entscheidung allein aus darstellungstechnischen Gründen getroffen, die im folgenden, so hoffen wir, einleuchten werden.

5.2 Zum Status dramatischer Figuren

5.2.1 Figur vs. Person

Wir sprechen, im Gegensatz zu einer weit verbreiteten Konvention, von dramatischer "Figur", nicht von "Person" oder "Charakter", und wir tun dies, um einer ebenfalls weitverbreiteten Tendenz, dramatische Figuren wie Personen oder Charaktere des realen Lebens zu diskutieren, schon terminologisch entgegenzuwirken und so die ontologische Differenz zwischen fiktiven Figuren und realen Charakteren zu betonen. Die Konnotationen des Worts "Figur", die auf intentional Gemachtes, Konstrukthaftes, Artifizielles verweisen und nicht die Vorstellung von Autonomie, sondern von Funktionalität wecken (man denke etwa an die Figur im Schachspiel), kommen dieser unserer Absicht gerade entgegen. Denn im Gegensatz zu einer realen Person, die zwar von ihrem Kontext mitgeprägt wird, jedoch als Gewordene eine von ihrem Kontext analytisch isolierbare, reale Kategorie darstellt, ist eine dramatische Figur von ihrem Kontext überhaupt nicht ablösbar, da sie ja nur in diesem Kontext existiert, sie erst in der Summe ihrer Relationen zu diesem Kontext konstituiert wird.[3] Hat der reale Kontext der Lebensumstände einem realen Charakter gegenüber eine prägende oder determinierende Wirkung, so hat der fiktive Kontext einer fiktiven Figur gegenüber definierende Funktion. Um dies an einem Vergleich zu konkretisieren: während es durchaus sinnvoll sein kann, sich im realen Leben zu fragen, was Herr Meier in der Situation von Herrn Huber tun würde und umgekehrt, verkennt die Frage, wie Hamlet sich an der Stelle Othellos und Othello an der Stelle Hamlets verhalten würde, den besonderen Status fiktiver Figuren und wird damit zur unkontrollierbaren Spekulation.[4]

Die Tatsache, daß eine fiktive dramatische Figur im Gegensatz zu einem realen Charakter ein intentionales Konstrukt ist, wird auch dadurch deutlich, daß der Satz von Informationen, durch den eine Figur in einem dramatischen Text bestimmt wird, ein endlicher und abgeschlossener ist und auch von einer noch so genauen Analyse allenfalls ausgeschöpft, nicht aber erweitert werden kann, während die Zahl der Informationen, die man über einen realen Charakter in Erfahrung bringen kann, prinzipiell eine unbegrenzte ist. Diese Begrenztheit der Informationen über eine Figur hat zur Folge, daß jeder einzelnen Information von vornherein ein höherer Wert zukommt, daß auch der beiläufigsten bei der Analyse der Figur prinzipiell Bedeutsamkeit unterstellt wird, während man bei der Beurteilung einer realen Person davon ausgeht, daß manche Daten relevant, andere dagegen zufällig und irrelevant sind. So erscheint zum Beispiel die Bedeutung des Namens einer realen Person als grundsätzlich zufällig und ohne Hinweiswert auf den Charakter dieser Person, während man bei einer fiktiven Figur mit Recht davon ausgeht, daß ein Name wie der von Ibsens Titelheld Brand einen Wesenszug dieser Figur erschließt. Damit soll nicht behauptet werden, daß alle Informationen zu einer Figur in einem dramatischen Text bedeutsam sind, daß es hier keinerlei zufällige Details gibt, sondern vielmehr, daß der ideale Rezipient zunächst einmal davon ausgeht, daß jedes Detail bezeichnend und bedeutsam ist, und daß er sich erst, wenn sich keinerlei Korrelationsmöglichkeit eröffnet, dazu entschließt, es als nicht charakterisierend, sondern die Kontingenz der realen Welt imitierend aufzufassen.

5.2.2 Beschränkungen der Figurendarstellung im Drama

Was wir hier zum Unterschied von Figur und Charakter gesagt haben, gilt natürlich nicht nur für Dramenfiguren, sondern generell für fiktive Figuren, also auch für solche in narrativen Texten. Im Drama scheint jedoch aufgrund seiner Plurimedialität, der leibhaftigen Präsentation einer Figur auf der Bühne, die Gefahr, diese Unterschiede zu vergessen oder zu verwischen, besonders groß zu sein. Dabei sind im Drama die Möglichkeiten einer detaillierten, alle Aspekte berücksichtigenden Menschendarstellung schon von den medialen Bedingungen her limitierter als in narrativen Texten, etwa in einem Roman. Käthe Hamburger spricht in diesem Zusammenhang vom "Fragmentarischen der dramatischen Menschengestaltung" und weist gleichzeitig darauf hin, wie dieses Fragmentarische selbst jedoch eine Annäherung an die Wahrnehmungsbedingungen bedeutet, unter denen uns in der Realität der Mitmensch erscheint,[5] es also gleichfalls eine Verwechslung von fiktiver Figur und realem Charakter begünstigt.

Der stärkere Fragmentcharakter einer dramatischen Figur gegenüber einer Figur in einem Roman, die Tatsache, daß hier aus dem realen Paradigma "Charakter" stärker selektiert werden muß, ergibt sich aus dem beschränkteren Umfang eines dramatischen Textes und aus den medial beschränkteren Möglichkeiten, eine Innenschau, eine *vision du dedans,* zu eröffnen, das Bewußtsein einer Figur über das sprachlich oder außersprachlich Artikulierte hinausgehend dem Rezipienten transparent zu machen. Dagegen können in einem narrativen Text die sozialen Determinanten einer Figur, ihre Entwicklung, ihre psychologische Disposition und ihre ideologische Orientierung in beliebiger Ausführlichkeit und Detailliertheit entfaltet werden und kann der Innenraum ihres Bewußtseins vom Erzähler jederzeit aufgedeckt werden. Dies hat Thomas Mann in seinem *Versuch über das Theater* (1908) zum Hauptargument gegen eine Überordnung des Dramas über den Roman genommen:

> Der Vorwurf der rohen Simplifikation und willkürlichen Abbreviatur, der Oberflächlichkeit, des Schattenhaften und der mangelhaften Erkenntnis ist beim Roman weit weniger am Platze als beim Drama; es ist kein Zufall, daß sich im Schauspiel und nicht im Roman jene stereotypen und in bezug auf individuelle Vollständigkeit überhaupt völlig anspruchslosen Figuren und Vogelscheuchen des 'Vaters', des 'Liebhabers', des 'Intriganten', der 'Naiven', der 'komischen Alten' entwickelt haben (. . .). Der Roman ist genauer, vollständiger, wissender, gewissenhafter, tiefer als das Drama, in allem, was die Erkenntnis der Menschen als Leib und Charakter betrifft, und im Gegensatz zu der Anschauung, als sei das Drama das eigentlich plastische Dichtwerk, bekenne ich, daß ich es vielmehr als eine Kunst der Silhouette und den erzählten Menschen allein als rund, ganz, wirklich und plastisch empfinde.[6]

Thomas Manns Frage nach der Rangordnung von Drama und Roman braucht uns hier nicht zu beschäftigen, da es uns ja nicht um das Erstellen eines normativen Gattungssystems geht; den Feststellungen selbst ist jedoch, wenn man von den wertenden Formulierungen abstrahiert, durchaus zuzustimmen. Durch die Abwesenheit eines Erzählers, eines vermittelnden Kommunikationssystems, werden die Möglichkeiten, eine Figur in ihrer biographisch-genetischen Dimension und im Innenraum ihres Bewußtseins darzustellen, reduziert.[7] Sieht man einmal von Erweiterungsversuchen wie epischen Kommunikationsstrukturen und von Konventionen wie etwa der des unmotivierten Monologs ab, dann ist das Bewußtsein einer Figur nur so weit darstellbar, als es von dieser situativ und psychologisch glaubhaft artikuliert werden kann. In dieser Betonung des Artikulierten, und das ist zumindest im klassischen Drama primär das sprachlich Artikulierte, liegt eine gewisse Vereinseitigung: der Mensch im Drama erscheint dominant als ein Sich-selbst-Darstellender, nicht ein Für-Sich-Seiender, d. h. er erscheint dominant in zwischenmenschlicher Interaktion, nicht als Einsamer, und er erscheint dominant als Redender. Hugo von Hofmannsthal hat dies in seiner *Unterhaltung über den 'Tasso' von Goethe* am Beispiel der Prinzessin gezeigt:

> Ich glaube, es hätte eine solche in sich ruhende Frau werden sollen (. . .). Aber für eine solche Durchsichtigkeit ist wahrscheinlich im Drama kein Platz, und weil im Drama die Figuren sich immer nur durch Reden zeigen können, nicht durch stilles Dasein und lautloses Reflektieren der Welt in ihrem durchschei-

nenden Innern, so hat ihn [Goethe] hier, denk ich, das Metier gezwungen, die schönste Figur zu verderben, indem er sie über sich reden und deklamieren läßt, wo es ihre Sache wäre, sowohl als große Dame wie als eine schöne Seele, gerade nicht zu reden, schweigend, sich effacierend zu wirken und zu leiden.[8]

Und ein neuerer Dramatiker, der durchaus auch die Möglichkeiten der sprachlosen Selbstdarstellung einer Figur kennt, Friedrich Dürrenmatt, bestätigt diese Einschränkung:

Im Gegensatz zur Epik jedoch, die den Menschen zu beschreiben vermag, wie er ist, stellt die Kunst des Dramas den Menschen mit einer Einschränkung dar, die nicht zu umgehen ist und den Menschen auf der Bühne stilisiert. Diese Einschränkung ist durch die Kunstgattung hervorgerufen. Der Mensch des Dramas ist ein redender Mensch, das ist seine Einschränkung, und die Handlung ist dazu da, den Menschen zu einer besonderen Rede zu zwingen.[9]

Neuere Versuche im Drama, der dramatischen Figur durch neue Konventionen des lauten, assoziativen Denkens eine psychoanalytische Tiefendimension zu erschließen, wie sie etwa Eugene O'Neill in *Strange Interlude* (1928) unternommen hat, bestätigen dies gerade und müssen als Versuch gewertet werden, für Entwicklungen der Bewußtseinsdarstellung im modernen Roman – innerer Monolog, erlebte Rede, *stream-of-consciousness* – funktionale Äquivalente zu finden.

5.2.3 Die Figur als Schnittpunkt von Kontrast- und Korrespondenzrelationen

Wir haben zunächst versucht, die Kategorie der dramatischen Figur *ex negativo* etwas näher zu bestimmen, indem wir sie von der realen Person abgehoben und auf ihren Fragmentarismus im Vergleich zur realen Person und zu den Möglichkeiten der Figurendarstellung in narrativen Texten hingewiesen haben. Positiv ist dagegen die dramatische Figur zu definieren als die Summe ihrer strukturellen Funktionen der Situationsveränderung und der Situationsstabilisierung, und der Charakter (im neutralen Sinn der Identität) einer Figur als die Summe der Korrespondenz- und Kontrastrelationen zu den anderen Figuren des Textes.[10] Der erste Aspekt wird in Zusammenhang mit der Kategorie der Handlung weiter zu entwickeln sein (s.u. 6.1.2); dem zweiten Aspekt wollen wir uns sogleich zuwenden. Um ihn an einem Analogiemodell zu verdeutlichen: die einzelne Figur eines Schachspiels definiert sich im Rahmen des Ensembles aller Figuren und läßt sich nur beschreiben als der Satz relevanter Korrespondenz- und Kontrastrelationen zu den anderen Figuren. Dem Läufer und dem Turm ist zum Beispiel gemeinsam, daß sie paarig vorhanden sind, sich in vier Richtungen und über mehrere Felder hinweg bewegen können, und es unterscheidet sie, daß der Läufer diagonal, der Turm horizontal und vertikal gezogen wird. Im Merkmal der Paarigkeit korrespondiert der Läufer auch mit dem Springer und steht er in Kontrast zu den Bauern und zu Dame und König. Mit dem Springer hat er weiterhin gemeinsam, daß er sich jeweils in vier Richtungen bewegen kann, jedoch unterscheidet er sich von ihm in der Bewegungsart und in der Tatsache, daß er keine andere Figur überspringen kann . . . Wir glauben, es ist bereits deutlich geworden, daß sich auf diese Weise die Struktur des Figurenensembles als ein System von Korrespondenz- und Kontrastrelationen darstellen läßt, wobei der einzelnen Figur bzw. Figurengruppe eine für sie charakteristische Kombination von Differenzmerkmalen zukommt. Analog verhält es sich bis zu einem gewissen Grad mit dem Personal als dem Ensemble der Figuren eines dramatischen Textes und mit der einzelnen dramatischen Figur, wenn sich dabei auch die einzelnen Differenzmerkmale nicht immer so einfach darstellen lassen wie beim Schachspiel. Ein wesentlicher Unterschied ist jedoch, daß das System der Korrespondenz- und Kontrastrelationen nicht vorgegeben ist, sondern während des Textablaufes erst aufgebaut wird, und daß die für eine Figur charakteristische Merkmalkombination nicht über den ganzen Textverlauf hin gleich bleiben muß. Trotz dieser Unterschiede wurde jedoch am Analogiemodell des Schachspiels deutlich, daß es sich empfiehlt, bei der Diskussion der Figur vom übergeordneten System des Figurenensembles, des Personals, auszugehen.[11]

5.3 PERSONAL, FIGURENKONSTELLATION UND KONFIGURATION

5.3.1 Personal

Definiert man das Personal eines Dramas als die Summe der auftretenden Figuren, dann schließt diese Definition nicht nur Nebenfiguren ein, die sich vielleicht nur einmal sprachlich äußern, sondern auch jene stummen Figuren oder Figurenkollektiva, die sich in ihrer Funktion als kulissenhafter Staffage von wirklichen Kulissen nur noch dadurch unterscheiden, daß sie nicht rein iterative Information vergeben.[12] Andererseits schließt diese Definition des Personals jene Figuren aus, die nur in den Repliken sprachlich thematisiert, jedoch nie szenisch präsentiert werden. Solche *backstage characters*, von denen nur die Rede ist, ohne daß sie je auftreten, können zwar durchaus individualisiert werden und handlungsbeeinflussende Funktion haben – wie zum Beispiel das Küchenmädchen Nell in Shakespeares *The Comedy of Errors* (III, ii, 71–153) –, sie haben jedoch dadurch, daß sie nur sprachlich, nicht plurimedial präsentiert werden, einen von den Figuren des Personals deutlich verschiedenen Status.

5.3.1.1 Umfang

Ein wichtiger, rein quantitativer Parameter für das Personal ist bereits der Umfang. Er variiert vom Einpersonenstück, dem Monodrama, bis zum vielfigurigen Stück mit Massenszenen. Hier entscheidet der Kunstwille des Dramatikers nicht immer völlig frei, sondern es sind ihm durch die ökonomischen, organisatorischen und architektonischen Gegebenheiten des Theaterwesens gewisse Grenzen auferlegt. So erlaubt zum Beispiel die Größe eines Schauspielensembles jeweils nur einen bestimmten Umfang des Personals, wobei durch Doppel- und Mehrfachbesetzung von Rollen, die sich szenisch nicht überschneiden, der Spielraum der Möglichkeiten erweitert werden kann.[13] Auch der beschränkte Umfang eines dramatischen Textes wirkt der Entwicklung zu einer Figurenfülle entgegen, wie sie sich etwa in den Gesellschaftsromanen des neunzehnten und zwanzigsten Jahrhunderts findet. Im allgemeinen neigt das Drama der geschlossenen Form mehr zur Konzentration des Personals auf wenige Figuren, während das Drama der offenen Form oft eine panoramische Fülle an Figuren bietet. Die Ausweitung des Personals muß freilich nicht immer durch die Intention umfassender Wirklichkeitsdarstellung motiviert sein, sie kann auch einem naiven oder feudalen Hang zum Aufwendig-Spektakulären dienen, wie etwa in den historischen Filmen aus Hollywood, für die das *cast of thousands* zum Gattungsmerkmal wurde.

5.3.1.2 Quantitative Dominanzrelationen

Rein quantitativ erfaßbar sind auch die Dominanzrelationen innerhalb des Personals nach den Kriterien der Dauer der Bühnenpräsenz einer Figur und ihres Anteils am Haupttext. Nach beiden Kriterien ergeben sich Abstufungen zwischen den Figuren des Personals, die sich jedoch nicht unbedingt zu decken brauchen. Sie stellen auch kein absolut zuverlässiges

Kriterium für eine Einteilung des Personals in Haupt- und Nebenfiguren dar, da sich die Skalierungen nach Bühnenpräsenz bzw. Textanteil nicht immer mit der Skalierung nach der Bedeutung für die Handlungsentwicklung decken muß. Dennoch stellen die Kriterien der Bühnenpräsenz und des Textanteils einen wichtigen Parameter für die zentrale bzw. periphere Position einer Figur im Personal dar, da er den Fokus beeinflußt und damit perspektivensteuernd wirkt (s. o. 3.5.3.2).[14] Zudem können gerade Verschiebungen zwischen den handlungsfunktionalen und den quantitativen Dominanzrelationen innerhalb des Personals wichtige Hinweise für die Struktur des Textes als Ganzem geben, indem etwa ein hoher Wert in bezug auf Bühnenpräsenz und Textanteil bei gleichzeitiger geringer Handlungsfunktion einer Figur ein Index für deren chorische, episch vermittelnde Kommentatorfunktion sein kann. Für eine genauere Abstufung der Figuren des Personals nach ihrer Bedeutung für die Handlungsentwicklung fehlt es jedoch beim derzeitigen Forschungsstand noch an differenzierteren handlungsgrammatischen Vorarbeiten. Solange diese nicht geleistet sind, lassen sich feinere Abstufungen wie die zwischen "Hauptfiguren", "tragenden Figuren", "Nebenfiguren", "Episodenfiguren" und "Hilfsfiguren" nur intuitiv abschätzen, nicht aber operational definieren.[15] Eine Quantifizierung der funktionalen Dominanzrelationen müßte wohl in der Richtung erfolgen, daß man für jede Figur nach der Zahl der aktualisierten Korrespondenz- und Kontrastbezüge zu anderen Figuren und nach der Zahl der triadischen Handlungsschritte fragt, in denen sie als aktives, handelndes Subjekt erscheint (s. u. 6.1.2).

5.3.1.3 Qualitative Kontrast- und Korrespondenzrelationen

Nach diesen quantitativen Relationen innerhalb des Personals wenden wir uns nun der Strukturierung des Personals durch qualitative Korrespondenz- und Kontrastbezüge zu. Da hier die relevanten qualitativen Merkmale von Text zu Text oder von historischer Textgruppe zu historischer Textgruppe verschieden sind, müssen wir hier von einem konkreten Beispiel ausgehen. Wir wählen die englische Komödie der Restaurationszeit, in der eine gewisse Stereotypie des Personals das Aufdecken relevanter Merkmale erleichtert. Die im folgenden aufgeführten Korrespondenz- und Kontrastbezüge gelten also nicht nur für einen einzelnen Text, sondern sind für ein ganzes historisches Textkorpus typisch, auch wenn wir uns nur auf William Wycherleys *The Country Wife* (1675), George Etiereges *The Man of Mode* (1676) und William Congreves *The Way of the World* (1700) als repräsentative Beispiele stützen.

Die ersten personalstrukturierenden Merkmale, die wir erwähnen, sind auch in Dramen anderer Epochen häufig relevant. Dies gilt vor allem für die Opposition "männlich" vs. "weiblich", deren Bedeutung häufig schon dadurch betont wird, daß die Liste der *dramatis personae*, die dem Haupttext vorangestellt ist, nach diesem Kriterium gegliedert ist. In den Liebesintrigen der *love-chase*-Komödie der Restaurationszeit kommt dieser Opposition natürlich eine zentrale Bedeutung zu, da aus ihr alle Handlungsentwicklungen abgeleitet werden. Das gemeinsame Geschlecht läßt dann innerhalb der Gruppen der männlichen und weiblichen Figuren Unterschiede im geschlechtsspezifischen Werbungsverhalten deutlich hervortreten, wobei die Geschlechtsspezifik in der Komödie der Restaurationszeit durch Inversionen wie den effeminierten Mann und die burschikose Dame — Sir Fopling Flutter und Harriet in *A Man of Mode* – problematisiert wird. – Eine anthropologische Konstante stellt auch die Opposition "alt" vs. "jung" dar, wenn auch die Rolle der Generationen historisch variabel ist. Es ist dies eine Opposition, die nicht nur in der Komödie der Restaurationszeit relevant ist, sondern in der Komödie überhaupt, deren archetypische Struktur durch den Sieg des Lebens über den Tod, der Jugend über das Alter bestimmt ist.[16] Während der Gruppe der Jungen in der Restaurationskomödie normalerweise ein ungebrochenes Verhältnis zur sexuellen Libido gemeinsam ist, ist die Gruppe der Alten durch unterschiedliche Einstellungen zur Liebe weiter differenziert: da ist der Alte, der seine Impotenz durch beruflichen Ehrgeiz kompensiert (Sir Jasper Fidget in *The Country Wife*), der gealterte Lüstling, dessen strenge moralische Forderungen an seine junge Frau rein präventiv und defensiv sind (Mr. Pinchwife in *The Country Wife*), da ist die Figur des verliebten Greises, des *senex amans* der lateinischen Komödie, dessen komisch unangemessenes Liebesbegehren den Plänen der Jungen zuwiderläuft und ausgeschaltet werden muß (Old Bellair in *The Man of Mode*); und da sind unter den weiblichen Alten die gealterte Kokette, die ihren erotischen Appetit unter einer Maske der Sittsamkeit zu verbergen sucht (Lady Wishfort in *The Way of the World*), die Sittsame, deren Tugend Mangel an Gelegenheit ist (Lady Woodvill in *The Man of Mode*), und die alternde Schöne, die mit besitzergreifender Eifersucht und Kosmetik den Geliebten zu halten versucht (Mrs. Loveit in *The Man of Mode*). Allen Alten gemeinsam ist in der Restaurationskomödie ihre Handlungsfunktion von *blocking characters*, die als Widersacher der Jungen von diesen überlistet, bloßgestellt oder entmachtet werden müssen, und gemeinsam ist ihnen auch, daß sie entweder aufgrund der Diskrepanz von Alter und jugendlichem Eros oder von Tugendmaske und

Lüsternheit komisch wirken. Auch hier wird also aufgrund eines Merkmals, der Generationszugehörigkeit, das Personal in zwei Gruppen aufgeteilt und werden durch diese Korrespondenz innerhalb einer Gruppe Kontraste in bezug auf differenziertere Merkmale verdeutlicht. – Ein drittes Merkmal von überhistorischer Relevanz ist die Klassenzugehörigkeit,[17] die sich in der Restaurationskomödie als Gegensatz von *gentry* und Nicht-*gentry* darstellen läßt. Die zweite, wesentlich kleinere Gruppe, zerfällt ihrerseits im wesentlichen in zwei Untergruppen – die Dienerfiguren, die der aristokratischen Gesellschaft der *gentry* funktional zugeordnet sind, und die Vertreter bürgerlicher Berufe (Ärzte, Juristen, Geistliche und Kaufleute). Der Gegensatz *gentry* vs. Nicht-*gentry* deckt sich dabei im allgemeinen mit den Gegensätzen von *pleasure*- vs. *business*-Orientierung und von unspezialisiertem, geselligem Witz vs. einseitiger und daher komischer Spezialisiertheit.

Die überhistorisch relevanten Differenzmerkmale des Geschlechts, der Generationszugehörigkeit und des sozialen Standes,[18] die in ihrer inhaltlichen Füllung jedoch, wie wir gesehen haben, historisch variabel sind, werden ergänzt durch Differenzmerkmale von mehr historischer Relevanz. In der Restaurationskomödie ist ein solches historisches Differenzmerkmal der Gegensatz von Stadt und Land. Die Bedeutung dieses Gegensatzes von *town* und *country* wird schon durch Titel wie *The Country Wife* oder sprechende Namen wie Lady Townley (in *The Man of Mode*) herausgestellt. Die Zuordnung einer Figur zur Stadt oder zum Land ist ein für sie wichtiges Merkmal. Es muß jedoch kein fixes Merkmal sein, wie die Merkmale des Geschlechts, der Generation und auch des sozialen Standes in der Restaurationskomödie, sondern kann sich im Verlaufe der Handlung ändern. Ja, ein Teil der Handlung kann gerade darin bestehen, daß eine Figur – wie etwa die Titelheldin von *The Country Wife* – von einer Landfigur zu einer Stadtfigur wird, die semantische Grenze zwischen Land und Stadt überschreitet (Lotman; s. u. 7.3.1). Der Unterschied zwischen *town* und *country* erscheint dabei als Gegensatz von kultivierter Geselligkeit, aufgeklärtem Witz, liberaler Sexualmoral und modischer Eleganz einerseits und Langeweile, oder rüpelhaften Vergnügungen, Plattheit, konservativer Sexualmoral und altmodischer Ungehobeltheit andererseits, wie etwa der Gegensatz von Mirabell und Sir Wilfull Witwoud in *The Way of the World* zeigt.

Eine weitere personalstrukturierende Opposition ist die von *nature* vs. *affectation*, wobei *nature* hier keineswegs ungebildete und unverbildete Ursprünglichkeit bedeutet, sondern ein zur zweiten Natur gewordenes, höchst raffiniertes Ideal spontaner Eleganz des Auftretens und Sich-Verhaltens und eine anti-idealistische Bejahung der menschlichen Sinnlichkeit, die im *love game* ästhetisch zu verfeinern, nicht aber ethisch zu sublimieren ist. Im Bereich der kognitiven Fähigkeiten stellt sich diese Opposition dar als Gegensatz zwischen *wit* und *non-wit*. Einer Figur kommt das Merkmal des *wit* zu, wenn sie *fancy* und *judgement*, imaginativen Einfallsreichtum und Urteilskraft zu einer harmonischen Synthese verbindet und dabei ständig die flexiblen und komplexen Regeln eines urbanen *decorum* beachtet. Beides ist bei einer *wit*-Figur zur nicht mehr reflektierten zweiten Natur geworden; sie bedürfen keiner Anstrengung mehr, sondern werden souverän und spielerisch eingesetzt. Zur Gruppe der Figuren, die das Merkmal dieses Witzes gemeinsam haben, gehören in der Restaurationskomödie die im Zentrum stehenden Liebespaare, die als *gay couples* und *railling lovers* die Liebeswerbung zum witzigen Spiel umfunktionieren, selbst wenn sie von der Liebe emotional tief betroffen sind – Dorimant und Harriet in *The Man of Mode*, Harcourt und Alithea in *The Country Wife* und Mirabell und Millamant in *The Way of the World*. Gegen diese positive Norm verstoßen die *non-wit*-Figuren, die schon deswegen komisch wirken. Sie sind ihrerseits in zwei Untergruppen aufzuteilen, je nachdem, ob sie in ungebildeter Natur des Witzes völlig entbehren (*witless*) oder aber in affektierter künstlicher Pose für witzig gelten wollen, obwohl ihnen *fancy, judgement* und *decorum* entweder ganz oder zum Teil fehlen (*witwoud*). In *The Way of the World* trägt ein Vertreter dieser letzteren Untergruppe den sprechenden Namen "Witwoud"; Vertreter der *witless*-Untergruppe rekrutieren sich in allen drei Komödien vor allem aus den Figuren, die entweder dem Land zugeordnet sind oder der Schicht des Bürgertums angehören.

Im Bereich des Sexualverhaltens stellt sich der Gegensatz von *nature* und *affectation* in der Kontrastierung von *libertines* einerseits und *hypocrites* und Renommisten andererseits dar. Während die Libertins, beeinflußt durch die skeptische, materialistische Philosophie Thomas Hobbes', alle christlichen oder platonischen Liebesideologien ablehnen und ihre Sexualität einfach als einen Appetit betrachten, der wie jeder andere auch genußvoll befriedigt werden muß, verstoßen die Vertreter der *affectation* gegen diese "natürliche" Haltung, indem sie diesen Appetit heuchlerisch hinter Tugendmasken verbergen oder aber ihn prahlerisch ins Unermeßliche aufblähen. Auch in dieser Beziehung stehen die zentralen Liebespaare auf der Seite von *nature* (wenn auch mit charakteristischen Abstufungen von männlichem und weiblichem Verhalten), während ihre Gegenspieler unterschiedliche Formen der *affectation* demonstrieren. – Und schließlich führt die Opposition von *nature* vs. *affectation* im Bereich der Mode und der Etikette zur Kontrastierung natürlicher und spielerischer Eleganz mit der affektierten Künstlichkeit von eitlen Modegekken (*fops*) wie Sir Fopling Flutter in *The Man of Mode*.

Damit haben wir – freilich nur in umrißhafter und noch weiter zu differenzierender Form – die wichtigsten personalstrukturierenden Merkmale innerhalb der Restaurationskomödie herausgearbeitet, wobei wir den pragmatischen Aspekt, die Bewertung der Merkmaloppositionen durch Autor und Publikum, nur durch den wertenden Charakter unserer Formulierungen angedeutet haben. Dieser pragmatische Aspekt wäre durch den Nachweis äquivalenter Oppositionen in der philosophischen und sozialethischen Diskussion und den sozialen Verhaltensnormen der Zeit weiter zu klären; eine weitere Differenzierung der Merkmalopposition wäre dagegen auch textimmanent durch das Aufdecken weiterer untergeordneter Unterscheidungsmerkmale zu leisten. Uns ging es hier jedoch nur um den prinzipiellen Nachweis, daß sich die Struktur eines Dramenpersonals in Form einer Matrix von Merkmaloppositionen darstellen läßt und die einzelne Figur als Bündel von Differenzmerkmalen. Um dies an zwei Figuren aus *The Way of the World* zu konkretisieren, wollen wir die für sie charakteristischen Merkmale tabellarisch einander gegenüberstellen:

Mirabell	*Lady Wishfort*
+ männlich	− männlich
+ jugendlich	− jugendlich
+ *gentry*	+ *gentry*
+ Stadt	+ Stadt
+ *nature*	− *nature*
+ *wit*	− *wit (witwoud)*
+ *libertine*	− *libertine (hypocrite)*
+ Eleganz	− Eleganz

So wie sich hier Mirabell und Lady Wishfort durch einen unterschiedlichen Satz von Merkmalen voneinander unterscheiden, unterscheidet sich Mirabell auch von allen anderen Figuren des Personals, wobei die Kontrastbezüge immer wieder durch Korrespondenzbezüge (hier "+ gentry" und "+ Stadt") betont werden. Derselbe Satz von Merkmalen, der Mirabell charakterisiert, gilt jedoch auch für Dorimant in *The Man of Mode*, und auch für die übrigen Figuren lassen sich totale oder weitgehende Entsprechungen in allen anderen Komödien finden. Dies ist ein wichtiges Indiz für die strukturelle Homogenität und Stereotypie der Restaurationskomödie als einer historischen Untergattung des Dramas – eine Eigenschaft, die uns gerade dazu bewogen hat, diese historische Untergattung als exemplarisches Textkorpus heranzuziehen.

Solche personalstrukturierende Korrespondenz- und Kontrastrelationen können in einem dramatischen Text relativ verdeckt oder aber – wie in der Restaurationskomödie und überhaupt häufig in der Komödie – in einer transparenten Symmetrie der Figurengruppierung bloßgelegt sein. Besonders deutlich ist dies zum Beispiel in Johann Elias Schlegels einaktigem Lustspiel *Die stumme Schönheit* (1747/48).[19] Hier stehen vier Männern vier Frauen gegenüber, oder anders gruppiert, zwei Alte und zwei Diener zwei jungen Mädchen und zwei jungen Herren. Aber nicht nur nach solchen elementaren Merkmalen des Geschlechts, des Alters und des Standes ergeben sich jeweils paarige Gruppierungen, sondern auch in Beziehung auf die zentralen thematischen Eigenschaften der Sprachkompetenz und der Intelligenz. Hier kontrastieren der lebhafte Witz von Jungwitz mit dem wortkargen Grübeln von Laconius und der monologische Redeschwall von Frau Praatgern mit der Sprachunfähigkeit Charlottens, und hier entspricht Jungwitz' wortgewandter Witz der gescheiten Schlagfertigkeit Leonores, und Laconius, der nichts spricht, weil er denkt, findet sein Pendant in Charlotte, die nichts spricht, weil sie nicht denkt. Damit sind die symmetrischen Bezüge in der Personalstruktur dieser Komödie noch nicht erschöpft, das dominante Prinzip der wechselseitigen Spiegelung ist jedoch wohl deutlich geworden. Diese transparente Symmetrie auf der Ebene der Personalstruktur findet sich dann wieder auf der Ebene der Konfigurationsstruktur (s. u. 5.3.3.2), indem auch die Abfolge der Konfigurationen dem Prinzip paariger Parallelisierung und Kontrastierung folgt.

5.3.2 *Figurenkonstellation als dynamische Interaktionsstruktur*

Die Struktur des Personals erschöpft sich jedoch nicht in solchen Kontrast- und Korrespondenzrelationen aufgrund von statischen Merkmalen, sondern schließt auch dynamische Interaktionsstrukturen ein, die wir Figurenkonstellationen nennen wollen. Diese sind freilich nicht unabhängig von den Merkmaloppositionen, da ja die Merkmaloppositionen für sich schon die Möglichkeit von Handlung eröffnen können: so eröffnet zum Beispiel die Merkmalopposition männlich vs. weiblich die Möglichkeit einer Liebesintrige und die Merkmalopposition *wit* vs. *witless/*

witwoud die Möglichkeit einer *gulling*-Intrige, bei der der Einfältige oder Affektierte vom Gewitzten übertölpelt oder bloßgestellt wird. Darüber hinaus sind die Figuren prinzipiell durch positive, neutrale oder negative Einstellungen den anderen Figuren gegenüber gekennzeichnet, die nicht immer auf Merkmalkorrespondenz bzw. Merkmalopposition zurückzuführen sind.

In diesem Bereich erschließt sich die Möglichkeit, Methoden der Soziometrie, wie sie für die Untersuchung sozialer Gruppenstrukturen entwickelt wurden, auf die Analyse der Struktur des Dramenpersonals zu applizieren.[20] Man ermittelt dabei für jede Figur die auf sie entfallenden positiven, neutralen oder negativen Bezugnahmen durch die anderen Figuren, wobei jeweils nur die eindeutig zu ermittelnden positiven, negativen oder neutralen Beziehungen gewertet werden. Aus den Werten für alle Figuren läßt sich dann für jede Phase des linearen Textablaufs der Grad der "elektiven Entropie" errechnen, der zahlenmäßig den Grad der Ungeordnetheit, der "Durchmischung" eines Systems ausdrückt. Je höher der Grad der elektiven Entropie ist, desto weniger ist die Gruppenstruktur organisiert, desto gleichmäßiger sind die positiven und negativen Beziehungen auf alle Figuren verteilt; je niedriger der Grad der elektiven Entropie ist, desto stärker ist die Gruppenstruktur durch eine ungleichmäßige Verteilung der positiven und negativen Beziehungen strukturiert, desto konfliktträchtiger ist diese Struktur. Und dies gilt analog für die Interaktionsstruktur eines Dramenpersonals. Niedere positive und negative elektive Entropiewerte deuten dabei auf starke Differenzierung, das heißt auf eine konfliktträchtige Situation hin, wie sie zum Beispiel durch den Zusammenschluß mehrerer Figuren zur Ausstoßung oder Vernichtung einer anderen Figur gekennzeichnet ist. Allgemein fällt im Vergleich der elektiven Entropiewerte für Dramen mit denen für reale soziale Gruppen (etwa einer Schulklasse) auf, daß die Werte für das Drama meist wesentlich niedriger sind als die für reale Gruppen, womit die Konflikttheorie des Dramas zumindest für das bei v. Cube/Reichert untersuchte Textkorpus – antike Tragödie, Racine, Schiller, Büchner und Brecht – bestätigt wird. Außerdem scheinen auch starke Schwankungen der Entropiewerte, vor allem im Bereich negativer Beziehungen, dem Drama eigen zu sein, wie aus den von v. Cube/Reichert erstellten Entropiediagrammen zu ersehen ist; hier markieren wohl die Stellen, an denen das personalstrukturierende System der positiven, neutralen und negativen Beziehungen zwischen den Figuren umstrukturiert wird, die entscheidenden Peripetien des dramatischen Textes.

Mit Hilfe dieses Modells können die dynamischen Interaktionsstrukturen innerhalb des Personals, die Figurenkonstellationen, in zwar recht präziser, aber auch sehr abstrakter Weise beschrieben werden. Wesentlich konkreter, aber nur auf Texte anwendbar, die eine Konfliktstruktur aufweisen, ist dagegen ein Modell, das die einzelnen Figuren nach ihren Handlungsfunktionen einander zuordnet. Ein solches Modell liegt schon der weitverbreiteten Unterscheidung von Held und Gegenspieler, von Protagonist und Antagonist, zugrunde und wurde von V. Propp in seiner *Morphologie des Märchens*[21] auf die drei Positionen von Held, Helfer und Widersacher erweitert. Noch differenzierter ist das von E. Souriau in *Les deux cent mille situations dramatiques* vorgeschlagene Modell,[22] das von sechs dramatischen Hauptfunktionen ausgeht, die nicht immer alle realisiert sein müssen und deren Besetzung durch einzelne Figuren und Figurengruppen sich von Situation zu Situation ändern kann. Figur und dramatische Funktion sind also nicht identisch, wohl aber lassen sich in jeder gegebenen Situation die beteiligten Figuren und die dramatischen Funktionen einander zuordnen, wobei eine Figur mehrere Funktionen gleichzeitig erfüllen und eine Funktion von mehreren Figuren realisiert werden kann. Die drei Funktionen von Held, Widersacher und Helfer tauchen auch bei Souriau wieder auf: als *"force thématique"*, die einen bestimmten Wert für sich oder einen anderen erstrebt, bzw. einen bestimmten negativen Wert meidet, als *"rival"* oder *"opposant"*, der mit der *force thématique* konkurriert oder sich ihr entgegenstellt, und als *"complice"*, der sich mit jeder der anderen dramatischen Funktionen verbinden kann. Sie werden ergänzt durch die Funktionen des erstrebten Wertes (*"représentant de la valeur"*), des Schiedsrichters, der über seine Zuteilung zu entscheiden vermag (*"arbitre"*), und dessen, dem dieser Wert zufällt (*"obtenteur"*). Während uns dieses Modell als ein mögliches Beschreibungsmodell für die handlungsfunktionale Strukturierung des Personals und die Abfolge der Figurenkonstellationen in einem dramatischen Text interessiert, geht es Souriau selbst jedoch mehr um die Erstellung eines generativen Systems, das auf der Basis dieser sechs dramatischen Funktionen und mit Hilfe von fünf Kombinationsregeln alle möglichen dramatischen Situationen – genau 210 141 (!) – zu erzeugen vermag.[23] Über den generativen Wert dieses Modells, ebenso wie über seine astrologische Verbrämung, brauchen wir hier nicht zu befinden, über seinen heuristischen Wert für die Analyse von Figurenkonstellationen dagegen könnten erst breiter gestreute Applikationsversuche entscheiden. Grundsätzlich jedoch wird seine Bedeutung dadurch beeinträchtigt, daß die einzelnen dramatischen Funktionen nicht hinreichend operationalisiert sind und daß es auf moderne dramatische Texte ohne Konfliktstruktur nicht anwendbar ist, bzw. nur deren Andersartigkeit zu konstatieren vermag.[24]

5.3.3 Konfiguration

Unter Konfiguration verstehen wir die Teilmenge des Personals, die jeweils an einem bestimmten Punkt des Textverlaufs auf der Bühne präsent ist; durch den Wechsel der Konfiguration wird ein neuer Auftritt, eine neue *scène*, konstituiert (s. u. 6.4.2.2). Den Terminus verdanken wir Solomon Marcus, einem der Hauptvertreter der mathematischen Dramenanalyse, die sich bisher vorwiegend mit der Erforschung der Konfigurationsstruktur als einer völlig quantitativ erfaßbaren Größe beschäftigt hat.[25] Wir übernehmen im folgenden einige der Fragestellungen dieser Forschungsrichtung, verzichten jedoch weitgehend auf die aufwendige mathematische Formalisierung komplizierter Parameter, da sie uns durch die häufig trivialen Ergebnisse kaum gerechtfertigt erscheint.

5.3.3.1 Umfang und Dauer der einzelnen Konfigurationen

Für die einzelne Konfiguration sind zwei Größen kennzeichnend: ihr Umfang als die Zahl der beteiligten Figuren und ihre zeitliche Dauer. Extremwerte des Umfangs stellen die "leere Konfiguration" oder Null-Konfiguration[26] und die Ensemble-Konfiguration dar. Die Null-Konfiguration findet sich im klassischen Drama gelegentlich als Augenblick der leeren Bühne zwischen zwei *scènes*, im modernen Drama finden sich jedoch auch Beispiele für Null-Konfigurationen von größerer zeitlicher Dauer (s. o. 2.3). Die Ensemble-Konfiguration tritt in Texten mit kleinem Personal – etwa in Zwei- oder Drei-Personen-Stücken – relativ häufig auf und ist dann nicht besonders markiert; in Texten mit umfangreichem Personal dagegen stellt sie eine seltene Ausnahme dar, die im klassischen französischen Theater und auch in der elisabethanischen Komödie zu einer festen Konvention der Schlußszene geworden ist.[27] – Ebenso variabel wie der Umfang ist die Dauer der einzelnen Konfiguration. Im Extremfall kann sie sich über den ganzen Textverlauf hinweg erstrecken. Ein Beispiel dafür ist Samuel Becketts *Happy Days* (1961): hier besteht das Personal aus einem ältlichen Paar, Winnie und Willie, die in beiden Akten ständig auf der Bühne präsent sind. Die extreme Dauer dieser Konfiguration macht die Ereignislosigkeit ihrer Existenz szenisch sinnfällig, und die

Tatsache der durchgehenden Ensemble-Konfiguration verweist auf ihre völlige Isoliertheit von einer Außenwelt. Entsteht hier durch die extreme Dauer der Konfiguration der Eindruck einer nur langsam verrinnenden Zeit, die durch ritualisierte, sinnentleerte Beschäftigungen mühsam gefüllt werden muß, so wirken im Gegensatz dazu im allgemeinen Konfigurationen von kurzer Dauer temposteigernd (s. u. 7.4.5). So verwundert es nicht, daß kurzweilige Boulevardkomödien oder Farcen meist eine sehr geringe Durchschnittsdauer der Konfigurationen aufweisen, daß sich in ihnen oft die Auftritte und Abgänge überstürzen.[28]

5.3.3.2 Konfigurationsstruktur

In der Folge von Konfigurationen, an denen eine Figur beteiligt ist, konkretisiert sich ihre Identität, werden durch die sinnfällige Gegenüberstellung auf der Bühne ihre Kontrast- und Korrespondenzrelationen zu den übrigen Figuren der jeweiligen Konfiguration verdeutlicht. Um die Abfolge aller Konfigurationen eines Textes und die Reihe der Konfigurationen, an denen jede einzelne Figur beteiligt ist, transparent und damit leichter analysierbar zu machen, empfiehlt es sich, die Konfigurationsstruktur in Form einer Matrix darzustellen, deren Zeilen die einzelnen Figuren und deren Spalten die einzelnen Auftritte bilden und in deren Matrixzellen bei Anwesenheit einer Figur während eines bestimmten Auftritts eine 1, bei Abwesenheit eine 0 eingetragen wird. Wir wollen dies an einem Beispiel vorführen und beschränken uns dabei aus Raumgründen auf einen Akt eines dramatischen Textes, des bereits zitierten *The Man of Mode* von George Etherege. Sein erster Akt läßt sich in sechzehn Konfigurationen unterschiedlicher Dauer segmentieren, an denen insgesamt sieben Figuren beteiligt sind: der Protagonist Dorimant (D), sein Lakai Handy (H), eine Orangenverkäuferin (O), sein Freund Medley (M), sein Schuhmacher (S), sein Freund Young Bellair (Y) und ein Laufbursche (L). Eine Analyse dieses Aktes, der ein geschlossenes raumzeitliches Kontinuum bildet, ergibt nun folgende Konfigurationsstruktur:

	1	2	3	4	5	6	7	8	9	10	11	12	13	14	15	16
D	1	1	1	1	1	1	1	1	1	1	1	1	1	1	1	1
H	0	1	0	1	1	0	1	1	1	1	0	1	1	1	1	0
O	0	0	0	1	1	1	1	1	1	1	1	1	1	1	1	1
M	0	0	0	0	1	1	1	1	1	1	1	1	1	1	1	1
S	0	0	0	0	0	0	1	1	0	0	0	0	0	0	0	0
Y	0	0	0	0	0	0	0	0	0	1	1	1	0	1	0	0
L	0	0	0	0	0	0	1	0	0	0	0	0	0	0	1	0

Die einzelne Figur wird in dieser Matrix abgebildet als ein "Wort" eines Binärcodes, als eine sie bezeichnende endliche Folge der Zahlen 0 und 1. Dabei kann, was in unserem Beispiel nicht der Fall ist, zwei oder mehreren Figuren dieselbe Zahlenfolge zukommen, das heißt, diese Figuren treten immer gemeinsam auf und ab. Ein berühmtes Beispiel für solche szenisch KONKOMITANTE FIGUREN[29] sind etwa Rosencrantz und Guildenstern im *Hamlet*. Szenisch ALTERNATIVE FIGUREN liegen dagegen dann vor, wenn zwei oder mehrere Figuren in keiner der Spalten eine 1 gemeinsam haben, wenn sie also nie gemeinsam an einer Konfiguration beteiligt sind. Dies gilt bei unserem Beispiel für die Figuren der Orange-Woman und des Shoemaker, die, dem Ritual des Levée entsprechend, nacheinander Dorimant ihre Dienste anbieten. Solche szenische Alternation spielt zum Beispiel bei Verwechslungs- und Doppelgängerkomödien oft eine zentrale Rolle: so beruhen die Verwirrungen in Shakespeares *The Comedy of Errors* darauf, daß die beiden Zwillingsherren und die beiden Zwillingsdiener bis zum Dénouement jeweils szenisch alternativ auftreten. Eine szenisch DOMINANTE FIGUR liegt schließlich dann vor, wenn eine Figur nicht nur an jeder der Konfigurationen mit einer bestimmten anderen Figur beteiligt ist, sondern darüber hinaus noch weitere Konfigurationen eingeht. In diesem Sinne dominiert in unserem Beispiel Dorimant alle übrigen Figuren, denn für ihn allein sind alle Matrixzellen mit 1 besetzt. Er wird durch diese Konfigurationsstruktur schon im ersten Akt deutlich als zentraler Protagonist etabliert.[30]

Im Vergleich der Zahlenfolgen der einzelnen Figuren läßt sich deren SZENISCHE DISTANZ auf einfache Weise ermitteln, wenn man mit dem Code-Theoretiker Hamming davon ausgeht, daß der Abstand zwischen zwei Worten eines Binärcodes gleich der Anzahl der Positionen ist, in denen die beiden Worte verschiedene Ziffern haben.[31] So findet sich in unserem Beispiel die geringste szenische Distanz (4) zwischen Dorimant und Medley, was der besonderen Affinität zwischen diesen beiden Figuren entspricht – sie unterscheiden sich nur in Hinblick auf wenige Differenzmerkmale und sind auch auf der Ebene der Figurenkonstellation als Freunde und Vertraute miteinander eng verbunden. Klein ist auch die szenische Distanz (5) zwischen Dorimant und Handy, was wieder durch die Figurenkonstellation – die Herr-Diener-Relation – bedingt wird.

Betrachtet man die STRUKTUR DER KONFIGURATIONSFOLGE in unserem Beispiel, dann fällt auf, daß sie – läßt man die nur zwei Verszeilen dauernde vierte Konfiguration außer acht – am Anfang nach dem Gesetz wachsenden Umfangs strukturiert ist: der Akt beginnt mit einer Monologszene Dorimants, die dann durch das Hinzutreten Handys, der Orange-Woman und Medleys fortschreitend über eine Zweier- und Dreier- zu einer Vierer-Konfiguration erweitert wird. Im weiteren Verlauf wird dann Dorimant durch den Auftritt zusätzlicher Figuren, vor allem des Shoemakers und Young Bellairs, mit weiteren Figuren konfrontiert, wobei jedoch die Vierer-Konfiguration nie überschritten wird. Der Prozeß der sich langsam mit Figuren füllenden Bühne und der Konfrontation des Protagonisten mit immer neuen Figuren steht hier in deutlichem Zusammenhang mit der Exposition des Charakters von Dorimant, da durch die wachsenden und wechselnden Konfigurationen immer neue Kontrast- und Korrespondenzrelationen und damit immer neue Differenzmerkmale aktualisiert werden, so daß er bei Einsatz der eigentlichen Intrige in Akt II bereits als vielschichtige, facettenreiche Figur vor uns steht. Dieser funktionale Zusammenhang der Konfigurationsstruktur mit der Figurenexposition wird noch deutlicher, wenn man den sozialen Status der neu hinzutretenden Figuren ins Auge faßt: es wechseln ständig Vertreter niederen sozialen Standes mit Figuren ab, die Dorimant gesellschaftlich ebenbürtig sind (H/O – M – S/L – Y). Dadurch kann Dorimant in einem differenzierten sozialen System situiert und in seinem Verhalten gegenüber Ebenbürtigen und Untergeordneten individualisiert werden.

Die hier vorliegende Konfigurationsstruktur eines am Anfang wachsenden und am Ende dann wieder abnehmenden Umfangs der Konfigurationen ist eine gerade im klassischen, auf Symmetrie und Abrundung abzielenden Drama häufig auftauchende Struktur. Daneben gibt es, neben weniger durchsichtig strukturierten Sequenzen, noch viele andere Strukturierungsmöglichkeiten. Ein interessantes Experiment in diesem Zusammenhang stellt zum Beispiel Arthur Schnitzlers *Reigen* dar, in dem die Konfigurationsstruktur die Titelmetapher einer zyklischen Bewegung abbildet. Der Text weist folgende Konfigurationsstruktur auf:

	1	2	3	4	5	6	7	8	9	10
Dirne	1	0	0	0	0	0	0	0	0	1
Soldat	1	1	0	0	0	0	0	0	0	0
Stubenmädchen	0	1	1	0	0	0	0	0	0	0
Junger Herr	0	0	1	1	0	0	0	0	0	0
Junge Frau	0	0	0	1	1	0	0	0	0	0
Ehemann	0	0	0	0	1	1	0	0	0	0
Süßes Mädel	0	0	0	0	0	1	1	0	0	0
Dichter	0	0	0	0	0	0	1	1	0	0
Schauspielerin	0	0	0	0	0	0	0	1	1	0
Graf	0	0	0	0	0	0	0	0	1	1

In dieser erotischen Kontrafaktur des Totentanzes verweisen die Konstanz der Zweier-Konfigurationen, die kettenförmig miteinander verknüpft sind und mit der Wiederaufnahme der Dirne in der letzten Konfiguration zyklisch zum Anfang zurückkehren, und die Konstanz des Motivs der geschlechtlichen Vereinigung auf die Nivellierung sozialer Unterschiede angesichts des sexuellen Akts; gleichzeitig werden im Kontrast der so miteinander korrespondierenden Konfigurationen nuancenreiche Abstufungen des Liebesverhaltens und der Liebesideologie – doppelte Moral, fingierte Tugend, Besitzanspruch, idealistische Verbrämung usw. – deutlich.

Schon auf der Ebene der Konfigurationsstruktur ist erkennbar, daß hier kein dramatischer Text vorliegt, der einem konventionellen Handlungsverständnis entsprechend einen linearen Handlungsablauf zwischen einer Reihe von Figuren entwickelt, sondern ein dramatischer Text von extrem episodischer Struktur, in der alle Figuren in gleicher Weise Haupt- bzw. Episodenfiguren sind. Ein Indiz solcher Episodenstruktur ist die geringe KONFIGURATIONSDICHTE,[32] die sich als Verhältnis zwischen der Anzahl der mit "1" besetzten Matrixzellen zur Gesamtzahl der Matrixzellen ermitteln läßt. Sie beträgt bei Schnitzlers *Reigen* 20 : 100 = 0,2, während sie im ersten Akt von *The Man of Mode* den Wert 49 : 112 = 0,44 annimmt. Der Maximalwert der Konfigurationsdichte ist 1; er wird nur selten erreicht und dann meist bei Dramen mit kleinem Personal, wie zum Beispiel dem bereits erwähnten *Happy Days* von Samuel Beckett mit der äußerst einfachen Konfigurationsstruktur von:

	I	II
Winnie	1	1
Willie	1	1

239

Ein wichtiger Aspekt ist auch die Relation zwischen den möglichen und den realisierten Konfigurationen. Bei einem Personal von "n" Figuren ergeben sich "2^n" mögliche Konfigurationen; das sind zum Beispiel bei einem Personal von 10 Figuren 1024 Möglichkeiten. Nun wird in einem dramatischen Text selbstverständlich in den allermeisten Fällen nur ein relativ kleiner Teil der theoretisch möglichen Konfigurationen realisiert, wobei die Auswahl aus dem Paradigma der möglichen Konfigurationen nicht aleatorisch, rein zufallsbedingt, ist, sondern intentional. Da statistisch gesehen alle möglichen Konfigurationen gleich wahrscheinlich sind, kommt der Realisierung einer bestimmten Konfiguration bereits ein gewisser Informationswert zu.[33] Dieser Informationswert ist natürlich noch höher für eine Konfiguration, die mehr als einmal auftritt. Solche REPETITIVE KONFIGURATIONEN kommen in dramatischen Texten häufig vor und ziehen dann als deutlich von einer zufälligen Distribution abweichend in besonderer Weise die Aufmerksamkeit des Rezipienten auf sich. So wiederholen sich zum Beispiel in *Macbeth* u. a. die Einer-Konfiguration des monologisierenden Helden (I, vii; II, i, ii; III, i; V, iii, v, vii, viii) und die Zweier-Konfiguration Macbeth – Lady Macbeth (I, v, vii; II, ii; III, ii, iv) mehrmals, wodurch bereits ihre thematische und strukturelle Zentralität herausgestellt wird und über den Korrespondenzbezug der identischen Konfiguration die Veränderungen im Selbstverständnis der Figuren und in ihrem Verhältnis zueinander aufgedeckt und verdeutlicht werden.

5.4 FIGURENKONZEPTION UND FIGURENCHARAKTERISIERUNG

Wir können uns nun der einzelnen dramatischen Figur zuwenden, nachdem wir im vorausgehenden Abschnitt gezeigt haben, wie diese durch ihre strukturellen Relationen innerhalb des Personals, der Figurenkonstellationen und der Konfigurationen konstituiert wird. Dabei wollen wir zwei Analyseebenen voneinander abheben: die Ebene der Figurenkonzeption und die Ebene der Figurencharakterisierung. Wir verstehen unter Figurenkonzeption das anthropologische Modell, das der dramatischen Figur zugrunde liegt, und die Konventionen seiner Fiktionalisierung und unter Figurencharakterisierung die formalen Techniken der Informationsvergabe, mit denen die dramatische Figur präsentiert wird. Für die Techniken der Figurencharakterisierung läßt sich, ausgehend vom Kommunikationsmodell dramatischer Texte, ein überhistorisches Repertoire erstellen; die historische Spezifik eines einzelnen Textes oder einer einzelnen historischen Textgruppe läßt sich dann als je spezifische Selektion aus diesem Repertoire fassen. Im Gegensatz dazu ist die Figurenkonzeption eine rein historische Kategorie, ein historisch und typologisch variabler Satz von Konventionen, und lassen sich die Vielfalt historisch realisierter Menschenbilder und ihre dramatischen Konkretisierungen nicht auf ein überhistorisches Repertoire von Möglichkeiten zurückbeziehen. Wir müssen daher bei unseren Erwägungen zur Figurenkonzeption notwendig selektiv bleiben und uns auf einige wichtige, allgemeinere Parameter beschränken. Schließlich sei noch einleitend darauf hingewiesen, daß Figurenkonzeption und Figurencharakterisierung keine voneinander unabhängige Kategorien sind, sondern eine bestimmte Figurenkonzeption eine bestimmte Selektion aus dem Repertoire der Charakterisierungstechniken mitbedingt.

5.4.1 Figurenkonzeption

5.4.1.1 Drei Dimensionen

In einem Kapitel zur dramatischen Figur in *Dynamics of Drama* nennt B. Beckermann drei Dimensionen, die für eine Typologie von Figurenkonzeptionen relevant sind: Weite, Länge und Tiefe.[34] Er versteht dabei unter WEITE "the range of possibility inherent in the dramatic figure at the commencement of the presentation" (S. 214), die Bandbreite der Entwicklungsmöglichkeiten einer Figur, ihre Offenheit bzw. Festgelegtheit, unter LÄNGE die von ihr zurückgelegte Entwicklung aufgrund von Veränderungen, Verstärkungen oder Enthüllungen und unter TIEFE die Beziehung zwischen dem äußeren Verhalten und dem inneren Leben. Diese drei Dimensionen können jedoch, da sie zu allgemein und zu wenig differenziert sind, unserer Analyse nur einen ersten Orientierungsrahmen geben, innerhalb dessen wir eine Reihe oppositiver Modelle zur Figurenkonzeption entwerfen wollen.

5.4.1.2 Statische vs. dynamische Figurenkonzeption

Beckermanns Dimensionen der Weite und der Länge geben den Rahmen für eine Unterscheidung von statisch vs. dynamisch konzipierten Figuren ab. Eine statisch konzipierte Figur bleibt sich während des ganzen

Textverlaufs gleich; sie verändert sich nicht, wenn sich auch das Bild des Rezipienten von dieser Figur durch das notwendige Nacheinander der Informationsvergabe erst allmählich entwickeln, vervollständigen und dabei eventuell verändern kann. Im Gegensatz dazu entwickeln sich dynamisch konzipierte Figuren über den Textverlauf hinweg, bleibt ihr Satz von Differenzmerkmalen nicht konstant, sondern verändert er sich entweder in einer kontinuierlichen Entwicklung oder diskontinuierlich-sprunghaft. Hier verändert sich also nicht nur das Bild, das sich der Rezipient von einer Figur in jeder Phase des Textablaufs aufgrund der ihm zur Verfügung stehenden Informationen macht, sondern die Figur selbst.[35] Was wir hier rein deskriptiv als zwei kontrastive Möglichkeiten der Figurenkonzeption einander gegenüberstellen, ist häufig wertend hierarchisiert worden. So verabsolutiert zum Beispiel Hebbel in *Mein Wort über das Drama* (1843) die dynamisch konzipierte Figur normativ zur allein dramatischen Figur:

> Von der allergrößten Wichtigkeit (. . .) ist die Behandlung der Charaktere. Diese dürfen in keinem Fall als fertige erscheinen, die nur noch allerlei Verhältnisse durch- und abspielen und wohl äußerlich an Glück und Unglück, nicht aber innerlich an Kern und Wesenhaftigkeit gewinnen und verlieren können. Dies ist der Tod des Dramas, der Tod vor der Geburt. Nur dadurch, daß es uns veranschaulicht, wie das Individuum im Kampf zwischen seinem persönlichen und dem allgemein Weltwillen, der die Tat, den Ausdruck der Freiheit, immer durch die Begebenheit, den Ausdruck der Notwendigkeit, modifiziert und umgestaltet, seine Form und seinen Schwerpunkt gewinnt (. . .) – nur dadurch wird das Drama lebendig.[36]

Eine solche normative Festlegung ist natürlich selbst wieder historisch bedingt und muß im geistes- und sozialgeschichtlichen Kontext eines bestimmten Menschenbildes gesehen werden. So leitet sich Hebbels Postulat dynamischer Figuren deutlich aus seiner idealistischen Konstruktion eines autonomen Willens des Individuums im Konflikt mit der Notwendigkeit des Weltwillens ab. Setzt somit eine dynamische Figurenkonzeption im allgemeinen ein Menschenbild voraus, das durch die Autonomie des Bewußtseins bestimmt ist, so liegt einer statischen Figurenkonzeption oft eine Ideologie der sozialen, biologischen oder psychologischen Determination zugrunde. Darüber hinaus ist das Auftreten einer dynamischen oder statischen Figurenkonzeption auch typologisch bedingt, indem zum Beispiel die Figuren der Komödie oft statisch konzipiert sind und sich ihre Komik gerade in der starren, automatisierten Inflexibilität angesichts von Situationen manifestiert, die eine Verhaltensänderung erfordern würden, während die Figuren der Tragödie oft – wenn auch zu spät – zu neuen

Einsichten und Haltungen gelangen. Doch gilt auch diese Zuordnung keineswegs generell (es gibt ja auch tragische Figuren, die gerade wegen ihrer Starre scheitern, und komische Figuren, die sich in freiem Spiel entwickeln), sondern nur für bestimmte historische Modelle der Komödie und der Tragödie. Zudem sind nur selten alle Figuren des Personals eines Dramas einheitlich dynamisch konzipiert, denn selbst wenn die zentralen Figuren – wie etwa in *Macbeth* – dynamisch angelegt sind, weisen doch meist die Nebenfiguren das Merkmal der Statik auf. Dies gilt sogar für Hebbels eigene Dramen, deren Personal also nur zum Teil aus in seinem Sinn "dramatischen" Figuren besteht.

5.4.1.3 Ein- vs. mehrdimensionale Figurenkonzeption

Ein zweites Gegensatzpaar entnehmen wir E. M. Forsters *Aspects of the Novel*; es ist seine oft zitierte Unterscheidung von *flat* und *round characters*, von ein- und mehrdimensionalen Figuren, die für Dramenfiguren ebenso gilt wie für Romanfiguren, da sie unabhängig von der Kommunikationsstruktur des Textes ist.[37] Eindimensionale Figuren sind dadurch gekennzeichnet, daß sie durch einen kleinen Satz von Merkmalen definiert werden. In der extremsten Form reduziert sich dieser Satz auf eine einzige Idiosynkrasie, die, isoliert und übertrieben, die Figur zur Karikatur werden läßt. Ein Beispiel dafür ist Mrs. Malaprop in Sheridans Komödie *The Rivals* (1775), die auf den Charakterzug der Selbstüberschätzung ihrer Intelligenz und Attraktivität und auf die damit korrespondierende sprachliche Idiosynkrasie eines eitlen Renommierens mit unverstandenen und darum immer wieder falsch verwendeten Fremdwörtern festgelegt ist. Dieses Merkmal wird schon durch ihren sprechenden Namen und bei der ersten Erwähnung ihrer Person (I, ii) eingeführt und alle ihre Repliken und alle Äußerungen, die über sie fallen, bestätigen es dann nur noch. Sie sind daher gegenüber der expositorischen Informationsvergabe weitgehend redundant, wobei diese Redundanz den komischen Effekt starrer Wiederholung erzeugt.

An unserem Beispiel einer extrem eindimensional konzipierten Figur wird auch deutlich, daß ihre Eindimensionalität, ihre *flatness*, nicht nur darauf beruht, daß der Satz von Merkmalen, die sie definieren, sehr klein ist, sondern daß dieser Merkmalsatz darüber hinaus in sich stimmig und homogen ist – alle Informationen, die wir über Mrs. Malaprop erhalten, verweisen auf ihre eitle Selbstüberschätzung – und daß sich aus keiner der Figurenperspektiven ihrer Mitspieler eine davon abweichende Charakteristik ergibt. Im Gegensatz dazu wird eine mehrdimensional konzipierte Figur durch einen komplexeren Satz von Merkmalen definiert, die auf den verschiedensten Ebenen liegen und zum Beispiel ihren biographischen Hintergrund, ihre psychische Disposition, ihr zwischenmenschliches Verhalten unterschiedlichen Figuren gegenüber, ihre Reaktionen auf unterschiedlichste Situationen und ihre ideologische Orientierung betreffen können. In jeder Figurenperspektive und in jeder Situation scheinen neue Seiten ihres Wesens auf, so daß sich ihre Identität in einer Fülle von Facetten und Abschattungen dem Rezipienten als mehrdimensionales Ganzes erschließt.

5.4.1.4 Personifikation – Typ – Individuum

Die binäre Opposition ein- vs. mehrdimensionale Figurenkonzeption ist, wenn man den Schritt von idealtypischen Modellen zu konkreten historischen Texten macht, aufzulösen in ein kontinuierliches Spektrum von Zwischenformen. Drei Positionen innerhalb dieses Spektrums spielen dabei in Darstellungen der Geschichte des Dramas eine wichtige Rolle: Personifikation, Typ und Individuum. Die drei Begriffe sind in dieser Reihe geordnet nach dem Prinzip zunehmender Individualisierung der dramatischen Figur, nach einer wachsenden Menge charakterisierender Details.

Einer realen Figur gegenüber am abstraktesten ist die Personifikation, die sich im mittelalterlichen Moralitätendrama, aber auch noch in den barocken geistlichen Spielen der Jesuiten als dominante Form der Figurenkonzeption findet.[38] Hier ist der Satz von Informationen, die die Figur definieren, extrem klein und in seiner Totalität auf die Illustration eines abstrakten Begriffs in all seinen Implikationen hin ausgerichtet. So geht zum Beispiel die Personifikation eines Lasters in einem Moralitätendrama, etwa der *superbia*, völlig in der Funktion auf, die Ursachen und Auswirkungen dieses Lasters zu veranschaulichen; sowohl das Aussehen einer solchen Figur als auch ihre Repliken und ihr Verhalten sind von dieser Funktion her total bestimmt, und es findet sich keine charakterisierende Information, die nicht dem Paradigma *superbia* zuzuordnen wäre. Da es sich hier um ein allegorisches Verfahren handelt, tauchen solche Personifikationen meistens auch nicht vereinzelt auf, sondern im Systemzusammenhang eines allegorischen Paradigmas, etwa dem System der Sieben Todsünden, und werden sie durch ihre Situierung in diesem System noch weiter präzisiert.

Nicht ganz so einsinnig konzipiert ist dagegen der Typ, denn hier verkörpert ja die Figur nicht eine einzige Eigenschaft, einen einzigen Begriff, sondern einen ganzen, kleineren oder größeren, Satz von Eigenschaften. Sie repräsentiert nicht eine einzige Eigenschaft, sondern eine soziologische und/oder psychologische Merkmalkomplexion. Solche Typen können, wenn auch im konkreten Einzelfall häufig Überlagerungen auftreten, zweierlei Herkunft sein: entweder sind sie synchron aus der zeitgenössischen Charakterologie und Sozialtypologie bezogen, oder sie entstammen der diachronen Tradition vorgeprägter dramatischer Typen (*stock figures*). So ist etwa, als Beispiel für den ersten Fall, die Figurenkonzeption im elisabethanischen und jakobäischen Drama (Shakespeare, Ben Jonson u.a.) häufig von den charakterologischen Typen bestimmt, die die zeitgenössische Humoralpsychologie entwickelt hat, und so hat die Gattung der Charakterportraits, die in der Nachfolge Theophrasts um 1600 wieder aufgenommen wurde, dem Dramatiker ein Repertoire auch soziologisch definierter Typen – der Landjunker, der Gelehrte, der Höfling usw. – zur Verfügung gestellt. Als besonders bekanntes Beispiel für ein traditionell vorgeprägtes dramatisches Figurenstereotyp sei auf den *miles gloriosus* verwiesen, den prahlerisch bramarbasierenden, aber feigen "Kriegshelden", der auf eine lange Geschichte bis zur antiken Komödie zurückblicken kann.[39] Wenn ein solcher Typ auch in der Reihe seiner historischen Realisierungen immer wieder variiert wird, bleiben doch gewisse Grundstrukturen dabei konstant.

Abstrahiert der Typ vom Individuellen, um ein überindividuelles Allgemeines repräsentieren zu können und führt dies zu einer Beschränkung der Merkmale auf typische, so steht hinter einer als Individuum konzipierten Figur die Intention, das Einmalige und Unwiederholbare hervorzukehren. Dies ist nur greifbar in einer Fülle charakterisierender Details, die die Figur mehrdimensional auf vielen Ebenen – Aussehen, Sprache, Verhalten, Biographie usw. – individualisiert, über ihre soziale, psychologische und ideologische Typik hinaus spezifiziert. Eine solche Figurenkonzeption dominiert innerhalb der Dramaturgie des Naturalismus; hier steht die Figur nicht mehr allegorisch für einen bestimmten Begriff, den sie personifiziert, und illustriert sie nicht mehr einen überindividuellen Typ, sondern repräsentiert sie sich selbst und die Realität in ihrer Vielschichtigkeit und Kontingenz. Im klassizistischen Drama steht dieser Entwicklung zu einer individualistischen Figurenkonzeption die Betonung des funktionalen Bezugs entgegen, wie sie noch Gustav Freytag im neunzehnten Jahrhundert mit apodiktischer Schärfe formulierte: "Die Charaktere des Dramas dürfen nur diejenigen Seiten der menschlichen

Natur zeigen, durch welche die Handlung fortgeführt und motiviert wird."[40]

5.4.1.5 Geschlossene vs. offene Figurenkonzeption

Mit dem Gegensatz von ein- und mehrdimensionalen Figuren berührt, aber deckt sich nicht der Gegensatz zwischen einer geschlossenen und einer offenen Figurenkonzeption. Wir übernehmen diese idealtypische Opposition, die wieder nur Extrempositionen eines Spektrums von Möglichkeiten markiert, von E. Bentley, abstrahieren jedoch von dessen stark wertender Zuordnung:

> The 'great' characters – Hamlet, Phaedra, Faust, Don Juan – have something enigmatic about them. In this they stand in stark and solemn contrast to – for example – the people of the present-day psychological play who are fully *explained*. (. . .)
> If the final effect of greatness in dramatic characterization is one of mystery, we see, once again, how bad it is for us, the audience, to demand or expect that all characters should be either predefined abstract types or newly defined concrete individuals. A mysterious character is one with an open definition – not completely open, or there will be no character at all, and the mystery will dwindle to a muddle, but open as, say, a circle is open when most of the circumference has been drawn. Hamlet might be called an accepted instance of such a character, for if not, what have all those critics been doing, with their perpetual redefining of him? They have been closing the circle which Shakespeare left open.[41]

Dieser Differenzierung zwischen *fully explained* und *enigmatic characters* ist prinzipiell zuzustimmen, wenn auch das Bild des nicht ausgezogenen Kreises für die offene Konzeption irreführend ist. Denn ein nicht ausgezogener Kreis ist doch nicht wirklich offen im Sinn eines *mystery*, da er ja eindeutig, d. h. auf nur eine einzige Weise, vervollständigt werden kann. Zur offenen Figur gehört jedoch – und Bentleys Hinweis auf die Figur des Hamlet und die unterschiedlichen Konkretisationen in der Geschichte ihrer Rezeption macht das deutlich – ihre grundsätzlich irreduzible Mehrdeutigkeit. Die in Bentleys Bild implizierte Figurenkonzeption müssen wir daher dem Typ der geschlossenen Figurenkonzeption zuordnen und diese in zwei Untertypen subklassifizieren – eine geschlossene Figurenkonzeption, in der die Figur durch einen Satz explizit gegebener Informationen vollständig definiert wird, und eine, in der sie durch einen Satz teils explizit, teils implizit gegebener Informationen vollständig definiert wird. Im ersten Fall wird dem Rezipienten die Figur explizit und eindeutig definiert, im zweiten Fall zwar auch eindeutig, aber mit einer Implizitheit, die seine interpretatorische Aktivität herausfordert. In beiden Fällen dieser geschlossenen Figurenkonzeption erscheint dem Rezipienten der Satz von definierenden Informationen als vollständig und ohne unauflösbare Widersprüche. Anders verhält es sich bei der offenen Figurenkonzeption. Hier nimmt die Figur für den Rezipienten enigmatische Züge an, sei es, weil relevante Informationen – etwa zur Motivation der Figur – ausgespart bleiben, der Satz definierender Informationen vom Rezipienten also als unvollständig empfunden wird, sei es, weil unauflösbare Widersprüche zwischen den einzelnen Informationen auftreten, oder sei es, weil diese beiden Momente zusammenwirken.

Es fällt auf, daß unsere Differenzierung in zwei Untertypen einer geschlossenen Figurenkonzeption und in die offene Figurenkonzeption in den Unterscheidungskriterien analog zur Dreier-Typologie der Perspektivenstrukturen verfährt (s. o. 3.5.4). Das ist kein Zufall, sondern beruht darauf, daß die Figuren im Drama der a-perspektivischen Struktur explizit-geschlossen konzipiert sind, im Drama der geschlossenen Perspektivenstruktur implizit-geschlossene Figuren auftreten und im Drama der offenen Perspektivenstruktur offene Figuren. Damit soll freilich nicht gesagt sein, daß das gesamte Personal eines Dramas der geschlossenen bzw. offenen Perspektivenstruktur implizit-geschlossen, bzw. offen konzipiert ist. Und wie das Auftreten eines bestimmten Typs von Perspektivenstruktur an geistes- und sozialgeschichtliche Voraussetzungen gebunden ist und eine bestimmte gesellschaftliche Funktion des Textes impliziert, so ist auch das Auftreten etwa von offen konzipierten Figuren nicht einfach – wie Bentley meint – durch die *greatness* des Dramatikers bestimmt, sondern setzt ein bestimmtes anthropologisches Modell voraus – bei Hamlet etwa den philosophischen Kontext einer introspektiven Erkenntnisskepsis Montaignescher Prägung.

5.4.1.6 Transpsychologische vs. psychologische Figurenkonzeption

Eine letzte Unterscheidung, die wir hier treffen wollen, bezieht sich auf die Rolle des Bewußtseins einer Figur im Verhältnis zu ihren Emotionen und Affekten, ihrem Unterbewußtsein und ihrem physischen Sein. Wir gehen hierbei von einer Bemerkung K. Zieglers zur "Personalitätsstruktur", d.h. zur Figurenkonzeption, im klassischen Drama aus. Sie sei dadurch gekennzeichnet, daß hier die menschliche Person, psychologisch gesprochen, so gut wie ausschließlich in der Sphäre des Bewußtseins existiert – daß sie entscheidend durch das bestimmt wird, was sie bewußt von sich selber weiß und über sich selber aussagt. Freilich darf das personale Bewußtsein im Hinblick auf das klassische Drama der früheren Neuzeit gerade nicht 'psychologisch', sondern es muß vielmehr im Sinn des barocken Vernunftbegriffs transpsychologisch als Funktion objektiver Ideengehalte und Ideenordnungen verstanden werden – nicht so sehr als ein einmalig und eigenartig individueller Charakter, als ein irrational komplexes Bündel natürlicher Eigenschaften denn vielmehr als positiver oder negativer Stellenwert im hierarchischen Gefüge ethischer bzw. metaphysisch-religiöser Sinn- und Werthaftigkeiten (oder auch Sinn- und Wert*widrigkeiten*).[42]

Unter einer transpsychologisch konzipierten Figur verstehen wir demnach eine Figur, deren Selbstverständnis über das Maß des psychologisch Plausiblen hinausgeht, deren völlig rationaler und bewußter Eigenkommentar sie nicht mehr implizit als völlig rational und bewußt charakterisieren kann, sondern vielmehr auf eine episch vermittelnde Kommentarinstanz verweist, die "durch sie hindurch" die Figur in ein vorgegebenes Wertgefüge einordnet (s. o. 3.6.2.3). Die subjektiv begrenzte Perspektive der Figur wird hier also im Sinn einer a-perspektivischen Dramenstruktur durchbrochen, indem die Figur ihr Wesen mit einer Explizitheit und Bewußtheit ausspricht, über die sie gar nicht verfügen kann (s. o. 3.5.4.1). Eine solche transpsychologische Konzeption ist schon in der dramaturgischen Konvention der objektiven oder "unmittelbaren Selbsterklärung" realisiert, wie sie sich im mittelalterlichen Moralitätendrama und gelegentlich noch bei Shakespeare und seinen Zeitgenossen findet;[43] sie liegt häufig satirischen Figuren zugrunde, die dann gleichzeitig als Subjekt und Objekt der Satire fungieren, und sie läßt sich partiell auch noch an Figuren der Dramen Friedrich Schillers nachweisen, die ihr tragisches Dilemma mit einer Bewußtheit zu artikulieren vermögen, die dieses transzendiert. So hat V. Klotz mit Recht darauf hingewiesen, daß die Figuren des geschlossenen Dramas hochbewußt leben und – wie zum Beispiel Racines Phèdre in ihrer Liebesraserei, Orest auf der Flucht vor den Furien, Schillers Don Manuel und Don Cesar in ihrem eifersüchtigen Haß – ihre Leidenschaften distanziert analysieren können, auch wenn sie ihnen verfallen sind.[44] Schiller hat dies in seiner Abhandlung *Über den Gebrauch des Chors in der Tragödie* im Sinn einer idealistischen Dramaturgie theoretisch begründet:

Auch die tragischen Personen selbst bedürfen dieses Anhalts, dieser Ruhe, um sich zu sammeln; denn sie sind keine wirklichen Wesen, die bloß der Gewalt des Moments gehorchen und bloß ein Individuum darstellen, sondern ideale Personen und Repräsentanten ihrer Gattung, die das Tiefe der Menschheit aussprechen.[45]

Im Gegensatz dazu steht das realistische und naturalistische Drama, das seine Figuren gerade als mehrdimensionale Individuen und nicht als ideale Repräsentanten des Menschlichen konzipiert und darum das Bewußtsein der Figuren einschränkt und relativiert durch die Betonung der Irrationalität der Emotionen und Stimmungen, der unbewußten Beeinflussung durch Milieu und Atmosphäre, des Unterbewußten kollektiver Triebe und verdrängter traumatischer Erlebnisse. Schon die soziologische Struktur des Personals begünstigt dabei die Reduktion der Bewußtheit, indem nun häufig auch zentrale Figuren sozial niederen Standes sind und schon darum nur über eine gering entwickelte Rationalität und eine wenig differenzierte diskursive Artikulationsfähigkeit verfügen. Pathologische Ausnahmesituationen wie Wahnsinn und Fiebervisionen und Zustände der partiellen Bewußtseinsentäußerung wie Halbschlaf, Traum und Trunkenheit erschließen den Bereich des Unterbewußten; intensive physische Einflüsse wie Krankheit und Klima und die starken Eindrücke, wie sie vor allem durch die distanzlosen "Nahsinne" des Geruchs, des Geschmacks und des Tastsinns vermittelt werden, schränken die Bedeutung des Bewußtseins ein und führen den idealistischen Anspruch einer Autonomie des Bewußtseins *ad absurdum.* Auch hier zeigt sich also wieder, daß das Auftreten einer bestimmten Figurenkonzeption an sozial- und geistesgeschichtliche Voraussetzungen gebunden ist, wobei hier – in vergröbernder Vereinfachung – eine besondere Affinität zwischen idealistischen Denksystemen und einer transpsychologischen oder distanzierte Bewußtheit betonenden Figurenkonzeption einerseits und materialistischen Denksystemen und einer die Physis und das Un- und Unterbewußte betonenden Figurenkonzeption andererseits behauptet werden kann.

5.4.1.7 Identitätsverlust

Eine spezifisch moderne Variante in der Konzeption dramatischer Figuren liegt schließlich darin, daß die Figur in ihrer Identität problematisch wird. Damit ist nicht gemeint, daß der Figur selbst ihre Identität zum Problem wird, denn dies findet sich in Reflexionen über das Auseinanderrücken von Täter und Tat, Absicht und Ergebnis schon früh in dramatischen Texten; gemeint ist damit vielmehr das radikalere Phänomen der sinnfälligen Auflösung der Identität von Figuren für den Rezipienten. Zwei Möglichkeiten der szenischen Realisierung eröffnen sich hier, und beide sind im Bereich des expressionistischen Dramas realisiert: eine Figur spaltet sich in mehrere Figuren auf, oder mehrere Figuren vereinigen sich zu einer, bzw. werden ununterscheidbar.[46] In Yvan Golls satirischem Drama *Methusalem oder Der ewige Bürger* (1922) zum Beispiel spaltet sich die Figur des revolutionären Studenten, der die Tochter des Titelhelden verführt, im 5. Bild in drei Figuren auf, die gleichzeitig auf der Bühne präsent sind — in sein reales, nüchtern-kommerzielles Ich, sein idealistisches, romantisch-musisches Du und sein triebhaftes, erotisch-sexuelles Es. Dieses Auseinanderbrechen der Identität in einzelne miteinander widersprüchliche Aspekte ist deutlich von psychoanalytischen Konzeptionen beeinflußt. Umgekehrt werden im zweiten Teil von Georg Kaisers *Gas* (1920) die Figuren mit Ausnahme des Großingenieurs und des Milliardärarbeiters zu namenlosen, nur noch numerierten Automaten ohne jede Individualität, eingeteilt in die zwei Gruppen der "Blaufiguren" und "Gelbfiguren". Dieser szenisch konkretisierte Identitätsverlust zielt kritisch auf soziologische und ökonomische Entwicklungen ab, die hier nur mit Stichworten wie Vermassung, Automatisierung, Funktionalismus und Entfremdung angedeutet werden können. In beiden Fällen evident ist jedoch die historische Bedingtheit dieser Figurenkonzeption gefährdeter oder verlorener Identität.

5.4.2 Figurencharakterisierung

5.4.2.1 Repertoire der Charakterisierungstechniken

Das Repertoire möglicher Techniken der Figurencharakterisierung läßt sich aus dem Repertoire der Codes und Kanäle des dramatischen Texts entwickeln, wie wir es in 1.3.2 dargestellt haben. Dies war für die Kategorie der Figurenkonzeption nicht möglich, da diese ja der plurimedialen Realisierung im dramatischen Text vorgegeben ist. Dennoch sind die Kategorien der Figurenkonzeption und der Figurencharakterisierungstechnik nicht völlig unabhängig voneinander, da ja eine bestimmte Figurenkonzeption die Auswahl aus dem Repertoire der Techniken der Figurencharakterisierung mitbedingt. So bedingt etwa eine stark individualisierende, die Physis und das Unterbewußte betonende Figurenkonzeption eine verstärkte Auswahl außersprachlicher und impliziter Charakterisierungstechniken, während umgekehrt bei transpsychologischer Figurenkonzeption Techniken expliziter sprachlicher Charakterisierung sowohl quantitativ als auch qualitativ dominieren werden.

Wir schicken unserer kommentierten und durch konkrete Beispiele illustrierten Darstellung der wichtigsten Techniken der Figurencharakterisierung das Repertoire dieser Techniken in der Form eines Verzweigungsdiagramms voraus, um eine größere Übersichtlichkeit der Darstellung zu gewährleisten. Dieses Repertoire ist zwar aus dem übergreifenden Repertoire der Codes und Kanäle entwickelt, dabei hat es sich jedoch aufgrund der nun eingeengten Fragestellung – Informationsvergabe in bezug auf Figuren – als vorteilhaft erwiesen, nach zum Teil anderen Differenzierungskriterien zu klassifizieren. Das so gewonnene Verzweigungsdiagramm könnte in einzelnen seiner Positionen durchaus weiter differenziert werden; wir wollen uns jedoch im Kontext dieser Einführung auf die relevantesten Unterschiede beschränken. (S. 252)

Unser übergreifendes Klassifizierungskriterium geht von der Frage aus, ob die charakterisierende Information eine einzelne Figur zum Sender hat ("figural"), oder ob sie allein auf die Position des impliziten Autors als ihr Aussagesubjekt bezogen werden kann ("auktorial"). Sodann unterscheiden wir jeweils danach, ob diese Informationsvergabe explizit oder implizit erfolgt.[47] Damit kommen wir zu vier Klassen von Techniken der Figurencharakterisierung: explizit-figurale, implizit-figurale, explizit-auktoriale und implizit-auktoriale.

5.4.2.2 Explizit-figurale Charakterisierungstechniken

Die explizit-figuralen Charakterisierungstechniken[48] sind durchgehend sprachlich. Sie lassen sich aufteilen in den Eigenkommentar, in dem eine Figur gleichzeitig Subjekt und Objekt der Informationsvergabe ist, und den Fremdkommentar, in dem Subjekt und Objekt der Informationsvergabe nicht identisch sind. Im Eigenkommentar (s. o. 4.4.2.1) formuliert eine Figur explizit ihr Selbstverständnis, und im Fremdkommentar wird eine Figur explizit durch eine andere charakterisiert. Die Informationen, die dabei dem Rezipienten über eine Figur durch den Eigenkommentar dieser Figur und den Fremdkommentar durch andere Figuren zugespielt werden, brauchen sich nicht zu decken und decken sich auch in den meisten Fällen nicht oder nur partiell, da sie ja jeweils figurenperspektivisch gebunden sind.

Beim EIGENKOMMENTAR ist wiederum zu unterscheiden zwischen einem monologischen und einem dialogischen Eigenkommentar, da in diesen beiden Fällen der expliziten Selbstcharakterisierung ein unterschiedlicher Status der Glaubwürdigkeit zukommt. Es sind zwar sowohl der monologische als auch der dialogische Eigenkommentar figurenperspektivisch gebrochen, können also ein falsches und verzerrtes Selbstver-

Techniken der Figurencharakterisierung

figural

    explizit

        Eigenkommentar

            Monolog

            Dialog

        Fremdkommentar

            Monolog
                vor erstem Auftritt
                nach erstem Auftritt

            Dialog
                in praesentia
                in absentia
                    vor erstem Auftritt
                    nach erstem Auftritt

    implizit

        außersprachlich
            Physiognomie und Mimik
            Statur und Gestik
            Maske und Kostüm
            Requisit
            Schauplatz
            Verhalten

        sprachlich
            Stimmqualität
            sprachliches Verhalten
            Idiolekt/Soziolekt/Dialekt/Register
            stilistische Textur

auktorial

    explizit
        Beschreibung im Nebentext
        Sprechende Namen

    implizit
        Korrespondenz und Kontrast
        implizit charakterisierende Namen

ständnis artikulieren, das vom Rezipienten durchschaut werden muß; beim dialogischen Eigenkommentar kommen jedoch als weitere Verzerrungsfaktoren die strategischen Absichten und partnertaktischen Programme dazu, die die Figur ihrem Dialogpartner gegenüber verfolgt und die sie zu einer bewußt falschen Selbstdarstellung greifen lassen können. Die Möglichkeit der Selbsttäuschung wird also im dialogischen Eigenkommentar noch durch die Möglichkeit bewußter Verstellung überlagert.

Dieser unterschiedliche Status von monologischem und dialogischem Kommentar gilt natürlich in gleicher Weise für den FREMDKOMMENTAR. Hier ist zusätzlich jedoch zu unterscheiden, ob der dialogische Fremdkommentar in An- oder Abwesenheit der fremdkommentierten Figur gegeben wird, da bei einem dialogischen Fremdkommentar *in präsentia* wieder verstärkt mit strategischen und partnertaktischen Verzerrungen gerechnet werden muß. Und schließlich kommt dem Fremdkommentar ein unterschiedlicher Status zu, je nachdem, ob er vor dem ersten Auftritt oder nach dem ersten Auftritt der fremdkommentierten Figur gegeben wird. Der erste Fall stellt eine weit verbreitete Konvention der Auftrittsvorbereitung dar; schon John Dryden hat in seinem *Essay of Dramatic Poesie* (1668) darauf bei der Analyse einer Komödie Ben Jonsons hingewiesen:

> when he has any character of humour wherein he would show a *coup de maistre*, or his highest skill; he recommends it to our observation by a pleasant description of it before the person first appears.[49]

Der besondere Status eines solchen Fremdkommentars liegt darin, daß der Rezipient, da er sich ja von der Figur selbst noch kein eigenes Bild machen konnte, nicht über die Informationen verfügt, die es ihm erlauben würden, ihn hinreichend perspektivisch zu relativieren. Er wird damit in eine Haltung gespannter Erwartung auf den Auftritt der Figur versetzt, die noch dadurch intensiviert werden kann, daß er mit mehreren divergierenden Fremdkommentaren konfrontiert wird. Brillante Beispiele dafür sind etwa die Vorbereitung von Olivias Auftritt in Shakespeares *Twelfth Night* (I, i–v) und die Vorbereitung von Tartuffes Auftritt, die sich sogar über mehr als zwei Akte hinwegzieht (I, i–III, i).

Der explizite Eigen- und Fremdkommentar kann nicht isoliert betrachtet werden, da er immer mehr oder weniger stark durch implizite Selbstcharakterisierung überlagert wird. Durch die Art und Weise des expliziten Eigenkommentars charakterisiert sich gleichzeitig die Figur jeweils auf implizite Weise selbst, wobei die explizit vergebene Information durch die implizite entscheidend relativiert, ja sogar dementiert werden kann. Und analog charakterisiert sich eine Figur selbst implizit dadurch, wie sie eine andere Figur explizit kommentiert.[50] Hier wird deutlich, daß unsere Systematik von Charakterisierungstechniken nicht auf Einheiten abzielt, die in einzelnen Textsegmenten isoliert auftreten, sondern auf Verfahren, die einander ständig überlagern können.

Wir wollen das bisher Entwickelte nun am Beispiel konkretisieren. Wir wählen dazu ein zeitgenössisches Drama, Peter Nichols' *The National Health* (1969),[51] weil in ihm, als einem der realistischen Konvention folgenden, aber auch mit epischen Mitteln (Spiel im Spiel, epische Kommentatorfigur) experimentierenden Drama, eine differenzierte Vielfalt an Charakterisierungstechniken eingesetzt wird. Das Stück spielt in einem staatlichen Krankenhaus, worauf schon der Titel verweist; sein Personal zerfällt in die Gruppe der Patienten und die Gruppe der Pfleger und Ärzte; seine Geschehnisabläufe stellen den Alltag in einer Klinik dar. In diese primäre Spielebene eingelagert ist eine triviale Fernsehserie über die Welt der Ärzte und Krankenschwestern mit dem Titel "Nurse Norton's Affair". Innerhalb des primären Spiels dominiert nicht die Darstellung von Handlung, sondern die Darstellung der Figuren und ihrer unterschiedlichen Einstellungen zur Krankenhaussituation, wobei der Fokus der Darstellungen auf alle Figuren relativ gleichmäßig verteilt ist, eine Unterscheidung von Haupt- und Nebenfiguren also entfällt. Wir können daher ziemlich willkürlich eine Figur als Analysebeispiel herausgreifen – die Figur des an Magengeschwüren leidenden Patienten Ash, eines ehemaligen Lehrers, der wegen seiner homosexuellen Neigungen den Dienst quittieren mußte und an seinem jetzigen Beruf als Büroangestellter, an der Trennung von seiner Frau und an der Entfremdung von seinem Adoptivsohn leidet.

Die Figur des Ash ist, wie alle Figuren im primären Spiel, statisch konzipiert: sein Charakter und seine Ansichten sind unabänderlich durch sein Milieu, seine Physis und seine Biographie geprägt. Im Gegensatz dazu sind die Figuren im Spiel im Spiel dynamisch konzipiert; ihre Fähigkeit zu abrupten Verhaltens- und Meinungsänderungen garantiert eine erbauliche Lösung des oberflächlich anzitierten Rassenproblems. Der Kontrast dieser beiden Figurenkonzeptionen impliziert eine Kritik an den ideologischen Voraussetzungen trivialer Dramatik und ein anti-idealistisches Menschenbild. Ash erscheint als mehrdimensional konzipiertes Individuum (wieder im Gegensatz zu den einsinnig angelegten Typen des Spiels im Spiel), das auch in Hinblick auf den Bereich des Unbewußten transparent gemacht wird. Trotz dieser Vielschichtigkeit präsentiert er sich jedoch dem Rezipienten als geschlossen konzipierte Figur, die durch die

Summe der Informationen über sie eindeutig und vollständig definiert wird.

Ungewöhnlich häufig findet sich bei Ash im Vergleich zu allen anderen Figuren der explizite Eigenkommentar im Dialog. Unabhängig von den expliziten Inhalten dieser Eigenkommentare wird er also schon implizit durch deren Häufigkeit als über sich reflektierender und dialogische Intimität und Vertraulichkeit suchender Charakter präsentiert und in dieser Beziehung von den übrigen Patienten abgehoben, denen es an reflektierender Distanz zu sich selbst mangelt und die monologisch in sich eingesponnen sind. Wiederkehrende Themen seines expliziten Eigenkommentars sind seine Krankheit – er stellt sich dem Neuankömmling Loach in grimmiger Selbstironie explizit als "Mervyn Ash, tummy ulcer" vor (S. 17) – und, mit geradezu obsessiver Rekurrenz, seine Biographie:

> Handling the young is my vocation. My first year at teachers' college was a benediction. I felt: I have come home, this is where I belong. Amongst people of my own kidney. (. . .)
> I've always been able to handle boys. Why did I leave it? You may well ask. A matter of preferment. Nepotism. Muggins here didn't give the secret handshake, never got tiddly in the right golf-club. I didn't have the bishop's ear. You scratch my back, I'll scratch yours. I wasn't smarmey enough by half. (S. 30 f)

Dieser erste Eigenkommentar zu seiner Biographie kann aufgrund seiner Lückenhaftigkeit und seiner mangelnden Plausibilität vom Rezipienten als perspektivisch und strategisch verzerrt durchschaut werden, auch wenn er zu diesem Zeitpunkt noch über keine gesicherten Korrektivinformationen verfügt. Gerade dieser Informationsentzug regt ihn zu Hypothesenbildung und zu gesteigerter Aufmerksamkeit für implizite Charakterisierung an. Deutlicher wird sein Eigenkommentar in einem späteren Dialog, wieder mit Loach, um dessen Zuneigung er ständig wirbt:

> When I was forced to give up teaching, I had a mental break-down. They made that an excuse for getting rid of me, but it was they who'd caused it. In fact, I could lay my perforated ulcer directly at their doorstep. (S. 68).

Hier wird zwar deutlich, daß Ash sein Lehramt nicht quittierte, sondern gegen seinen Willen entlassen wurde; der Grund seiner Entlassung, die homosexuelle Verfehlung, wird aber auch hier wie in allen seinen Repliken nicht explizit genannt. Eine wichtige, die Figur definierende Information ist also völlig aus dem Bereich expliziter Informationsvergabe in den Bereich impliziter Darstellung abgedrängt. Auf diese nur implizit gegebene, vom Rezipienten zu erschließende Information ist auch das zu beziehen, was Ash an expliziter Lebensphilosophie artikuliert – sein "belief in reincarnation", sein "belief that we can store up character in life after life until we attain perfection" (S. 69), seine elitäre Erziehungs- und Selbstbildungsideologie (S. 107f). Sie wird vom Rezipienten als der verzweifelte Versuch durchschaut, dem Leben Sinn zu verleihen und sich vor sich selbst zu rechtfertigen.

Diese Fähigkeit des Rezipienten, Ash's explizite dialogische Eigenkommentare als perspektivisch und strategisch verzerrt relativieren zu können, ergibt sich nicht nur daraus, daß ihm auch implizit Informationen über Ash zugespielt werden, sondern auch aus dessen monologischen Eigenkommentaren. Sie sind zwar, der realistischen Konvention entsprechend, nur sehr knapp, erlauben jedoch einen unverstellten Einblick in sein Un- und Unterbewußtsein, da sie, wieder der realistischen Konvention entsprechend, als Sprechen im Schlaf psychologisch motiviert sind. Seine beiden monologischen Ausrufe –

No . . . no . . . please don't do that . . . (S. 9) –

und

That boy – I warn you . . . (S. 35) –

verweisen in ihrem Gestus der Abwehr und Warnung auf seine verdrängte Homosexualität, die er in seinen wachen und bewußten Eigenkommentaren erfolgreich tabuisiert.

Explizite Fremdkommentierung spielt in *The National Health* als Charakterisierungstechnik eine nur sehr untergeordnete Rolle, da die Figuren, durch ihre Krankheit reflexiv auf sich selbst zurückbezogen, wenig Notiz voneinander nehmen und meist monologisch nebeneinanderher existieren und reden. Dem entspricht, daß Ash nur zweimal zum Objekt eines expliziten Fremdkommentars wird, und daß das Subjekt dieses Fremdkommentars, Barnet, als Krankenpfleger außerhalb der Welt der Patienten steht und als epische Kommentatorfigur am Rand der dramatischen Fiktion angesiedelt ist. Beide Male handelt es sich um einen dialogischen Fremdkommentar *in praesentia* und beide Male ist das Thema Ash's Homosexualität:

BARNET: I think they [Homosexuelle] can be useful members of society, long as they sublimate their libidos. Look at male nurses.

FLAGG: You're a male nurse.

BARNET: I'm an orderly, thank you. No connection with the firm next door, Fairies Anonymous. Ballet dancers. Scout masters. Teachers. There you are. Teachers? We had a master when I was a kid, name of Nash, we called him Nance. Everyone knew but him.

ASH: I bet he did know.
BARNET: What?
ASH: His nickname. You always do. The boys think you don't but you do.
BARNET: Did you know yours?
ASH: Cinders.
BARNET: Short for Cinderella, was it? (. . .)
ASH: No. (*Laughs.*) A play on words. My name Ash, you see. Cinders – Ash.
  (S. 99 f)
BARNET: I suppose young Ken arouses your old interest in boys?
ASH: Once a teacher, always a teacher, eh, Kenny? (S. 104)

Barnet spricht hier in äußerst durchsichtiger Weise aus, was Ash zu verbergen sucht. Damit charakterisiert er jedoch nicht nur Ash explizit als
Homosexuellen, sondern er charakterisiert implizit sich selbst als jemand,
der aus Freude am Obszönen sich keine Gelegenheit zu sexuellen Zwei-
deutigkeiten entgehen läßt und dabei alle Regeln des Takts mißachtet.

5.4.2.3 Implizit-figurale Charakterisierungstechniken

Die implizit-figuralen Charakterisierungstechniken sind nur zum Teil
sprachlich, da sich eine Figur ja nicht nur durch die Art und Weise
ihres Sprechens, sondern auch durch ihr Aussehen, ihr Verhalten und
den Rahmen, den sie für sich schafft (Bekleidung, Requisiten, Interieurs),
implizit selbst darstellt. Dramatiker haben die Bedeutung dieser impliziten Charakterisierung immer wieder hervorgehoben; so Lessing im
Neunten Stück der *Hamburgischen Dramaturgie:*

> Es ist recht wohl gehandelt, wenn man, im gemeinen Leben, in den Charakter
> anderer kein beleidigendes Mißtrauen setzt; wenn man dem Zeugnisse, das
> sich ehrliche Leute untereinander erteilen, allen Glauben beimißt. Aber darf uns
> der dramatische Dichter mit dieser Regel der Billigkeit abspeisen? Gewiß nicht;
> ob er sich schon sein Geschäft dadurch sehr leicht machen könnte. Wir wollen
> es auf der Bühne sehen, wer die Menschen sind, und können es nur aus ihren
> Taten sehen. (. . .) Es ist wahr, in vierundzwanzig Stunden kann eine Privatper-
> son nicht viel große Handlungen verrichten. Aber wer verlangt denn große?
> Auch in den kleinsten kann sich der Charakter schildern; und nur die, welche das
> meiste Licht auf ihn werfen, sind, nach der poetischen Schätzung, die größten.[52]

Betont Lessing hier die implizite Selbstcharakterisierung einer Figur vor
allem durch ihr Handeln, so fordert Hebbel vor allem die implizite
sprachliche Selbstcharakterisierung. Er lehnt den expliziten Eigenkommentar völlig ab und verlangt im Gegensatz dazu eine implizite, indirekte

Selbstdarstellung der Figur durch die Art und Weise, wie sie sich sprachlich auf ihre Umwelt bezieht:

> Wenn der Dichter Charaktere dadurch zu zeichnen sucht, daß er sie selbst sprechen läßt, so muß er sich hüten, sie über ihr eigenes Inneres sprechen zu lassen. Alle Äußerungen müssen sich auf etwas Äußeres beziehen; nur dann spricht sich ihr Inneres farbig und kräftig aus, denn es gestaltet sich nur in den Reflexen der Welt und des Lebens.[53]

Wir sehen, das Verhältnis von expliziter und impliziter Charakterisierung wurde schon in normativen Dramentheorien ausführlich diskutiert; es erscheint dabei im Kontext einer allgemeineren Opposition, die in der englischen Renaissance in rhetorischen Kategorien als *telling* vs. *showing* umschrieben wurde. Die Entscheidung zugunsten einer Dominanz des Impliziten ist damit eine Entscheidung zugunsten eines konkreten, die Aktivität des Rezipienten fordernden *showing* gegenüber einem abstrakten, den Rezipienten entlastenden *telling*. Die Begründung dieser Entscheidung liegt, rhetorisch formuliert, in der höheren Evidenz und Anschaulichkeit und damit in der höheren Überzeugungskraft des Konkreten und Impliziten.

In der Gegenwart wurde der Blick für Phänomene der impliziten Selbstdarstellung vor allem durch die soziologische Forschung und die Theorie der zwischenmenschlichen Kommunikation geschärft, deren Ergebnisse Niklas Luhmann in folgender These bündig zusammenfaßt:

> Alles Handeln ["Handeln" hier im weitesten Sinn] in Gegenwart anderer ist zugleich Kommunikation, macht nicht nur das Handeln und seine nächsten Wirkungen sichtbar, sondern gibt zugleich Aufschluß darüber, wer der Handelnde ist.[54]

Nun sind die Kategorien und Ergebnisse dieser Arbeiten, für die hier abkürzend nur Goffmans *The Presentation of Self in Everyday Life* (1959) und Watzlawicks, Beavins und Jacksons *The Pragmatics of Human Communication* (1966) genannt werden sollen, nicht ohne entscheidende Vorbehalte auf die Analyse fiktionaler Figuren zu übertragen. Dies ergibt sich schon daraus, daß das fiktionale Modell die empirische Realität notwendigerweise – wenn auch historisch variabel – verkürzen und stilisieren muß. Darüber hinaus kompliziert sich der Sachverhalt in dramatischen Texten dadurch, daß hier zwei Kommunikationsebenen – die zwischen den fiktiven Figuren und die zwischen den Figuren und dem Publikum – einander überlagern. Dennoch kann, bei Beachtung dieser kategorialen Unterschiede, ein soziologisch und kommunikationstheoretisch vertieftes Verständnis zum Beispiel für das Ineinanderspiel von unwillkürlicher und willkürlicher Selbstkundgabe[55] und von explizitem Inhalts- und implizitem Beziehungsaspekt[56] auch einer differenzierteren Analyse dramatischer Kommunikationsabläufe nützen.

Die IMPLIZITE SPRACHLICHE SELBSTCHARAKTERISIERUNG[57] brauchen wir hier nicht mehr in ihren verschiedenen Schichten theoretisch zu entwickeln, da wir das bereits im Zusammenhang mit der sprachlichen Konstituierung der Figur getan haben (s. o. 4.4.2.2). Wir können uns also jetzt darauf beschränken, die drei Aspekte der Stimmqualität, des sprachlichen Verhaltens und der stilistischen Textur am konkreten Beispiel, Peter Nichols' *The National Health*, zu illustrieren. Der Aspekt der Stimmqualität ist dabei einer Analyse am schwersten zugänglich, weil er in unserem Fall weder im Nebentext (etwa in Form einer Regieanweisung) noch im Haupttext (etwa in Form einer Thematisierung von Ash's Stimmqualität im Fremdkommentar einer anderen Figur) schriftlich fixiert ist. Im plurimedialen Text jedoch muß dieser Aspekt zum Tragen kommen. So sprach zum Beispiel Robert Lang, der Schauspieler der Rolle des Ash in der Londoner Uraufführung am National Theatre (16.10.1969), dessen Repliken mit einer weichen und kultivierten, gelegentlich jedoch leicht schrill und hektisch werdenden Stimme, die Ash's Bildungsanspruch und seiner Sensibilität, aber auch seiner psychischen Labilität deutlich Ausdruck verlieh. – Was das sprachliche Verhalten betrifft, so ist dies bis zu einem gewissen Grad im schriftlichen Textsubstrat fixiert, kann jedoch noch durch die Regie und den Schauspieler, etwa durch Pausierung und Sprechtempovariationen, nuanciert werden. Wir haben als ein charakterisierendes Moment von Ash's sprachlichem Verhalten bereits auf die Häufigkeit seiner Eigenkommentare im Dialog hingewiesen, die ihn als reflektierten und sich selbst problematisch erscheinenden Charakter kennzeichnen, dem daran liegt, von seinen Partnern positiv gewürdigt zu werden. Er ist es auch, der immer wieder den dialogischen Kontakt mit seinen Mitpatienten sucht und initiiert, und dieses Kontaktbedürfnis wird noch dadurch verdeutlicht, daß er den sprachlichen Kontakt möglichst intim zu gestalten versucht, indem er seine Dialogpartner häufig mit dem Vornamen oder einem Kosenamen anredet. Dabei verletzt er nie die gesellschaftlichen Regeln des Takts, sondern geht er höflich auf seine Gesprächspartner ein, läßt sich nicht durch grobe Rüpeleien provozieren und ist um Ausgleich und Verständnis bemüht. – Die stilistische Textur seiner Repliken hebt ihn, der kompetent über einen elaborierten Code verfügt, von seinen Gesprächspartnern ab, die überwiegend den restringierten Code der Unterschicht sprechen. Sein bewußtes Festhalten an den

gesellschaftlichen Stilnormen des "nicely spoken" (S. 107) und der dia-
lektfreien "decent voice" (S. 21), die er metasprachlich thematisiert, macht
deutlich, daß die kultivierte Sprache für ihn ein Statussymbol ist, das
Symbol für einen gesellschaftlichen Status, den er real jedoch bereits ver-
spielt hat. Über die Sprache identifiziert er sich immer noch mit der *upper
class*, obwohl diese ihn deklassiert hat. Er verwendet häufig Abstrakta,
bedient sich komplexer Satzmuster und artikuliert Repliken von logischer
Kohärenz; vor allem seine häufige Verwendung von Fremdwörtern, von
entlegeneren biblischen Anspielungen – z. B. auf die Schweine von Gadara
(S. 11 u. 103) – und von lateinischen Zitaten (S. 104) im Dialog mit Gesprächspartnern, die diese nicht verstehen können, zeugt jedoch von
einem gewissen verbalen Imponiergehabe, das nicht der Komik entbehrt.
Diese Komik wird gelegentlich durch deutliche Stilregisterkontraste pointiert, so zum Beispiel im folgenden Replikenwechsel:

> ASH: (. . .) People with dependant natures, we have to draw our strength from
> where we can. Help each other.
> LOACH: Man needs a mucker. (S. 69)

Sie gipfelt in der vorletzten Szene, in der Ash dem völlig sprachunfähigen
Idioten Ken, dem Opfer eines Motorradunfalls, beredt von der "tongue
that Shakespeare spake" vorschwärmt (S. 107).

Die IMPLIZITE AUSSERSPRACHLICHE SELBSTCHARAKTERISIERUNG ist nur
zum Teil im schriftlichen Textsubstrat fixiert und fixierbar (s. o. 2.1). So
hängen Physiognomie und Mimik, Statur und Gestik weitgehend von den
physischen Vorgaben und den darstellerischen Möglichkeiten des Schauspielers ab, den der Regisseur in Hinblick auf seine Rollenadäquatheit
auswählt. Die Wahl Robert Langs für die Rolle des Ash überzeugte dabei durchaus, da sein länglich-ovales, weiches und etwas aufgeschwemm-
tes Gesicht die feminine Sensibilität dieser Figur gut ausdrückte und das ge-
pflegte Spiel seiner Hände Ash's Bemühungen um sprachliche Kultiviert-
heit als soziales Identifikationssignal entsprach. Neben solche vom Text
nicht direkt geforderte Gestik treten charakterisierende Gesten, die im
Nebentext explizit verlangt werden – etwa das wiederholte Auflegen
seiner Hände auf Loaches Knie (S. 69 u. 86), das seinem Bedürfnis nach
Intimität und Kontakt auch körperlich Ausdruck verleiht und auf seine
homoerotischen Neigungen verweist. – Sein Kostüm ist durch die Situation
bereits auf Schlafanzug oder Morgenmantel festgelegt, doch können auch
hier charakterisierende Unterschiede in bezug auf Eleganz des Schnitts und
Qualität des Materials herausgearbeitet werden. Auch den Requisiten
(s. u. 7.3.3.2) kommt charakterisierende Funktion zu, was in unserem

Text vor allem für das Krankenhauspersonal relevant ist. Weisen sie hier nur auf den Tätigkeitsbereich einer Figur hin, so finden sich im nicht-realistischen Drama konventionelle symbolische Requisiten, die eine Figur umfassender definieren – zum Beispiel Szepter und Krone den König, der Stab den Greis oder das Buch den Gelehrten.[58]

Ebenso wie den Requisiten kann auch dem Schauplatz (s.u. 7.3) die Funktion impliziter Selbstcharakterisierung zukommen, indem etwa der äußere Rahmen symbolisch das Bewußtsein einer Figur spiegelt – Lear auf der sturmumtosten Heide – oder eine Figur metonymisch durch ein Interieur umrissen wird, das sie als willkürliche oder unwillkürliche Kundgabe ihrer Persönlichkeit arrangiert hat. So wird Konsul Werle in Ibsens *Die Wildente* bereits vor seinem ersten Auftritt durch das Interieur charakterisiert, da es ja Ausdruck seines großbürgerlichen Status und Geschmacks ist:

> Bei Konsul Werle. Kostbar und behaglich eingerichtetes Arbeitszimmer; Bücherschränke und Polstermöbel; in der Mitte ein Schreibtisch mit Geschäftspapieren; brennende Lampen mit grünen Schirmen, die im Raum ein gedämpftes Licht verbreiten. Hinten eine offene Flügeltüre mit zurückgezogenen Vorhängen, durch die man in einen großen, eleganten Salon sieht, der hell erleuchtet ist von Lampen und Kerzen in Armleuchtern. (. . .)[59]

Und schließlich charakterisiert sich eine Figur implizit durch ihr Verhalten und ihre Handlungen. Dies ist ein so weites Feld, daß wir es nur durch einige konkrete Hinweise zu unserem Beispieltext abstecken können. So ist Ash's Verhalten seinen Mitpatienten und dem Krankenhauspersonal gegenüber gekennzeichnet durch eine zuvorkommende Hilfsbereitschaft und durch eine förmliche Höflichkeit, die einem bewußten Festhalten an Verhaltensnormen der *upper class* gleichkommt. Sich selbst gegenüber neigt er zu ironisch gebrochenem Selbstmitleid, wobei er seine Labilität und Weichheit durch Streben nach Ordnung, Korrektheit und Disziplin zu kompensieren versucht. Seine Handlungen werden von dem einzigen Ziel bestimmt, eine feste und intime Freundschaftsbindung anzuknüpfen. Die homosexuelle Motivation, die diesem Werben um Loach und dann um Ken zugrunde liegt, versucht er dabei sich selbst und den anderen gegenüber zu verdrängen und in Idealisierung der Freundschaft und pädagogischem Eros zu sublimieren und damit gesellschaftlich akzeptabel zu machen.

5.4.2.4 Explizit-auktoriale Charakterisierungstechniken

Explizit-auktoriale Charakterisierungstechniken werden in *The National Health* nicht verwendet. So verzichtet Peter Nichols auf die Möglichkeit einer expliziten Beschreibung seiner Figuren im Nebentext, eine Technik, die sich gerade im modernen Drama seit George Bernard Shaw häufiger findet (s. o. 2.1.2). Diese Technik entwickelte sich historisch aus der Liste der *dramatis personae*, die durch Kommentare ausgeweitet und episiert wird. Ihre Verwendung setzt voraus, daß dem schriftlich fixierten Textsubstrat ein Eigenwert für die Rezeption zukommt, der über eine Inszenierungsvorlage hinausgeht. Als Beispiel sei hier John Osbornes *Look Back in Anger* (1956) angeführt, wo der auktoriale Figurenkommentar von der Liste der *dramatis personae* abgelöst und in einen fortlaufenden, beschreibenden und interpretierenden Nebentext eingebettet ist:

> (. . .) Jimmy is a tall, thin young man about twenty-five, wearing a very worn tweed jacket and flannels. Clouds of smoke fill the room from the pipe he is smoking. He is a disconcerting mixture of sincerity and cheerful malice, of tenderness and freebooting cruelty; restless, importunate, full of pride, a combination which alienates the sensitive and insensitive alike. Blistering honesty, or apparent honesty, like his, makes few friends. To many he may seem sensitive to the point of vulgarity. To others, he is simply a loudmouth. To be as vehement as he is is to be almost non-committal.[60]

Die Figur wird hier in Hinblick auf ihr Aussehen, ihre Bekleidung und ihr charakteristisches Requisit beschrieben; bei der folgenden Charakterisierung der Persönlichkeitsstruktur und der Verhaltensweisen schreitet der Text dann jedoch von der Deskription zur wertenden Interpretation fort und rückt dabei Jimmy in eine kritische Perspektive, die eine naive Gleichsetzung des Autors mit seinem Protagonisten, wie sie in der schriftlich manifesten Rezeption der Bühnenaufführung, den Kritiken in der Presse, zu beobachten war, von vornherein unterlaufen sollte.

Eine zweite Technik explizit-auktorialer Figurencharakterisierung ist die Verwendung sprechender Namen. Namen wie Mr. Pinchwife, Lady Wishfort, Mrs. Loveit oder Sir Wilfull Witwoud, wie wir ihnen bei der Analyse des Personals der Restaurationskomödie begegnet sind, definieren eine Figur schon vor ihrem ersten Auftritt und legen sie auf ein kritisch beleuchtetes Merkmal fest. Wie dadurch die Perspektive des Rezipienten der Figur gegenüber gesteuert wird, haben wir schon in 3.5.3.1 dargestellt.

5.4.2.5 Implizit-auktoriale Charakterisierungstechniken

Zwischen solchen explizit sprechenden Namen und Namen, die ohne jede charakterisierende Funktion sind, gibt es ein ganzes Spektrum von Zwischenmöglichkeiten. Dabei handelt es sich schon um eine implizite auktoriale Charakterisierung. Van Laan nennt sie *interpretive names* im Gegensatz zum explizit sprechenden Namen.[61] Der Unterschied liegt zum einen darin, daß der *interpretive name* realistisch plausibel ist, also den realen Konventionen der Namensgebung entspricht, und zum anderen darin, daß der charakterisierende Bezug auf die Figur implizit ist. Wir haben in anderem Kontext (5.2.1) schon auf ein auch hier relevantes Beispiel verwiesen – den Namen von Ibsens Pfarrer Brand. "Brand" ist ein durchaus konventioneller Name; er bedeutet im Norwegischen sowohl "Feuer" als auch "Schwert". Beide Bedeutungen sind charakterisierend bezogen auf Pfarrer Brands eifernde Haltung des "Alles oder nichts" in seinem Kampf gegen die Kompromisse der orthodoxen Theologie und der herrschenden Kirchenpraxis. Der Unterschied zum explizit sprechenden Namen ist schon daraus ersichtlich, daß dieser charakterisierende Bezug dem Rezipienten durchaus entgehen kann, während dies bei einem explizit sprechenden Namen wie Sir Wilfull Witwoud wohl ausgeschlossen ist.

Die wichtigste Form der implizit-auktorialen Charakterisierung ist jedoch die Pointierung von KORRESPONDENZ- und KONTRASTRELATIONEN zu anderen Figuren.[62] Wir haben darauf schon bei unserer Analyse der Struktur des Personals hingewiesen (5.3.1.3), wobei es uns aber dominant um die Tatsache der Existenz dieser Relationen ging, während nun zu fragen ist, wie sie konkret aktualisiert werden. Eine Möglichkeit ist dabei, Korrespondenzrelationen im Haupttext selbst zu thematisieren und damit den Rezipienten zu einem kontrastierenden Vergleichen anzuregen. So betont zum Beispiel Ash Loach gegenüber, daß sie sich in ihrer sozialen Dysfunktionalität und ihrer Isoliertheit ähnlich sind – "We're in a very similar boat". (S. 85) –, wodurch gerade die Unterschiede im gesellschaftlichen Hintergrund, in den Bildungsvoraussetzungen und im Bewußtsein der beiden Figuren implizit verdeutlicht werden. Eine andere Möglichkeit ist, verschiedene Figuren entweder gleichzeitig oder nacheinander mit einer ähnlichen Situation zu konfrontieren, um sie durch ihre unterschiedlichen Reaktionen darauf voneinander abzuheben und zu individualisieren. In *The National Health* zum Beispiel tritt in I, ii eine alte Frau auf, die, von Bett zu Bett gehend, die Patienten durch eine kurze Predigt und das Verteilen religiöser Handzettel zu evangelisieren versucht. Die unterschiedlichen Reaktionen der Patienten auf diese Heilsbotschaft –

die lakonische Ablehnung des sterbenden Mackie, die Verständnisunfähigkeit des senilen Rees, die Skepsis Fosters und Ash's zustimmende Aufgeschlossenheit – erlauben es Peter Nichols, schon früh und mit dramatischer Ökonomie die ideologische Einstellung und die zwischenmenschliche Verhaltensweise einer ganzen Reihe seiner Figuren zu exponieren. Und schließlich können Figuren auch dadurch kontrastiv charakterisiert werden, daß sie sich in unterschiedlicher Weise über eine bestimmte Figur oder zu einem bestimmten Thema – in *The National Health* zum Beispiel zum Thema staatlicher Gesundheitsfürsorge – äußern. In allen aufgezählten Fällen, die keineswegs ein vollständiges Repertoire ausmachen, werden die Figuren dadurch einander vergleichend gegenübergestellt und damit implizit charakterisiert, daß ein deutlicher situativer oder thematischer Korrespondenzbezug zwischen ihnen etabliert wird.

6. GESCHICHTE UND HANDLUNG

6.1 GESCHICHTE, HANDLUNG UND SITUATION

6.1.1 Geschichte

6.1.1.1 Geschichte als Substrat von dramatischen und narrativen Texten

Seit Aristoteles' *Poetik* (Kap. 6 u. 14), und das heißt, von Anfang an, sind sich alle Theoretiker des Dramas darüber einig, daß der Makrostruktur jedes dramatischen Textes eine Geschichte zugrundeliegt, auch wenn sie diese unterschiedlich benannt und unterschiedlich eng oder weit definiert haben. Wir wollen "Geschichte" hier ganz formal und offen bestimmen, indem wir für eine Geschichte das Vorhandensein dreier Elemente fordern – eines oder mehrerer menschlicher, bzw. anthropomorphisierter Subjekte, einer temporalen Dimension der Zeiterstreckung und einer spatialen Dimension der Raumausdehnung. Geschichte in diesem Sinn liegt der Makrostruktur nicht nur jedes dramatischen, sondern auch jedes narrativen Textes zugrunde; die beiden Textsorten sind also aufgrund dieses Kriteriums nicht zu differenzieren.[1] Dramatische und narrative Texte unterscheiden sich jedoch aufgrund dieses Kriteriums von argumentativen Texten, deren Makrostruktur ein logisch oder psychologisch relationierendes Argument zugrundeliegt (Essay, Traktat, Predigt, "Reflexionslyrik" usw.), und von deskriptiven Texten, die einen konkreten und statischen Sachverhalt ("Deskript") beschreiben (Topographie, Frauenpreis, Charakterbeschreibung usw.). Die drei Kategorien, die der Makrostruktur eines Textes zugrunde liegen können, Geschichte, Argument und Deskript, lassen sich aufgrund der An- bzw. Abwesenheit der zeitlichen und räumlichen Dimension voneinander abheben. Die folgende Matrix soll dies verdeutlichen:

	Geschichte	*Argument*	*Deskript*
temporale Dimension	+	−	−
spatiale Dimension	+	−	+

Damit sei nicht behauptet, daß dramatischen und narrativen Texten nicht auch Argumente und Deskripte zugrundeliegen, sondern daß diese nicht ihre Makrostruktur bestimmen. Wir wollen diesen typologischen Ansatz jedoch nicht weiterverfolgen, da es uns hier ja nicht um einen umfassenden gattungstheoretischen Entwurf geht, sondern wir die Kategorien des Arguments und des Deskripts nur eingeführt haben, um die Kategorie der Geschichte kontrastiv zu verdeutlichen.[2]

Unsere Kategorie der Geschichte ist auf der Ebene des Dargestellten, nicht auf der Ebene der Darstellung situiert; die Geschichte liegt als das Präsentierte der Darstellung zugrunde und kann vom Rezipienten aus der Darstellung rekonstruiert werden. Daraus folgt, daß verschiedenen dramatischen Texten ein und dieselbe Geschichte zugrundeliegen kann, ja daß ein und dieselbe Geschichte in medial verschiedenen Texten dargestellt werden kann – wie zum Beispiel die Geschichte von Christopher Isherwoods Roman *Goodbye to Berlin* (1939), die in *I Am a Camera* (1954) von J. Van Druten ins Medium des Dramas, in *Cabaret* (1966) von J. Masteroff, J. Kander und F. Ebb ins Medium des *stage musical* und dann 1972 von Jay Allen und Bob Fosse unter dem gleichen Titel in das des *film musical* übersetzt wurde. Die Geschichte ist also allgemeiner und weniger konkret als jede ihrer Repräsentationen in einem dramatischen oder narrativen Text; sie ist das Gerüst der invarianten Relationen, das allen realisierten und möglichen Darstellungen gemeinsam ist. In diesem Sinn ist die knappe, die wesentlichen Züge und Zusammenhänge darstellende "Inhaltsangabe" eines Dramas, wie man sie in Schauspielführern oder Literaturlexika finden kann, der Geschichte näher als der so paraphrasierte dramatische Text selbst, aber auch eine solche Inhaltsangabe ist noch nicht die Geschichte selbst. Direkt zu fassen wäre sie nur in abstrakt schematisierter Modellierung; Verfahrensweisen dazu sind von der strukturalistischen Anthropologie, der Folkloreforschung und der Récit-Theorie jedoch erst in Ansätzen entwickelt.[3] Wir werden im Rahmen unserer Einführung in die Analyse des Dramas, die sich ja auf dramenspezifische Textformanten beschränken muß, im folgenden darauf nur kursorisch eingehen; ein umfassender Forschungsbericht und Systementwurf zu diesem Aspekt muß einem eigenen Band der Reihe *Information und Synthese* vorbehalten bleiben.

6.1.1.2 Geschichte vs. Fabel/Mythos/*plot*

Der Geschichte als einer Kategorie auf der Ebene des Dargestellten entspricht auf der Ebene der Darstellung die Fabel.[4] Beinhaltet die Geschichte das rein chronologisch geordnete Nacheinander der Ereignisse und Vorgänge, so birgt die Fabel bereits wesentliche Aufbaumomente in sich – kausale und andere sinnstiftende Relationierungen, Phasenbildung, zeitliche und räumliche Umgruppierungen usw. Diese Unterscheidung wurde schon von russischen Formalisten unter dem Begriffspaar "Fabel" und "Sujet" diskutiert und von J. Lotman wieder aufgegriffen:

> Fabel heißt die Gesamtheit der miteinander verbundenen Ereignisse, von denen in einem Werk berichtet wird (. . .) Im Gegensatz zur Fabel steht das Sujet: die gleichen Ereignisse, aber in ihrer *Darlegung*, in jener Reihenfolge, in der sie im Werk mitgeteilt werden, und in jener Verknüpfung, in der die Mitteilungen über sie im Werk gegeben sind.[5]

Dies entspricht (von der etwas verwirrenden terminologischen Inversion abgesehen, nach der unsere "Geschichte" bei Tomaševskij "Fabel" heißt und unsere "Fabel" "Sujet") der von uns getroffenen Unterscheidung. In der angelsächsischen Literaturtheorie entspricht ihr die vor allem in der Romantheorie entwickelte Unterscheidung von "*story*" und "*plot*". Nach ihr ist *story* – das Äquivalent für "Geschichte" – eine allein der "*time-sequence*" folgende Verkettung von Vorgängen, während *plot* zusätzlich durch "*causality*" bestimmt wird.[6] Wenn auch der Unterschied zwischen Geschichte und Fabel nicht durch das Moment der Kausalität allein hinreichend erfaßt ist, zielt doch die Differenzierung von *story* und *plot* in dieselbe Richtung.

Fabel und *plot* entsprechen dem Begriff des "Mythos" bei Aristoteles, ja übersetzen diesen häufig. Der Mythos ist bei Aristoteles die Anordnung (*synthesis*) von Ereignissen, wobei diese Anordnung durch eine Reihe von Prinzipien bestimmt wird, von denen die Kausalität nur eines ist.[7] Im Mythos wird aus der Geschichte ein Ganzes von überschaubarer Länge mit Anfang, Mitte und Ende. Die Definitionen von Anfang, Mitte und Ende machen deutlich, daß der Mythos einen in sich geschlossenen Kausalzusammenhang repräsentiert:

> Anfang ist, was selbst nicht notwendig auf ein anderes folgt, aus dem aber ein anderes natürlicherweise wird oder entsteht. Ende umgekehrt ist, was selbst natürlicherweise aus anderem wird oder entsteht, aus Notwendigkeit oder in der Regel, ohne daß aus ihm etwas weiteres mehr entsteht. Mitte endlich, was nach anderem und vor anderem ist. (S. 34)

Mit dem Prinzip der Ganzheit überschneidet sich zum Teil das Prinzip der Einheit des Mythos, das Aristoteles nicht schon dadurch gewährleistet sieht, daß der Mythos sich auf die Handlungen eines einzigen Helden beschränkt, sondern allein in einer derartigen Zusammensetzung der Teile, "daß das Ganze sich verändert und in Bewegung gerät, wenn ein einziger Teil umgestellt oder weggenommen wird" (S. 35). Von diesem Prinzip her muß er episodische Mythen ablehnen, weil in ihnen die Abfolge der einzelnen Episoden ohne Wahrscheinlichkeit oder Notwendigkeit erfolgt (S. 37).[8]

Diese Forderungen nach Ganzheit, Einheitlichkeit und kausaler Geschlossenheit von Mythos und Fabel können selbstverständlich nicht historisch verabsolutiert werden, da sie ja einen bestimmten historischen Standpunkt reflektieren. Sie sind auch und gerade in der modernen dramatischen Produktion nachdrücklich verletzt und in anti-aristotelischen Dramaturgien explizit verworfen worden. Brechts Konzeption eines "offenen" Dramenendes (s. o. 3.7.3.2) widerspricht zum Beispiel der aristotelischen Definition des Dramenendes, und Max Frisch, hierin ein Schüler Brechts, kritisiert die Forderung nach kausaler Geschlossenheit der Fabel aus der Perspektive eines veränderten Weltbilds ganz grundsätzlich:

> Die Fabel, die den Eindruck zu erwecken versucht, daß sie nur so und nicht anders habe verlaufen können, hat zwar immer etwas Befriedigendes, aber sie bleibt unwahr: sie befriedigt lediglich eine Dramaturgie, die uns als klassisches Erbe belastet: Eine Dramaturgie der Fügung, eine Dramaturgie der Peripethie [sic!]. Was dieses große Erbe anrichtet nicht nur im literarischen Urteil, sondern sogar im Lebensgefühl: im Grunde erwartet man immer, es komme einmal die klassische Situation, wo meine Entscheidung schlichterdings in Schicksal mündet, und sie kommt nicht. Es gibt große Auftritte, mag sein, aber keine Peripethie [sic!]. Tatsächlich sehen wir, wo immer Leben sich abspielt, etwas viel Aufregenderes: es summiert sich aus Handlungen, die zufällig bleiben, es hätte immer auch anders sein können, und es gibt keine Handlung und keine Unterlassung, die für die Zukunft nicht Varianten zuließe. (. . .) So bleibt, damit eine Geschichte trotz ihrer Zufälligkeit überzeugt, nur eine Dramaturgie, die eben die Zufälligkeit akzentuiert.[9]

6.1.2 Handlung

Wir haben mit dem Begriff "Geschichte" einen im Deutschen literaturtheoretisch noch kaum vorgeprägten Begriff eingeführt;[10] der Begriff der Handlung ist dagegen wesentlich weniger unverfänglich, da er in der Dramentheorie eine lange und nicht widerspruchsfreie Tradition hat und in unterschiedlicher Weise mit verwandten Begriffen wie "Vorgang", "Ereignis" oder "Geschehen" korreliert wurde.[11] Es bedarf also hier besonderer Sorgfalt in der Begriffsbestimmung und -korrelierung, will man dem Begriffschaos steuern und nicht weitere Bausteine nach Babylon tragen.

6.1.2.1 Handlung – Handlungssequenz – Handlungsphase

In bezug auf dramatische oder narrative Texte ist das Wort "Handlung" zunächst schon deswegen doppeldeutig, weil es normalsprachlich sowohl auf die einzelne Handlung einer Figur in einer bestimmten Situation als auch auf den übergreifenden Handlungszusammenhang des ganzen Texts verweisen kann. Wir wollen, um diese Doppeldeutigkeit aufzulösen, nur im ersten Fall von "Handlung" sprechen und im zweiten Fall, bei dem eine Aneinanderreihung von Handlungen vorliegt, von "Handlungssequenz".[12] Bei der konkreten Textanalyse wird es sich oft notwendig erweisen, zwischen diesen beiden Größenordnungen der Handlung und der Handlungssequenz eine oder mehrere weitere Segmentierungsebenen anzusetzen, die wir "Handlungsphasen" nennen wollen.[13] Auf die Kriterien solcher Binnensegmentierung werden wir weiter unten (6.4.1) näher eingehen.

6.1.2.2 Handlung vs. Geschichte

Zunächst ist jedoch der Begriff "Handlung" weiter zu präzisieren und sein Verhältnis zu "Geschichte" zu klären. Wir definieren mit A. Hübler Handlung als die "absichtsvoll gewählte, nicht kausal bestimmte Überführung einer Situation in eine andere".[14] Eine Handlung weist also immer eine triadische Struktur auf, deren Segmente die Ausgangssituation, der Veränderungsversuch und die veränderte Situation sind. Diese Dreigliedrigkeit findet sich in den meisten der neueren Handlungsdefinitionen strukturalistischer Provenienz. So definiert Bremond die Elementarsequenz eines Handlungsablaufs als den Dreischritt von einer Situation, die eine Handlungsmöglichkeit eröffnet, über die Aktualisierung dieser Möglichkeit zur erfolgreichen Situationsveränderung;[15] so beschreibt Todorov die Elementarstruktur der Erzählung als einen Übergang von einem Gleichgewicht zu einem anderen,[16] und so charakterisiert Lotman das "Ereignis", eine Einheit des Sujetaufbaus, die unserem Begriff der Handlung entspricht, als "Versetzung einer Figur über die Grenze eines semantischen Feldes", wobei sich wieder drei Segmente unterscheiden lassen (die Figur auf der einen Seite des semantischen Feldes, die Grenzüberschreitung der Figur und die Figur auf der anderen Seite des semantischen Feldes).[17]

Unserem Handlungsbegriff implizit sind die drei Elemente, die wir für eine Geschichte gefordert haben (ein menschliches Subjekt und eine temporale und eine spatiale Dimension), da die "absichtsvolle Wahl" ein menschliches Subjekt, die Situation eine spatiale Dimension und die Überführung einer Situation in eine andere eine temporale Dimension implizieren. Daraus folgt, daß jede Handlung und jede Handlungssequenz eine Geschichte oder Teil einer Geschichte ist; daraus folgt aber nicht, daß jede Geschichte nur oder auch nur zum Teil aus Handlungen oder Handlungssequenzen besteht. Denn das nicht weiter bestimmte menschliche oder anthropomorphe Subjekt unserer Definition von Geschichte wird in der Handlungsdefinition spezifiziert zu einem intentional wählenden Subjekt. "Geschichte" erweist sich also als der weitere Begriff, wobei Handlung durch die *differentia specifica* einer intentionalen Situationsveränderung von anderen Formen oder Bestandteilen von Geschichte abgegrenzt wird.

6.1.2.3 Handlung vs. Geschehen

Wir wollen diese anderen Formen oder Bestandteile von Geschichte, wieder A. Hübler folgend,[18] "Geschehen" nennen. Es liegt immer dann vor, wenn zwar die Bedingungen für eine Geschichte, nicht aber die für eine Handlung erfüllt sind. Das trifft zu auf Geschichten oder Teile von Geschichten, in denen entweder die menschlichen Subjekte unfähig zu einer intentionalen Wahl sind oder die Situation sich jeder Veränderung entzieht. Diese beiden Möglichkeiten schließen sich selbstverständlich nicht wechselseitig aus, sondern überlagern sich häufig.

Aus dem bisher Entwickelten ergeben sich zwei Konsequenzen für das Drama: (1) die Geschichte, die einem Drama zugrundeliegt, muß nicht in einer Sequenz von Handlungen aufgehen, sondern kann – und wird das auch häufig – in einer Abfolge von Handlungen und Geschehensabläufen bestehen. Und (2): es sind dramatische Texte denkbar und auch historisch realisiert, deren Makrostruktur nicht durch Handlung, sondern durch Geschehen bestimmt wird. Solche handlungslose Dramen finden sich besonders in der Moderne häufig, und diese Handlungslosigkeit, diese Reduktion der Handlung auf Geschehen, ist eine der wichtigsten strukturellen Transformationen des Dramas in der Moderne. Schon im naturalistischen Drama wurde durch die geistes- und sozialgeschichtlich bedingte Figurenkonzeption des nicht autonom über sich verfügenden, sondern genetisch und sozial determinierten und damit zu einer intentionalen Wahl nur begrenzt fähigen Individuums die Möglichkeit von Handlung entscheidend eingeschränkt und das Geschehen, das sich am Menschen und mit dem Menschen vollzieht, zum dominanten Paradigma von Geschichte. Auch im modernen Einakter, dessen Struktur meist durch eine einzige Situation bestimmt ist, dominiert das Geschehen über die Handlung, die ja *per definitionem* eine Abfolge von Situationen voraussetzt.[19] Das deutlichste und bekannteste Beispiel für diese Reduktion der Geschichte auf Geschehensabläufe stellen natürlich Dramen wie die Samuel Becketts dar. In *Waiting for Godot, Endgame* oder *Happy Days* ist die Unveränderbarkeit der Situation, in der sich die *dramatis personae* befinden, eine ihnen schon zur Selbstverständlichkeit gewordene Prämisse, und ihre permanenten verbalen und gestischen Beschäftigungen zielen von vornherein nicht mehr auf situationsveränderndes Handeln ab, sondern sind zum zeitvertreibenden Spiel verkommen. Das Geschehen nimmt hier also die Form eines Spiels an, das selbstzweckhaft und ziellos in sich kreist.

6.1.3 Situation

Unsere Unterscheidung zwischen Handlung und Geschehen rekurrierte auf den Begriff der "Situation", ohne daß wir diesen bisher näher erklärt hätten. Dies soll nun geschehen. Auch hier handelt es sich um einen Begriff, um den sich in einer langen philosophischen und literaturästhetischen Diskussion eine reiche konnotative Aura von Implikationen und Assoziationen gebildet hat.[20] Mit der Handlung hat der Begriff der Situation nicht nur diese Mehrdeutigkeit gemeinsam, sondern auch das Schicksal, zur zentralen Kategorie des Dramatischen erhoben worden zu sein. So formulierte der Dramatiker Wilhelm v. Scholz das "dramatische Gesetz", "Im Anfang ist die Situation",[21] und so erhebt D. Schnetz die dramatische Situation zum "konstituierenden Grundelement des Dramas".[22]

Von vornherein auszuschließen ist eine Situationsdefinition, die diesen Begriff auf der Ebene der Darstellung, nicht des Dargestellten, der Geschichte, ansiedelt. So verfährt zum Beispiel Steen Jansen in einer explizit ausformulierten Definition:

> Die *Situation* wird definiert als Resultat einer Aufteilung der textuellen Ebene in Teile, die abgeschlossenen Gruppen der szenischen Ebene entsprechen. Das heißt, wir werden bei der Analyse eines konkreten Textes die Grenze zwischen zwei Situationen dort setzen, wo eine Person auftritt oder abgeht, oder aber da, wo im Dekor ein Ortswechsel vonstatten geht.[23]

Was hier als Situation definiert wird, deckt sich mit dem Begriff der *scène* in der klassischen französischen Dramentheorie und des Auftritts in der herkömmlichen deutschen Terminologie (s. u. 6.4.2.2). Dabei handelt es sich jedoch um Oberflächensegmentierungen des Textverlaufs, nicht um Segmentierungseinheiten der zugrundeliegenden Geschichte. Dagegen kann in unserer Sicht ein Auftritt mehrere Situationen beinhalten und eine Situation in mehreren Auftritten realisiert werden.

Bei Situationsbegriffen, die auf der Ebene der Geschichte angesiedelt sind, ist zu unterscheiden, ob sie das Moment des Konflikts, des Antagonismus, als konstitutiv erachten oder nicht. Ersteres ist zum Beispiel der Fall bei der folgenden Definition von D. Schnetz: "Die dramatische Situation ist der momentane, gespannte Zustand, in dem kontrastierende Komponenten gleichzeitig wirksam sind".[24] Eine solche Definition führt über den Begriff der Situation die Kategorie des Konflikts in die Bestimmung des Dramas ein – eine Wesensbestimmung des Dramas, die zwar über weite Strecken der historischen Entwicklung des Dramas Gültigkeit hat, aber dennoch nicht historisch verabsolutiert werden darf, will man nicht gerade neuere Transformationen des Dramas verfehlen (s. o. 1.1.1).

Situation ist also so zu definieren, daß die Kategorie des Konflikts als ein fakultatives, nicht als ein konstitutives Moment erscheint, daß eine Situation also entweder konfliktgeladen, gespannt und von potentieller Dynamik sein kann oder aber konfliktlos, entspannt und statisch. Eine solche, beiden Möglichkeiten hin offene Definition gibt E. Souriau, wenn er Situation definiert als

la forme intrinsèque du système de forces qu'incarnent les personnages, à un moment donné,

als

la *figure structurale* dessinée, dans un moment donné de l'action, par un *système de forces* (. . .) incarnées, subies ou animées par les principaux personages de ce moment de l'action.[25]

Hier beziehen die Wendungen "*la forme intrinsèque*" und "*la figure structurale*" die Situation eindeutig auf die Tiefenstruktur der Geschichte, und hier ist die Formulierung "*système de forces*" offen genug, um alle möglichen antagonistischen, komplementären oder konfliktlosen, alle statischen und potentiell dynamischen Relationierungsmöglichkeiten der Figuren untereinander abzudecken.[26] Die konflikthaft strukturierte, gespannte Situation eröffnet die Möglichkeit eines situationsverändernden Handelns, durch das die Figuren in ein neues Beziehungssystem gebracht werden. In einer konfliktfreien, statischen Situation dagegen ist nur Geschehen möglich, es sei denn, sie wird durch eine Intervention von außen

(Hinzutreten neuer Figuren, Naturereignis, *deus ex machina* usw.) verändert.

6.2 DIE PRÄSENTATION DER GESCHICHTE

6.2.1 *Beschränkungen in der Präsentation der Geschichte*

Jeder dramatische Text präsentiert, wie wir gesehen haben, eine Geschichte, stellt sich diese nun dominant als Handlungssequenz, als Geschehensablauf oder als Verknüpfung von beiden dar. Dabei ergeben sich, wie schon bei der Präsentation von Figuren (s. o. 5.2.2), bestimmte Restriktionen aufgrund der kommunikativ-medialen Bedingungen des Dramas – die Abwesenheit eines vermittelnden Kommunikationssystems, die Plurimedialität und die Kollektivität von Produktion und Rezeption.[27] Diese Restriktionen werden besonders deutlich im Vergleich zu narrativen Texten, die ja auch eine Geschichte präsentieren, dabei aber über ein vermittelndes Kommunikationssystem verfügen, sich auf sprachliche Informationsvergabe beschränken, in der Regel individuell produziert und rezipiert werden und vom Umfang her variabler sind.

6.2.1.1 Das Prinzip der Sukzession

Aus der Abwesenheit eines vermittelnden Kommunikationssystems ergibt sich für die Präsentation der Geschichte das Prinzip der Sukzession. Es können zwar in den Repliken der Figuren Handlungsphasen narrativ nachgetragen werden, aber für die unmittelbar szenisch präsentierten Handlungsphasen gilt dieses Prinzip mit nur sehr wenigen, bewußt experimentierenden Ausnahmen (s. u. 7.4.2). Innerhalb des raum-zeitlichen Kontinuums einer Szene folgt die Präsentation strikt der Sukzession der Geschichte, und auch das Nacheinander der Szenen durchbricht diese nicht. Zwei aufeinander folgende Szenen präsentieren also normalerweise auch zwei aufeinanderfolgende Phasen der Geschichte; Überschneidungen treten dabei auch dann nicht auf, wenn diese Phasen von verschiedenen Konfigurationen getragen werden. Das Prinzip der Sukzession verbietet also Rückblenden, wie sie in narrativen Texten und im Film häufig auftreten, und schränkt die Möglichkeit, simultane Handlungs- und Geschehensabläufe szenisch zu präsentieren, auf solche Abläufe ein, die an denselben Schauplatz gebunden sind. Die dramatische Präsentation der Geschichte ist damit stärker auf ein "einsinniges" Nacheinander festgelegt als die narrative Präsentation, die eine Umstellung von ganzen Großabschnitten und eine Auffächerung und Verzweigung der Geschichte in nebeneinander herlaufende Handlungsphasen kennt.[28] Treten dennoch in dramatischen Texten solche Durchbrechungen der Sukzession auf, so impliziert dies eine Episierung, die Etablierung eines vermittelnden Kommunikationssystems, auf das sie als intentional ordnende und interpretierende Eingriffe bezogen werden (s.o. 3.6.2.1).

6.2.1.2 Das Prinzip der Konzentration

Aus der Plurimedialität und aus der Kollektivität von Produktion und Rezeption ergibt sich das Prinzip der Konzentration. Da in der dominant szenischen Präsentation der Geschichte im Drama die Geschichte nur in beschränktem Maß raffend dargestellt werden kann (s.u. 7.4.3.2) und da die Dauer der Präsentation durch die Aufnahmefähigkeit des Publikums begrenzt ist (s.o. 2.5.1), muß die zu präsentierende Geschichte von beschränktem Umfang sein.[29] Der Umfang der Geschichte ist dabei nicht ohne weiteres mit ihrer zeitlichen Erstreckung gleichzusetzen, da diese ja durch Zeitaussparungen bewältigt werden kann, sondern er ist vor allem in der Zahl der Handlungen und Geschehensabläufe begründet, die die Geschichte ausmachen. Zu diesem Prinzip der Konzentration gehört auch, daß in dramatischen Texten die bedingenden Umstände der Geschichte im Bereich der Soziologie und Psychologie nicht mit der Breite entfaltet werden können, die in narrativen Texten möglich ist. Kann ein psychologischer Roman die komplexesten Motivationsstrukturen und Charakterentwicklungen seiner Figuren mit minuziöser Ausführlichkeit analysieren und kann ein Gesellschaftsroman die Gesellschaft in all ihren Schichten und die Bedingtheit der Figuren durch ihr Milieu mit beliebiger Akribie darstellen, so muß ein dramatischer Text stark selektiv verfahren. Dieser Unterschied wird evident bei der Dramatisierung von narrativen Langtexten: sie bringt zwar einen Gewinn an konkreter Gegenständlichkeit, muß aber meist die Vorlage in bezug auf psychologische und soziologische Komplexität verkürzen.[30]

6.2.1.3 Bühnentechnische und gesellschaftliche Restriktionen

Schließlich ergeben sich aus der Plurimedialität des dramatischen Textes weitere Restriktionen. Diese sind schon einmal bühnentechnisch bedingt. Bestimmte Handlungs- und Geschehensabläufe lassen sich bei einem gegebenen Stand der Bühnentechnik nicht szenisch präsentieren, können also allenfalls über die Replik einer Figur sprachlich-narrativ vermittelt werden.[31] Die Grenze des bühnentechnisch Realisierbaren erreicht wohl Ibsen in *Peer Gynt* (1876), wenn er im Nebentext zum Beispiel die folgende szenische Präsentation eines Schiffsuntergangs fordert:

> Unter Land, zwischen Schären und Brechern. Das Schiff geht unter. Im Nebel erkennt man undeutlich die Jolle mit zwei Mann. Sie schlägt voll und kentert; man hört einen Schrei; dann alles still. Kurze Zeit später kommt die Jolle wieder zum Vorschein, kieloben auf den Wellen treibend. – Peer Gynt taucht in der Nähe des Bootes auf. (. . .) Klammert sich am Kiel des Bootes fest. Der Koch taucht auf der anderen Seite des Bootes auf. (. . .) Klammert sich ebenfalls am Kiel fest. (. . .) Sie kämpfen; der Koch schreit auf und läßt los; Peer Gynt packt ihn am Schopf. (. . .) Läßt ihn los.[32]

Diese Bühnenanweisungen setzen zu ihrer Realisierung die technischen Möglichkeiten der Filmprojektion voraus, die zur Entstehungszeit des Textes jedoch noch nicht zur Verfügung standen. Sie waren also überhaupt nicht in realistisches Bühnengeschehen umzusetzen, sondern konnten nur in symbolisch stilisierender Andeutung realisiert werden. Die Schwierigkeiten, die sich hieraus ergaben, sind wohl einer der wichtigsten Gründe dafür, daß *Peer Gynt* nur sehr selten aufgeführt und daher primär als Lesedrama rezipiert wurde und wird.

Neben die Restriktionen, die auf den begrenzten bühnentechnischen Möglichkeiten beruhen, treten Beschränkungen, die durch gesellschaftliche Normen des Schicklichen, des *decorum*, gesetzt werden. Sie betreffen oft die Darstellung von physischer Brutalität oder von Sexualität, die in der Geschichte des Dramas immer wieder tabuisiert wurde. So lehnt zum Beispiel Horaz in der *Ars Poetica* die szenische Präsentation grausiger Gewalttaten ab und empfiehlt ihre narrative Vermittlung im Bericht der Figuren:

> ne pueros coram populo Medea trucidet
> aut humana palam coquat exta nefarius Atreus
> aut in avem Procne vertatur, Cadmus in anguem.
> quodcumque ostendis mihi sic, incredulus odi.
> (V. 185–188)[33]

Was in rein sprachlicher Vermittlung durchaus als literaturfähig akzeptiert wird, wird in der konkreten Vergegenwärtigung des plurimedialen dramatischen Textes nicht toleriert. Dies zeigt auch ein Vergleich der Darstellung von Erotik und Sexualität in narrativen und dramatischen Texten: auch hier wurde und wird narrativen Texten ein höheres Maß an Freizügigkeit zugestanden als dramatischen Texten. Die lebendige Körperlichkeit des Dramas gefährdet die psychische Distanz, die Voraussetzung für eine ästhetische Rezeption des Dargebotenen ist,[34] und der Öffentlichkeitscharakter der Darbietung, die Kollektivität der Rezeption, senkt die Schwelle peinlichen Betroffenseins. Beides gilt für die private Rezeption eines rein sprachlichen narrativen Textes nicht.

6.2.2 Techniken der Präsentation

6.2.2.1 Szenische Präsentation vs. narrative Vermittlung

Wir haben gesehen, daß die Geschichte sowohl unmittelbar szenisch präsentiert als auch in den Repliken der Figuren narrativ vermittelt werden kann, und daß die zweite Technik der Präsentation die Funktion haben kann, bühnentechnische Restriktionen oder gesellschaftliche Tabuisierungen zu umgehen. Der Unterschied zwischen szenischer Präsentation und narrativer Vermittlung, zwischen "offener" und "verdeckter Handlung",[35] ist ein doppelter: die Präsentation in offener Handlung ist plurimedial und a-perspektivisch, die narrative Präsentation in verdeckter Handlung rein verbal und figurenperspektivisch. Wird im ersten Fall der Rezipient zum unmittelbaren Zeugen eines mit konkreter Anschaulichkeit dargestellten Geschehens, von dem er sich selbständig ein Bild machen kann, so ist er im zweiten Fall auf einen figurenperspektivisch gebrochenen und in seiner reinen Sprachlichkeit weniger konkret-anschaulichen Bericht angewiesen, bezieht er seine Informationen also "aus zweiter Hand". Dies gilt sowohl für die "räumlich verdeckte Handlung" im *off stage* simultan zum präsentierten Geschehen als auch für die "zeitlich verdeckte Handlung" in den ausgesparten Zeiträumen zwischen den Szenen und Akten.

Horaz stellt diese beiden Techniken in einem Vers der *Ars Poetica* bündig einander gegenüber,

> aut agitur res in scaenis aut acta refertur
> (V. 179),

um sie dann in ihrer unterschiedlichen Wirkung auf den Rezipienten zu werten:

> segnius inritant animos demissa per aurem
> quam quae sunt oculis subiecta fidelibus et quae
> ipse sibi tradit spectator.
> (V. 180–182)[36]

Dieser Wertung, nach der die unmittelbare szenische Präsentation prinzipiell publikumswirksamer ist und der narrativen Vermittlung allenfalls eine Surrogatfunktion dort zukommt, wo eine direkte Darstellung nicht überzeugend realisiert werden kann bzw. nicht schicklich wäre, ist nicht uneingeschränkt zuzustimmen. Denn die Darstellung in verdeckter Handlung hat nicht nur Ersatzfunktion gegenüber der szenischen Präsentation, sondern stellt ein wichtiges Mittel der dramatischen Ökonomie, der Fokus- und Emphasebildung und der Spannungsweckung dar. So ermöglicht die narrative Vermittlung im Bericht einer Figur die ökonomisch raffende Wiedergabe einzelner Phasen der Geschichte und damit die Bewältigung von Geschichten größeren Umfangs, als das bei rein szenischer Präsentation möglich wäre. Dieses Moment der Ökonomie wird besonders deutlich bei der narrativ vermittelten Exposition, die die geraffte Darstellung auch einer umfangreichen Vorgeschichte und damit die Konzentration der szenischen Präsentation auf die entscheidende Krisenphase der Geschichte erlaubt (s. o. 3.7.2).

Die Möglichkeit, zwischen direkter szenischer Darstellung und narrativer Vermittlung wählen zu können, ermöglicht es auch dem Dramatiker, bestimmte Phasen der Geschichte zu betonen, andere dagegen mehr im Hintergrund zu halten. Die Wahl zwischen den beiden Präsentationsmodi gehört also zu den strukturierenden und sinnstiftenden Aufbaumomenten der Fabel, denn durch sie wird die Geschichte akzentuiert und profiliert (s. o. 6.1.1.2). Dabei ist zu beobachten, daß das Verhältnis von offener zu verdeckter Handlung nicht rein werk- oder autorenspezifisch, sondern auch epochentypisch ist: in bestimmten historischen Epochen wird ein größerer Anteil der Geschichte in die verdeckte Handlung verlagert als in anderen.[37] So zeichnet etwa das Drama Senecas und seiner Nachfolger in der Renaissance eine starke Asymmetrie zugunsten der verdeckten Handlung aus, und so verdrängt auch das klassische französische Drama "alle sinnlich dynamische Aktion in die verdeckte Handlung und läßt sie nur durch Abstand und rhetorische Verarbeitung entstofflicht in die Szene ein".[38] Dadurch, daß Handlung und Geschehen hier dominant durch ein menschliches Bewußtsein gefiltert erscheinen, werden sie verinnerlicht, wird äußere Handlung und äußeres Geschehen zugunsten von inneren Bewußtseinsvorgängen in den Hintergrund gedrängt.

Und schließlich kann die verdeckte Handlung, vor allem die simultan mit der szenisch präsentierten Handlung verlaufende, räumlich verdeckte Handlung eine besonders starke affektive Wirkung auf den Rezipienten ausüben und ihn in extreme Spannung versetzen, wenn das nicht Gezeigte, sondern nur akustisch Angedeutete gerade durch seine nicht endgültige Festgelegtheit ihn das Äußerste antizipieren läßt. P. Pütz illustriert dies mit einem Beispiel aus der antiken Tragödie:

> Wenn Orest seine Mutter erschlägt, so ist das Geschehen den Blicken des Zuschauers entzogen; nur die Wehrufe geben Hinweise auf die verdeckte Handlung. Die Unsichtbarkeit zerstört nicht die dramatische Wirkung, sondern verstärkt die Spannung, da sie in der Phantasie des Zuschauers Vorstellungen weckt, in denen sich der Schauder mit der bangen Erwartung endgültiger Gewißheit verbindet.[39]

Viele der hier angeführten Momente fließen in einem der berühmtesten Beispiele für räumlich verdeckte Handlung im klassischen deutschen Drama zusammen, in der Hinrichtungsszene von Schillers *Maria Stuart* (V,x). Sicher ist hier die Wahl der narrativen Vermittlung auch pragmatisch motiviert, indem sich eine Enthauptung auf offener Bühne nur schwerlich glaubhaft darstellen läßt und sie in ihrer Gräßlichkeit die Geschmacksnormen der klassischen Ästhetik sprengen würde. Schiller versteht es jedoch, diese negative Ersatzfunktion durch ein ganzes Netz positiver Funktionalisierungen zu verschleiern und zu überformen. Er gestaltet die Szene als einen Monolog Leicesters, der in einem Raum nahe dem Hinrichtungsort die Exekution akustisch miterlebt:

> Ich lebe noch! Ich trag es, noch zu leben!
> Stürzt dieses Dach nicht sein Gewicht auf mich!
> Tut sich kein Schlund auf, das elendeste
> Der Wesen zu verschlingen! *Was* habe ich
> Verloren! Welche Perle warf ich hin!
> Welch Glück der Himmel hab ich weggeschleudert!
> – Sie geht dahin, ein schon verklärter Geist,
> Und *mir* bleibt die Verzweiflung der Verdammten.
> Wo ist mein Vorsatz hin, mit dem ich kam,
> Des Herzens Stimme fühllos zu ersticken?
> Ihr fallend Haupt zu sehn mit unbewegten Blicken?
> Weckt mir ihr Anblick die erstorbne Scham?
> Muß sie im Tod mit Liebesbanden mich umstricken?
> – Verworfener, dir steht es nicht mehr an,

In zartem Mitleid weibisch hinzuschmelzen,
Der Liebe Glück liegt nicht auf *deiner* Bahn,
Mit einem ehrnen Harnisch angetan
Sei deine Brust, die Stirne sei ein Felsen!
Willst du den Preis der Schandtat nicht verlieren,
Dreist mußt du sie behaupten und vollführen!
Verstumme Mitleid, Augen, werdet Stein,
Ich seh sie fallen, ich will Zeuge sein.
*(Er geht mit entschloßnem Schritt der Türe zu, durch welche
Maria gegangen, bleibt aber auf der Mitte des Weges stehen)*
Umsonst! Umsonst! Mich faßt der Hölle Grauen,
Ich kann, ich kann das Schreckliche nicht schauen,
Kann sie nicht sterben sehen – Horch! Was war das?
Sie sind schon unten – Unter meinen Füßen
Bereitet sich das fürchterliche Werk.
Ich höre Stimmen – Fort! Hinweg! Hinweg!
Aus diesem Haus des Schreckens und des Todes!
*(Er will durch eine andre Tür entfliehn, findet sie aber verschlos-
sen, und fährt zurück)*
Wie! Fesselt mich ein Gott an diesen Boden?
Muß ich anhören, was mir anzuschauen graut?
Die Stimme des Dechanten – Er ermahnet sie –
Sie unterbricht ihn – Horch! – Laut betet sie –
Mit fester Stimme – Es wird still – Ganz still!
Nur schluchzen hör ich, und die Weiber weinen –
Sie wird entkleidet – Horch! Der Schemel wird
Gerückt – Sie kniet aufs Kissen – legt das Haupt –
*(Nachdem er die letzten Worte mit steigender Angst gesprochen,
und eine Weile innegehalten, sieht man ihn plötzlich mit einer
zuckenden Bewegung zusammenfahren, und ohnmächtig nieder-
sinken, zugleich erschallt von unten herauf ein dumpfes Getöse
von Stimmen, welches lange forthallt)*[40]

Das Moment der Ökonomie spielt hier nicht in dem vordergründigen Sinn eine Rolle, daß durch den narrativen Bericht ein Abschnitt der Geschichte zeitlich gerafft dargestellt würde, denn die hier gewählte Technik[41] beruht ja gerade darauf, daß Bericht und berichtetes Geschehen simultan verlaufen und sich auch in der zeitlichen Erstreckung decken. Ökonomisch ist diese Darstellung jedoch insofern, als hier gleichzeitig zwei Handlungsabläufe präsentiert werden: die narrativ und durch Geräusche aus dem *off-stage* vermittelte Hinrichtung und die unmittelbar szenisch dargestellten Reaktionen Leicesters darauf, sein Schwanken zwischen zynischem Doppelspiel und äußerster Betroffenheit. Diese Reaktionen haben Handlungscharakter, wenn hierbei auch nicht, wie bei der Hinrichtung selbst, eine äußere, sondern eine innere Handlung vorliegt; sie haben Handlungscharakter, weil durch seinen Zusammenbruch, durch sein tragisches Sich-Bewußtwerden der unwiderruflichen Konsequenzen seines bisherigen Verhaltens, die Situation – hier vor allem die Relationen zwischen Leicester, Maria Stuart und Elisabeth – verändert wird. Es handelt sich hier also um einen aktionalen Monolog (s. o. 4.5.2.3), wobei der Handlungscharakter des Monologs schon auf der sprachlichen Ebene durch die stark affektive Rhetorik und auf der mimisch-gestischen Ebene durch das bewegte Spiel verdeutlicht wird.

Die hier dargestellte Überlagerung zweier Handlungs- und Geschehensabläufe, der narrativ vermittelten und der der narrativen Vermittlung selbst, ist bei narrativer Handlungspräsentation immer gegeben, wenn auch der Handlungscharakter der narrativen Vermittlung nicht immer so stark ausgeprägt ist wie bei dem gerade zitierten Beispiel. Der Bericht im Drama hat, gemäß dem Prinzip der Performativität der Figurenrede im Drama (s. o. 1.2.5), immer einen zumindest latenten Handlungscharakter, denn es werden selbst bei dem emotional neutralen Bericht einer unbeteiligt informierenden Figur Informationsdiskrepanzen zwischen den Figuren abgebaut, und es wird damit die Situation verändert.

Und schließlich hat die Verlagerung der Exekution in die räumlich verdeckte Handlung die Funktion, den Fokus der Darstellung auf das innere Geschehen zu legen. Nicht das äußere Faktum von Marias Hinrichtung wird betont, sondern die innere Entwicklung, die sie durchlief und die bereits in den vorausgehenden Szenen (V, vi–ix) mit ihrer Läuterung zur "schönen Seele" zum Abschluß gekommen ist. Indem die Darstellung ihres Todes in Hinblick auf Leicesters Reaktionen hin perspektiviert wird, werden hier bereits die folgenden Szenen eingeleitet, in denen der Fokus von der Titelheldin auf ihre Gegenspielerin wechselt, in denen die Folgen dieser Exekution in den Mittelpunkt gerückt werden.

6.2.2.2 Typen narrativer Vermittlung

Die narrative Vermittlung von Handlung und Geschehen läßt sich typologisch nach dem Kriterium der zeitlichen Relationierung zwischen der narrativ vermittelten Geschichte und der narrativen Vermittlung selbst aufgliedern. Sie sind entweder zeitlich gegeneinander versetzt, oder simultan. Bei zeitlicher Versetzung ist zu unterscheiden, ob die narrativ vermittelte Phase der Geschichte vor oder nach dem *point of attack*, dem Einsatz der szenisch präsentierten Handlung, liegt. Im ersten Fall handelt es sich um eine Expositionserzählung, im zweiten Fall um den Bericht zeitlich verdeckter Handlung, oft in der konventionalisierten Form des Botenberichts (s. o. 4.2.2).[42] Beide Formen brauchen wir hier nicht mehr näher zu erläutern, da wir sie bereits in Zusammenhang mit der expositorischen Informationsvergabe (s. o. 3.7.2) bzw. der referentiellen Funktion dramatischer Sprache (s. o. 4.2.2) ausführlich und am konkreten Beispiel behandelt haben. Dies gilt auch für den Fall der Simultaneität von narrativ Vermitteltem und narrativer Vermittlung, der Teichoskopie oder Mauerschau,[43] bei der die narrativ vermittelte Phase der Geschichte im unmittelbaren *off stage* lokalisiert ist; wir sind darauf im letzten Abschnitt näher eingegangen.

Unabhängig von dieser Typenreihe nach dem Kriterium zeitlicher Relationierung ist eine zweite Typenreihe, die sich aus dem Kriterium der Explizitheit der narrativen Vermittlung ergibt. Wir haben dieses Kriterium schon bei unserer Typologie von Expositionsformen herangezogen (s. o. 3.7.2.2–4), es ist aber nicht nur bei der narrativen Vermittlung von Vorgeschichte, sondern ebenso beim Nachtragen verdeckter Handlung aus dem *entr'acte*[44] wie bei der Vermittlung räumlich verdeckter Handlung relevant. Das von uns zitierte Beispiel des Botenberichts aus Schillers *Wallenstein* illustriert den Typ expliziter narrativer Vermittlung in Form eines blockhaften, zusammenhängenden Berichts. Verdeckte Handlung kann jedoch auch in so impliziter Weise sprachlich nachgeholt werden, daß die Termini "narrative Vermittlung" und "Bericht" kaum mehr zutreffen, daß, anders formuliert, Grenzfälle von narrativer Vermittlung und Bericht vorliegen. An die Stelle eines zusammenhängenden Berichts treten dann enthüllende Andeutungen und Gesten, die vom Rezipienten ergänzt und interpretiert werden müssen. Ein treffendes Beispiel dafür findet sich in Gerhart Hauptmanns *Die Ratten*; wir zitieren die Analyse von Peter Pütz:

Am Ende des vierten Aktes kommt es zu einem letzten Gespräch zwischen Frau John und ihrem kriminellen Bruder, den sie auf Pauline "angesetzt" hat, um deren Pressionen ein Ende zu setzen. Sie weiß in diesem Augenblick noch nicht, daß Bruno ganze Arbeit geleistet hat. (. . .) Die Anstöße zur Entdeckung kommen nicht durch Fragen zustande, sondern durch fast magische Wirkungen, die von Dingen und Erinnerungen ausgehen. Frau John redet ihren Bruder an: "Wer hat dir an Handjelenk so 'ne Striemen jekratzt Bruno?" Der Gefragte, als ob er ihre Worte gar nicht vernommen hätte, lauscht den Glocken, deren Geläute von außen hereindringt und spricht wie geistesabwesend: "Heute morchen halb viere hätt'se det Jlockenläuten noch heren jekonnt." Nun ist heraus, was verdeckt geschah, was Frau John befürchtet und geahnt hat.[45]

Die verdeckte Handlung wird zwar auch hier noch sprachlich vermittelt, aber sie wird nicht mehr explizit beim Namen genannt, geschweige denn im Detail und kohärent berichtet. Diese Implizitheit ist jedoch noch weiter zu steigern, wenn die vergangene verdeckte Handlung überhaupt nicht mehr sprachlich thematisiert wird, sondern vom Rezipienten allein aus der veränderten dramatischen Situation zu erschließen ist.

Ähnliche Abstufungen finden sich bei der Teichoskopie, wenn auch hier aufgrund der besonderen Zeitstruktur die Extreme weniger weit auseinanderliegen. So ist zum Beispiel die narrative Vermittlung von Maria Stuarts Hinrichtung aufgrund der Tatsache, daß Leicester allein auf akustische Eindrücke angewiesen ist und sich im Zustand höchster Erregung befindet, weniger explizit, kohärent und einlässig als zum Beispiel Klaras "Mauerschau" in Hebbels *Maria Magdalena* (I, iii). Vom Fenster aus beobachtet sie den Kirchgang ihrer Mutter, gefaßt und durch die Genesung der Mutter von neuer Zuversicht erfüllt:

> Wie sie fest und sicher ausschreitet! Schon ist sie dem Kirchhof nah – wer wohl der erste ist, der ihr begegnet? Es soll nichts bedeuten, nein, ich meine nur – (*Erschrocken zusammenfahrend*). Der Totengräber! Er hat eben ein Grab gemacht und steigt daraus hervor, sie grüßt ihn und blickt lächelnd in die düstre Grube hinab, nun wirft sie den Blumenstrauß hinunter und tritt in die Kirche. (*Man hört einen Choral*). Sie singen: Nun danket alle Gott![46]

6.2.2.3 Mehrfachthematisierung

Die beiden Möglichkeiten der Präsentation der Geschichte, szenische Darstellung und narrative Vermittlung, bedeuten für den Dramatiker nicht einen Zwang zur alternativen Wahl des einen oder des anderen Präsentationsmodus, da er ja Abschnitte der Geschichte *sowohl* szenisch darstellen *als auch* narrativ vermitteln kann. Insgesamt ergeben sich für die Thematisierung einer Handlungs- oder Geschehensphase drei Schritte: der sprachlich vermittelte planende oder ankündigende Vorgriff, die szenische Realisierung und der narrativ-sprachlich vermittelte informierende oder rekapitulierende Rückblick. Dieser Dreischritt muß keineswegs immer voll realisiert sein, sondern es können auch nur die Positionen Vorgriff und szenische Realisierung, Vorgriff und Rückblick, szenische Realisierung und Rückblick oder aber auch die szenische Realisierung oder der Rückblick allein besetzt sein. Vorgriff und Rückblick brauchen sich dabei nicht auf die Repliken einer Figur zu beschränken, sondern es kann eine Handlungsphase in mehreren Vorgriffen verschiedener Figuren vorbereitet und auch in mehreren Rückblicken verschiedener Figuren rekapituliert werden.

Der Mehrfachthematisierung kommt zunächst schon einmal die Funktion der Emphase zu, da sie ja durch die Durchbrechung des Prinzips der Ökonomie als abweichendes Element die Aufmerksamkeit auf sich zieht. Über diese allgemeine Funktion der Emphase hinausgehend kann sie jedoch Spannung erwecken und der Perspektivenkontrastierung dienen. Die Funktion der Spannungsweckung kommt vor allem der Sequenz von planendem oder ankündigendem Vorgriff und der szenischen Realisierung zu, da durch die zukunftsorientierte Informationsvergabe der Rezipient in einen Zustand antizipierender Erwartung versetzt wird (s.o. 3.7.4), sei diese Erwartung nun eine der Vorfreude oder der Befürchtung. Der Kontrastierung von Figuren- und Rezipientenperspektiven dagegen dient vor allem die Sequenz von szenischer Realisierung und rekapitulierenden Rückblicken, indem der Rezipient als Augenzeuge der szenisch präsentierten Phase die perspektivischen Verzerrungen in den Rekapitulationen der einzelnen Figuren abschätzen und auflösen kann.

Gerade im komischen Drama, in dem selbstzweckhaftes Spiel oft die finale Ökonomie durchkreuzt, finden sich zahlreiche Beispiele für eine solche Mehrfachthematisierung im Dreischritt von Vorgriff (VG), Realisierung (R) und Rückblick (RB). Wir wählen als Beispiel die Intrige gegen Malvolio in Shakespeares *Twelfth Night*, da sie in einer Verkettung von Dreischritten nach dem Schema VG – R – RB/VG – R – RB/VG usw. den Text vom zweiten bis zum fünften Akt durchzieht. In II,iii eröffnet Maria Toby Belch und Andrew Aguecheek ihren Plan, Malvolios selbstgefällige Eigenliebe durch eine Briefintrige bloßzustellen und die Verschworenen – und auch das Publikum! – erwarten sich davon einen "sport royal" (II,iii, 161). Die gespannte Erwartung darauf wird jedoch nicht in der folgenden Szene befriedigt, sondern mit einer spannungssteigernden Verzögerung erst in II,v. Die Vorinformationen über das "Was" der Intrige – Malvolio soll ein Brief zugespielt werden, der angeblich von der in ihn verliebten Olivia stammt und ihm absurde Verhaltensinstruktionen gibt, und Toby, Andrew und Feste sollen als Belauscher dieser Szene fungieren – werden durch das "Wie" der Realisierung dieses Plans, durch die Komik von Malvolios Liebesvisionen noch vor Auffinden des Briefs, seiner pedantisch-umständlichen, aber völlig leichtgläubigen Auslegung und der Kommentare der Belauscher nicht nur eingelöst, sondern in der anschaulichen Konkretheit der szenischen Realisierung weit übertroffen. Der rekapitulierende Rückblick auf diese Szene im Dialog der Belauscher und der Intrigantin Maria überschneidet sich mit dem planenden Vorgriff Malvolios auf seine nächste Begegnung mit Olivia, in der er den Briefinstruktionen gemäß der Unwissenden in absurder Kleidung und mit absurd-anzüglichem Verhalten entgegentreten will. Die szenische Realisierung dieser Handlungsphase wird diesmal noch länger verzögert (bis III, iv), wobei dieser weite Spannungsbogen durch eine weitere vorbereitende Ankündigung durch Maria (III, ii, 64 ff) gestützt wird. War in der ersten Planungsphase der Briefintrige das Verhalten Malvolios ein spannungssteigernder Unsicherheitsfaktor, so ist es nun vor allem das Verhalten Olivias: wie wird sie auf die plötzliche und für sie völlig unmotivierte Veränderung ihres bisher so puritanisch-strengen Haushofmeisters reagieren? Auch hier schießt die szenische Realisierung über die Antizipationen des Rezipienten hinaus, und auch hier schließt sich wieder an die kontrastierenden Rückblicke der Intriganten und des Opfers der Intrige der planende Vorgriff auf die nächste Handlungsphase an, die Einkerkerung des angeblich wahnsinnigen Malvolio. Die Realisierung dieses Plans wird dann in IV, ii als die breit ausgespielte Verstellungskomödie des Besuchs Festes in der Rolle eines Geistlichen im Kerker Malvolios szenisch präsentiert. Die Aufdeckung dieser Intrige als Teil des allgemeinen Dénouements in V, i, 270 ff bringt endlich den abschließenden Rückblick, in dem die Perspektiven der mitfühlend einlenkenden Olivia, der Intriganten, die sich durch den Spaß gerechtfertigt sehen, und des bis zur Unversöhnlichkeit gekränkten Malvolio miteinander kontrastieren.

Das Beispiel hat gezeigt, daß Mehrfachthematisierung nicht unökonomische Redundanzen der Informationsvergabe mit sich bringen muß, sondern im Gegenteil ein wichtiges Moment der Textkohärenz darstellt, daß sie durch die Weckung und Steuerung von Erwartungen Spannung erzeugt und durch die Kontrastierung divergierender Rückblicke komische bzw. tragische Perspektivendiskrepanzen aufbaut. Eine weitere Funktionalisierung ergibt sich schließlich aus dem Bezug von Planung und Realisierung oder von Planung und Rückblick, indem die Veränderung des Täters durch seine Tat oder der Unterschied zwischen der geplanten und der ausgeführten Tat als tragisches oder komisches Motiv aufgedeckt werden kann.

Die Gesamtheit der Handlungs- und Geschehenszusammenhänge in einem dramatischen Text läßt sich nicht immer, dem aristotelischen Postulat der "Einheit des Mythos" entsprechend (*Poetik*, Kap. 8), auf eine einzige Handlungs- oder Geschehenssequenz zurückführen, sondern beruht meist auf einer Kombination mehrerer Handlungs- und Geschehenssequenzen. Eine solche Sequenz ist ein in sich relativ geschlossenes System chronologischer und kausaler Relationen. Ist sie völlig in sich geschlossen, können die Sequenzen nur in unverbundenem Nebeneinander oder Nacheinander miteinander kombiniert werden; in diesem Fall liegt vor, was Aristoteles kritisch abwertend einen "episodischen Mythos" nennt.[47] Ist sie dagegen nicht völlig in sich geschlossen, eröffnen sich Anschlußmöglichkeiten für eine verknüpfende Kombination von Sequenzen.[48]

Unabhängig von dem Kriterium der Verbundenheit bzw. Unverbundenheit der Sequenzen ist die Frage, ob die miteinander kombinierten Sequenzen auf derselben Spiel- und Fiktionsebene einander beigeordnet oder aber auf verschiedenen Ebenen einander über- und untergeordnet sind. Diese beiden prinzipiell gleichberechtigten Alternativen sind in der Geschichte des Dramas unterschiedlich häufig realisiert, da die fiktionspotenzierende Spiel-im-Spiel-Struktur, die eine Überordnung von Sequenzen möglich macht, gegenüber der Normalform mit nur einer Fiktionsebene relativ selten auftritt. In bestimmten historischen Epochen – etwa im elisabethanischen Theater, im deutschen Barockdrama und im Drama der deutschen Romantik – kommt ihr jedoch auch quantitativ eine erhöhte Bedeutung zu.

6.3.1 Beiordnung von Sequenzen

6.3.1.1 Nacheinander vs. Nebeneinander

Die beiordnende Kombination kann je nach zeitlicher Relationierung der Sequenzen dominant durch das Prinzip des Nebeneinander oder des Nacheinander bestimmt sein. Die Idealform des Nebeneinander[49] ist die völlige zeitliche Deckung der kombinierten Sequenzen, die Idealform des Nacheinander die völlige zeitliche Versetzung; Zwischenformen, wie sie statistisch überwiegen, beruhen auf einer partiellen Überschneidung. Dramen, in denen das Prinzip des Nacheinander die Kombination der

Sequenzen dominiert, lassen sich im Bereich des europäischen Dramas der Neuzeit meist auf die Romanzenstruktur der Reihung von Abenteuern einer Zentralfigur zurückführen. Ein berühmtes Beispiel dafür ist Ibsens *Peer Gynt*, in dem die Erlebnisse des Titelhelden im heimischen norwegischen Dorf (Akt I), im Gebirge (Akt II/III), in Marokko und Ägypten (Akt IV), auf See vor der norwegischen Küste und wieder im heimischen Dorf und Gebirge (Akt V) als Sequenzen aneinandergereiht werden, die vor allem durch die Identität der Zentralfigur, aber auch durch thematische Korrespondenzen wie die Suche nach dem eigenen Ich und durch die Rückgriffe des letzten Akts auf die vorausgegangenen Sequenzen miteinander verknüpft werden. Das entgegengesetzte Prinzip des Nebeneinander von Sequenzen, die in der Darstellung einander unterbrechen und ablösen, kann an Shakespeares *King Lear* illustriert werden. Hier läuft innerhalb der zeitlichen Grenzen des Lear-*plot* und mit nur geringer Phasenverschiebung das *subplot* um Gloucester ab, das jenes in strenger handlungsstruktureller und thematischer Parallelität spiegelt (zur Funktion dieser Relationierung s. u. 6.3.1.4).

6.3.1.2 Haupt- und Nebenhandlungen

Die einander beigeordneten Sequenzen sind entweder quantitativ und funktional gleichwertig oder hierarchisch abgestuft. Im ersten Fall werden also zwei oder mehrere "Haupthandlungen" nebeneinander hergeführt oder aneinandergereiht; im zweiten Fall werden einer Haupthandlung eine oder mehrere "Nebenhandlungen" zugeordnet.[50] Die Unterscheidung zwischen Haupt- und Nebenhandlung, zwischen *plot* und *subplot*, ist dabei keineswegs so gesichert, wie es die weite Verbreitung dieser Termini vermuten lassen könnte. Es ist ja auch kein kategorialer, sondern ein gradueller Unterschied, der im Einzelfall die Entscheidung, ob eine Beiordnung von Haupthandlungen oder aber von Haupthandlung und Nebenhandlung vorliegt, unsicher werden läßt.[51] Wie bei der Unterscheidung von Haupt- und Nebenfiguren (s. o. 5.3.1.2) handelt es sich auch hier um ein Fokus-Problem, bei dem das quantitative Kriterium der Präsentationsdauer zwar ein wichtiges, aber nicht das allein entscheidende ist. So finden sich zum Beispiel gerade im Bereich des komischen Dramas immer wieder Episoden, die, einem selbstzweckhaften Spielimpuls folgend, in einer Breite ausgespielt werden, die in keinem unmittelbaren Verhältnis zu ihrer funktionalen Bedeutung für die Entwicklung des Themas und der Geschichte steht. Es ist also immer auch der funktionale

Aspekt zu beachten, wenn zwischen Haupt- und Nebenhandlung abgestuft werden soll. Eine solche funktionale Abstufung liegt dann vor, wenn eine Handlungssequenz dominant in Hinblick auf eine andere funktionalisiert ist, indem sie etwa dieser, der Haupthandlung, neue Entwicklungsimpulse zuträgt oder sie durch Korrespondenz- und Kontrastbezüge verdeutlicht oder relativiert. Eine solche Übertragung von Handlungsimpulsen und solche Relationen der Korrespondenz und des Kontrasts können zwar auch das Verhältnis von Haupthandlungen zueinander bestimmen; dann verläuft jedoch die Funktionalisierung nicht dominant in einer Richtung wie bei der Funktionalisierung einer Nebenhandlung auf eine Haupthandlung hin, sondern es liegt eine ausgewogen reziproke, wechselseitige Funktionalisierung vor.

Wir wollen dies an Ben Jonsons *Volpone* verdeutlichen, in dem sowohl Haupt- als auch Nebenhandlungen einander beigeordnet werden. Daß dieses Beispiel dem Bereich des elisabethanisch-jakobäischen Dramas entstammt, ist nicht zufällig; dieser historische Bereich bietet sich vielmehr an, weil hier, unbelastet durch normative Postulate der Einheit der Handlung, die Verknüpfung mehrerer Handlungssequenzen eine besonders reiche und differenzierte Entwicklung erfahren hat.[52]

Die Makrostruktur von Ben Jonsons Erbschleicher-Satire ist durch das Nebeneinander dreier funktional gleichwertiger Handlungsstränge bestimmt – der drei Intrigen Volpones und Moscas gegen den Advokaten Voltore, den alten Corbaccio und den Kaufmann Corvino. Diese drei Handlungssequenzen werden in rascher Folge im ersten Akt eingeführt, laufen dann über einige Szenen hinweg relativ unabhängig voneinander nebeneinander her, um dann aber, als Folge von Planungsfehlern der Intriganten und von unglücklichen Zufällen, immer stärker miteinander zu interferieren. Daß zwischen ihnen nicht die Relation von Haupt- und Nebenhandlungen besteht, sondern die gleichwertiger Haupthandlungen, geht schon aus der äquivalenten Art und Weise ihrer Einführung und aus ihrer quantitativen Äquivalenz hervor; darüber hinaus sind sie auch thematisch und handlungsstrukturell einander äquivalent. Alle drei Sequenzen verlaufen nach demselben Schema (der angeblich todgeweihte, reiche und erbenlose Volpone entlockt mit Moscas Hilfe einem habgierigen Erbschleicher immer neue Geschenke), und alle drei Sequenzen variieren dasselbe Thema einer alle natürlichen Bindungen zerstörenden Habgier. Diese Äquivalenz wird noch betont durch den allegorisch-emblematischen Rahmen der Tierfabel, wie er sich schon in den Namen der Intriganten (Fuchs und Fliege) und der drei Intrigenopfer (Geier, Rabe und Krähe) niederschlägt.

Das Nebeneinander dieser drei Haupthandlungen hat einerseits die Funktion, durch Interferenzen Spannung und dramatische Ironie zu erzeugen, andererseits wird dadurch in satirischer Nachdrücklichkeit und Überzeichnung das Modell einer Gesellschaft entworfen, die völlig von skrupelloser Habgier beherrscht wird. Der gerissene, vor keiner Rechtsbeugung zurückscheuende Advokat Voltore, der senile Corbaccio, der bereit ist, seinen eigenen Sohn zu enterben, und der eifersüchtige Corvino, der die Keuschheit und Ehre seiner Frau aufs Spiel setzt, variieren also nicht nur das Motiv einer Habgier, die alle moralischen Normen und menschlichen Bindungen pervertiert, sondern generalisieren es zum allgemeingültigen Verhaltensmuster, zum satirischen Bild des Laufs der Welt.

An diese drei nebeneinander herlaufende Haupthandlungen, die in der Gerichtsszene des vierten Aktes (IV, vi) zu einem vorläufigen Abschluß kommen, schließt sich im letzten Akt eine vierte Haupthandlung an, die als komische Inversion des Vorausgehenden nach dem Schema des betrogenen Betrügers Volpone selbst zum Intrigenopfer werden läßt. Diese Handlungssequenz nimmt zwar weniger Raum ein als die vorhergehenden, liegt aber dennoch, gerade weil sie durch die pointierte Umkehrung der Relationen von Betrüger und Betrogenen auf die vorausgehenden Handlungssequenzen Bezug nimmt und weil sie als Konflikt zwischen dem Intrigantenduo Volpone-Mosca besonderes Interesse beansprucht, auf einer Ebene mit diesen.

Dagegen hat die Handlungssequenz um Sir Politic Wouldbe, Madame Wouldbe und Peregrine eindeutig den Status einer hierarchisch untergeordneten Nebenhandlung.[53] Sie ist zwar über die Figur der Madame Wouldbe, die ebenfalls um die Gunst Volpones wirbt, und über den allegorischen Rahmen der Tierfabel (Peregrine = Wanderfalke, Pol = Papagei) mit den Haupthandlungen verknüpft und nimmt auch bestimmte Motive wieder auf; dennoch erscheinen die Szenen um Sir Politic und Peregrine (II, i u. ii, IV, i; V, iv) als in sich relativ geschlossene Digression. Sie hat ihre eigene Exposition, und ihr eigenes Dénouement ist nicht in die Gerichtsszenen V, x und xii hineingenommen, in denen die vier Haupthandlungen ihre Auflösung erfahren. Auch thematisch entwickelt sie sich auf einem anderen Niveau als die Erbschleicher-Intrigen der Haupthandlungen, da es sich bei dem *gulling*, dem Hereinlegen des ständig von politischen Verschwörungen und technischen Projekten faselnden Sir Politic durch Peregrine um die Bestrafung einer relativ harmlosen Torheit, nicht eines schwerwiegenden Lasters handelt. Und ebenso ist sie auch von der Konfigurationsstruktur her abgesetzt, indem Sir Politic und Peregrine nur sehr punktuell in dialogischen Kontakt mit den Figuren der Haupthandlungen treten und als Engländer Außenseiter in der venezianischen Gesellschaft bleiben. Sie ist daher in sich relativ geschlossen, was sich rezeptionsgeschichtlich schon dadurch belegen läßt, daß sie für Aufführungen häufig gestrichen wurde. Andererseits kommt ihr kaum Eigenwert zu, sondern geht sie in der Funktion auf, die düstere Satire der Haupthandlungen komisch aufzuhellen, zentrale thematische Komplexe (Identität und Verwandlung) burlesk zu kontrapunktieren und das Bild venezianischer Laster durch das englischer Torheiten zu ergänzen.

6.3.1.3 Verknüpfungstechniken

An unserem Beispiel sind gleichzeitig die wichtigsten Techniken der Verknüpfung beigeordneter Sequenzen zu entwickeln. Die direkteste und auffälligste Form der Verknüpfung besteht in der HANDLUNGS- oder GESCHEHENSINTERFERENZ, bei der eine Handlung oder ein Geschehen der einen Sequenz gleichzeitig eine Handlung oder ein Geschehen in einer anderen Sequenz konstituiert oder auslöst. Solche Interferenzen, in denen verschiedene Sequenzen einander überkreuzen, bestimmen in *Volpone* vor allem das Verhältnis der Haupthandlungsstränge zueinander und häufen sich im Verlauf des Stückes immer mehr. So durchkreuzt schon der verfrühte Auftritt Corvinos und Celias (III, vii) den ausgeklügelten Zeitplan Moscas und führt dazu, daß Bonario, der Sohn Corbaccios, zum Zeugen von Volpones Verführungs- und Vergewaltigungsversuch an Celia wird, sie rettet und daß damit die Aufdeckung der Intrigen sowohl gegen Corvino als auch gegen Corbaccio droht.

Neben die Interferenz von Handlungs- und Geschehensabläufen und meist verbunden mit ihr tritt als weitere Verknüpfungstechnik die ÜBERSCHNEIDUNG DER FIGURENKONSTELLATIONEN. So sind die ersten drei Haupthandlungen von *Volpone* schon dadurch miteinander verknüpft, daß die Position der Intriganten jeweils identisch durch Mosca und Volpone, die der Intrigenopfer jedoch variabel durch Voltore, durch Corbaccio (und Bonario) und durch Corvino (und Celia) besetzt ist; in der vierten Haupthandlung behält nur noch Mosca eindeutig die Position des Intriganten bei, während Volpone sich zwar noch als souveränen Intriganten wähnt, in Wirklichkeit aber schon Intrigenopfer ist und die übrigen Figuren in der Position der Intrigenopfer verbleiben. Durch eine Überschneidung der Figurenkonstellationen ist auch die Nebenhandlung um Sir Politic Wouldbe, seine Frau und Peregrine mit den Nebenhandlungen verknüpft, indem sich Madame Wouldbe, wenn auch nicht dominant aus ökonomischen Gründen, in die Reihe der Besucher an Volpones Krankenbett einfügt (III, iv).

Im Gegensatz zu den bisher dargestellten Verknüpfungstechniken, die für sich genommen eine mehr äußerliche und nur vordergründige Kohärenz zu stiften vermögen, schaffen SITUATIVE und THEMATISCHE ÄQUIVALENZEN einen inneren Zusammenhang zwischen den einzelnen Handlungssträngen. So erschöpft sich auch in *Volpone* der Zusammenhang zwischen den Haupt- und Nebenhandlungen nicht in Interferenzen und Konstellationsüberschneidungen, sondern diese werden vielmehr in Hinblick auf situative und thematische Äquivalenzen funktionalisiert. Daß diese für die vier Haupthandlungen vor allem auf der Gemeinsamkeit des Erbschleichermotivs und auf der Thematisierung einer Habgier beruhen, die alle natürlichen und sittlichen Ordnungen pervertiert, haben wir schon im vorausgehenden Abschnitt gezeigt. Es ist jedoch noch ergänzend hinzuzufügen, daß sich solche Äquivalenzen auch mikrostrukturell niederschlagen, etwa in der iterativen Metaphorik aus dem Bereich der Tierwelt, die nicht nur auf die allegorisch-didaktischen Intentionen der Fabel verweist, sondern in der bildlichen Degradierung des Menschen zum niederen Aas- oder Raubtier die Verkehrung der hierarchischen Ordnung alles Geschaffenen, der *great chain of being*, verdeutlicht. Diese thematische Äquivalenz stellt auch das wichtigste Bindeglied zwischen Peregrines Intrige gegen Sir Politic und den Haupthandlungen dar: wenn Sir Politic sich in V, iv in einem Schildkrötenpanzer verbirgt, um sich vor einer angeblichen polizeilichen Verfolgung wegen seiner politischen Projekte zu retten, vollzieht er in drastischer Anschaulichkeit dieselbe Verwandlung von Mensch zu Tier, die sich auf der sprachlich-metaphorischen Ebene auch an den anderen Figuren vollzieht – dies freilich mit einer charakteristischen Nuancierung, indem der relativ harmlosen Torheit Sir Politics das Bild der relativ harmlosen Schildkröte mit ihren emblematischen Bezügen auf die Tugenden weiser Umsicht und weisen Schweigens, den vom gravierenden Laster der Habgier Besessenen dagegen eine bedrohlichere Tierwelt zugeordnet wird.

6.3.1.4 Funktionen

Der methodischen Prämisse folgend, daß Struktur und Funktion einander zwar wechselseitig bedingen, jedoch nicht identisch sind, wollen wir auf die Frage nach der Funktion einer Beiordnung von Sequenzen erst jetzt, nach der Behandlung der Strukturen und Techniken eingehen. Dabei werden wir versuchen, die möglichen Funktionen nach Graden der Allgemeinheit bzw. Spezifik zu ordnen.

Nach diesem Kriterium kommt den ästhetischen Werten der ABWECHSLUNG und FÜLLE, der *varietas* und *copia*, wohl der größte Allgemeinheitsgrad zu. Im Bereich des elisabethanischen Dramas zum Beispiel, und hier vor allem im Drama vor Shakespeare, finden sich häufig Sequenz-Beiordnungen, die offensichtlich keine andere Funktion haben, als der selbstzweckhaften Freude an Abwechslung und Fülle zu dienen.[54] Tragische und komische Sequenzen wechseln in solchen Dramen miteinander ab, wobei gelegentlich sogar auf äußere Verknüpfungen durch Handlungsinterferenz oder Überschneidung von Figurenkonstellationen völlig verzichtet wird oder sie allenfalls ansatzweise entwickelt werden. Der unvermittelte Wechsel von tragischer Pathetik zu komischer Burleske und umgekehrt, und die soziologische Streuung des Personals von den aristokratischen Figuren der Haupthandlung zu den Dienergestalten der Nebenhandlung in R(ichard) B(ower)s *A New Tragicall Comedie of Apius and Virginia* (um 1564)[55] mag diesen Mischtyp exemplifizieren. Dem Nebeneinander von Tragik und Burleske kommt hier keinerlei Funktion wechselseitiger Relativierung der Sequenzen zu, und es wird auch nicht durch thematische Äquivalenzen gestützt, sondern dient allein dem *comic relief*, der emotional befreienden und entspannenden Entlastung des Rezipienten,[56] und dem Bedürfnis nach Abwechslung und Fülle.

Die Vorstellung selbstzweckhafter Abwechslung wurde jedoch gerade in der älteren Forschung zu Shakespeare und seinen Zeitgenossen überstrapaziert, indem man sich dadurch häufig den Blick auf weitergehende dramatische und thematische Funktionalisierungen verstellte. Ein klassisches Beispiel dafür stellt die Diskussion um die Porter-Szene in *Macbeth* (II, iii) dar, den Dialog des betrunkenen Pförtners mit Macduff und Lennox, die unmittelbar nach der Ermordung von König Duncan (II, ii) Einlaß in Macbeths Schloß begehren. Noch Coleridge konnte in dieser grotesken Nebenepisode nichts anderes als eine *"disgusting passage"* sehen, die von den Schauspielern interpoliert wurde, um dem Bedürfnis nach Abwechslung und Gelächter beim *"mob"* Rechnung zu tragen.[57] Schon Thomas de Quincey wies jedoch in seinem einflußreichen Essay *On the Knocking at the Gate in 'Macbeth'* 1823 darauf hin, daß ihr nach der Ermordungsszene die wichtige Funktion der Einleitung einer dramatischen Gegenbewegung zukommt:

Hence it is, that when the deed is done, when the work of darness is perfect, then the world of darkness passes away like a pageantry in the clouds: the knocking at the gate is heard; and it makes known audibly that the reaction has commenced; the human has made its reflux upon the fiendish; the pulses of life are beginning to beat again; and the re-establishment of the goings-on of the world in which we live, first makes us profoundly sensible of the awful parenthesis that had suspended them.[58].

Das unvermittelte Nebeneinander von Horror und Groteske hat hier also die Funktionen, zwei extreme Seinsbereiche miteinander zu kontrastieren und damit den Horror der vorausgehenden Ermordungsszene noch zu steigern und den Beginn einer Gegenbewegung der Kräfte des Lebens drastisch zu markieren. Von einem solchen Ansatz her erschließen sich dann auch die dramatischen Ironien dieser Szene, indem das unwissende und betrunkene Gerede des Pförtners über sein Amt als "*devil-porter*", über "*hell*" und "*the primrose way to th'everlasting bonfire*" den Zuschauer auf den Mord und den Mörder zurückverweist.

Eine allgemein strukturelle, nicht spezifisch thematisch bezogene Funktion der Beiordnung von Sequenzen ist auch die SPANNUNGS-INTENSIVIERUNG (s. o. 3.7.4.4). Diese Funktion kommt ihr immer dann zu, wenn eine Handlungssequenz durch eine andere gerade in dem Augenblick unterbrochen wird, in dem sie sich auf einen vom Rezipienten antizipierbaren Höhepunkt des Konflikts zuentwickelt. Durch das Zwischenschalten der anderen Sequenz wird die Reichweite des Spannungsbogens vergrößert und damit die Spannung selbst intensiviert. Als ein Beispiel dafür verweisen wir wieder auf Ben Jonsons *Volpone*. Hier spitzt sich etwa in den Schlußszenen von Akt III durch die bereits beschriebenen unvorhergesehenen Interferenzen zwischen den einzelnen Intrigensträngen die Lage Volpones und Moscas bedrohlich zu; die öffentliche Decouvrierung ihrer Schurkerei scheint unausweichlich und unmittelbar bevorstehend. Doch die nächste Szene (IV,i) bringt dann nicht die erwartete Krise und die Auflösung der Spannung, sondern blendet eine Episode der Handlungssequenz um Sir Politic und Peregrine ein – eine ruhige Dialogszene, die in keinerlei Handlungszusammenhang zu den Erbschleicherintrigen steht und von nur geringem dramatischen Eigenwert ist. Der Zuschauer bleibt also gespannt auf den weiteren Fortgang der Haupthandlungen, der bis zu den Gerichtsszenen IV,iv–vi hinausgezögert wird.

Sind die beigeordneten Sequenzen durch situative und/oder thematische Äquivalenzen aufeinander bezogen, so kommt dem auch eine INTEGRATIVE FUNKTION zu. Dies ist ein Aspekt, der vor allem im Kontext der deutschen romantischen Ästhetik hervorgehoben wurde, in der der Gedanke der organischen Einheit des Kunstwerks, der organischen Bezogenheit aller seiner Teile, eine zentrale Konzeption darstellte. So bewunderte Friedrich Schlegel an Shakespeare die Systematik, mit der er seine Dramen

> bald durch jene Antithesen, die Individuen, Massen, ja Welten in malerischen Gruppen kontrastieren lassen; bald durch musikalische Symmetrie desselben großen Maßstabes, durch gigantische Wiederholungen und Refrains[59]

zur organisch strukturierten, komplexen Einheit fügte. Die beiden Bezugsformen, Antithese und Wiederholung, auf die Schlegel hier verweist, sind jedoch nicht als voneinander unabhängige Relationen zu verstehen, sondern sind aufeinander dialektisch bezogen, indem ja, wie bereits mehrfach ausgeführt, ein Kontrastbezug nur vor dem Hintergrund von Korrespondenzen akutalisiert werden kann und umgekehrt Korrespondenzbezüge nicht einfach auf der Wiederholung des absolut Identischen beruhen, sondern immer auch abweichende und damit kontrastive Elemente einschließen.

Solche Äquivalenzrelationen der Korrespondenz und des Kontrasts haben jedoch nicht nur die allgemeine Funktion, zur ästhetischen Wohlgeformtheit des dramatischen Textes beizutragen, sondern es kommen ihnen darüber hinaus spezifischere thematische Funktionen zu. Dazu gehört die SPIEGELUNG, die wechselseitige Verdeutlichung oder Relativierung äquivalenter Sequenzen.[60] So spiegeln zum Beispiel häufig in Shakespeares Komödien die parallel geführten Liebeshandlungen einander wechselseitig, wobei durch die Kontrastierung unterschiedlicher Liebeskonzeptionen – derb-sinnlicher Eros, platonisch-petrarkistische Attitüde, ironisch gedämpfte Gefühlstiefe usw. – diese präziser und differenzierter definiert werden und sie einander wechselseitig in Frage stellen und ironisch relativieren.[61]

Kommt es hier vor allem auf das Abweichende und Kontrastive an, dem die situative und thematische Korrespondenz nur als Vergleichsfolie dient, so stehen bei einer Dominanz der Entsprechungen andere Funktionen im Vordergrund. Der Wiederholung des Ähnlichen kommt, da sie ja gegen das Prinzip der Ökonomie verstößt, zunächst einmal eine stark EMPHATISCHE FUNKTION zu; sie betont das wiederholte Element und verleiht ihm nachdrücklich Bedeutung. Dies gilt zum Beispiel für die Beiordnung der Handlungssequenzen um Lear und Gloucester in *King Lear*, wie schon A. W. Schlegel bemerkt hat:

Die beiden Fälle sind sich in der Hauptsache ähnlich: ein verblendeter Vater verkennt sein echtgesinntes Kind, und die vorgezogenen unnatürlichen Kinder vergelten es ihm durch Zerstörung seines ganzen Glücks. (. . .) Wenn Lear allein durch seine Töchter litte, so würde der Eindruck auf die freilich zerreißende Teilnahme an seinem Privatunglück beschränkt sein. Aber zwei so unerhörte Beispiele zu gleicher Zeit stellen sich dar wie eine große Empörung in der sittlichen Welt: das Gemälde wird riesenhaft und erregt ein Entsetzen, wie die Vorstellung, daß die Himmelskörper einmal aus ihren geordneten Bahnen treten könnten.[62]

Der Emphase und Steigerung der tragischen Wirkung, die hier vorliegt, entspricht im Lustspiel eine analoge Intensivierung des komischen Effekts: die Duplizität der Ereignisse ist ja nach Bergson in sich schon potentiell komisch. Eine extreme Häufung und ein extremer Schematismus solcher Korrespondenzen, wie er gerade in komischen Texten häufig auftritt, stellt darüber hinaus ein Stilisierungsprinzip dar, das durch die offensichtliche Künstlichkeit der Symmetrien den Artefaktcharakter des Stücks anti-illusionistisch bloßlegen kann.

Eine letzte Funktion, die unseren notwendigerweise unvollständigen Katalog abschließen soll, wollen wir wieder am Beispiel des Gloucester-*subplot* aufzeigen – es ist die Funktion der GENERALISIERUNG. Lears Schicksal, für sich allein genommen, mag als individueller Ausnahmefall erscheinen; durch Gloucesters Schicksal gedoppelt, gewinnt es allgemeine Bedeutung, wird es suggestiv zum Lauf der Welt generalisiert:

This repetition does not simply double the pain with which the tragedy is witnessed: it startles and terrifies by suggesting that the folly of Lear and the ingratitude of his daughters are no accidents or merely individual aberrations, but that in that dark cold world some fateful malignant influence is abroad, turning the hearts of the fathers against their children and of the children against their fathers (. . .).[63]

6.3.2 *Über- und Unterordnung von Sequenzen*

Beigeordnete Sequenzen sind jeweils auf ein und derselben Fiktionsebene situiert, einander über- bzw. untergeordnete Sequenzen dagegen auf unterschiedlichen Fiktionsebenen. Dabei wird in eine primäre Spielebene, deren ontologischer Status durch die Fiktionalität dramatischer Präsentation gekennzeichnet ist, eine zweite Spielebene eingelagert, die ein zusätzliches Fiktionsmoment mit sich bringt. Die zwei wichtigsten Formen, in denen sich eine solche Überlagerung von Spielebenen realisiert, sind die Traumeinlage, in der das zusätzliche Fiktionsmoment in der Irrealität des Traumes und in dessen konkreter Vergegenwärtigung auf der Bühne liegt, und das Spiel im Spiel, in dem die Fiktionalität dramatischer Präsentation durch die Einführung der zweiten Fiktionsebene einer Theateraufführung im Rahmen der primären Spielebene potenziert wird.

6.3.2.1 Traumeinlage

Träume im Drama stellen Handlungs- oder Geschehenssequenzen dar, die von den fiktiven Figuren imaginiert werden. Sie können, wie jede Sequenz, narrativ vermittelt oder szenisch präsentiert werden. Die am häufigsten vertretene Normalform stellt dabei die narrativ vermittelte Traumerzählung dar,[64] und dies wohl schon deshalb, weil sie technisch am einfachsten zu realisieren ist und nicht der Einführung zusätzlicher Darstellungskonventionen bedarf. Ein Grenzfall ist der Traummonolog, in dem die Figur nicht einen vergangenen Traum erzählt, sondern als Träumende spricht: hier wird das Träumen und der Träumende zwar szenisch-plurimedial präsentiert, die geträumten Sequenzen selbst jedoch werden rein sprachlich vermittelt.[65] In der Traumeinlage werden dagegen auch die geträumten Sequenzen szenisch-plurimedial präsentiert, die Bühne wird zum Innenraum des Bewußtseins der träumenden Figur. Dabei ist wesentlich, daß dem Rezipienten der Übergang von der übergeordneten primären Spielebene in die eingelagerte Spielebene des Traumgeschehens signalisiert wird, und es hat sich dazu ein eigener Code von Konventionen herausgebildet. Die hauptsächlich bühnenbezogenen Zeichen, die dabei verwendet werden, sind jedoch ikonischer Art, so daß sie auch von einem Rezipienten verstanden werden können, der mit der Konvention nicht vertraut ist.

Zwei Beispiele mögen dies veranschaulichen, Grillparzers *Der Traum ein Leben* und Arthur Schnitzlers Einakter *Die Frau mit dem Dolche* aus dem Zyklus *Lebendige Stunden*. In beiden Texten stehen die untergeordneten Traumsequenzen in unmittelbarem Zusammenhang mit dem Geschehen der primären Spielebene, indem die Traumerfahrung der träumenden Figur zur Entscheidungshilfe in einer kritischen Situation wird: Grillparzers Rustan erfährt in seinem Traum die korrumpierende Wirkung und die Scheinhaftigkeit eines Strebens nach Abenteuer und Ruhm und schickt sich nach dem Erwachen befreit und zufrieden in die unheroisch-biedermeierliche Idylle mit Massud und Mirza; Schnitzlers Pauline erinnert in ihrem Traum, der durch das Renaissancegemälde einer Frau mit Dolch ausgelöst wird, eine frühere Inkarnation als Paola, als Gattin des Malers Remigio, die Lionardo, ihren Geliebten einer Nacht, erdolcht, und gewährt daraufhin in der Überzeugung, daß "ein Schicksal über ihr ist, dem sie nicht entrinnen kann",[66] ihrem jetzigen Verehrer Leonhard die erflehte Liebesnacht. Während Rustans Traum das von ihm ersehnte abenteuerliche und ruhmreiche Leben vorwegnimmt, eine Zukunft antizipiert, gegen die er sich nach seinem Erwachen entscheiden wird, ist Paulines Traum, der auf dem Mythos der Reinkarnation basiert, rückwärtsgewandt, auf eine vergangene Inkarnation bezogen, die situativ völlig mit ihrer derzeitigen Lage korrespondiert und damit die Gegenwart als total determinierte Neuauflage der bereits einmal durchlaufenen tragischen Dreieckskonstellation aufdeckt. Während Rustan durch seinen Traum zum rechten Handeln befähigt wird, erfährt Pauline in ihrem Traum die Unfähigkeit zu handeln angesichts der schicksalhaften Vorbestimmtheit von allem was ihr geschieht.

Diese Unterschiede in der thematischen Konzeption der Traumeinlagen, in denen sich der geistesgeschichtliche Abstand zwischen Grillparzer und Schnitzler niederschlägt, seien hier jedoch nur beiläufig erwähnt, da es uns in unserem Kontext ja vorrangig um die formalen Strukturen der Einbettung untergeordneter Sequenzen gehen muß. In dieser Hinsicht fallen manche Gemeinsamkeiten auf. Sowohl bei Grillparzer als auch bei Schnitzler sind die einander übergeordneten Sequenzen durch deutliche thematische und situative Äquivalenzen miteinander verknüpft, vor allem aber dadurch, daß das träumende Subjekt in seinem Traum selbst als agierende Figur auftritt. Den beiden Texten ist darüber hinaus gemeinsam, daß die untergeordnete Traumsequenz schon rein quantitativ die übergeordnete Sequenz der primären Spielebene überwiegt, die damit zum einleitenden und abschließenden Rahmen wird. Hier wird deutlich, daß Unter- bzw. Überordnung allein die ontologische Relation der Sequenzen beschreibt, nicht Dominanzrelationen in Hinblick auf den Fokus der Darstellung. Diese quantitative Dominanz der Traumeinlage über den Rahmen der primären Spielebene ist bei Grillparzer noch stärker ausgeprägt als bei Schnitzler, doch stellen auch die Relationen bei Grillparzer noch keinen Extremwert dar. Auf einer typologischen Skala, die die Texte nach wachsendem Umfang der Traumeinlage und abnehmendem Umfang des primären Spielrahmens ordnet, würde dieser Extremwert durch einen Text markiert werden, in dem ein solcher übergeordneter Rahmen überhaupt nicht mehr existiert und der in seiner Gänze die plurimediale Präsentation eines Traumes darstellt. Als Text dieses Typs kann zum Beispiel Strindbergs *Ein Traumspiel* (in der ursprünglichen Fassung ohne

Prolog)[67] betrachtet werden. Über Strindbergs Vorbemerkung hinausgehend, nach der er in seinem Traumspiel "das zusammenhanglose und scheinbar logische Muster des Traumes nachzuschaffen versucht" hat,[68] kann man das Drama als Ganzes als die szenische Präsentation eines Traumes verstehen, wobei als träumendes Subjekt der im Text implizierte Autor (S3) bzw. Rezipient (E3) gelten muß (s. o. 1.2.2), da ja hier kein primärer Spielrahmen ein fiktives träumendes Subjekt einführt. Ähnlich verhält es sich schon bei Shakespeares *A Midsummer Night's Dream*, wo Puck im Epilog episch vermittelnd auf den Titel zurückgreift und die Möglichkeit eröffnet, das vorausgegangene Stück als Traum der Rezipienten aufzufassen:

> If we shadows have offended,
> Think but this, and all is mended,
> That you have but slumb'red here
> While these visions did appear.
> (V, i, 412–415)

Im Unterschied zu Strindberg ist hier jedoch der Gedanke des Dramas als eines einzigen szenisch präsentierten Traums von geringerer Verbindlichkeit und erscheint er mehr als nachträglicher, spielerischer Vorschlag, der die Rezeption des ganzen Textes nicht entscheidend beeinflußt, es sei denn, ein Regisseur entwickelte sein Inszenierungskonzept konsequent – und damit aber auch einseitig – aus dem Titel und dem Epilog.

Von einer Über- bzw. Unterordnung von Sequenzen kann bei diesem rahmenlosen Typ des Traumspiels nicht mehr geredet werden, da er auf eine Ebene reduziert erscheint, die durch die Merkmale Fiktionalität und Imaginiertheit gekennzeichnet ist. Dagegen findet sich bei den Texten von Grillparzer und Schnitzler, die eine kommunikativ eindeutige und unproblematische Normalform repräsentieren, eine deutlich markierte Grenze zwischen einer primären Spielebene mit dem Merkmal der Fiktionalität und der untergeordneten Spielebene der Traumeinlage mit der Merkmalkomplexion von Fiktionalität und Imaginiertheit. In beiden Texten wird der Rezipient auf die physisch konkrete Präsentation einer imaginierten, innerpsychischen Realität schon durch Äußerungen der betreffenden Figuren selbst vorbereitet. Rustan legt sich mit den Worten

> Ich bin müd, die Stirne drückt,
> Mattigkeit beschleicht die Glieder.[69]

auf ein Ruhebett, und Pauline wirkt in den der Traumeinlage vorausgehenden Dialogpassagen "wie verloren" (S. 706) und setzt sich dann, in das Bild der Dame mit Dolch versunken, auf einen Diwan. Der eigentliche

Übergang wird dann durch sinnfällige szenische Signale bezeichnet – durch akustische Effekte (Harfentöne erklingen, in die dann eine mehrstimmige leise Musik einfällt; Mittagsglocken tönen und verstummen dann plötzlich) und durch optische (die Wand des Hintergrunds öffnet sich und hinter Schleiern erscheint eine Waldlandschaft; die Bühne verdunkelt sich und wird nach einer raschen Verwandlung wieder licht). Darüber hinaus führt Grillparzer die emblematische Darstellung einer Schlange im Palmbaum und die allegorische Pantomime zweier fackeltragender Knaben ein, wobei der Knabe im braunen Gewand (Wachwelt) dem buntgekleideten Knaben (Traumwelt) Licht spendet und dann seine Fackel löscht; Schnitzler dagegen greift zum zusätzlichen Mittel metrischer Differenzierung, indem er von der Prosa der Rahmenhandlung, die im zeitgenössischen Wien spielt, die Blankverse der Traumszene im Italien der Renaissance abhebt.

Solche untergeordnete Traumsequenzen können sehr unterschiedliche Funktionen erfüllen, die von der Figurencharakterisierung über die Handlungsmotivation und die thematische Spiegelung bis zur impliziten Thematisierung und damit Bloßlegung des Mediums Drama und Theater reichen. Vor allem die erste und die letzte dieser Funktionen erweisen sich dabei als spezifisch für diese Form der Handlungskombination. So ist die Traumeinlage ähnlich wie der unmotivierte Monolog (s.o. 4.5.2.1) eine anti-realistische Konvention, die die Beschränkungen des Mediums Drama in bezug auf die Darstellung innerpsychischer Vorgänge (s.o. 5.2.2) aufheben oder zumindest abschwächen soll. Sie ermöglicht eine extreme Subjektivierung der dramatischen Präsentation, indem in ihr nicht nur die sprachlichen Repliken einer Figur figurenperspektivisch gebunden sind, sondern ganze plurimedial vertextete Sequenzen. Das fiktive träumende Subjekt steht dabei zur Traumeinlage in einer Relation, die der zwischen dem implizierten Autor und dem ganzen Text analog ist. Diese Analogie liegt auch der potentiellen Funktion der Traumeinlage zugrunde, das Medium Drama durch implizite Thematisierung bloßzulegen. Die Imaginiertheit des subjektiven "Psychodramas" der Traumeinlage – "Psychodrama" hier nicht verstanden im psychotherapeutischen Sinn Morenos – bietet sich als metaphorisches Modell für die Fiktionalität der dramatischen Präsentation an, da dem Imaginativen und dem Fiktionalen ja das Moment des Nicht-Realen, Illusionären gemeinsam ist. Damit aber kann in impliziter poetologischer Programmatik suggeriert werden, daß die Fiktionalität des Dramas nicht nur illusionär wie ein Traum ist, sondern ihr auch jener Anspruch auf eine tiefere, visionäre Wirklichkeitssicht zukommt, wie sie für den Traum postuliert wird.

6.3.2.2 Spiel im Spiel

Werden bei der Traumeinlage einer fiktionalen primären Spielebene Sequenzen untergeordnet, die durch die Merkmalkomplexion Fiktionalität und Imaginiertheit gekennzeichnet sind, so werden ihr beim Spiel im Spiel Sequenzen untergeordnet, in denen die primäre Fiktionalität durch eine sekundäre potenziert wird.[70] Das folgende Diagramm soll diese Relationen zwischen der übergeordneten primären Spielebene und den untergeordneten sekundären Sequenzen bei der Traumeinlage und dem Spiel im Spiel verdeutlichen:

	übergeordnete Sequenz	*untergeordnete Sequenz*
Traumeinlage	Fiktionalität	Fiktionalität + Imaginiertheit
Spiel im Spiel	Fiktionalität	Fiktionalität + Fiktionalität

Ein Teil des Personals der übergeordneten Sequenzen führt vor einem anderen Teil ein Theaterstück (die untergeordneten Sequenzen) auf. Durch diese Einbettung einer zweiten Fiktionsebene wird im inneren Kommunikationssystem die Aufführungssituation des äußeren Kommunikationssystems wiederholt: dem realen Publikum im Zuschauerraum entspricht ein fiktives auf der Bühne, der realen Bühne entspricht eine fiktive auf der Bühne, den realen Produktionsfunktionen (Autor, Schauspieler, Regisseur) entsprechen fiktive Autoren, Schauspieler und Regisseure. Dieser Prozeß der Einbettung einer sekundären Fiktionsebene in eine primäre kann prinzipiell *ad infinitum* wiederholt werden, indem man in die sekundäre Fiktionsebene eine tertiäre einlagert usw.; eine reale Grenze hat das Verfahren jedoch in der beschränkten Fähigkeit des Publikums, das System der Über- und Unterordnungen von Sequenzen und Fiktionsebenen durchschauen zu können. Ludwig Tiecks romantische Komödie *Die verkehrte Welt* führt bewußt an diese Grenze heran und thematisiert dies auch in der Replik einer fiktiven Zuschauerfigur:

> Seht Leute, wir sitzen hier als Zuschauer und sehn ein Stück; in jenem Stück sitzen Zuschauer und sehn ein Stück und in diesem dritten Stück wird denen dreifach verwandelten Akteurs wieder ein Stück vorgespielt.[71]

Was bei dieser romantisch-ironischen *tour de force* überdeutlich wird, tritt aber auch schon beim einfachen Spiel im Spiel deutlich als Funktion hervor – die Thematisierung des Mediums Drama und Theater, wodurch implizit auch das Verhältnis zwischen dem realen Publikum und der realen Aufführung verfremdend bloßgelegt wird. Die dramatische Illusion wird durch ihre Potenzierung nicht nur thematisiert, sondern auch problematisiert, was im Extremfall – etwa bei Tieck oder Pirandello – zu einer kalkulierten Verunsicherung des Publikums über die Grenzen von Sein und Schein, von Realität und Fiktionalität führen kann, die ihm schließlich auch die Realität als illusionäres Theaterspiel im Sinn der topischen Gleichsetzung der Welt mit dem Theater (s.o. 2.4.1) erscheinen läßt. Die Spekulation eines der fiktiven Zuschauer in *Die verkehrte Welt* –

> Nun denkt Euch Leute, wie es doch möglich ist, daß *wir* wieder Akteurs in irgend einem Stücke wären und einer sähe nun das Zeug so alles durcheinander. In diesen Umständen wären wir nun das Erste Stück. Die Engel sehn uns vielleicht so; wenn uns nun ein solcher zuschauender Engel betrachtet, müßte es ihm nicht möglich sein, verrückt zu werden? (S. 60) –

trifft ja durchaus zu, wie das reale Publikum weiß, nur daß es sich selbst an der Stelle der "Engel" weiß und ihm daher nahegelegt wird, sich selbst *sub specie angelorum* als scheinhaft agierendes Auditorium zu verstehen. Und auch Pirandellos illusionspotenzierende Spiele im Spiel zielen, wenn auch mit anderer philosophischer Begründung, darauf ab, die Realität selbst als notwendig scheinhafte Fiktion aufzudecken. So schreibt er in *La Lettre* (1924):

> Ich glaube, daß das Leben eine sehr traurige Narrenposse ist, und zwar weil wir in uns, ohne wissen noch erkennen zu können weder warum noch von wem, die Notwendigkeit tragen, uns mit der freiwilligen Schaffung einer Wirklichkeit laufend betrügen zu müssen (für jeden eine und nie dieselbe für alle), die dann von Zeit zu Zeit als eitel und trügerisch erkannt wird.[72]

Eine Typologie des Spiels im Spiel hat vor allem zwei Kriterien zu berücksichtigen: die quantitativen Relationen zwischen dem primären Spiel und dem Spiel im Spiel und die personale Verknüpfung dieser beiden Ebenen. Das zweite Kriterium betreffend, hat bereits J. Voigt[73] eine systematische Typologie entwickelt, die wir hier nur in ihren Grundzügen zu referieren brauchen. Die Verbindung zwischen den über- und untergeordneten Sequenzen ist am lockersten, wenn das Spiel im Spiel von einem SELBSTÄNDIGEN PERSONAL getragen wird, das heißt, wenn die fiktiven Schauspieler, die die Figuren des Spiels im Spiel verkörpern, in den übergeordneten Sequenzen nicht auftreten oder nur sehr peripher eingeführt werden. So wird zum Beispiel in Shakespeares *The Taming of the Shrew* im Vorspiel (*Induction*) um den betrunkenen Kesselflicker Sly, den eine übermütige Hofgesellschaft nach seinem Erwachen aus tiefem Rausch als Schloßherren behandelt und dem sie die eigentliche Komödie – das Spiel im Spiel – vorführen läßt, die Ankunft der Schauspielertruppe nur durch einen Boten angekündigt (*Ind.*, ii, 126–133); die Schauspieler selbst treten nur in der ersten Szene des Vorspiels kurz auf, später, ab I, i nur noch als Rollenfiguren des Spiels im Spiel. Im *Hamlet* dagegen wird die Ankunft der Schauspieler nicht nur durch Rosencrantz und Polonius angekündigt (II, ii, 312–371 und 385–397), sie werden darüber hinaus auch in Dialogen mit Hamlet über ihr Repertoire und über das aufzuführende Stück gezeigt (II, ii, 416–539; III, ii, 1–43), ehe sie das Spiel im Spiel, "The Murder of Gonzago", aufführen (III, ii, 131–254). Dennoch bleiben auch sie als Schauspieler deutlich vom übrigen Personal des primären Spiels abgesetzt, da sich ihr Handlungsbezug zu diesen Figuren in ihrer Funktion als Schauspielertruppe erschöpft, die zu einer Aufführung am Hof eingeladen wurde.

Eine direktere Verbindung zwischen dem übergeordneten Spiel und dem untergeordneten Spiel im Spiel ist bei einer IDENTITÄT DES PERSONALS gegeben, bei der die fiktiven Schauspieler, die das Spiel im Spiel aufführen, auch als Figuren in den übergeordneten Sequenzen fungieren. Ein Beispiel dafür stellt das Handwerkerspiel in Shakespeares *A Midsummer Night's Dream* dar. Die Handwerker werden über den ganzen Stückverlauf hin wiederholt bei ihrer Vorbereitungs- und Probenarbeit gezeigt (I, ii; III, i; IV, ii), ehe sie in V, i ihre "tedious brief scene of young Pyramus/And his love Thisbe" (V, 56 f) aufführen; und vor allem ihr Anführer Bottom spielt, unabhängig von seiner Funktion als Darsteller des Pyramus, eine wichtige Rolle in den übergeordneten Sequenzen, da seine Eselsmetamorphose und Titanias Verliebtheit in ihn (III, i; IV, i) Teil des Konflikts zwischen Oberon und Titania und damit der primären Spielebene sind.

Ein Sonderfall dieser Struktur der Identität des Personals ist schließlich das UMSCHLAGEN von Figuren des Spiels im Spiel in Figuren des Spiels, bei dem das Spiel im Spiel mit einem scheinbar selbständigen Personal beginnt, dann aber die Darsteller der Rollen des Spiels im Spiel in die übergeordneten Sequenzen des primären Spiels eingreifen. Auf diesem Verfahren beruht zum Beispiel Arthur Schnitzlers Groteske in einem Akt, *Der grüne Kakadu*. Hier inszeniert eine Schauspielertruppe in einer anrüchigen Spelunke zur Zeit der Französischen Revolution vor einem aristokratischen Publikum, das in seiner Dekadenz das Gruseln genießen will, die fiktive, quasi-theatralische Darstellung eines Verbrecher- und Revoluzzertums. In dieses fiktive Spiel im Spiel bricht der Schauspieler Henri mit seinem Bericht von der Ermordung des Liebhabers seiner Frau, des Herzogs von Cadignan, und verunsichert damit nicht nur das fiktive Publikum, sondern auch das reale Publikum, ob dies nun dem Bereich der

Fiktion oder der Realität angehört. Die Entscheidung, den Bericht für Realität zu halten, die der Wirt und Regisseur Prospère schließlich zu treffen meinen muß, führt dazu, daß Henri vom Ehebruch seiner Frau erfährt und er den Herzog dann wirklich ermordet. Die Phasen einer sowohl für das fiktive als auch das reale Publikum unauflösbaren Ambivalenz von Realität und Fiktion, bzw. von Fiktionalität und potenzierter Fiktionalität, thematisiert implizit jene Fiktionalität, die sonst die Form des Dramas als Element seines Codes unausgesprochen konstituiert, und verfremdet damit die dramatische Form.

Diese typologische Reihe, die von den Relationen zwischen dem Personal der übergeordneten und dem der untergeordneten Sequenzen ausgeht, bedarf als Ergänzung zur Frage nach den Schauspielern des Spiels im Spiel der Frage nach seinen FIKTIVEN ZUSCHAUERN. Auch sie können ja in recht unterschiedlicher Relation zum Spiel im Spiel stehen. In seiner reduziertesten Form ist dieses fiktive Publikum nur auf der Bühne präsent, ohne sich verbal zu äußern. So melden sich Sly und seine Mitzuschauer in *The Taming of the Shrew* nach dem Beginn des Spiels im Spiel nur noch einmal (in Anschluß an Szene I, i) kurz zu Wort, um dann völlig zu verstummen und nur durch ihre Anwesenheit die potenzierte Fiktionalität des Dargestellten zu signalisieren. Meist jedoch wird das Publikum immer wieder als Kommentator aktiv, indem es, wie in Ben Jonsons *Every Man Out of His Humour,* die poetologischen Prämissen des vorgeführten Spiels diskutiert oder, wie im *Hamlet,* die Implikationen des Spiels im Spiel für die übergeordneten Handlungssequenzen, an denen es selbst teilhat, erörtert. Noch enger wird die Verbindung zwischen den fiktiven Zuschauern und dem Spiel im Spiel, wenn sie es nicht nur unter sich kommentieren, sondern mit seinen Schauspielern, oder auch mit seinem Autor, Bühnenbildner oder Regisseur in einen Dialog treten, wie das zum Beispiel in Shakespeares *A Midsummer Night's Dream* und in Tiecks *Der gestiefelte Kater* immer wieder geschieht. Dies ist nur möglich, wenn das Spiel im Spiel selbst epische Kommunikationsstrukturen aufweist, und die Absolutheit seiner dramatischen Fiktion ständig durchbrochen wird. Tieck potenziert dieses Verfahren der Illusionsdurchbrechung, indem er den Hanswurst des Spiels im Spiel das reale Publikum als Dialogpartner anreden und das fiktive Publikum, Fischer und Müller, das sich angesprochen fühlt, mit Unverständnis darauf reagieren läßt:

> HANSWURST: (*gegen das Parterre*) (. . .) Wir stehen nun beide auf Du und Du, und sympathisieren in Ansehung des Geschmacks und er [der Hofgelehrte Leander, sein Gegenspieler] will gegen meine Meinung behaupten, das Publikum im gestiefelten Kater sei wenigstens gut gezeichnet.

Fischer: Das Publikum? Es kömmt ja kein Publikum in dem Stücke vor.
Hanswurst: Noch besser! Also kömmt gar kein Publikum darin vor?
Müller: Je bewahre, er müßte die mancherlei Narren meinen, die auftreten.
(S. 49)

Der Wechsel der Illusionsebene, der Kontrast zwischen der völligen Desillusioniertheit des Hanswurst, der nicht nur das Spiel im Spiel, sondern
auch das primäre Spiel in seiner Fiktionalität durchschaut, und der partiellen Desillusioniertheit des fiktiven Publikums, das sich zwar der Fiktionalität des Spiels im Spiel, nicht aber der eigenen bewußt ist, erzeugt hier
eine besondere Form komischer Informationsdiskrepanz (s. o. 3.4), die
eine romantisch-ironische Selbstaufhebung des Stücks als Ganzem hervortreibt. Das Höchstmaß an Publikumsaktivität wird dann erreicht, wenn
das Publikum nicht nur in einen verbalen Dialog mit den Darstellern des
Spiels im Spiel tritt, sondern handelnd interveniert. Das früheste Beispiel
dafür ist wohl Francis Beaumonts und John Fletchers *The Knight of the
Burning Pestle* (1607), in dem der Krämer George und seine Frau als fiktive Zuschauer ihren Lehrling Ralph auf die Bühne des Spiels im Spiel
schicken, um sicherzustellen, daß der bürgerliche Krämerstand endlich
einmal würdig in einem heroischen Spiel repräsentiert wird.[74] Tiecks Zuschauer Grünhelm, der die Figur der komischen Person verkörpern will,
und der Sturm der Zuschauer auf die Bühne in *Die verkehrte Welt* (S. 93 f)
greifen auf dieses Modell zurück, und noch Pirandello, der mit Tieck und
Friedrich Schlegel vertraut war, steht mittelbar in dieser Tradition.

Für die QUANTITATIVEN RELATIONEN zwischen den über- und untergeordneten Sequenzen ergeben sich beim Spiel im Spiel dieselben Möglichkeiten wie bei der Traumeinlage. Das Spiel im Spiel ist entweder eine Einlage von begrenztem Umfang im quantitativ überwiegenden primären
Spiel, das dann den dominanten Fokus trägt, oder aber das Spiel im Spiel
dominiert quantitativ und qualitativ, wodurch dann die übergeordneten
Sequenzen auf den Status einer Rahmenhandlung – gelegentlich als Vorspiel oder *induction* abgetrennt – reduziert werden. Im Gesamtwerk
Shakespeares realisieren *A Midsummer Night's Dream* und *Hamlet* die
erste Möglichkeit, *The Taming of the Shrew* die zweite; Ben Jonson verwendet in *Bartholomew Fair* den ersten, in *Every Man Out of His
Humour, The Devil is an Ass, The Staple of News* und *The Magnetic Lady*
den zweiten Strukturtyp. Diese beiden Strukturtypen, deren Gegensatz
natürlich wieder eine ganze Skala von Zwischentypen entfaltet, unterscheiden sich nicht nur qualitativ, sondern auch funktional. Wenn das
Spiel im Spiel knappe Einlage ist, ist es meist handlungsbezogen mit der
Ebene des primären Spiels verknüpft: Hamlet läßt "The Murder of

Gonzago" aufführen, um dadurch den Mörder seines Vaters zu überführen, und das Spiel der Handwerker in *A Midsummer Night's Dream* krönt die Hochzeitsfeierlichkeiten von Theseus und Hippolyta und des Quartetts der Liebenden. In diesem unmittelbaren Handlungsbezug erschöpfen sich zwar in beiden Fällen, wie wir sehen werden, die Funktionen des Spiels im Spiel nicht; er stellt jedoch zweifellos die dominante Funktion dar. Wenn dagegen die übergeordneten Sequenzen zum Rahmen reduziert sind, dient dieser dominant der Herstellung einer potenzierten Fiktionalität und damit der Verfremdung der dramatischen Form und eröffnet er zusätzlich die Möglichkeit einer Kommentierung des zentralen Spiels im Spiel durch dessen Zuschauer und Darsteller. Der Rahmen erfüllt dann die Funktion eines episch vermittelnden Kommunikationssystems, das zwischen das Spiel im Spiel und das reale Publikum eingeschoben ist (s. o. 3.6.2.2). So legt Ben Jonson häufig in den Kommentaren seiner fiktiven Zuschauer die dramen- und komödientheoretischen Prämissen seiner dramatischen Produktion bloß, und so rückt Brecht im *Kaukasischen Kreidekreis* durch die Rahmenhandlung des Streits um das Tal das Spiel vom Kreidekreis in eine Kommentarperspektive, die dem legendenhaften Geschehen exemplarischen Wert in Hinblick auf die Rechtsfindung in einer sozialistischen Gesellschaftsordnung verleiht.

Abschließend wollen wir an einem konkreten Beispiel, dem Handwerkerspiel in *A Midsummer Night's Dream*, die Polyfunktionalität auch dieses Textelements aufzeigen und dabei näher vor allem auf jene Funktionen eingehen, die bisher noch nicht erwähnt wurden. Die Makrostruktur dieses Texts stellt sich als hierarchisch abgestufte Beiordnung von vier miteinander interferierenden Sequenzen dar – der zentralen Liebeswirren um Hermia, Lysander, Helena und Demetrius, des Streits von Oberon und Titania, der Hochzeitsvorbereitungen Theseus' und Hippolytas und der theatralischen Aktivitäten der Handwerkergruppe. Alle vier Sequenzen sind nach dem Schema der Überführung einer konflikthaften bzw. "unerfüllten", in jedem Fall aber dynamisch gespannten Situation in eine statische strukturiert, die dann das Textende markiert: die Konflikte innerhalb des Quartetts der Liebenden und der Konflikt zwischen Oberon und Titania werden gelöst, und die Hochzeitsvorbereitungen von Theseus und Hippolyta und die Aufführungsvorbereitungen der Handwerker finden ihre Erfüllung. Damit ist das Spiel im Spiel bereits in ein System von Äquivalenzen einbezogen, was noch dadurch betont wird, daß es ja in den Hochzeitsfeierlichkeiten seinen motivierenden Anlaß hat.

Zudem ist es über thematische und situative Korrespondenzen mit der Hauptsequenz des Quartetts der Liebenden verknüpft. In der Tragödie von Pyramus und Thisbe geht es, wie in den Konflikten der beiden Liebespaare, um eine Liebe, die durch elterliches Verbot blockiert wird; dem Prinzip der Spiegelung (s. o. 6.3.1.4) entsprechend werden hier eine komische und eine tragische Lösung dieses Konflikts kontrastiv einander gegenübergestellt. Damit wiederholt sich innerhalb von *A Midsummer Night's Dream* jene beziehungsreiche Kontrastierung von Liebeskomödie und Liebestragödie, die Shakespeare bereits im zeitlichen Nebeneinander von *A Midsummer Night's Dream* und *Romeo and Juliet* – beide um 1595 entstanden – auch im äußeren Kommunikationssystem suggeriert hat.

Nun ist freilich die Tragödie von Pyramus und Thisbe nur vom Motiv her eine mit *Romeo and Juliet* verwandte Liebestragödie, gerät sie doch den Handwerkern zur unfreiwillig komischen Persiflage einer Tragödie. Damit kommen den untergeordneten Sequenzen des Spiels im Spiel zwei weitere Funktionen zu. Sie sorgen, dem Ideal der *varietas* und *copia* dienend (s. o. 6.3.1.4), für die heitere Komik des Burlesken in einer Komödie, in deren übrigen Handlungssequenzen eine romanzenhafte Empfindsamkeit und Poesie dominieren, die wenig Anlaß zu Gelächter geben. Und diese Komik selbst ist parodistisch im Sinn einer Literatursatire funktionalisiert: die Ankündigung des Stücks als "very tragical mirth" (V, i, 57) zielt auf die bedenkenlose und rein additive Gattungsmischung im vorshakespeareschen Drama ab, wie sie auch Sidney in seiner zeitgenössischen *Apologie for Poetrie* (1595 veröffentlicht) kritisierte; die permanenten Illusionsdurchbrechungen parodieren eine Dramaturgie, in der epische Kommunikationsstrukturen die Regel sind und nicht funktionale Abweichungen; und das völlig überzogene, dabei aber sinnentleerte Pathos von Pyramus' Monolog –

> O grim-look'd night! O night with hue so black!
> O night, which ever art when day is not!
> (V, i, 168 f) –

karikiert die konventionelle Rhetorik der elisabethanischen Seneca-Nachahmer.

Die linkische Unbeholfenheit des Handwerkerspiels parodiert jedoch nicht nur die "primitive" Dramaturgie älterer Volksschauspiele, sondern dient gleichzeitig als Modell für die Unzulänglichkeit *aller* Bühnendarstellungen – auch der von *A Midsummer Night's Dream* selbst – und erweist die Notwendigkeit phantasievollen Mitschaffens der Zuschauer. Die Forderung der Handwerker an ihr fiktives Publikum, einen Schauspieler als die Verkörperung einer Wand, des Mondes oder eines Löwen zu akzeptieren, unterscheidet sich ja nur graduell, nicht prinzipiell von

Shakespeares Forderung an sein reales Publikum, zum Beispiel die im Haupttext immer wieder behauptete minuziöse Winzigkeit der Feen zu akzeptieren, obwohl doch der Augenschein dagegen spricht. So dient auch hier das Spiel im Spiel wieder der impliziten Thematisierung und damit der verfremdenden Bloßlegung des dramatischen Codes, was noch auf der übergeordneten Ebene des Kommentars der fiktiven Zuschauer verdeutlicht wird:

> HIPPOLYTA: This is the silliest stuff that ever I heard.
> THESEUS: The best in this kind are but shadows; and the worst are no worse, if imagination amend them. (V, i, 209–211)

Mit *"shadows"* verweist Theseus auf die Fiktionalität dramatischer Präsentation, die diese als ein Element ihres Codes konstituiert, und eben dieses Wort greift Puck in seinem episch vermittelnden Epilog (V, i, 412) wieder auf und bezieht es nun auf den Text als Ganzen, den er im Rückblick als schattenhaftes Traumspiel ausgibt (s. o. 6.3.2.1). Und in diesem Kontext einer impliziten Thematisierung der dramatischen Fiktion und Illusion steht schließlich auch, daß Bottom und seine Gesellen in unfreiwilliger Komik die Illusionierungskraft ihrer ganz unzulänglichen Aufführung grotesk überschätzen und glauben, die Wirkung der gräßlichen Ereignisse auf ihr aristokratisches Publikum, und darunter vor allem auf die Damen, durch Kommentare abmildern zu müssen, die das Illusionäre ihres Spiels aufdecken. Auch hier also dient die Potenzierung der Fiktionalität wieder ihrer verfremdenden Bloßlegung.

Verwandt mit dem Spiel im Spiel, aber doch kategorial von diesem zu trennen, sind die vielfältigen Formen des Verstellungsspiels und anderer Arten des SPIELENS IM SPIEL, wie sie sowohl im tragischen als auch im komischen Drama auftreten.[75] Auch hier spielen Figuren des Spiels zusätzliche Rollen vor anderen Figuren, doch sind diese Rollen nicht fiktional, sondern fingiert. Als fingiertes Rollenspiel zielt dieses Spielen im Spiel darauf ab, andere Figuren des Spiels zu täuschen, während Fiktionalität ja nicht Täuschung intendiert, sondern gerade auf einer Übereinkunft zwischen Spielern und Zuschauern über den besonderen ontologischen Status des Spiels, seine Scheinhaftigkeit, beruht. Das Verstellungsspiel ist also nicht als untergeordnete Sequenz in das primäre Spiel eingebettet, wie das für die Traumeinlage und das Spiel im Spiel gilt, sondern ist Teil des primären Spiels. Wenn wir dennoch hier kurz darauf verweisen, so deshalb, weil sich dabei Strukturen ergeben, die nicht nur formal, sondern auch funktional denen des Spiels im Spiel nahekommen. Dies betrifft vor allem das Auftreten von Zuschauern auf der Bühne und

deren Kommentatorfunktion. Besonders deutlich ist das bei Belauschungsszenen,[76] in denen das Verhalten eines arglosen Intrigenopfers
durch eingeweihte Zuschauerfiguren beobachtet und kommentiert wird
(z. B. *Twelfth Night* II, v), oder bei fingierten Belauschungsszenen, in
denen Intriganten eine Szene inszenieren, die sie von arglosen Intrigen-
opfern belauschen lassen (z. B. *Much Ado About Nothing* II, iii und III, i).
Hier erinnert ja schon das räumliche Arrangement der Figurengruppierung an die Aufführungssituation des Spiels im Spiel, und zudem wird hier
und auch in anderen Fällen des Spielens im Spiel oft die Vorbereitung,
Durchführung und rückblickende Besprechung des Verstellungsspiels in
theatralischer Terminologie formuliert. Die Fiktionalität des Dramas wird
damit zum metaphorischen Modell für die Fingiertheit des Verstellungsspiels, wobei die Theatermetaphern in den Repliken der Intriganten implizit wieder die Fiktionalität des Dramas als Ganzem thematisieren und
bloßlegen.[77]

6.4 SEGMENTIERUNG UND KOMPOSITION

6.4.1 Die Segmentierung der Geschichte in Relation zur Segmentierung der Darstellung

Die Makrostruktur eines dramatischen Textes stellt sich, wie die jedes
anderen Textes, als Syntagma von Elementen dar; er ist in größere Abschnitte gegliedert, die sich wiederum jeweils in kleinere Unterabschnitte
auflösen lassen usw. Die Zahl der Segmentierungsniveaus, die dabei anzusetzen ist, variiert von Text zu Text; Dramen tektonisch geschlossener
Komposition weisen ein stärker hierarchisiertes, Dramen a-tektonisch
offener Komposition ein weniger hierarchisiertes Segmentierungssystem
auf (s. u. 6.4.3). Gleich bei allen Texten ist dagegen die Zahl der Ebenen,
auf denen makrostrukturell segmentiert wird – es sind dies immer die
Ebene der dargestellten Geschichte und die Ebene ihrer Darstellung, der
Fabel (s. o. 6.1.1.2). Die tiefenstrukturelle Ebene der dargestellten Geschichte ist nach semantisch-logischen Kriterien segmentiert, wobei sich
als die wichtigsten Niveaus in hierarchisch aufsteigender Reihe Hand-
lung/Geschehen, Handlungs-/Geschehensphase und Handlungs-/Ge-
schehenssequenz angeben lassen; die Segmentierung auf der oberflächenstrukturellen Ebene der Darstellung wird durch Konfigurationswechsel,
durch Unterbrechungen der raum-zeitlichen Kontinuität und durch zu-

sätzliche Signale wie Vorhang und Pausen markiert und weist als historisch wichtigste Niveaus die Gliederungseinheiten Auftritt, Szene und Akt auf. Eine analoge Zweischichtigkeit der Segmentierung findet sich auch bei narrativen Texten: neben die dem Drama völlig entsprechende tiefenstrukturelle Segmentierung tritt hier die oberflächenstrukturelle Segmentierung durch typographische Anordnungsverfahren (Alinea, Leerzeilen, Leerseiten, Titel, Zwischentitel usw.) in Gliederungseinheiten wie Absatz, Abschnitt, Kapitel und Buch.[78] Auch in Texten, denen keine Geschichte als Substrat zuzuordnen ist, wird auf mehreren Ebenen segmentiert; in lyrischen Texten zum Beispiel auf der Ebene der Metrik (Vers, Strophe), auf der Ebene der Syntax (*phrase, clause, sentence*) und auf der tiefenstrukturellen Ebene der Argumentationsstruktur.

Immer ergibt sich aus dieser Zwei- oder Mehrschichtigkeit der Segmentierung das Problem der Korrelation dieser Segmentierungen. Dabei eröffnen sich prinzipiell zwei Möglichkeiten: die tiefen- und oberflächenstrukturellen Segmentierungen können miteinander korrespondieren oder aber gegenläufig sein. Weder der Idealtyp der absoluten Korrespondenz, der Identität, noch der Idealtyp der absoluten Gegenläufigkeit, des Fehlens jeder Korrespondenz, wird durch reale Texte je eingelöst; reale Texte lassen sich jedoch jeweils auf einer Skala zwischen diesen beiden Extrempositionen als mehr oder weniger starke Annäherungen an einen dieser Idealtypen einordnen.

Wir wollen diese Fragestellung an Racines *Phèdre* konkretisieren. Dabei werden wir uns, schon der Kürze wegen, auf die größten Gliederungseinheiten beschränken. Oberflächenstrukturell, also auf der Ebene der Darstellung, zerfällt der Text in fünf Abschnitte, deren Grenzen jeweils durch totalen Konfigurationswechsel, durch Durchbrechung der raumzeitlichen Kontinuität und durch Vorhang und Pause deutlich markiert werden. Diese fünf "Akte" haben mit Ausnahme des etwas kürzeren dritten Aktes etwa den gleichen Umfang und weichen auch in der Zahl der "Auftritte" nur geringfügig voneinander ab (die Binnenakte II–IV bestehen jeweils aus sechs, die Rahmenakte I und V aus fünf bzw. sieben Auftritten). Sowohl in bezug auf den Umfang als auch die Zahl der Auftritte sind die von x (leicht) abweichenden Gliederungseinheiten y nach dem Prinzip der Axialsymmetrie verteilt: x-x-y-x-x bzw. y-x-x-x-y.[79]

Es fragt sich nun, ob diese klare Disposition ihr Korrelat in der Segmentierung der Geschichte hat, ob die Akteinschnitte sich mit Einschnitten in der Geschichte decken. Dabei ist zu beachten, daß die *Phèdre* zugrundeliegende Geschichte sich, dem aristotelisch-klassizistischen Postulat der "Einheit der Handlung" entsprechend, als eine einzige, in sich geschlossene Handlungssequenz darstellt, die im wesentlichen durch einen ununterbrochenen Kausalnexus zusammengehalten wird.[80] Den oberflächenstrukturellen Einschnitten zwischen den Akten können also hier tiefenstrukturell keine Einschnitte zwischen völlig oder relativ selbständigen Sequenzen entsprechen, sondern allenfalls weniger stark markierte Einschnitte zwischen einzelnen, chronologisch aufeinanderfolgenden und kausal miteinander verknüpften Handlungsphasen.

Sieht man einmal von den umfangreichen Handlungsphasen der Vorgeschichte ab, die Thésée, Phèdre, Hippolyte und Aricie betreffen und rein narrativ vermittelt werden, dann gliedert sich der szenisch präsentierte Teil der Geschichte in drei Phasen.[81] Die erste Phase entwickelt die Eingangssituation als eine *impasse*: Hippolyte liebt Aricie, wird aber durch dynastische Gründe daran gehindert, sich ihr zu eröffnen oder um sie zu werben; Phèdre liebt den Stiefsohn Hippolyte, kann sich ihm jedoch nicht eröffnen, da sie ja an den Gatten Thésée gebunden ist. Für beide ist die Grenze zur Erfüllung ihrer Liebe, verkörpert in Thésée, unüberschreitbar; Hippolyte plant als Ausweg die Flucht, Phèdre sieht keinerlei Ausweg und siecht dahin. – Die zweite Phase wird durch die Nachricht von Thésées angeblichem Tod eingeleitet. Damit eröffnen sich sowohl für Hippolyte als auch für Phèdre neue Handlungsmöglichkeiten: Hippolyte gesteht Aricie seine Liebe und findet Gegenliebe, Phèdre gesteht Hippolyte ihre Liebe und wird abgewiesen. – Die dritte Phase schließlich wird durch die Nachricht von Thésées Überleben und seine Ankunft eingeleitet. Phèdre reagiert, angestiftet durch ihre Vertraute Oenone, mit der Verleumdungsintrige gegen Hippolyte, der sie angeblich verführen wollte, entscheidet sich dann aber im Konflikt zwischen Selbstbewahrung und Eifersucht einerseits und ethischen Prinzipien andererseits für letztere, verstößt Oenone, die daraufhin Selbstmord begeht, und vergiftet sich selbst. Thésée reagiert auf die Verleumdungsintrige mit der Verbannung und Verfluchung Hippolytes und gerät dabei in einen Konflikt zwischen seinen Bindungen der Gattin und dem Sohn gegenüber. Hippolyte reagiert auf die Verleumdungsintrige und die Verbannung durch den Plan der Flucht mit Aricie, wird dabei jedoch von Thésées Fluch eingeholt und von einem Seeungeheuer getötet.

Die drei Phasen, wie wir sie hier entwickelt haben, sind knapp mit den Stichworten *"impasse"* (I), "Scheinlösung" (II) und "Lösung" (III) zu umreißen. Das Kriterium, nach dem sie als Segmente voneinander abgelöst erscheinen, ist eine völlige Veränderung der Situation, eine Veränderung, die weitreichender ist als die Situationsveränderungen, die sich etwa aus den Handlungen von Hippolyte und Phèdre ergeben. Der Nachricht vom angeblichen Tod und dann der Dementierung dieser Nachricht und der Ankunft Thésées kommen damit der Status einer Peripetie im aristotelischen Sinn zu (*Poetik*, Kap. 11).

Diese Segmentierung der Geschichte in drei Handlungsphasen korrespondiert nicht mit der Segmentierung der Fabel, der Darstellung, in fünf Akte. Phase I reicht von I,i bis I,iii, Phase II von I,iv bis III,ii und Phase III von III,iii bis V,vi. Dazu kommt noch als weiteres Element der Gegenläufigkeit der beiden Segmentierungen, daß die narrative Vermittlung der Handlungsphasen der Vorgeschichte nicht mit Akt I abgeschlossen ist, sondern noch in den zweiten Akt hinüberreicht. Die Segmentierungen auf der Ebene des Dargestellten und der Darstellung sind nicht nur gegeneinander verschoben, sondern auch kontrastiv strukturiert: folgt die Phasen-Segmentierung der Geschichte dem Prinzip wachsender Glieder, so bleibt der Umfang der Darstellungsabschnitte, der Akte, relativ konstant, und realisiert die Abfolge der Phasen eine lineare Progression, so ist die Abfolge der Akte durch Zyklik und Symmetrie bestimmt.

Welche Funktion kommt aber einer solchen Gegenläufigkeit der Segmentierung auf den beiden Ebenen zu? Erschöpft sie sich darin, Ausdruck eines bewußten Formwillens, eines Willens zur selbstzweckhaft ästhetischen Stilisierung zu sein, wie Jacques Scherer meint?

> (. . .) la structure externe a ses lois propres, qui ne sont nullement l'expression des tendances profondes de l'architecture interne de la pièce, mais manifestent au contraire l'imposition à la matière dramatique de formes extérieures, voulues par la conscience esthétique collective des auteurs classiques.[82]

Darüber hinausgehend hat sie doch auch die Funktionen, Emphasen zu ermöglichen, den Darstellungsfokus zu kontrollieren und damit allgemein Sinnbezüge herzustellen, die in den chronologischen und kausalen Beziehungen der Geschichte noch nicht vorgegeben sind. Die Segmentierung auf der Ebene der Darstellung ist also ein wichtiges Moment in der Strukturierung der Geschichte zum *plot*, zur Fabel.

So werden bereits durch die Verlagerung der frühen Phasen der Geschichte in narrative vermittelnde und dabei stark raffende Expositionserzählungen die Endphasen stark betont, und so fällt durch die Tatsache, daß die dritte und letzte der szenisch präsentierten Phasen zweieinhalb Akte und damit die Hälfte des ganzen Textes ausfüllt, auf diese Schlußphase, in der sich die Konflikte tragisch lösen, der dominante Fokus. Bei einer Deckung der Segmentierung auf beiden Ebenen wäre es auch nicht möglich, die Aktschlüsse zu Höhepunkten der dramatischen Spannung auszugestalten, wie das Racine durchwegs macht.[83] Gerade durch die Gegenläufigkeit der Segmentierung der Geschichte und der Darstellung gerät der Aktschluß nicht zum Ruhepunkt, sondern wird er mit präzipitierender Dynamik aufgeladen, die die Pause zwischen den Akten zu überbrücken vermag. So werden immer wieder an den Aktschlüssen, die mitten in eine Handlungsphase hineinfallen, Fragen über den weiteren Verlauf aufgeworfen oder zukunftsträchtige Entscheidungen gefällt: am Ende des ersten Aktes faßt Phèdre den Entschluß, sich Hippolyte zu eröffnen; am Ende des zweiten Aktes taucht das Gerücht auf, Thésée sei noch am Leben und bereits gelandet; der dritte Akt schließt mit Hippolytes Plan, dem Vater die Liebe zu Aricie zu gestehen und der vierte mit Phèdres Schwanken zwischen eifersüchtiger Rache und sittlichen Normen und mit ihrer Verstoßung Oenones.[84]

Solche sinnstiftenden und sinnverdeutlichenden Korrespondenzen in der Struktur der einzelnen Akte beschränken sich nicht auf die Aktschlüsse, sondern beziehen auch andere Positionen ein. So markieren wiederkehrende Konfigurationen die Situationsveränderungen, wie zum Beispiel die Dialoge von Hippolyte, Phèdre und Aricie mit ihren *confidents*, die Monologe Phèdres (III, ii u. IV, v) und Thésées (IV, iii u. V, iv), die Begegnungen zwischen Hippolyte und Phèdre und zwischen Hippolyte und Aricie. Zudem gipfelt jeder Akt in ein oder zwei "großen Szenen", auf die die anderen Szenen hingeordnet sind: im ersten Akt ist dies Phèdres Geständnis ihrer Liebe zu Hippolyte der Vertrauten gegenüber (I, iii), im zweiten Akt ihre Liebeserklärung an Hippolyte selbst (II, v), im dritten Akt die erste Begegnung zwischen Hippolyte und Thésée; der vierte Akt weist als Höhepunkte die Verwünschung Hippolytes durch Thésée (IV, ii) und Phèdres Ringen mit ihrer Eifersucht (IV, vi) und der fünfte Akt Théramènes Bericht vom Tode Hippolytes (V, vi) und Phèdres Selbstmord (V, vii) auf.[85] Durch dieses Arrangement werden also Emphasen gesetzt, die in der Geschichte selbst nur potentiell angelegt, nicht aber notwendig vorgegeben sind, wie durch einen Vergleich mit den Phaedra-Dramen des Euripides und Senecas leicht nachzuweisen wäre. Insgesamt wird die dreigliedrige, lineare und ungleichteilige Phasenstruktur in eine fünfgliedrige, axialsymmetrische und gleichteilige Aktstruktur transformiert, wobei der Beginn der dritten Phase, die Ankunft Thésées, zur zentralen Peripetie von Akt III wird, Akt I und II, das Konfliktpotential entfalten und Akt IV und V die Konflikte zur Entladung bringen.

Was wir hier paradigmatisch an Racines *Phèdre* entwickelt haben, die Relation einer dreiphasigen Struktur der Geschichte zu einer fünfaktigen Struktur der Darstellung, kann nicht verallgemeinert werden, sondern gilt nur für diesen Text; allgemeingültig ist jedoch die Überlagerung zweier Segmentierungsebenen, die an diesem konkreten Beispiel veranschaulicht werden sollte. Dabei ist wohl gleichzeitig deutlich geworden, daß die Segmentierung auf der Ebene der Darstellung auf klaren und einfach operationalisierbaren Kriterien basiert, während die Phasen-Segmentierung auf der Ebene der Geschichte oft problematisch sein kann. Da es hier an handlungsgrammatischen Vorarbeiten zur Verknüpfung von Einzelhandlungen zu Handlungsphasen und von Handlungsphasen zu Handlungssequenzen fehlt, ist man bei der Analyse noch weitgehend auf intuitive Abschnittsbildung angewiesen, wobei wir uns bei unserem ausgewählt einfachen Beispiel von der Hypothese leiten ließen, daß bei der Phasenbildung – ebenso wie bei der Bestimmung der einzelnen Handlungen – das Kriterium der Situationsveränderung herangezogen werden muß, mit dem Unterschied, daß es sich auf dem Niveau der Handlungsphasen um eine umfassende, nicht nur einen begrenzten Teil der Figuren betreffende Situationsveränderung handeln muß. Beim derzeitigen Stand der handlungsgrammatischen Modellbildung erscheint es uns jedoch wenig aussichtsreich, hier im Rahmen einer Einführung in die Dramenananalyse dieses Problem weiterzuverfolgen; wir werden uns daher im Folgenden auf eine eingehendere Darstellung der oberflächenstrukturellen Segmentierung beschränken.

6.4.2 Die Segmentierung der Darstellung

Eine Diskussion der oberflächenstrukturellen Segmentierung der Darstellung im Drama hat zwei Aspekte zu berücksichtigen und, soweit möglich, auseinanderzuhalten – den systematisch-ahistorischen Aspekt von Segmentierungskriterien und den historischen Aspekt von Konventionen der Segmentierung.[86] Da der historisch-konventionelle Aspekt den ersten als seinen Bedingungsrahmen voraussetzt, werden wir diesen zuerst behandeln.

6.4.2.1 Segmentierungskriterien und -signale

Segmentierungseinheiten kleinster Ordnung ergeben sich nach dem Kriterium einer PARTIELLEN KONFIGURATIONSVERÄNDERUNG. Der Textabschnitt zwischen zwei aufeinander folgenden partiellen Konfigurationsveränderungen stellt damit die kleinste makrostrukturelle Segmentierungseinheit dar.[87] Jeder Auftritt oder Abgang einer oder mehrerer

Figuren markiert also einen Einschnitt auf diesem Segmentierungsniveau, und der dadurch konstituierte Textabschnitt ist nicht mehr durch szenische, sondern allenfalls durch thematische oder situative Kriterien weiter zu unterteilen. So ist zum Beispiel der Auftritt Hippolyte-Théramène in Racines *Phèdre* (I, i), der durch das Hinzutreten Oenones beendet wird, eine Segmentierungseinheit dieses Niveaus und ist als solche szenisch nicht mehr unterteilbar; thematisch jedoch läßt er sich in kleinere Einheiten zerlegen, indem der Dialog durch den Wechsel des Dialogthemas in einzelne Passagen zerfällt – Thésée (Replik 1–3), Phèdre (Replik 4–7) und Aricie (Replik 7–13) als Grund für Hippolytes Abreise; der Plan, sich von Phèdre zu verabschieden (Replik 14–15).

Segmentierungseinheiten auf dem nächsthöheren Niveau ergeben sich nach dem Kriterium des TOTALEN KONFIGURATIONSWECHSELS. So endet zum Beispiel der erste Akt von *Phèdre* mit der Konfiguration Phèdre–Oenone und beginnt der nächste Akt mit der total veränderten Konfiguration Aricie–Ismène; dieser totale Konfiguratonswechsel kennzeichnet alle Aktgrenzen in *Phèdre* und in den meisten Dramen der französischen Klassik.[88] Meist ist dieses Kriterium des totalen Konfigurationswechsels, wie hier, verbunden mit dem Kriterium der Unterbrechung der zeitlichen Kontinuität – der Zeitraum, der die Konfiguration Phèdre–Oenone von der folgenden trennt, bleibt im *entr'acte* ausgespart (s. u. 7.4.3.2) – oder, noch darüber hinausgehend, mit dem des Schauplatzwechsels. Der totale Konfigurationswechsel kann aber auch unabhängig von diesen Kriterien auftreten, wenn zwei Konfigurationen durch eine mehr oder weniger lang dauernde Null-Konfiguration der "leeren Bühne" voneinander getrennt werden (s. o. 5.3.3.1); hier kann es zu einem totalen Konfigurationswechsel kommen, ohne daß gleichzeitig die raum-zeitliche Kontinuität durchbrochen wird.

Damit haben wir schon die beiden noch ausstehenden übergeordneten Segmentierungskriterien genannt – ZEITAUSSPARUNG und SCHAUPLATZWECHSEL. In einem Drama, das wie *Phèdre* streng die klassizistische Norm der Einheit des Orts erfüllt, wird auf eine Segmentierung durch Schauplatzwechsel verzichtet; im Drama eines Shakespeare aber treten diese beiden Kriterien meist gemeinsam auf.

Zu diesen allgemeinen Kriterien der Segmentierung treten historisch-konventionelle Segmentierungssignale, die diese Kriterien begleiten oder von ihnen unabhängig sein können. Wir können hier, wie immer, wenn es sich um rein historische Konventionen handelt, nur eine Auswahl der wichtigsten Erscheinungen nennen. So diente im antiken griechischen Drama das CHORLIED zur Segmentierung des dramatischen Textes in *epeisodia*, und dies vor allem, nachdem seit Euripides der Chor seine Rolle als Mitagierender verlor und die Chorlieder sich aus dem Handlungsgefüge lösten. Auftritt und Lieder des Chors erhalten dadurch deutlichen Einlagen- und Einschubcharakter und können die einzelnen Segmente der Darstellung scharf voneinander trennen.[89] In ähnlicher Weise segmentieren eingeschobene ZWISCHENSPIELE – etwa die allegorischen *dumb shows* im elisabethanischen Drama oder die "Reyen" im barocken Trauerspiel[90] – in späteren Epochen der Dramengeschichte den Textablauf. Und bei Shakespeare und einigen seiner Zeitgenossen findet sich die Konvention, durch PAARREIME – im Gegensatz zum sonst verwendeten ungereimten Blankvers – den Szenenschluß zu signalisieren. Allen diesen Formen ist gemeinsam, daß das segmentierende Element, das das einzelne Segment einrahmt, zu einer stärker publikumsbezogenen, epischen Informationsvergabe und zu Abstraktion und Generalisierung tendiert.[91]

Sind die bisher angeführten Konventionen in den Text integriert, so bleiben zwei andere konventionelle Segmentierungssignale textextern – die PAUSE und der VORHANG. Die Pause als eine Unterbrechung des Textes stellt das deutlichste Segmentierungssignal dar: der Rezipient wird aus dem fiktionalen Raum und der fiktionalen Zeit der dramatischen Situation in die reale Deixis seiner Zuschauersituation zurückverwiesen. Dies unterscheidet die Pause prinzipiell von der, oberflächlich gesehen, ähnlichen "leeren Bühne", die ja Teil des Textes ist und durch die daher der Text und seine fiktionale Deixis nicht unterbrochen wird. Die Zeitdauer der Pause als eine reale Größe steht in keinerlei Abbildverhältnis zur Dauer der ausgesparten fiktiven Zeit, sondern kann, soweit sie nicht allein durch bühnentechnische Abläufe (Umbauten) bedingt ist, das Segmentierungsniveau abstufen. Der Vorhang schließlich, der sich als Segmentierungskonvention erst im achtzehnten Jahrhundert ganz durchsetzte, ist ein zusätzliches optisches Signal für die Pause und ermöglicht gleichzeitig bei Schauplatzwechsel einen Bühnenumbau, bei dem die dramatische Illusion nicht gestört wird.

6.4.2.2 Segmentierungseinheiten

Die kleinste makrostrukturelle Segmentierungseinheit, die sich aufgrund des Kriteriums einer partiellen Konfigurationsveränderung ergibt, wollen wir, einer etablierten, wenn auch nicht völlig einheitlichen Konvention folgend, AUFTRITT nennen. Für einen Auftritt gelten also zwei Bedingungen: raum-zeitliche Kontinuität und unveränderte Konfiguration. Ein

Auftritt in dieser Definition deckt sich, und hier beginnt die historisch bedingte terminologische Widersprüchlichkeit, mit dem Begriff der *scène* in der klassischen französischen Terminologie, was nicht ohne Einfluß auf die Verwendung des Wortes "Szene" im Deutschen blieb.[91a] Der Einschnitt zwischen zwei Auftritten ist um so gravierender, je zentraler die auf- bzw. abtretende Figur ist, das heißt, je entscheidender dadurch die Konfiguration auf der Bühne verändert wird. Eine völlig konsequente Markierung und Einteilung des schriftlich fixierten Textsubstrats in Auftritte, die auch sehr periphere Konfigurationsveränderungen berücksichtigt, ist daher für die Rezeption des plurimedialen Textes oft irrelevant, aber für die theatralische Produktion von Belang und stellt eine Arbeitshilfe für Regie und Schauspieler dar.

Die Auftritte und Abgänge von Figuren, durch die die Segmentierungseinheit des Auftritts konstituiert wird, können mehr oder weniger motiviert bzw. zufällig sein.[92] In einer Dramaturgie, die den Kausalnexus zwischen den einzelnen Handlungs- und Geschehensabläufen betont, dominieren die motivierten Auftritte und Abgänge: häufig wird der Auftritt einer neuen Figur von den Figuren, die sich bereits auf der Bühne befinden, erwartet, oder die auftretende Figur gibt einen plausiblen Grund für ihren Auftritt an; und ebenso wird der Abgang einer Figur häufig durch Pläne, Vorhaben oder Aufträge motiviert, so daß der Rezipient auch über den Aufenthalt und die Beschäftigung der abgetretenen Figur hinreichend informiert ist. Die Motivation der Auftritte und Abgänge stellt also eine wichtige Informationsquelle über die verdeckte Handlung im *off-stage*, im Raum außerhalb der Bühne, dar (s. u. 7.3.1.2).[93] Dennoch kommt es auch im Rahmen der Dramaturgie der kausalen Verknüpfung und Notwendigkeit zu unmotivierten, zufälligen Auftritten, deren Zufälligkeit gelegentlich sogar durch eine "Im-rechten-Augenblick"-Formel thematisiert wird. Die Wahl eines öffentlichen Schauplatzes, im Gegensatz etwa zu einem privaten Interieur, kann dabei die Motivation der Auftritte erleichtern und läßt völlig zufällige Begegnungen weniger unwahrscheinlich wirken. Die öffentlichen Räume, derer sich das Drama seit der Antike immer wieder bedient, signalisieren also nicht nur den Öffentlichkeitscharakter der dargestellten Geschichte und Thematik, sondern haben auch diese mehr technisch-formale Funktion.

Racines *Phèdre* bestätigt diese Überlegungen. Die strenge Normerfüllung der Einheit des Ortes bedingt die Wahl eines öffentlichen Schauplatzes (vor dem Königspalast in Trézène), da nur ein allgemein zugänglicher Raum die Abfolge der 30 Begegnungen plausibel macht. Der erste Auftritt (I,i), mit dem das Drama eröffnet wird, zeigt Hippolyte im Gespräch mit seinem Vertrauten Théramène. Die Beziehung zwischen diesen beiden Figuren macht eine Motivation ihres Zusammenseins eigentlich überflüssig; dennoch wird aus dem Dialog, der *in medias res* einsetzt, während sie auf die Bühne treten bzw. sich der Vorhang vor ihnen öffnet, deutlich, daß ein besonderer Anlaß für ihr Gespräch gegeben ist – Hippolytes Entschluß zur Abreise. Das Auftreten Oenones, mit dem I,ii beginnt, ist zwar auch motiviert, da ihre kranke Herrin sich in der Sonne ergehen will, in ihrem Gram aber keinem Menschen begegnen will und daher die Vertraute vorausschickt; daß dies aber gerade in diesem Moment geschieht, ist zufällig und unvorbereitet. Das Motiv für ihr Auftreten motiviert gleichzeitig den Abgang Hippolytes und Théramènes und die Ankunft Phèdres. Dazu ist zu bemerken, daß zwar Hippolytes und Théramènes Abgang motiviert ist, sie aber keinerlei Hinweise geben, wohin sie sich begeben und womit sie sich beschäftigen werden. Der große Auftritt Phèdre – Oenone (I,iii) mit Phèdres Geständnis ihrer Liebe zu Hippolyte wird dann überraschend durch Panope unterbrochen, die ihrer Herrin die Botschaft von Thésées Tod und von der bevorstehenden Königswahl in Athen übermittelt (I,iv) und sogleich wieder entlassen wird, damit Phèdre und Oenone sich darüber besprechen können (I,v). Der Plan, Hippolyte aufzusuchen, motiviert schließlich ihren Abgang und damit die leere Bühne des Aktschlusses.

Es ist nicht nötig, die Dramaturgie der Personenführung in den restlichen vier Akten weiter zu kommentieren, weil sich dabei keine neuen Gesichtspunkte ergeben würden. Es ist wohl bereits hinreichend deutlich geworden, wie in der Abfolge der Auftritte Motivation und Zufall ineinandergreifen und die Auftritte in einer ununterbrochenen Verkettung, der sogenannten *liaison des scènes*,[94] aneinandergereiht werden. Dabei fällt auf, daß die einzelnen Auftritte, im Gegensatz zu den einzelnen Akten, quantitativ und funktional sehr unterschiedlich sind. Die kurzen Auftritte I,ii, I,iv und I,v mit ihren knappen Ankündigungen, Botschaften und Vereinbarungen verbinden und umrahmen die großen Auftritte I,i und I,iii, in denen in großen Reden das Konfliktpotential der Situation entfaltet wird. Damit variiert auch das dramatische Tempo (s.u. 7.4.5), das kurze Auftritte beschleunigen und lange retardieren.

Die nächsthöhere Segmentierungseinheit stellt sich als eine Verknüpfung von Auftritten dar, die durch den Abgang aller Figuren (totaler Konfigurationswechsel) und/oder die Unterbrechung der raum-zeitlichen Kontinuität beendet wird. Diese Segmentierungseinheit ist in einer Tradition, für die stellvertretend der Name Shakespeare stehen soll, die SZENE, in einer anderen Tradition, verkörpert vor allem durch das Drama der französischen Klassik, der AKT.[95] Hier stehen also nicht nur zwei widersprüchliche Terminologien einander gegenüber, sondern auch zwei unterschiedliche Kompositionstypen: finden sich in der Shakespeare-Tradition die drei Segmentierungsniveaus von Auftritt, Szene und Akt, so weist die französische Tradition nur die zwei Niveaus von Auftritt und Akt auf. Dabei ergeben sich folgende Entsprechungen:

Shakespeare-Tradition:	Auftritt	Szene	Akt
französische Tradition:		scène	acte

Der französische *acte* entspricht der Szene in der Shakespeare-Tradition, indem er durch dasselbe Kriterium bestimmt wird, die Durchbrechung der zeitlichen Kontinuität, wobei dieses Kriterium in der Shakespeare-Tradition noch fakultativ ergänzt werden kann durch einen Schauplatzwechsel und für die Aktgrenzen in der französischen Tradition die zusätzliche Norm gilt, daß die Konfiguration zu Ende des vorausgehenden und am Anfang des folgenden Aktes total wechseln soll, während dies für aufeinanderfolgende Szenen in der Shakespeare-Tradition nicht obligatorisch ist. Der französische *acte* entspricht aber andererseits auch dem Akt der Shakespeare-Tradition, indem beide die höchste Segmentierungseinheit darstellen und normalerweise den Gesamttext in fünf Teile segmentieren.[96] Das Problem wird noch weiter dadurch kompliziert, daß in den zeitgenössischen Quarto-Ausgaben von Shakespeares Stücken sich nur ansatzweise eine Markierung der Szenengrenzen und keine Auftritts- und Aktmarkierung findet und daß auch die posthume Folio-Ausgabe von 1623 nur für einige der Stücke eine konsequente Akteinteilung aufweist, wie sie einheitlich erst von den Herausgebern des achtzehnten Jahrhunderts allgemein durchgeführt wurde. Von diesem Befund her scheint die Relevanz sowohl des Auftritts als auch des Aktes als Segmentierungseinheiten von Shakespeares Stücken problematisch, was in der Shakespeare-Forschung zu einer – noch nicht abgeschlossenen – Kontroverse geführt hat.[97] Ohne auf die Ergebnisse dieser Diskussion im einzelnen eingehen zu müssen, kann doch behauptet werden, daß im Drama Shakespeares die Einteilung in Szenen das dominante Segmentierungsniveau darstellt, die Szene also die entscheidende kompositorische Einheit darstellt, während dies in der französischen Tradition der Akt ist. Dadurch ist die Gesamtkomposition im Drama der Shakespeare-Tradition kleingliedriger und variabler als im Drama der französischen Tradition, das fünf Akte als feste und relativ gleichförmige Bauelemente blockhaft aneinanderfügt. Und während sich die Aktgliederung im französischen Drama transparent aus den äußeren Kriterien der Durchbrechung der zeitlichen Kontinuität und des totalen Konfigurationswechsels ergibt, erschließt sie sich im Drama der Shakespeare-Tradition – wenn nicht zusätzliche Signale wie Vorhang oder längere Pausen verwendet werden – allenfalls aufgrund von inneren Kriterien wie atmosphärischen Veränderungen, thematischen Umakzentuierungen oder Handlungsumschwüngen.

6.4.3 *Komposition*

Mit dem Gegensatz von variabler Szenenreihung einerseits und normierter Aktfügung andererseits haben wir bereits einen zentralen Aspekt der Theorie dramatischer Komposition angesprochen. Diese Theorie dramatischer Komposition, die bis zum neunzehnten Jahrhundert unter normativen Vorzeichen stand, erfuhr seit der Jahrhundertwende eine Renaissance, die sie vor allem dem Wechsel der Intention und Methode von normativer Präskription zu deskriptiver Idealtypik verdankt. Ein Vergleich zwischen Gustav Freytags einflußreicher *Technik des Dramas* (erstmals 1863 erschienen)[98] und Volker Klotz' *Geschlossene und offene Form im Drama* (1960)[99] macht diesen Unterschied deutlich. Freytag, von der neueren Literaturwissenschaft oft zu Unrecht als pedantischer Beckmesser der Dramaturgie belächelt, steht noch ganz in der Tradition einer normativen Dispositionslehre, die in Anlehnung an die rhetorischen Schemata der *partes orationis* allgemeingültige Regeln für den Handlungsablauf eines dramatischen Textes zu formulieren versucht und dabei zu einem drei- oder fünfgliedrigen Strukturmodell gelangt.[100] Sein Ansatz ist demgemäß deduktiv: ausgehend von einer Konflikttheorie des Dramatischen entfaltet sich für ihn der Handlungsablauf im Gegeneinander von Spiel und Gegenspiel und führt dabei von der Exposition des Konflikts über den antagonistischen Höhepunkt zur Katastrophe. Dieses Modell, das er über das spätantike Schema von Protasis, Epitasis und Katastrophe (s. o. 3.7.2.1) hinaus verfeinert, überprüft er dann an einem so selektiven Textkorpus, daß die Widersprüche zwischen dem theoretischen Modell und der Empirie der Texte verdeckt bleiben. So klammert er zum Beispiel das komische Drama und ganze historische Bereiche wie das mittelalterliche Drama, das Drama des Sturm und Drang oder die Dramen Büchners und Grabbes vollständig aus, konzentriert er sich auf die antike Tragödie (v. a. Sophokles) und das klassische französische und deutsche Drama und preßt er die Tragödien Shakespeares etwas gewaltsam in seinen Kategorienrahmen.

Wird hier ein historisch gewordener Kompositionstyp normativ verabsolutiert und bleiben hier die geschichtliche Befangenheit des eigenen Standpunkts und die geschichtliche Relativität der postulierten Normen undurchschaut, so versucht Volker Klotz im Gegensatz dazu mit den Idealtypen der geschlossenen und der offenen Form im Drama, auf kunsthistorische Kategorien Wölfflins und ihre Anwendung auf das Drama durch Walzel, Petsch und andere aufbauend, zwei gegensätzliche Kompositionsmöglichkeiten aus einem Korpus historisch und typologisch breiter gestreuter Texte abzulösen. Dieses Verfahren ist in seiner ersten Phase empirisch und historisch, indem am historischen Material zunächst Einzelerscheinungen festgehalten werden; in seiner zweiten Phase ist es überhistorisch typisierend, indem dann diese Beobachtungen nach Gesichtspunkten geordnet und in einen Systemzusammenhang gebracht und dadurch Idealtypen konstruiert werden, wie sie sich in dieser Reinheit und Konsequenz in der historischen Realität selbst nicht finden. Die Funktion einer solchen Konstruktion von Idealtypen ist eine heuristische, indem sie der historischen Erforschung von Texten Analyseraster und Beschreibungsmodelle zur Verfügung stellt. Damit ist dieser Ansatz dem normativen Ansatz eines Gustav Freytag in zweifacher Weise überlegen: er verabsolutiert nicht einen bestimmten Kompositionstyp normativ, sondern beschreibt unterschiedliche Kompositionstypen und kann sich daher auch auf einen historisch breiter gestreuten Texttypus beziehen, und er reflektiert das Verhältnis von systematischer Verallgemeinerung und historischer Spezifik. Einzuwenden ist jedoch, daß das historische Material gelegentlich allzu undifferenziert auf das einfache antinomische Modell reduziert wird und zum Beispiel das epische Theater Brechts mit den Dramen eines Lenz oder Büchner unter Abstraktion gewichtigster Unterschiede auf den einen Nenner der offenen Form gebracht wird. Darin äußert sich eine Tendenz zur mechanischen Antithetik und zu einer die ursprünglichen Intentionen verkehrenden Substantialisierung der Idealtypen, der sich Klotz nicht immer hinreichend widersetzt.

Wenn wir im folgenden in Anschluß an Volker Klotz' den Gegensatz zwischen einer geschlossenen und einer offenen Formkonzeption im Drama darstellen, beschränken wir uns auf die Gesichtspunkte der "Handlung" und der "Komposition",[101] da wir auf Sprachgestaltung und Figurenkonzeption bereits eingegangen sind und die Raum- und Zeitstruktur im nächsten Kapitel behandeln werden.

6.4.3.1 Geschlossene Form

Der Idealtyp der geschlossenen Form gestaltet eine in sich völlig geschlossene Geschichte mit voraussetzungslosem Anfang und endgültigem Schluß, wobei die Darstellung dieser Geschichte, die Fabel, den aristotelischen Bedingungen der Einheit und der Ganzheit entspricht. Die Einheit der Fabel bedeutet, daß sie aus einer einzigen Sequenz besteht, bzw. bei einer Beiordnung von Sequenzen eine eindeutig dominiert ("Haupthandlung") und die anderen kein autonomes Interesse beanspruchen, sondern völlig auf sie hin funktionalisiert sind. Die Ganzheit der Fabel bedeutet positiv, "daß alles da ist, was irgend mit dazu gehört (Vollständigkeit)", und negativ, "daß alles nicht Unentbehrliche weggelassen wird (Unersetzlichkeit der Teile)".[102] Aus einer klar exponierten Ausgangssituation, die auf einem abgeschlossenen und überschaubaren Satz von Fakten beruht, entwickelt sich ein Konflikt zwischen transparent profilierten antagonistischen Kräften, der zu einer eindeutigen und endgültigen Lösung geführt wird.

Hier wird deutlich, daß der Idealtyp der geschlossenen Form seine historische Annäherung in dem Dramentyp hat, den Gustav Freytag im neunzehnten Jahrhundert noch einmal normativ zu verabsolutieren versuchte. Nach ihm weist die Fabel eine pyramidale Struktur auf, die sich graphisch wie folgt darstellen läßt:[103]

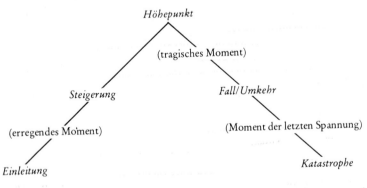

Höhepunkt

(tragisches Moment)

Steigerung   *Fall/Umkehr*

(erregendes Moment)   (Moment der letzten Spannung)

Einleitung   *Katastrophe*

Die Einleitung exponiert die konflikthafte Ausgangssituation, worauf durch das erregende Moment – eine entscheidende Handlung der Protagonisten oder Antagonisten – der Konflikt in steigender Handlung zum Höhepunkt geführt wird und dann durch ein tragisches Moment der Fall des Protagonisten oder die Umkehr der Handlungsrichtung eingeleitet wird, die schließlich, verzögert durch ein Moment der letzten Spannung, in dem noch einmal Hoffnung aufscheint, zur Katastrophe führt. Ein solches Modell impliziert einen zielstrebig-linearen, einsträngigen Handlungsablauf, in dem jeder Phase und jedem Detail nur insoweit Bedeutung zukommt, als es dem Handlungsfortschritt dient. Dieser Vorrang des Ganzen vor dem Einzelnen zeigt sich auch in der axial-symmetrischen Ausgewogenheit der Gesamtkomposition, in der auf beiden Seiten des zentralen Höhepunkts Einleitung und Katastrophe, erregendes Moment und Moment der letzten Spannung, Aufstieg und Fall einander spiegelbildlich entsprechen. Jeder Teil hat sich in diese Konzeption einzufügen: dies gilt schon für die dominante Segmentierungseinheit der Akte, die in ihrer Fünfzahl mit den fünf Stadien des Ablaufs korrespondieren, und dies gilt auch für die Binnenstrukturierung der Akte, die in der Abfolge der Auftritte jeweils die Tektonik von Steigerung und Fall wiederholen.

Aber auch die Fabel ist ebensowenig wie ihre Teile selbstzweckhaftautonom, sondern muß selbst daraufhin funktionalisiert sein, in transparenter Weise ein ideelles Problem zu konkretisieren. Darum muß hier eine selbstzweckhafte Darstellung des Individuellen und Charakteristischen in seiner sinnlichen Gegenständlichkeit der Orientierung auf das Allgemeine hin weichen. Die konkreten äußeren Umstände des Konflikts treten gegenüber dem Allgemeinen der Idee in den Hintergrund, was zu einer Verinnerlichung der Darstellung führt, zu einer Dominanz der Darstellung von Bewußtseinsprozessen gegenüber physischer Aktion und zu einer weitgehenden Entstofflichung durch Verlagerung des äußeren Geschehens in narrativ vermittelte "verdeckte Handlung".

So stellt der Idealtyp der geschlossenen Form eine hierarchisch organisierte Struktur dar, bei der die Idee die Fabel und das Ganze der Fabel jedes seiner Teile determiniert. Diese hierarchische Strukturierung "von oben nach unten" und das Gesetz der Symmetrie bestimmen nicht nur die Komposition der Handlungsabläufe, sondern, wie ergänzend kurz angemerkt werden soll, auch die sprachliche Gestaltung mit ihrer dominant hypotaktischen Syntax, ihrer begrifflichen Transparenz, ihren klar aufgebauten Repliken und Replikenwechseln und ihren häufigen Parallelismen, das überschaubar kleine und durchsichtig in Kontrast- und Korrespondenzgruppen gegliederte Personal, die typisierende und das Bewußtsein betonende Figurenkonzeption und die konzentrierte Ökonomie und Abstraktheit der Raum- und Zeitstruktur.

6.4.3.2 Offene Formen

Der Idealtyp der offenen Form ist als Gegenmodell zu dem der geschlossenen Form entworfen und damit *ex negativo* bestimmt. Hieraus ergibt sich ein Problem für die Beziehbarkeit des Idealtyps auf konkrete historische Texte, das von Klotz nicht oder nicht scharf genug gesehen wurde: während der positiv bestimmte Idealtyp ein relativ homogenes Textkorpus abdecken kann, müssen unter dem *ex negativo* bestimmten Idealtyp sehr unterschiedliche Formen der Negation einer geschlossenen Form subsumiert werden. Das Drama des Sturm und Drang, Büchners Dramen, das naturalistische Drama, das satirische Drama, das epische Theater und, um Klotz' Beispielreihe zu ergänzen, das "absurde Theater" und das Dokumentartheater haben außer der Tatsache, daß sie vom Modell einer geschlossenen Dramenform abweichen, wenig gemeinsam, da sie ja doch in sehr unterschiedlicher Weise davon abweichen. Aus diesem Einwand folgt, daß es uns, im Gegensatz zu Volker Klotz, weniger darum gehen kann, ein vollständiges Modell des Idealtyps der offenen Form zu entwerfen, als vielmehr darum, die wichtigsten Möglichkeiten der Abweichung und Negation im Bereich der Geschichte und ihrer Darstellung anzugeben.

Stellt sich die Geschichte im Drama der geschlossenen Form dominant als kausale Verkettung von Handlungen und Gegenhandlungen dar, in denen der Konflikt ausgetragen wird, so ergibt sich als eine Möglichkeit der Negation bereits das Ersetzen von intentionalen Handlungen durch ein GESCHEHEN, das den Figuren widerfährt, und durch eine lähmende ZUSTANDSHAFTIGKEIT, die auf sie einwirkt (s.o. 6.1.2.3). So antwortet zum Beispiel Peter Weiss auf die Frage des Brecht-Exegeten Ernst Schumacher nach Form und Funktion der Fabel im Dokumentartheater:

> Was Sie mit der 'Fabel' meinen, verstehe ich nicht recht. Für mich ist da ein Geschehnis auf der Bühne, das braucht gar keine Fabel zu haben, sondern das kann auch ein Zustand sein. Es braucht nicht von einem Punkt auszugehen und sich zu einem ganz bestimmten Ziel, zu einem Ende hin zu entwickeln.[104]

Hier wird nicht nur das Primat intentionalen Handelns im Drama der geschlossenen Form negiert, sondern gleichzeitig die Geschlossenheit der Geschichte in Hinblick auf einen voraussetzungslosen Anfang und einen endgültigen Schluß. Auch die "Ganzheit" der Fabel im Sinn ihrer Vollständigkeit dürfte gerade im modernen Dokumentartheater nicht gegeben sein, da ja durch seinen direkten Bezug auf die historische Realität auch bei umfangreichster Dokumentation die modellhafte Verkürzung der Kontingenz der Realität ständig bewußt bleibt und aufgedeckt wird.

Die Einheit der Fabel, wie sie dem Idealtyp der geschlossenen Form entspricht, kann dadurch aufgebrochen werden, daß mehrere Sequenzen einander gleichgeordnet werden, die nicht von einer dominanten "Haupthandlung" abhängen, auf die sie hin funktionalisiert sind. Die strukturelle Offenheit besteht dann darin, daß sich die Geschichte nicht mehr als geschlossenes, hierarchisiertes Ganzes präsentiert, sondern als ENSEMBLE VON EINZELSEQUENZEN, die relativ unabhängig und isoliert voneinander sind. Die einzelnen Sequenzen werden also nicht mehr oder nur noch punktuell durch Handlungs- oder Geschehensinterferenzen miteinander verknüpft (s.o. 6.3.1.3) und erscheinen dadurch als relativ selbständig. Diese Reduktion oder totale Aufgabe einer handlungspragmatischen Verknüpfung kann jedoch auf verschiedene Weise kompensiert werden. Volker Klotz führt dazu drei historisch häufig realisierte Techniken auf – die Beiordnung komplementärer Stränge (Sequenzen), die metaphorische Verklammerung und das zentrale Ich.[105] Eine Möglichkeit der Relationierung komplementärer Sequenzen demonstriert Klotz am Nebeneinander von Kollektivsträngen und Privatsträngen in Lenz' *Soldaten* und Wedekinds *Frühlingserwachen*: entfaltet der Kollektivstrang jeweils in einer Reihe von Einzelsituationen den sozialen oder anthropologischen Bedingungsrahmen (den Zustand der unbeweibten Soldateska, bzw. den Generationenkonflikt), so setzt sich im Privatstrang das Zustandshafte des kollektiven Rahmens in dynamische Handlungs- und Geschehensabläufe um (das Schicksal Marie Wesener, bzw. die parallelen Einzelfälle des Moritz Stiefel, des Melchior Gabor und der Wendla Bergmann). Unter metaphorischer Verklammerung versteht Klotz die Verknüpfung der einzelnen Sequenzen und Situationen durch leitmotivisch wiederkehrende Bildkomplexe.[106] Wie jedoch seine Beispiele aus Büchners *Woyzeck* – das Bild der Abwärtsbewegung und Wortmotive wie "immerzu", "stich tot" und "tanz!" – deutlich machen, geht es ihm dabei nicht nur um iterative Metaphorik, da er ja auch nicht-metaphorische Wortmotive und außersprachliche Zeichen berücksichtigt. Im weitesten Sinn handelt es sich also bei dieser integrativen Technik, die die handlungspragmatische Offenheit auffangen soll, um eine Verknüpfung durch thematische Äquivalenzen (s.o. 6.3.1.3), die durch die variierende Wiederholung von sprachlichen oder außersprachlichen Motiven verdeutlicht werden. Und schließlich kann eine Figur zum integrativen Zentrum der sonst auseinanderstrebenden Sequenzen werden, wenn alle Situationen daraufhin angelegt sind, dieses zentrale Ich in der Totalität seiner biologischen, sozialen, psychologischen und ideologischen Befangenheit zu charakterisieren. Das zentrale Ich ist also nicht wie der Held im geschlossenen Drama deswegen der Mittelpunkt, weil von ihm als Protagonisten, als zentralem, handelnden Subjekt, die wichtigsten Handlungsimpulse ausgehen, sondern weil die in den einzelnen Situationen und Szenen dargestellten Zuständlichkeiten in ihm ihr determiniertes Objekt haben.

> Wo das Strukturprinzip des zentralen Ich durchgeführt ist, steht der Protagonist, gleichsam als *Mon-agonist*, einsam in der Mitte der Gegenwelt, die von allen Seiten auf ihn einstürmt. Die Handlungsbewegung ist hier nicht, wie im geschlossenen Drama, die eines linearen Fortschreitens von einem bestimmten Anfangspunkt auf ein bestimmtes Ziel zu, wobei ein Schritt den andern bedingt und jeder Schritt dem Ziel sich nähert – sondern ein Kreisen.[107]

Damit ist gleichzeitig auf eine weitere Ebene der Negation struktureller Geschlossenheit hingewiesen – das AUFBRECHEN DER LINEAREN FINALITÄT der Handlungsabläufe und ihr Ersetzen durch zyklische, repetitive oder kontrastive Ordnungsprinzipien. Die Abfolge der Szenen ergibt sich weniger aus dem pragmatischen Nexus, der häufig durch Einschieben von handlungsmäßig dysfunktionalen, aber atmosphärisch oder thematisch relevanten Szenen der Milieukonkretisierung oder des Kommentars durchbrochen wird, sondern zielt dominant auf sinnstiftende Korrespondenz- und Kontrastbezüge ab. Knapp eingeblendete Kurzszenen wechseln mit langen, komplex gegliederten Szenen, Szenen im Freien mit intimen Interieurszenen, Monologszenen mit Szenen, in denen nicht das Individuum, sondern die Menge dominiert, bewegtes Bühnengeschehen wechselt mit statuarischer Ruhe, emotionales Pathos mit ironischer Desavouierung . . . Entfaltet im Drama der geschlossenen Form die Abfolge der Auftritte und Akte linear und kontinuierlich die Entwicklung der Geschichte, so wird sie in der locker gefügten Szenenfolge der offenen Form in vielfachen Brüchen und variierenden Wiederholungen aufgefächert.

Dies wird auch dadurch bedingt, daß AKT und SZENE im Drama der offenen Form eine andere Funktion besitzen als in dem der geschlossenen Form. In diesem ist der Akt die entscheidende Segmentierungseinheit und der Text als Ganzes stellt sich dar als tektonisch klar gegliedertes Gefüge weniger Einheiten annähernd gleichen Umfangs. Im Drama der offenen Form ist dagegen die Szene die entscheidende Gliederungseinheit, während dem Akt – soweit auf ihn nicht ganz verzichtet wird – die untergeordnete Bedeutung einer lockeren Szenengruppierung zukommt. Dadurch wird das Drama der offenen Form zu einem Gefüge zahlreicher kleinerer Einheiten variablen Umfangs. Die analytische Strukturierung "von oben nach unten", vom Textganzen über die Akte zu den Auftritten, verkehrt sich hier zu einem synthetischen Aufbau "von unten nach oben", von den Teilen zum Ganzen, von der Szene über die Szenengruppierung zum Textganzen. Diesem strukturellen Gegensatz entspricht auf der Ebene der ideologischen Orientierung der Gegensatz zwischen der deduktiven Bewegung des Dramas der geschlossenen Form – von der Idee zu ihrer Konkretisierung – und der induktiven Bewegung des Dramas der offenen Form. Hier dominiert das Konkret-Individuelle der anthropologischen, sozialen und psychologischen Lebensumstände der dramatischen Figuren, und dieses Konkret-Individuelle läßt sich nicht mehr unmittelbar – und schon gar nicht von den Figuren selbst – unter ein ideelles Allgemeines subsumieren.

Auf den übrigen Analyseniveaus, die wir hier nur kurz andeuten können, ergeben sich analoge Befunde: Die Figurenkonzeption ist dominant individualistisch, wobei der Bereich des Bewußtseins gegenüber dem Unbewußten und dem Physischen in den Hintergrund tritt. Die sprachliche Gestaltung ist syntaktisch durch die dominante Parataxe und lexikalisch durch die Dominanz von Konkreta gekennzeichnet; das Sprachverhalten der Figuren reflektiert ihre Schwierigkeiten, ihre Empfindungen und Ahnungen verbal zu artikulieren und damit sich und anderen bewußtzumachen. Daher ist die Kommunikation zwischen den Figuren häufig gestört: oft beziehen sich ihre Repliken kaum mehr aufeinander, kommen zögernd, sind syntaktisch und logisch in sich gebrochen und münden in ein sprachloses, aber pantomimisch beredtes Schweigen. Das Personal ist umfangreich und sozial gemischt, und obwohl viele Figuren nur episodisch auftreten, fehlt eine klare hierarchische Abstufung in Haupt- und Nebenfiguren. Die Raum- und Zeitstruktur schließlich tendiert zu panoramischer Weite und zum Einschluß einer großen Fülle konkreter Details.

Die idealtypische Opposition einer geschlossenen und einer offenen Form im Drama, die wir hier in Anschluß an Volker Klotz referiert haben, ist zwar in hohem Maße synkretistisch und berücksichtigt eine große Anzahl von Kriterien auf verschiedenen Analyseebenen, kann aber dennoch nicht alle möglichen kompositionellen Verfahren abdecken, da sie in Hinblick auf ein historisch spezifisches Korpus von Texten entwickelt wurde. Obwohl sie also nicht zu einer Systematik makrostruktureller Komposition verallgemeinert werden darf, bietet sie doch einen heuristisch ergiebigen Raster von Kategorien an, die auch für die Analyse von Texten außerhalb des ursprünglichen Korpus herangezogen werden können.[108] Dabei kann es dann freilich nicht mehr um die Entscheidung gehen, ob ein bestimmter Text dem einen oder dem anderen der synkreti-

stischen Idealtypen nahesteht, sondern darum, die einzelnen Kriterien unabhängig voneinander analytisch einzusetzen und fallweise durch weitere
oder differenziertere Kriterien zu ergänzen. In der Richtung solcher
Untersuchungen eröffnet sich der Ausblick auf die Möglichkeit einer
systematischen Theorie makrostruktureller Komposition im Drama, wie
sie heute nur in Ansätzen vorliegt.

7. RAUM- UND ZEITSTRUKTUR

7.1 Realität und Fiktionalität von Raum und Zeit im Drama

Raum und Zeit stellen zusammen mit der Figur und ihren sprachlichen und außersprachlichen Aktivitäten die konkreten Grundkategorien des dramatischen Textes dar. Das unterscheidet diesen von narrativen Texten, in denen nur die Erzähler- und Figurenrede konkret sind, der Raum und die Figur und ihre außersprachlichen Aktivitäten dagegen nur in sprachlicher Schematisierung und Abstraktion erscheinen. In bezug auf die Kategorie der Zeit ist dieser Gegensatz jedoch zu differenzieren: die Darstellungszeit ist sowohl in dramatischen Texten als reale Spielzeit, als auch in narrativen Texten als Erzählzeit eine konkrete Größe; die dargestellte Zeit dagegen ist nur im Drama immer konkret, während die dargestellte Zeit in narrativen Texten nur bei "szenischem Erzählen" als konkrete Kategorie erscheinen kann. Diese Unterschiede ergeben sich aus der Plurimedialität dramatischer Texte im Gegensatz zur rein verbalen Darstellungsform narrativer Texte (s. o. 1.3).[1]

Die Überlagerung eines inneren durch ein äußeres Kommunikationssystem gilt auch auf der Ebene der Raum- und Zeitstruktur. Dem realen Bühnen- und Theaterraum des äußeren Kommunikationssystems entspricht im inneren der fiktive Raum, in dem die dargestellte Geschichte sich entfaltet, der realen zeitlichen Deixis der aufführenden Schauspieler und der rezipierenden Zuschauer entspricht die fiktive zeitliche Deixis der dargestellten Geschichte, wobei die Identität des präsentischen Tempus nicht zu einer Verwechslung des realen *hic et nunc* des Publikums und der Schauspieler mit dem fiktiven *hic et nunc* der Figuren verführen darf. Diese Überlagerung von Realität und Fiktion läßt sich für alle konkreten Elemente des theatralischen Textes nachweisen: dem realen Schauspieler im äußeren entspricht die von ihm dargestellte fiktive Figur im inneren Kommunikationssystem, dem realen Bühnenbild der fiktive Aktionsraum, dem realen Kostüm die fiktive Bekleidung der Figur, dem realen Requisit der fiktive Gegenstand, dessen sich die Figur bedient usw.[2] Ist die "Absolutheit" dramatischer Kommunikation gegeben (s. o. 1.2.3), verwandelt sich der reale Schauspieler für den Rezipienten völlig in die fiktive Figur, und ebenso die Bühne in den fiktiven Aktionsraum, und Requisiten und Kostüme in die entsprechenden Objekte der fiktiven Welt. Dagegen wird diese Absolutheit durchbrochen und ein episch vermittelndes Kommunikationssystem etabliert, wenn die konkreten Elemente der theatralischen Darstellung und damit der Prozeß der Darstellung selbst hinter der Fiktion sichtbar bleiben oder sie sogar verdrängen (s. o. 3.6.2.4). Ein Schauspielstil, wie ihn zum Beispiel Brecht mit seiner Theorie eines "Gestus des Zeigens" gefordert hat, in der der Schauspieler nicht in der von ihm verkörperten Figur aufgeht, sondern Schauspieler und Figur getrennt bleiben, indem der Schauspieler den Rezipienten das Verhalten der Figur demonstriert, stellt damit ebenso eine episch vermittelnde Informationsvergabe dar wie ein Umbau auf offener Bühne oder die Verwendung von Kulissen, die ihre Zugehörigkeit zur Realität der Bühne deutlich herausstellen, und von Requisiten und Kostümen, die ihre Requisiten- und Kostümhaftigkeit nicht verleugnen wollen. In all diesen Fällen wird dem Rezipienten nicht nur eine fiktive Welt mit ihrer fiktiven raumzeitlichen Deixis präsentiert, sondern gleichzeitig die Mittel und der Prozeß dieser Präsentation selbst; die dramatische Präsentation wird anti-illusionistisch "verfremdet".

Wird in einem solchermaßen "epischen" Theater die Spannung zwischen der realen raum-zeitlichen Deixis und der fiktiven immer wieder ins Bewußtsein gerufen bzw. permanent bewußt gehalten, so finden sich avantgardistische Experimente mit Grenzformen des Dramas, in denen versucht wird, diese Spannung durch das Tilgen der fiktiven Deixis aufzuheben. Auf der räumlichen Achse bedeutet das entweder, die Aufführung aus dem Theater in die Normalrealität zu verlagern – Straßentheater und Happening – oder umgekehrt, auf der Bühne eine Theateraufführung darzustellen. Für die meisten Texte des Straßentheaters gilt jedoch,[3] daß nur der reale Aufführungsort, einer politisch propagandistischen Intention folgend, auf die Straße verlegt und damit einem nicht kulturbürgerlichen Publikum nähergerückt wurde, während die aufgeführten Szenen eine fiktive raum-zeitliche Situierung haben, die nicht mit dem *hic et nunc* der Straßenrealität identisch ist. Aber selbst bei der Vorführung einer Straßenszene würde die reale Straße als Schauplatz der fiktiven Straßenszene fiktionalisiert werden. Im Happening dagegen,[4] das meist ebenfalls außerhalb eines institutionalisierten Theaterraums aufgeführt wird, wird wirklich jede fiktive raum-zeitliche Deixis gelöscht, da auf Fiktion grundsätzlich zugunsten einer teils vorgeplanten, teils spontan durchgeführten Manipulation realer Objekte durch reale Personen verzichtet wird. Mit Drama in unserem Sinn haben daher die meisten der Happenings nur noch die Merkmale der Plurimedialität und der Kollektivität von Produktion und Rezeption gemeinsam; es fehlt jedoch die Überlagerung zweier Kommunikationssysteme und damit zweier deiktischer Bezugssysteme, die wir als Differenzqualität dramatischer Texte gegenüber anderen Texten herausgestellt haben.[5]

Die umgekehrten Versuche, auf dem Theater das Theater selbst darzustellen, knüpfen bei Pirandello an, in dessen Stücken jedoch immer noch trotz der scheinbaren Identität des realen und fiktiven Orts – der Bühne selbst – kategorial zwischen der inneren Fiktionsebene und der äußeren Realitätsebene unterschieden werden kann und muß. Die Bühne, auf der die fiktiven Schauspieler von *Sei personaggi in cerca d'autore* (1921) proben, ist nicht identisch mit der realen Bühne, vor der die realen Zuschauer sitzen, denn auf der realen Bühne wird ja wirklich ein Stück aufgeführt, während auf der fiktiven Bühne die Aufführung eines Stücks vorbereitet wird. Dieser kategoriale Unterschied zwischen realem und fiktivem Raum, der durch die äußerliche Identität noch betont wird, wiederholt sich auch auf der Ebene der Zeit, wobei hier auf den Anschein der Identität verzichtet wird: die fiktive Probe findet am Tag statt, die reale Aufführung jedoch normalerweise abends. Im Gegensatz zu Pirandello zielt jedoch Peter Handke in einem Stück wie *Publikumsbeschimpfung* (1966) auf eine wirkliche Identität von realer und fiktiver raum-zeitlicher Deixis ab. Dies erklären ausdrücklich die Figuren dem Publikum:

> Diese Bühne stellt nichts dar. Sie stellt keine andere Leere dar. Die Bühne *ist* leer.
> (. . .) Sie sehen keinen Raum, der einen anderen Raum vortäuscht. Sie erleben
> hier keine Zeit, die eine andere Zeit bedeutet. Hier auf der Bühne ist die Zeit
> keine andere als bei Ihnen. (. . .) Die Rampe ist keine Grenze.[6]

Dieser Verzicht auf eine fiktive, von der Realität abweichende raum-zeitliche Deixis wird im folgenden dann als Erfüllung der Norm der Einheit von Zeit, Ort und Handlung ausgegeben, wobei in pointierter Neudefinition der klassizistischen Konzeption – Einheit als lückenlose Kontinuität (s. u. 7.2) – hier Einheit als die deiktische Einheit von Bühne und Auditorium gefaßt wird:

> Wir und Sie bilden eine Einheit, indem wir ununterbrochen und unmittelbar zu
> *Ihnen* sprechen. Statt Sie könnten wir also unter bestimmten Voraussetzungen
> auch wir sagen. Das bedeutet die Einheit der Handlung. Die Bühne hier oben und
> der Zuschauerraum bilden eine Einheit, indem sie nicht mehr zwei Ebenen bilden.
> Es gibt keinen Strahlungsgürtel. Es gibt hier nicht zwei Orte. Hier gibt es nur
> einen Ort. Das bedeutet die Einheit des Ortes. Ihre Zeit, die Zeit der Zuschauer
> und Zuhörer, und unsere Zeit, die Zeit der Sprecher, bilden eine Einheit, indem
> hier keine andere Zeit als die Ihre abläuft. Hier gibt es nicht die Zweiteilung in
> eine gespielte Zeit und eine Spielzeit. Hier wird die Zeit nicht gespielt. Hier gibt es
> nur die wirkliche Zeit. Hier gibt es nur die Zeit, die wir, wir und Sie, am eigenen

Leibe erfahren. Hier gibt es nur *eine* Zeit. Das bedeutet die Einheit der Zeit. Alle drei erwähnten Umstände zusammen bedeuten die Einheit von Zeit, Ort und Handlung. Dieses Stück ist also klassisch. (S. 33)

Wir zitieren so ausführlich, weil hier in expliziter Negation die Prinzipien dramatischer Raum- und Zeitgestaltung und die Normen eines absoluten Dramas thematisiert werden. Indem die Figuren durchgehend nichts anderes als "das Sprachrohr des Autors" (S. 23) sind und, von einem kurzen Vorspiel abgesehen (S. 16), durchgehend nicht zueinander, sondern zum Publikum sprechen, kommt es nicht zum Aufbau eines fiktiven inneren Kommunikationssystems, wie wir es als konstitutiv für einen dramatischen Text erachten, sondern verbleibt alle Informationsvergabe auf der Ebene eines vermittelnden Kommunikationssystems, über das nun jedoch nicht mehr eine fiktive Geschichte vermittelt wird, sondern nur noch metasprachlich, oder genauer, metakommunikativ die konventionelle Relation von Publikum und Figuren problematisiert und deformiert wird. Was hier vorliegt, läßt sich allenfalls noch als Metadrama oder Metatheater typologisch dem Drama zuordnen, wenn man nicht, wie Handke selbst, von Sprechstücken reden will.[7]

7.2 Geschlossene und offene Raum- und Zeitstruktur

7.2.1 Die normative Theoriebildung

Definiert man räumliche Geschlossenheit, die Einheit des Raumes oder Ortes, negativ als den Verzicht auf Schauplatzwechsel und zeitliche Geschlossenheit, die Einheit der Zeit, als Verzicht auf zeitliche Diskontinuität, dann erweist sich die Einheit von Raum und Zeit als ein Prinzip, das innerhalb jeder Szene in einem dramatischen Text gilt. Die Szene als dramatische Segmentierungseinheit ergibt sich ja gerade aus dem Kriterium einer geschlossenen raum-zeitlichen Kontinuität des Dargestellten, indem durch einen Schauplatzwechsel und/oder eine Zeitaussparung das Ende einer Szene markiert wird (s. o. 6.4.2.2).

7.2.1.1 Die Norm der Einheit von Raum und Zeit

Nicht dieses allgemeine, aus der Absolutheit des Dramas ableitbare Prinzip szenischer Darstellung ist jedoch mit der bekannten historischen

Norm der Einheit von Raum und Zeit gemeint, die in der dramentheoretischen Reflexion der Renaissance und auch später noch eine zentrale Rolle spielt.[8] Diese besteht vielmehr in der Forderung nach einer möglichst weitgehenden raum-zeitlichen Kontinuität des ganzen Textes, im Verbot von Schauplatzwechseln und (längeren) Zeitaussparungen. Man berief sich mit der Norm der "drei Einheiten" von Raum, Zeit und Handlung auf Aristoteles' *Poetik*, in der jedoch nur die Einheit des Mythos ausdrücklich verlangt wird (Kap. 7 und 8), während die Einheit der Zeit nur knapp als formale Tendenz vorliegender Tragödien erwähnt wird – "die Tragödie versucht so weit als möglich sich in einem einzigen Sonnenumlauf oder doch nur wenig darüber hinaus abzuwickeln"[9] – und von der Einheit des Orts keine Rede ist. Dabei gab es mehr oder weniger enge Auslegungen des Prinzips der Einheit von Raum und Zeit: sahen es manche Theoretiker auch dann noch erfüllt, wenn der Schauplatz zwischen verschiedenen Räumen eines Hauses oder verschiedenen Lokalitäten einer Stadt wechselte und die fiktive gespielte Zeit einen Tag oder einen Tag und eine Nacht umfaßte, so forderte Lodovico Castelvetro 1570 eine rigorose Einhaltung der Einheit des Orts und, *idealiter*, eine über Aristoteles hinausgehende Einheit der Zeit als die Deckung von realer Spieldauer und fiktiver gespielter Zeit.[10] Diese strenge Auslegung, wie sie sich in der Renaissance nur bei Castelvetro findet, bedeutet eine Ausweitung des Kriteriums der raum-zeitlichen Kontinuität über die Szene hinaus auf den ganzen Text.

Begründet wurden sowohl die rigoroseren als auch die weniger strengen Fassungen der Norm der Einheit von Raum und Zeit mit allgemeinen Prinzipien des Glaubwürdigen und der Vernunft:[11] ein Schauplatzwechsel und größere Zeitaussparungen würden das Vorstellungsvermögen des Publikums überfordern, das sich ja während der ganzen Vorstellung in zeitlicher Kontinuität an einem Ort befindet, und sie würden damit die dramatische Illusion gefährden oder zerstören. Es ist hier nicht der Platz, die mehr oder weniger strenge Einhaltung dieser historischen Regel an Texten des sechzehnten bis achtzehnten Jahrhunderts im einzelnen zu behandeln; es sei jedoch kurz darauf hingewiesen, daß diese Regel nicht nur die positive ästhetische Wirkung hatte, über eine solche äußere Geschlossenheit eine damit korrespondierende innere Geschlossenheit des dramatischen Textes zu fördern, sondern gelegentlich auch eine beengende Einschränkung darstellte, die die Prinzipien des Glaubwürdigen und Vernünftigen gefährdete, von denen sie sich selbst ableitete. Denn die raum-zeitliche Konzentration kann dazu führen, daß sich Figurenbegegnungen an einem Ort in einem Maße häufen, wie es auch bei einem öffentlichen Schauplatz und bei großen Zugeständnissen an die Macht des Zufalls nicht mehr plausibel erscheint, und daß Ereignisabläufe in einer Weise zeitlich komprimiert werden, die die Gesetze der Psychologie und der allgemeinen Lebenserfahrung durchbricht.

7.2.1.2 Die Aufhebung der Norm der Einheit von Raum und Zeit

Hier setzte auch die Kritik des achtzehnten Jahrhunderts ein, die schließlich die Regel-Dramaturgie völlig zu Fall brachte. So unterzieht 1767 Lessing im 44. bis 46. Stück der *Hamburgischen Dramaturgie* Voltaires *Mérope* – und dessen Vorlage, Scipione Maffeis *Merope* – einer eingehenden Analyse in Hinblick auf die Einhaltung der drei Einheiten und kommt dabei zu einem vernichtenden Urteil:

> Man denke sich einmal alles das, was er in seiner 'Merope' vorgehen läßt, an *einem* Tage geschehen und sage, wieviel Ungereimtheiten man sich dabei denken muß.
> Die Worte dieser Regel hat er erfüllt, aber nicht ihren Geist. Denn was er an *einem* Tage tun läßt, kann zwar an *einem* Tage getan werden, aber kein vernünftiger Mensch wird es an *einem* Tage tun. Es ist an der physischen Einheit nicht genug; es muß auch die moralische dazu kommen (. . .).[12]

Lessing argumentiert hier noch innerhalb der Regel-Dramaturgie, indem er deren schablonierte, sinnentleerte Anwendung kritisiert und sie mit deren organischer Erfüllung durch die antiken Dramatiker vergleicht, bei denen sie sich ganz natürlich aus der Einheit des Mythos und den besonderen Bühnengegebenheiten (ständige Präsenz des Chores usw.) ableitet:

> Ein anderes ist, sich mit den Regeln abfinden; ein anderes, sie wirklich beobachten. Jenes tun die Franzosen; dieses scheinen nur die Alten verstanden zu haben. (S. 254)

Für diese Distanz zur klassizistischen Regel-Dramaturgie, die sich in der Abwertung einer rein äußerlichen Erfüllung der Einheit von Raum und Zeit ausdrückt, war die Rezeption der Dramen Shakespeares im achtzehnten Jahrhundert ein entscheidender Faktor.[13] Sie stellen in ihrer Unbekümmertheit um die Norm der Einheit von Raum und Zeit, ihrer oft panoramisch ausgeweiteten Raum- und Zeitstruktur, das Gegenmodell zur französischen Theorie und Praxis dar, und ihre Kanonisierung bedeutete eine wesentliche Umschichtung der Dramentheorie. So erklärte Lessing schon 1759 im folgenreichen siebzehnten der *Briefe, die neueste Literatur betreffend*, daß Shakespeares Dramen, in denen die äußere Einheit von Raum und Zeit nur in seltenen Ausnahmen wie *The Comedy of Errors* oder *The Tempest* realisiert wird, den antiken Mustern näherkommen als die Dramen eines Corneille:

> Auch nach den Mustern der Alten die Sache zu entscheiden, ist Shakespeare ein weit größerer tragischer Dichter als Corneille; obgleich dieser die Alten sehr wohl, und jener fast gar nicht gekannt hat. Corneille kömmt ihnen in der mechanischen Einrichtung, und Shakespeare in dem Wesentlichen näher.[14]

Noch grundsätzlicher greift zur gleichen Zeit Samuel Johnson in England die klassizistischen Normen an, indem er sie nicht nur zur unwesentlichen Äußerlichkeit degradiert und auf die "Ungereimtheiten" hinweist, die sich aus ihnen ergeben können, sondern ihre Begründung selbst in Frage stellt. Und wieder ist es das Werk Shakespeares, das den Anlaß dazu bietet. So schreibt Johnson im *"Preface"* zu seiner Shakespeare-Ausgabe von 1765:

> The necessity of observing the unities of time and place arises from the supposed necessity of making the drama credible. (. . .)
> The objection arising from the impossibility of passing the first hour at Alexandria and the next at Rome, supposes that when the play opens the spectator really imagines himself at Alexandria and believes that his walk to the theatre has been a voyage to Egypt, and that he lives in the days of Antony and Cleopatra. (. . .) The truth is that the spectators are always in their senses and know, from the first act to the last, that the stage is only a stage, and that the players are only players.[15]

Der fiktionale dramatische Text will den Rezipienten nicht täuschen, seine Scheinhaftigkeit ihm gegenüber nicht als Wirklichkeit ausgeben, sondern vielmehr ist die Fiktionalität als Teil des dramatischen Codes der Kommunikation zwischen Autor und Publikum vorgegeben, als eine konventionelle Übereinkunft über seine Scheinhaftigkeit, seinen besonderen ontologischen Status. Innerhalb einer solchen Übereinkunft, so argumentiert Johnson mit Recht, besteht kein prinzipieller Unterschied, ob nun der Bühnenraum durchgehend *einen* fiktiven Ort repräsentiert oder aber sukzessiv mehrere, ob die fiktive Zeit ein ununterbrochenes Kontinuum darstellt oder eine Reihe von Ausschnitten. Mit dieser Zurückweisung einer unangemessenen Applikation der Kriterien des Plausiblen und Vernünftigen auf fiktionale Texte – unangemessen, weil deren Fiktionalität nicht hinreichend berücksichtigend – haben Johnson und andere zeitgenössische Dramentheoretiker nachträglich die Praxis nicht nur des elisabethanischen und jakobäischen, sondern auch des mittelalterlichen Dramas gerechtfertigt und damit der weiteren historischen Entwicklung des Dramas einen größeren formalen Spielraum eröffnet.

7.2.2 Die dramatische Praxis

7.2.2.1 Geschlossene Raum- und Zeitstruktur

Dieser knappe Exkurs in die Geschichte der Dramentheorie vom sechzehnten bis zum achtzehnten Jahrhundert galt einem Problem, dessen normative Diskussion inzwischen nur noch rein historisches Interesse beanspruchen kann, das jedoch auch im Rahmen einer systematisch-deskriptiven Theorie dramatischer Form behandelt werden muß. Die Relevanz dieses Problems zeigt sich ja schon darin, daß auch nach der theoretischen Diskreditierung der normativen Forderung nach Einheit von Raum und Zeit als einer vernunftbegründeten Notwendigkeit sich immer wieder dramatische Texte von starker raum-zeitlicher Konzentration und Geschlossenheit finden, wie zum Beispiel häufig im naturalistischen Drama und im absurden Theater eines Beckett, Ionesco oder Pinter.[16]

Wir wollen dies kurz an Arno Holz' und Johannes Schlafs *Die Familie Selicke* (1890) zeigen, dessen drei Akte den engen Zeitraum vom Weihnachtsabend bis zum folgenden frühen Morgen überspannen und durchgehend im kleinbürgerlich-ärmlichen Wohnzimmer der Familie spielen. Diese äußere Ähnlichkeit mit der Raum-Zeit-Struktur etwa einer Tragödie der französischen Klassik kehrt jedoch gerade die kommunikativ-funktionalen Unterschiede hervor. In einer Tragödie Racines ist die Einheit von Raum und Zeit "unmarkiert", stellt sie keine für den einzelnen Text spezifische Intention dar, da sie als Bestandteil des sekundären Codes dieses historischen Dramentyps dem einzelnen Text vorgegeben ist. Die Funktionen, die ihr dabei zukommen, sind daher allgemeine – die Erstellung illusionistischer Kohärenz, finaler Gespanntheit und ästhetischer Geschlossenheit. Im Gegensatz dazu ist der *Familie Selicke* die raum-zeitliche Geschlossenheit nicht als verbindliche dramaturgische Norm vorgegeben, ist sie nicht die zu erwartende und daher unmarkierte Normalform. Es kann sich auch nicht um den restaurativen Versuch einer Wiederbelebung der klassizistischen Regel-Dramaturgie handeln, da dieses Drama in anderer Hinsicht – Figurenkonzeption, Dialoggestaltung, Geschehen – einen pointierten Gegenentwurf dazu darstellt. Die raum-zeitliche Geschlossenheit hat hier vielmehr spezifisch thematische Funktionen: die Konstanz des Schauplatzes, des mit zahlreichen Möbeln und anderen Objekten gefüllten Interieurs, isoliert dieses von der Außenwelt, die nur durch einzelne Geräusche hereindringt, und erweckt einen Eindruck drangvoller Enge und Ausweglosigkeit, wie sie der deterministischen Figurenkonzeption entspricht. Die Figuren sind gleichsam eingeschlossen in ihr Milieu, das keinerlei Veränderung zuläßt, sondern sie in lähmender Stasis befangen hält. Die Ablösung eines öffentlichen Schauplatzes, wie er der Einheit des Raums im antiken und im klassizistischen Drama zugrunde liegt, durch ein privates Interieur erhält hier also thematische Relevanz.[17] Und ebenso kommt der zeitlichen Geschlossenheit hier die Funktion zu, die Unausweichlichkeit der Geschehensabläufe zu verdeutlichen, die als eine mit fatalistischer Konsequenz sich vollziehende, krisenhafte Entladung von Spannungen erscheinen, die sich in der Vergangenheit, in der Vorgeschichte aufgestaut haben.

Die Tendenz zu raum-zeitlicher Geschlossenheit im naturalistischen Drama, zur Einheit des Orts und zur Deckung von realer Spielzeit und fiktiver gespielter Zeit ist auch in Zusammenhang mit der poetologischen Programmatik des Naturalismus zu sehen, die auf eine möglichst große Annäherung der fiktiven Darstellung an die empirische Realität und damit eine möglichst weitgehende Unmittelbarkeit der Darstellung abzielte:

> Die Kunst hat die Tendenz, wieder die Natur zu sein; sie hat sie nach Maßgabe der jeweiligen Reproduktionsbedingungen und ihrer Handhabung.[18]

Diese These aus Arno Holz' *Die Kunst. Ihr Wesen und ihre Gesetze* (1891) impliziert im Bereich der Raum- und Zeitstruktur des Dramas einen möglichst weitgehenden Verzicht auf sprunghafte Schauplatzwechsel und Durchbrechungen der zeitlichen Kontinuität, da diese ja den realen Wahrnehmungsbedingungen widersprechen und einer auktorialen Intervention gleichkommen.[19]

7.2.2.2 Offene Raum- und Zeitstruktur

Jede Verlagerung des Schauplatzes und jede Zeitaussparung stört bereits die Absolutheit und Unvermitteltheit der präsentierten Fiktion, da sie nicht auf ein fiktionsimmanentes Aussagesubjekt, eine Sendeinstanz des inneren Kommunikationssystems, bezogen werden kann. Sie ist vielmehr auf ein vermittelndes Kommunikationssystem zu beziehen, über das durch ein Korrespondenz- oder Kontrastarrangement von Szenen unterschiedlicher raum-zeitlicher Deixis eine wechselseitige Erhellung und Kommentierung dieser Szenen erfolgt. Ein Drama, in dem die raum-zeitliche Struktur nicht geschlossen ist, weist also nicht nur deshalb Episierungstendenzen auf, weil in ihm die historische Norm dramatischer Konzentration in Richtung auf eine dem klassischen Epos vergleichbare raum-zeitliche Offenheit durchbrochen wird (s. o. 3.6.1.2), sondern schon deshalb, weil raum-zeitliche Diskontinuität im Drama eine "Erzählfunktion" impliziert, auf die dieses diskontinuierliche Arrangement der Szenenabfolge zu beziehen ist (s. o. 3.6.2.1). Und diese Episierungstendenz, diese Erzählfunktion, ist um so stärker ausgeprägt, je offener die Raum- und Zeitgestaltung ist. Hier ist wieder eine Skalierung möglich, die von der Geschlossenheit einer streng gefaßten Einheit von Raum und Zeit bis zur Offenheit einer panoramischen Raum- und Zeitstruktur reicht, wie sie sich etwa in Shakespeares Historiendramen findet.[20] Die Erzählfunktion, die dabei auftritt, unterscheidet sich freilich vom Erzähler in narrativen Texten entscheidend dadurch, daß sie nicht personal besetzt ist, also eine Figur zum Aussagesubjekt hat, sondern implizit bleibt.

Daß trotz dieser Implizitheit sehr deutliche, die Rezeption des Textes steuernde Bewertungssignale vermittelt werden können, würde eine genauere Anlayse der Raum-Zeit-Struktur und ihrer thematischen Funktionalisierung etwa in Shakespeares Trilogie *Henry VI* ergeben. Wir müssen es hier jedoch mit einigen Andeutungen bewenden lassen. Diese Trilogie entfaltet ein Geschichtspanorama, das einen Zeitraum von beinahe vierzig Jahren umspannt und eine Schauplatzfülle einbezieht, die über die Grenzen Englands nach Frankreich hinausgreift. Diese extreme raum-zeitliche Offenheit, der ein sehr umfangreiches, vielschichtiges Personal und eine große Zahl von kurz- und langphasigen, nebeneinander und nacheinander geführten Handlungssequenzen entsprechen, ermöglicht es, in immer neuen Korrespondenz- und Kontrastbezügen weitbögige Entwicklungslinien aufzuzeigen, die politischen Konflikte in ihren Auswirkungen auf alle Schichten der Gesellschaft, vom einfachen Volk bis zu den weltlichen und geistlichen Fürsten, darzustellen und hinter der Fülle der einzelnen, scheinbar disparaten Fälle allgemeine geschichtsphilosophische Gesetze durchscheinen zu lassen.

So wird zum Beispiel durch den ständigen Schauplatzwechsel zwischen England und Frankreich in *1 Henry VI* die innere Gefahr der Uneinigkeit unter den Fürsten zur äußeren Bedrohung durch das französische Heer in Beziehung gesetzt und damit schließlich die militärische Niederlage durch die innere Zwietracht begründet. Das Thema der staatlichen Unordnung, mit der England für die Usurpation Heinrichs IV. Sühne leisten muß, bis es, durch die Schrecken der Rosenkriege geläutert, zu Glück und Frieden unter den Tudors findet, wird in immer neuen Episoden durchgespielt, wobei die Technik repetitiver Reihung – etwa die Folge der Stürze mächtiger Personen (Eleanor, Gloucester, Winchester, Suffolk) in *2 Henry VI* oder der Umschwünge des Schlachtenglücks in *3 Henry VI* —

die Allgemeingültigkeit des Gesetzes vom schicksalhaften Aufstieg und Fall demonstriert und darüber hinaus den Eindruck rasch verfliegender, großer Zeitspannen erweckt. Und diese großen Zeitspannen sind nötig, um individuelle Entwicklungslinien – etwa die der Titelfigur vom unmündigen Kind zum desillusionierten und machtlosen Herrscher – oder die übergreifenden historischen Zusammenhänge des Tudor-Mythos darstellen zu können. In der Abfolge der Schauplätze entfaltet sich ein großer Bilderbogen, wobei ständig öffentliche und private Schauplätze, Innenräume und freies Feld, Stadt und offenes Land, aristokratischer und plebejischer Bereich, England und Frankreich kontrastiv einander gegenübergestellt werden. Nach Szenensequenzen auf Schlachtfeldern, die ganz England und Frankreich wie ein topographisches Netz überziehen und damit die Allgegenwart der Schrecken des Krieges verdeutlichen, kehrt das Geschehen immer wieder nach London zurück, wo im königlichen Palast, in der Westminster Abbey und im Tower die veränderten Machtkonstellationen ratifiziert werden. Ist die Wiederkehr dieser Schauplätze bereits durch die dargestellte Geschichte nahegelegt, so ist etwa die wiederholte Situierung von Szenen in einem Garten oder in gartenähnlichen Bereichen nicht selbstverständlich, sondern ein deutlich intentionales Arrangement. Der Garten mit seinen biblischen Konnotationen des paradiesischen Garten Edens und seinem emblematischen Verweis auf ein ideal geordnetes und hierarchisch gestuftes Gemeinwesen wird zum Gegenbild des politischen Chaos: in der Szene II, iv von *1 Henry VI*, die im Temple Garden spielt, wird der Streit zwischen der York- und Lancaster-Partei zum symbolischen Streit von weißer und roter Rose stilisiert, wobei der Schauplatz einerseits die Requisiten dafür liefert, andererseits aber ein ironischer Bezug zwischen seiner emblematischen Bedeutung der Ordnung und den angekündigten Rosenkriegen erstellt wird; in *2 Henry VI*, Szene II, ii entwirft der Duke of York in seinem Garten die dynastische Vorgeschichte als Widerstreit von legitimen und usurpatorischen Ansprüchen, und in Szene IV, x endet Jack Cades anarchische Rebellion im Garten Idens (sic!), wobei der Name des Gartenbesitzers die biblischen Bezüge noch verdeutlicht; in Szene II, v von *3 Henry VI* schließlich träumt Henry VI abseits vom Schlachtfeld von einem arkadisch harmonischen Schäferdasein, bis die spiegelbildlichen Auftritte eines Sohnes, der seinen Vater, und eines Vaters, der seinen Sohn getötet hat, ihn in eine Welt zurückrufen, in der die fundamentalsten menschlichen Bindungen zerstört sind und sein Wunschdenken ein schuldhaftes Versagen vor seinem Herrscherauftrag bedeutet.

7.2.2.3 Gegenläufigkeit der Raum- und Zeitstruktur

Wir haben bisher raum-zeitliche Geschlossenheit bzw. Offenheit immer als Einheit betrachtet, so als würde zum Beispiel räumliche Geschlossenheit immer auch zeitliche implizieren. Dem ist zwar oft und vielleicht sogar meist so; die Tendenz zur Geschlossenheit bzw. Offenheit kann jedoch auf den Ebenen der Raum- und der Zeitstruktur auch durchaus gegenläufig sein. Ein extremes Beispiel für Einheit des Orts bei gleichzeitiger radikaler Diskrepanz zwischen realer Spielzeit und fiktiver gespielter Zeit ist Thornton Wilders Einakter *The Long Christmas Dinner* (1931). Hier wird bei gleichbleibendem Schauplatz, dem Eßzimmer im Haus der Familie Bayard, der Verfall einer Familie über neunzig Jahre hinweg dargestellt, wobei dieser lange Zeitraum raffend durch eine Montage von immer rascher aufeinanderfolgenden Weihnachtsfestmahlen szenisch präsentiert wird.[21] Der umgekehrte Fall einer offenen Raumstruktur bei zeitlicher Geschlossenheit ist dagegen schwerer zu realisieren, da dabei ja zeitlich simultane, aber räumlich versetzte Geschehensreihen dargestellt werden müssen. Dies kann nur geschehen, wenn man auf einen geschlossenen Kausalzusammenhang verzichtet und zudem durch deutliche Signale die feste Konvention aufhebt, nach der in der Darstellung aufeinanderfolgende Szenen auch auf der Ebene des Dargestellten chronologisch einander nachgeordnet sind (s. u. 7.4.2). Ein Beispiel für eine solche Strukturierung haben wir schon in Zusammenhang mit dem epischen Verfahren der Montage zitiert – die Darstellung der Kriegsvorbereitungen Deutschlands, Frankreichs, Rußlands und Englands in Joan Littlewoods *Oh What a Lovely War* (s. o. 3.6.2.1). Die Gegenläufigkeit von zeitlicher Geschlossenheit und räumlicher Offenheit ist hier allerdings nur für einen relativ kurzen Textabschnitt gegeben; Beispiele für Texte, die durchgehend diesem Prinzip folgen, sind uns nicht geläufig.

7.3 STRUKTUR UND PRÄSENTATION DES RAUMES

Die Funktion des Raumes in dramatischen und auch in narrativen Texten erschöpft sich nicht in der Notwendigkeit eines Schauplatzes für eine Geschichte, in der sekundären, untergeordneten Funktion eines Aktionsraums für die agierenden Figuren.[22] Dies gilt für das Drama in besonderer Weise, in dem der Raum ja nicht nur verbal vermittelt, sondern konkret präsentiert wird, und dies ist durch die Betonung der Raumgestaltung im naturalistischen, expressionistischen und futuristischen Drama und durch die Theorieentwürfe und Arbeiten eines Adolphe Appia, E. Gordon Craig, Oskar Schlemmer oder Ferdinand Léger, die von der Architektur und bildenden Kunst zum Theater kamen, in diesem Jahrhundert nachdrücklich bewußtgemacht worden. Wenn auch ein Diktum wie Oskar Schlemmers "Bühnenkunst ist Raumkunst" allein für die historisch spezifische Programmatik des abstrakten Bauhaus-Theaters uneingeschränkt zutrifft,[23] gilt doch allgemein, daß das Drama *auch* Raumkunst ist.

7.3.1 Semantisierung des Raumes

Die zusätzlichen Funktionen des Raumes bestehen nicht nur darin, daß durch ihn ein Bedingungsrahmen für die Aktion der Figuren erstellt wird und diese daher durch ihn bereits charakterisiert werden können (s. o. 5.4.2.3), sondern allgemein in seiner "modellbildenden Rolle" (Ju. M. Lotman):

> hinter der Darstellung von Sachen und Objekten, in deren Umgebung die Figuren des Textes agieren, zeichnet sich ein System räumlicher Relationen ab, die Struktur des Topos. Diese Struktur des Topos ist einerseits das Prinzip der Organisation und der Verteilung der Figuren im künstlerischen Kontinuum und fungiert andererseits als Sprache für den Ausdruck anderer, nichträumlicher Relationen des Textes. Darin liegt die besondere modellbildende Rolle des künstlerischen Raumes im Text.[24]

Dadurch, daß räumliche Oppositionen zum Modell für semantische Oppositionen werden, findet eine Semantisierung des Raumes statt, die den fiktiven Raum prinzipiell vom realen unterscheidet. Dieser Unterschied besteht unabhängig davon, ob der fiktive Raum, dem Prinzip naturalistischer Mimesis folgend, einem realen Raum maximal angenähert ist oder umgekehrt diesen in maximaler Stilisierung verfremdet. Drei Dimensionen räumlicher Relationierung sind dabei relevant: zunächst die Oppositionen von Links und Rechts, Vorne und Hinten, Unten und Oben innerhalb eines szenisch präsentierten Schauplatzes, dann die räumlichen Relationen zwischen dem szenisch präsentierten Schauplatz und dem Raum des *off stage* und schließlich die zwischen verschiedenen szenisch präsentierten Schauplätzen. Semantisierung räumlicher Oppositionen ist also auch bei einem "Einortsdrama", bei einem Drama mit geschlossener Raumstruktur möglich und nicht nur bei einem "Bewegungs-drama", das in offener Raumstruktur mehrere Schauplätze miteinander kontrastiert.[25]

7.3.1.1 Relationen innerhalb eines Schauplatzes

Was die räumlichen Relationen innerhalb eines szenisch präsentierten Schauplatzes betrifft, ist das Gegenüber von Figuren oder Figurengrup-pen schon in der dialogischen Form des Dramas mitgesetzt.[26] Die gleichzeitige Präsenz mehrerer Figuren, die miteinander dialogisch kommunizieren, impliziert eine wie auch immer geartete räumliche Rela-tionierung, wobei Distanz oder Nähe und die Seitenopposition von Links und Rechts bereits in Richtung auf Konflikthaftigkeit oder Konsensus semantisiert werden können.[27] Wir wollen hier jedoch näher auf die Se-mantisierung der Unten-Oben-Opposition eingehen, da die vertikale räumliche Achse nicht durchgehend in dramatischen Texten aktualisiert wird und daher ihre Aktualisierung stärker markiert ist als die der hori-zontalen Achse. Ein besonders eindrucksvolles Beispiel dafür stellt Shakespeares *Richard II* dar, in dem sich die Gegenläufigkeit von Richards Fall und Bolingbrokes Aufstieg nicht nur in rein sprachlichen Bildern nie-derschlägt, die wie die Vergleiche mit der Waage oder mit dem Brunnen und den zwei Eimern eine räumliche Opposition von Auf und Ab, von Oben und Unten aufbauen, sondern auch in gestisch-szenischen Leitmo-tiven des Kniens oder Verbeugens, die ebenfalls durch diesen vertikalen Gegensatz bestimmt sind. Der Gegensatz von Oben und Unten wird da-mit zum räumlichen Modell der feudalen Hierarchie, die sowohl durch Bolingbrokes Usurpation als auch durch Richards mangelnde Herrscher-tugenden gestört wird. Ihren deutlichsten Ausdruck findet diese räum-liche Opposition in der klimaktischen Szene III,iii, in der Richard von Bolingbroke aufgefordert wird, vom Bollwerk in den Hof von Flint Castle herabzusteigen:

> NORTHUMBERLAND: My lord, in the base court he doth attend
>   To speak with you; may it please you to come down?
> KING RICHARD: Down, down I come, like glist'ring Phaethon,
>   Wanting the manage of unruly jades.
>   In the base court? Base court, where kings grow base,
>   To come at traitors' calls, and do them grace.
>   In the base court? Come down? Down, court! down, king!
>   For night-owls shriek where mounting larks should sing.
>
> (III, iii, 176–183)

Die räumliche Opposition zwischen der Oberbühne und der Bühnen-plattform, die durch die Konstruktion der elisabethanischen Bühne vorgegeben ist, wird hier also semantisiert zu einer feudalen und moralischen Opposition, so daß Richards Descensus die Überschreitung nicht nur einer räumlichen, sondern auch einer semantischen Grenze bedeutet und damit die zentrale Peripetie des Textes markiert.[28]

7.3.1.2 Relationen zwischen Schauplatz und *off stage*

Der räumliche Gegensatz von szenisch präsentiertem Schauplatz und *off stage* wird gerade bei Einortsdramen – aber nicht nur bei ihnen – häufig zum Modell einer zentralen semantischen Opposition. Besonders bei modernen Dramen, die im geistesgeschichtlichen Kontext der Existenzphilosophie stehen, findet sich häufig eine solche Semantisierung des Gegensatzes von Innenraum und Außenraum, wobei oft archetypische Raumvorstellungen – Uterus, Höhle, Labyrinth[29] – zum Tragen kommen. Dramentitel wie *Huis clos (Bei geschlossenen Türen)* und *Les séquestrés d'Altona (Die Eingeschlossenen)* bei Sartre oder *The Room* und *No Man's Land* bei Pinter verweisen bereits auf die Zentralität der räumlichen Opposition von Innen und Außen, die je spezifisch semantisch gefüllt wird. Bei Beckett zum Beispiel ist häufig das *off stage* so wenig konkretisiert, daß der szenisch präsentierte Schauplatz als hermetisch abgeschlossen und isoliert von jedem engeren oder weiteren räumlichen Kontext erscheint und das Geschehen damit den Charakter eines existentiellen Modells bekommt; in Sartres *Huis clos* wird der Außenraum zum Fluchtraum, der den Eingeschlossenen und zueinander Verdammten jedoch unzugänglich ist, und in Pinters Dramen ist umgekehrt meist der Innenraum als Zufluchtsort positiv aufgeladen und das *off stage* der Bereich, aus dem eine namenlose, nicht genauer faßbare Bedrohung sich mit jedem Klopfen, jedem Telefonanruf, jeder neuen Figur ankündigt.[30]

7.3.1.3 Relationen zwischen mehreren Schauplätzen

Die Relationierung mehrerer szenisch präsentierter Schauplätze zueinander, wie sie nur bei einem Drama mit offener Raumstruktur möglich ist, ergibt die sinnfälligsten Raumkontraste, da hier ja nicht nur ein Bereich, sondern auch die dazu kontrastierenden plurimedial konkret werden. Die Dramen Shakespeares, die fast durchgehend Bewegungsdramen sind, bieten hier Beispiele in reicher Fülle, und unter ihnen sind es gerade die Komödien, die ein besonders transparentes räumlich-semantisches Arrangement aufweisen.[31] Die meisten seiner Komödien sind durch eine einfache räumliche Antithetik gekennzeichnet, unter die sich die verschiedenen Schauplätze gruppieren lassen, und diese Antithetik wird durch die Geschichte im Hin und Zurück von Bewegung und Gegenbewegung gefüllt. Die Städte Verona und Mailand und der Wald bei Mantua in *The Two Gentlemen of Verona,* Palast und Stadt von Athen und der Wald bei Athen in *A Midsummer Night's Dream,* Herzogshof und Ardennerwald in *As You Like It* – sie alle variieren den Kontrast zwischen einem städtisch-höfischen Zivilisationsbereich einerseits und der "grünen Welt" eines Naturbereichs andererseits. In dieser Opposition von Zivilisation und Natur ist die Semantisierung des Raumkontrasts auf ihren abstraktesten Nenner gebracht; konkreter gesehen sind Hof und Stadt ein Bereich bedrohlicher Konflikte, die sich im Fluchtraum des Waldes "spielend" lösen, herrschen in ihm die Gesetze alltäglicher Wirklichkeit, die im Waldleben aufgehoben werden, droht in ihm der Tod, während die grüne Welt der Bereich der Regeneration und Neugeburt ist. So fliehen die Liebenden in *A Midsummer Night's Dream,* bedroht von einem tödlichen Gesetz, aus Athen in den nächtlichen Wald, wo sich in traumhafter Irrealität die Welt ins Lot spielt und die Liebenden zu sich und zueinander finden, um dann als Veränderte in ein verändertes Athen zurückzukehren. Hier wird eine zyklische Raumstruktur deutlich, die auch den anderen Komödien zugrunde liegt, wenn sie dort auch nicht mit der gleichen Symmetrie ausgeführt ist wie in *A Midsummer Night's Dream.* Hier läßt sich die Abfolge der Schauplätze wie folgt schematisieren:

Hof (I,i)   –   Stadt (I,ii)   –   Wald (II,i–IV,i)   –   Stadt (IV,ii)   –   Hof (V,i)

Athen   –   Wald   –   Athen

Um die zentralen Waldszenen sind in perfekter Axialsymmetrie jeweils zwei Athen-Szenen gruppiert, wobei diese klare Segmentierung durch den Schauplatzwechsel freilich etwas verunklärt wird durch die nachträgliche, dysfunktionale Fünf-Akt-Segmentierung.

7.3.1.4 Fiktiver Schauplatz und realer räumlicher Kontext

Eine Relationierungsdimension, die auf anderer Ebene liegt als die bisher behandelten, ist das Verhältnis des fiktiven Raums zum realen räumlichen Kontext der intendierten Rezipienten. Distanz oder Nähe kann hier für die Textintentionalität relevant werden. So impliziert zum Beispiel die räumliche Distanzierung des Geschehens in Shakespeares romanesken Komödien eine Einschränkung und Zurücknahme des Realitätsanspruchs. Sie alle – mit Ausnahme von *The Merry Wives of Windsor* – haben nicht England zum Schauplatz, sondern spielen in topographisch mehr oder weniger vage bestimmten mittelmeerischen Gefilden Frankreichs, Italiens, Siziliens, Illyriens oder Griechenlands. Shakespeare folgt hierin einer Konvention der elisabethanischen romanesken Komödie, die ihrerseits wieder durch die Quellen und Vorbilder – lateinische Komödie und italienische *comedia erudita* und Novellistik – bedingt ist. In *A Midsummer Night's Dream* wird diese räumliche Distanzierung noch durch die zeitliche Distanzierung in mythische Bereiche gestützt. Andererseits wird jedoch vor allem in der plebejischen Sphäre der Handwerker, die so gar nichts Griechisches an sich haben und recht heimisch-provinziell wirken, das Geschehen doch wieder der Welt des Publikums nähergerückt und damit die räumliche Distanz partiell überbrückt. Im Gegensatz zur romanesken Komödie neigt die satirische Komödie der Zeit dazu, das zeitgenössische England und London zu ihrem Schauplatz zu machen und damit unmittelbar auf das *hic et nunc* der Rezipienten zu verweisen. Die räumliche Annäherung des fiktiven Schauplatzes an die Realität der Rezipienten steht hier in engem Zusammenhang mit der satirischen Intention, die auf eine bedrohlich und bedrängend anstehende Umwelt abzielt. So verlegt Ben Jonson in der Bearbeitung seiner frühen Komödie *Every Man in His Humour* für die Folio-Ausgabe von 1616 den ursprünglich florentinischen Schauplatz der ersten Fassung (1598) nach England, um damit seine satirische Intention zu pointieren, und er folgt hierin einer veränderten Programmatik, wie er sie im Prolog zu *The Alchemist* (1610) nachdrücklich formuliert: "Our scene is London" (Z. 5).

7.3.1.5 Schauplatz und Geschehen

Ein letzter Aspekt der Semantisierung des Raumes, auf den wir hier eingehen wollen, ist die Relation zwischen Schauplatz und Geschehen. Sie kann relativ unmarkiert bleiben, aber auch durch deutliche semantische

Korrespondenzen oder Kontraste bestimmt sein. King Lear auf der sturm-umtosten Heide (III, ii und iv) und die Liebenden im mondbeglänzten Garten von Belmont (*The Merchant of Venice*, V, i) sind eindrucksvoll sinnfällige Beispiele für semantische Korrespondenz, für einen Einklang zwischen der inneren Gestimmtheit und dem Tun der Figuren und dem äußeren räumlichen Rahmen; in beiden Beispielen ist den Figuren selbst diese Korrespondenz bewußt und wird sie von ihnen thematisiert. Von der inhaltlichen Füllung her sind die beiden Beispiele gegensätzlich – in *King Lear* entsprechen einander innerer und äußerer Aufruhr, in *The Merchant of Venice* innere und äußere Harmonie; beide beruhen sie jedoch auf jener *pathetic fallacy* (John Ruskin), die als Vorstellung einer mit dem Men-schen mitfühlenden Natur einen weit verbreiteten Topos der europäischen Literatur darstellt und sich bei Shakespeare häufig findet. Doch kennt auch das Shakespeare-Drama bereits die entgegengesetzte Relation des Kontrasts zwischen Schauplatz und Geschehen, die dann dramatische Ironien hervortreiben kann. So vollzieht sich die Ankunft König Duncans und seines Gefolges bei Macbeths Schloß in einem räumlich-atmosphä-rischen Kontext, der Frieden, Harmonie und Fruchtbarkeit verheißt –

> DUNCAN: This castle hath a pleasant seat; the air
> Nimbly and sweetly recommends itself
> Unto our gentle senses.
> BANQUO: This guest of summer,
> The temple-haunting martlet, does approve
> By his lov'd mansionry that the heavens's breath
> Smells wooingly here; no jutty, frieze,
> Buttress, nor coign of vantage, but this bird
> Hath made her pendent bed and procreant cradle.
> Where they most breed and haunt, I have observ'd
> The air is delicate.
>   (I, vi, 1–10) –,

während der Rezipient darüber vorinformiert ist, daß dies der Schauplatz von Duncans Ermordung sein wird. Und so besteht auch eine ironische Kontrastrelation zwischen Schauplatz und Geschehen in der bereits ange-sprochenen Szene IV, x von *2 Henry VI* (s. o. 7.2.2.2), die die anarchische Rebellion Jack Cades mit dem Schauplatz eines paradiesischen Gartens, dem Emblem kosmischer und staatlicher Ordnung, verbindet.

In eben dieser Tradition steht auch der dritte Akt von Rolf Hochhuths *Soldaten* (1967), der mit "Der Park" überschrieben ist. Er spielt im Apfel-garten von Chequers, dem Landsitz des englischen Premierministers Churchill, am Tag des tödlichen "Unfalls" Sikorskis, des polnischen Regierungschefs (4. 7. 1943). Mit aller Explizitheit weist Hochhuth in seinem ausführlich kommentierenden Nebentext sowohl auf die ikonographisch-emblematische Bedeutung dieses Schauplatzes als auch auf seine ironische Funktionalisierung hin:

'Gott der Allmächtige pflanzte zuerst einen Garten, und in der Tat ist dies die reinste aller menschlichen Freuden: Es ist die größte Erfrischung für den Geist des Menschen, ohne welchen alle Gebäude und Paläste nur rohe Machwerke sind' – so beginnt Francis Bacon sein Loblied des Parks, und hier sollte alles getan werden, dieses ländliche Gegenstück zum Meeres-Panorama des ersten Aktes nach den hohen Ansprüchen des Hofmanns aus dem 16. Jahrhundert einzurichten. Denn unsere Szenerie ist ein ironischer Vorwurf.[32]

Dieser ironische Kontrast wird schon deutlich, wenn sich der Vorhang über der figurenleeren Bühne hebt und der optische Eindruck arkadischer Idyllik durch den akustischen Eindruck einer Rundfunkmeldung über eine deutsche Offensive an der russischen Front unterlaufen wird, und der ironische Kontrast verstärkt sich noch in den folgenden Auftritten, in denen der Park zur Kommandozentrale für Seeschlachten und zum Schauplatz heftiger Debatten über das Flächenbombardement deutscher Städte wird. Die semantischen Konnotationen des Raums – Zurückgezogenheit und Friede einer *vita contemplativa*, paradiesisch-pastorale Unschuld, Ordnung und Harmonie – desavouieren also permanent die Aktivitäten und Intentionen der Figuren, vor allem der zentralen Figur Churchills, des Mitschuldigen an Sikorskis Tod und des Verantwortlichen für die Luftangriffe auf Zivilisten.

7.3.2 Raumkonzeption

7.3.2.1 Neutralität – Stilisierung – Konkretisierung

Vergleicht man, wie in verschiedenen historischen Epochen des Dramas der Schauplatz optisch realisiert wird, dann fällt ein weites Spektrum der Möglichkeiten zwischen abstrakter Neutralität und realistischer Konkretisierung auf. In der antiken griechischen Tragödie zum Beispiel ging die optische Konkretisierung kaum über die fest vorgegebenen und für alle Stücke gleichbleibenden Bühnenaufbauten hinaus, die nur gelegentlich durch Versatzstücke wie Altar oder Grabmal ergänzt wurden.[33] Auch im elisabethanischen Theater wurde der Schauplatz im wesentlichen noch durch die feststehenden Bühnenaufbauten – Bühnenplattform, Stützsäulen, Versenkung, Türen, Oberbühne und *discovery space* der Innenbühne

– realisiert, wenn auch zusätzlich in verstärktem Maß emblematisch-
zeichenhafte Versatzstücke wie Berge, Stadttore, Höhlen, Zelte oder Ge-
rüste herangezogen wurden.[34] Im klassischen französischen Drama und
im Drama der Weimarer Klassik finden sich dagegen bereits gemalte zweidimensionale Prospekte, die den Schauplatz spezifizieren, ohne ihn jedoch illusionistisch realisieren zu wollen; sie bleiben marginaler Rahmen,
der in abstrakter Stilisierung den Schauplatz andeutet und zu dem die Figuren kaum in physisch-haptischen Kontakt treten.[35] Hält man dagegen
die Raumkonzeption im Drama des späten neunzehnten Jahrhunderts,
dann könnte der Unterschied kaum sinnfälliger sein. Als Beispiel verweisen wir auf das Bühnenbild von Strindbergs *Fräulein Julie* (1888), ein
Drama, das den programmatischen Untertitel "Ein naturalistisches
Trauerspiel" trägt. Strindberg schickt ihm einen ausführlichen Nebentext
zur Szenerie voraus, der dem Bühnenbildner nur noch wenig Spielraum
läßt:

> Eine große Küche, deren Decke und Seitenwände durch Draperien und Soffitten
> verhüllt sind. Die Rückwand verläuft von links schräg nach dem Hintergrund;
> links an der Wand zwei Regale mit Kupfer-, Eisen- und Zinngefäßen. Die Regale
> sind mit gemustertem Papier ausgelegt. Etwas weiter rechts ein Teil (drei Vier-
> tel) des großen gewölbten Ausgangs mit zwei Glastüren, durch die man einen
> Springbrunnen mit einer Amorette, blühende Syringensträucher und hochauf-
> ragende Pyramidenpappeln sieht. – Links im Vordergrund die Ecke eines großen
> Kachelherdes mit einem Stück des eingebauten Kessels. – Rechts ragt das eine
> Ende des Gesindetisches aus weißem Föhrenholz in den Raum; an ihm einige
> Stühle. – Der Herd ist mit Birkenzweigen bedeckt, der Fußboden mit Wachol-
> derreisern bestreut. – Auf dem Tisch ein großer japanischer Gewürztopf mit
> blühenden Syringen. – Ein Eisschrank, ein Spültisch und ein Waschgestell. –
> Über der Tür eine altmodische Klingel. Links von der Tür mündet ein Sprach-
> rohr. Die Handlung spielt in der Küche des Grafenhauses.[36]

An diesem Nebentext selbst fällt die "epische" Ausführlichkeit auf, mit
der hier das Bühnenbild bis ins kleinste Detail – etwa die Auslegung der
Regale durch gemustertes Papier – fixiert wird. Darin wird schon deutlich, daß der Raum hier nicht mehr peripherer Rahmen ist, sondern eine
völlig neue Bedeutung erlangt (wir werden auf sie weiter unten näher eingehen). An der geforderten Konkretisierung des Schauplatzes fällt darüber hinaus auf, daß auf eine Echtheit des Materials Wert gelegt wird, die
innerhalb des Bühnenrahmens die vollständige Illusion eines realen Raums
erzeugen soll, daß die gegen die Frontale versetzte Schrägheit auf eine betont dreidimensionale Raumwirkung abzielt und daß durch das Aus-
schnitthafte der präsentierte Raum als Teil eines räumlichen Kontinuums

erscheinen soll. Daß all dies einer naturalistischen Abbildlichkeit dienen soll, war August Strindbergs erklärte Absicht, wie er im Vorwort deutlich macht:

Was nun die Dekorationen betrifft, so habe ich vom Impressionismus die Asymmetrie, das Abgeschnittene übernommen und glaube damit eine starke Illusionswirkung erreicht zu haben. Wenn man nicht den ganzen Raum mit allen Möbeln sieht, kann man ihn sich vorstellen, das heißt die Phantasie vervollständigt (das Bild). Ich habe mich ebenso an eine einzige Dekoration gehalten, einmal um die Figuren mit der Umgebung verwachsen zu lassen, dann auch, um mit dem Ausstattungsluxus aufzuräumen. Wenn man aber nur eine Dekoration hat, muß sie glaubhaft wirken. Nichts ist jedoch schwerer, als ein Zimmer zu bekommen, das ungefähr wie ein Zimmer aussieht (. . .). Es mag ja angehen, daß die Wände aus Leinwand bestehen, aber man sollte endlich aufhören, darauf Gestelle und Küchengeräte zu malen. Wir haben so viel anderes Konventionelles auf der Bühne, das wir für echt hinnehmen müssen, daß man uns die Anstrengung ersparen sollte, an gemalte Kochtöpfe zu glauben.[37]

Vom neutralen oder nur sehr stilisiert angedeuteten Raum bis zu einem so realistisch konkretisierten Raum ist ein großer Abstand. Wir wollen diesen Abstand jedoch nicht historisch, sondern systematisch verstanden wissen: die Entwicklung der Raumkonzeption im abendländischen Drama läßt sich nicht als eine lineare Zunahme in der realistischen Konkretisierung des Schauplatzes beschreiben, wie unsere Beispielauswahl nahelegen mag. So war zum Beispiel das mittelalterliche Drama im allgemeinen raummäßig neutraler und weniger festgelegt als das Drama der Antike, und so setzt das moderne Drama keineswegs durchgehend die naturalistische Tendenz zu detaillierter Dingfülle und illusionistischer Realistik fort, sondern weist eine ganze Reihe von Gegenbewegungen dazu auf – etwa die abstrakt stilisierten Räume des Expressionismus, die nicht Gegenständliches, sondern innere Zustände darstellen wollen, das Aufdecken der Kulissenhaftigkeit und die Beschränkung auf das Notwendigste im epischen Theater, die entstofflichte Raumlosigkeit in „absurden" Theaterstücken wie Becketts *Waiting for Godot*.

7.3.2.2 Funktionen

Den unterschiedlichen Graden der Konkretisierung des Schauplatzes entsprechen unterschiedliche Funktionen des Raumes.[38] Betrachten wir zunächst Räume, die in hohem Maße konkretisiert und spezifiziert sind. Diese Raumkonzeption kann einerseits auf jene selbstzweckhaft-spektakulären Schaueffekte abzielen, mit denen zum Beispiel die "Ausstattungs-stücke" des neunzehnten und zwanzigsten Jahrhunderts ihr Publikum in den Bann zu schlagen versuchen, andererseits kann sie der Nachah-mung der Kontingenz der Wirklichkeit dienen. Diese zweite Funktion dominiert im naturalistischen Drama, wobei darüber hinaus der stofflichen Dingfülle, mit der die Figuren umstellt werden, die weitere Funktion zu-kommt, die Bedingtheit der Figuren durch die äußeren Umstände zu ver-deutlichen.[39] Die Vergegenständlichung der Umstände, denen eine Figur unterliegt, deckt deren Abhängigkeit von Bedingungen des Milieus, der Atmosphäre, der psychisch-physischen Disposition auf: sie agiert nicht mehr aus der Autonomie eines transzendentalen Bewußtseins heraus, son-dern unter dem Druck äußerer Umstände. Wenn Strindberg, wie wir ge-rade gesehen haben, will, daß seine Figuren als "mit der Umgebung ver-wachsen" erscheinen, formuliert er in biologischer Metaphorik gerade diese Determinierung durch gegenständlich Zustandhaftes. So steckt be-reits der Schauplatz von *Fräulein Julie* mit seinem Gegensatz zwischen dem Domestiken-Interieur der Küche und dem gräflich-feudalen Ziergar-ten im Hintergrund das soziologische Spannungsfeld ab, in dem sich Julies Tragödie vollzieht, und so ist zum Beispiel auch der Strauß blühender Syringen auf dem Gesindetisch kein selbstzweckhaft dekoratives Detail, sondern trägt durch "die starke aphrodisische Wirkung der Blumen" zur erregenden Atmosphäre der Mittsommernacht bei, der Julie sich nicht zu entziehen vermag.[40] Im Rahmen der angedeuteten Semantisierung des sinnfälligen Gegensatzes von Interieur und Hintergrund kommt dem Syringenstrauß gleichzeitig eine symbolische Funktion zu: seine Verset-zung aus dem gräflichen Ziergarten in die Gesindeküche muß als Modell für die "Grenzüberschreitung" (Lotman) der Titelheldin, ihr Durch-brechen sozialer Schranken, gesehen werden. – Dominiert hier bereits das Zustandhafte des gegenständlichen Raumes über die Figur und erscheint damit der Raum als das eigentlich Aktive, so finden sich im zwanzigsten Jahrhundert dramatische Texte, in denen die Figur vollends statisch und dagegen der Raum und die ihn erfüllenden Gegenstände wirklich aktiv werden, wie Hans Hoppe an Dramen Ionescos und anderer überzeugend nachgewiesen hat (s. u. 7.3.3.2).[41]

Im Gegensatz dazu wird oft durch eine neutrale, nur wenig konkretisie-rende und spezifizierende Raumkonzeption der Fokus der Darstellung in die Innerlichkeit des Bewußtseins der Figuren verlagert und dieses als autonom, als "un-bedingt" in Hinblick auf materiell-gegenständliche Umstände gesetzt. Mit dieser idealistischen Konzeption vom Primat des autonomen Bewußtseins gegenüber äußeren Bedingungen des Milieus und der Atmosphäre geht eine Betonung des Allgemeinen gegenüber dem Spezifischen und Individuellen Hand in Hand. Nicht das Einmalige eines Individuums soll durch den räumlichen Kontext herausgestellt werden, sondern allenfalls das Ständisch-Typische einer Figur – etwa die herrscherliche Würde einer Figur durch repräsentativ feudale Räume. Determiniert der räumliche Kontext im naturalistischen Drama die einzelne Figur, so hat er im Drama eines Racine nur reflektierende Funktion, indem er deren Status widerspiegelt. Dieser Verschiebung vom Spezifischen und Individuellen zum Allgemeinen und Typischen entspricht auch, daß bei stark konkretisierender Raumkonzeption private Interieurs als Schauplatz dominieren, hier dagegen öffentliche und damit nicht auf ein einzelnes Individuum bezogene Räume.

Dies gilt nicht nur für das klassische französische und deutsche Drama, für das dazu Analysen u.a. von L. Spitzer, K. Ziegler und V. Klotz vorliegen,[42] sondern auch für moderne Dramen mit wenig konkretisierender Raumkonzeption. Es gilt etwa für Becketts *Waiting for Godot*, wo sich die Schauplatzangabe des Nebentexts in einem lakonischen "*A country road. A tree*" erschöpft und wo auch in von Beckett selbst betreuten Inszenierungen ein mehr oder weniger stilisierter Baum das ganze Bühnenbild ausmacht. Selbst dieser einzige Baum bleibt noch so unspezifiziert, daß Vladimir und Estragon sich darüber streiten können, ob es sich um einen Baum, ein Bäumchen oder einen Strauch handelt (S. 38 ff); und ebenso führt die Landstraße von einem undefinierten Irgendwo in ein anderes.[43] Auf der vordergründigsten Ebene kommt diesem Baum zunächst die Funktion zu, einen Schauplatz im Freien anzudeuten, und damit einen plausiblen Treffpunkt für zwei unbehauste Landstreicher. Darüber hinaus verweist jedoch die Leere der Bühne, die durch den Baum als einzigem Fixpunkt noch betont wird, auf die existentielle Situation der beiden Figuren – ihre Isoliertheit, ihre Richtungslosigkeit, ihren Weltverlust. Es sind dies, zumindest in Becketts Sicht, allgemeine Bestimmungen der *conditio humana*, und sie werden auch nicht genetisch erklärt durch eine physiologische, soziologische, atmosphärische oder psychologische Spezifik der Lebensumstände, die räumlich konkret würde, sondern vielmehr dient der Raum allein der symbolischen Spiegelung dieser Bewußtseinslage. Gerade durch die Situierung des Geschehens in einer solch abstrakten "Nirgendwoheit" – so Spitzer über den Racineschen Raum – erlangt es den Status eines allgemeinen existentiellen Modells. Im weiteren Textverlauf wird der Baum durch immer neue Symbolbezüge semantisch aufgeladen, wobei diese Aufladung, gemäß der Projektionsrichtung von Innen nach Außen, über die Dialoge der Figuren erfolgt: Vladimir und

Estragons Gespräch über die beiden Häscher am Kreuze rückt ihn in die Nähe des Kreuzes Christi als eines Symbols sowohl des Todes als auch der Erlösungshoffnung und des Lebens (S. 32 ff); in ihren Reflexionen über den Selbstmord betrachten sie ihn als möglichen Galgen, wobei sich im Bild der Erektion des Gehängten wieder Tod und Leben überlagern (S. 46 ff); im zweiten Akt wird diese Symbolik weiter fortgesetzt, indem der abgestorbene Baum nun einige Blätter aufweist, deren Rascheln Vladimir mit dem Geräusch von Sand und Asche vergleicht (S. 156 f); und er wird zum Baum des Paradieses, da er sich wie dieser nicht zum Sich-Verbergen eignet (S. 182 f). Nicht diese Symbolik ist es jedoch, die für stilisierende Raumkonzeption charakteristisch ist, denn auch in einer konkretisierenden Raumkonzeption kann – wie wir am Beispiel der Syringen in *Fräulein Julie* gezeigt haben – dem Raum oder einem räumlichen Detail Symbolfunktion zukommen; charakteristisch ist vielmehr, daß der Raum nicht determinierende, sondern reflektierende Funktion hat. Der Raum erscheint hier also dominant als Projektion von Bewußtseinszuständen und nur noch rudimentär als Abbild eines realen Raumes. Darüber noch hinausgehend finden sich etwa im expressionistischen Drama stilisierte Räume, die jedes realen Korrelats entbehren und nur noch veräußerlichende Projektionen innerseelischer Zustände und Vorgänge sind.[44]

7.3.3 Lokalisierungstechniken

Wir haben die unterschiedlichen Konzeptionen des dramatischen Raumes weitgehend unabhängig von den Techniken diskutiert, mit denen er im dramatischen Text realisiert wird. Diese Lokalisierungstechniken lassen sich, analog zu den Charakterisierungstechniken (s. o. 5.4.2), als ein geschlossenes Repertoire aus dem Repertoire der Codes und Kanäle ableiten, über das der dramatische Text verfügt (s. o. 1.3.2). Sowohl das Gesamtrepertoire der Codes und Kanäle als auch das davon abgeleitete Repertoire der Lokalisierungstechniken sind historisch relativ konstant, wenn man von punktuellen Innovationen wie dem Einsatz haptischer oder olfaktorischer Kanäle absieht, der sich jedoch nicht durchgesetzt hat. Historisch variabel ist dagegen die quantitative und qualitative Selektion aus diesem Repertoire, wie etwa durch einen Vergleich zwischen den Konventionen des elisabethanischen und des naturalistischen Dramas evident wird: dominieren im elisabethanischen Drama verbale, so dominieren im naturalistischen optisch-außersprachliche Lokalisierungstechniken.

7.3.3.1 Sprachliche Lokalisierungstechniken

Auf die Bedeutung sprachlicher Lokalisierungstechniken haben wir bereits in Zusammenhang mit impliziten Inszenierungsanweisungen im Haupttext hingeweisen (s. o. 2.1.4). Es handelt sich hier vor allem um das Phänomen der "WORTKULISSE",[45] des "gesprochenen Raumes"[46] als der Thematisierung des räumlichen Kontexts in den Repliken der Figuren. Hier kann jedoch nur mit Einschränkung von impliziten Inszenierungsanweisungen gesprochen werden, da die sprachliche Thematisierung von Raumelementen ja nicht immer und nicht unbedingt als Anweisung an den Bühnenbildner verstanden werden kann, diese auch optisch zu konkretisieren. Eine solche optische Konkretisierung der Wortkulisse würde einen gewissen Redundanzeffekt erzeugen, wie er für die Relation der Identität zwischen sprachlicher und außersprachlicher Informationsvergabe charakteristisch ist (s. o. 3.3). Im Gegensatz dazu hat die Wortkulisse etwa im elisabethanischen Drama zunächst die Funktion, die Beschränktheit der szenischen Darstellungsmittel zu kompensieren, wodurch hier die Relation der Komplementarität zwischen sprachlicher und außersprachlicher Informationsvergabe dominiert. Der Versuch, etwa die Wortkulisse von *Macbeth*, I, vi, die in den Repliken Duncans und Banquos über Macbeths Burg enthalten ist (s. o. 7.3.1.5), in all ihren Details – der Burg und ihrer schönen Lage, den Vogelnestern auf den Simsen und Brüstungen – optisch zu konkretisieren, wie er in historisierenden Ausstattungsinszenierungen des neunzehnten Jahrhunderts gegen die Konventionen des elisabethanischen Theaters gemacht wurde, steigert nicht die Wirkung, sondern lenkt von den poetischen Qualitäten der Sprache ab und zielt auf eine Eindeutigkeit des Effekts ab, die die dramatische Ironie des Kontrasts von Schauplatz und Geschehen gefährdet.[47]

An diesem Beispiel wird auch ein wesentlicher Unterschied zwischen der Wortkulisse und dem optisch konkretisierten Bühnenbild deutlich: ist das Bühnenbild den Figuren im Normalfall "objektiv" vorgegeben, so ist die Wortkulisse prinzipiell figurenperspektivisch subjektiviert. Das idyllisch-heitere Bild der Burg Macbeths, das Duncan und Banquo entwerfen, ist nicht objektiv, sondern stellt eine Projektion ihrer inneren Gestimmtheit dar. Durch diese Figurenperspektivik der Wortkulisse kann der Schauplatz in einer Weise mehrdeutig werden, wie das bei einem konkreten Bühnenbild kaum möglich ist.[48] Ein und derselbe Schauplatz kann sich aus den verschiedenen Perspektiven der darin agierenden Figuren völlig verschieden darstellen. Dies ist eine Möglichkeit, die Shakespeare gerade in seinen mittleren und späten Komödien voll ausgeschöpft hat. So werden zum Beispiel in *As You Like It* einerseits die Vorstellungen, die sich die Figuren vom Ardenner Wald machen, zum Index ihrer Haltung und ihres Standpunktes, und andererseits entfaltet sich dadurch der Schauplatz im Fortgang der Szenen als mehrdimensionales Sinngefüge. Während vorbereitete Gespräche im ersten Akt eine idyllische Schäferwelt erwarten lassen, in der sich Züge des klassischen Mythos vom Goldenen Zeitalter mit Elementen der heimischen Robin-Hood-Tradition mischen, häufen sich in den ersten Szenen im Ardenner Wald Hinweise auf Aspekte, die die Konventionen des pastoralen *locus amoenus* überraschend ironisieren. Der Herzog preist zwar in pastoraler Manier die Vorzüge des Landlebens gegenüber dem Leben am Hof, betont aber auch die realen Unbilden der Witterung, denen Schäfer und Waldbewohner schutzlos preisgegeben sind (II, i); den erschöpften Flüchtlingen erscheint der Wald auf den ersten Blick als unwirtlicher Ort; in der Sicht des Schäfers Corin spiegelt sich eher die Not zeitgenössischer englischer Landarbeiter als die unbeschwerte Heiterkeit arkadischen Schäferdaseins (II, iv und vi), und auch in den Perspektiven des Clowns Touchstone und des Zynikers Jaques dominieren diese negativen Aspekte. In der offenen Perspektivenstruktur des *Tempest* wird der Schauplatz vollends mehrdeutig, indem hier Raumprojektionen einander überlagern, die nicht mehr – wie noch in *As You Like It* – ein differenziertes Gesamtbild ergeben, sondern miteinander unvereinbar sind:

> In diesem Drama Shakespeares wird uns überhaupt nicht *das* verbindliche Bild einer einsamen Insel vermittelt, sondern jeder Gestalt bleibt das Recht belassen, sich eine eigene Anschauung davon zu erwerben, – oder vielmehr eine eigene Anschauung mitzubringen, da sich das Eiland als Spiegelbild der innermenschlichen Öde oder Fruchtbarkeit enthüllt.[49]

Die Funktion der Wortkulisse geht also keineswegs darin auf, ein Bühnenbild zu ersetzen, da sie ja darüber hinaus der Figurencharakterisierung, der Entwicklung von zentralen thematischen Komplexen – oft in der Form leitmotivischer Metaphorik – und allgemein der Semantisierung des Raumes dienen kann.

Die zweite wichtige Technik sprachlicher Lokalisierung stellen Beschreibungen des Schauplatzes im NEBENTEXT dar.[50] Soweit diese eindeutig Inszenierungsanweisungen, Instruktionen für den Bühnenbildner, sind, werden sie vollständig in die plurimediale Konkretisierung übersetzt. Als Teil des literarischen Textsubstrats bleiben sie dann sekundär gegenüber dem inszenierten Text, den sie, je nach ihrer Ausführlichkeit und Detailliertheit, in unterschiedlichem Maß determinieren (s. o. 2.1.5). Die

Variationsbreite reicht hier von einer lakonisch knappen Schauplatz-nennung bis zu jenen einlässigen Beschreibungen, wie wir sie am Beispiel von Strindbergs *Fräulein Julie* illustriert haben (s. o. 7.3.2.1).

Über eine solche quantitative Ausweitung hinausgehend kann jedoch der Nebentext zur Szenerie auch eine relative Eigenständigkeit erlangen, indem er sich nicht mehr allein auf Inszenierungsanweisungen beschränkt, sondern kommentiert und interpretiert. Die Lokalisierung im Nebentext wird dann Teil eines eigenständigen epischen Vermittlungssystems. Dies haben wir bereits in Zusammenhang mit epischen Kommunikationsstrukturen im Drama am Beispiel von Tschechows *Kirschgarten* gezeigt (s. o. 3.6.2.1); noch eindeutiger in dieser Hinsicht sind Hochhuths essayistisch ausgeweitete Einlassungen über Form und Funktion des Gartens als Schauplatz für Akt III von *Soldaten* (s. o. 7.3.1.5). Das Auftreten einer solchen episch vermittelnden Schauplatzbeschreibung und -kommentierung setzt allerdings voraus, daß sozio-kulturell das literarische Textsubstrat und damit die rein lesende Rezeption von Dramen eine gewisse Eigenständigkeit gegenüber dem inszenierten Text und der plurimedialen Rezeption erlangt haben.

7.3.3.2 Außersprachliche Lokalisierungstechniken

Bei den außersprachlichen Lokalisierungstechniken denkt man wohl zuerst an die mehr oder weniger stark ausgeprägte Konkretisierung des Raumes durch das Bühnenbild (Kulissen, Versatzstücke, Beleuchtung usw.). Darauf wollen wir hier jedoch nicht weiter eingehen, da wir im vorausgehenden Kapitel bereits Formen und Funktionen von Neutralität, Stilisierung und Konkretisierung des Raums behandelt haben. Zudem werden diese Techniken im Rahmen wechselnder Bühnenbedingungen historisch sehr unterschiedlich realisiert,[51] wenn auch die funktionalen Möglichkeiten – spektakuläre Schaustellung, Fixierung des Schauplatzes, Charakterisierung der Figuren, soziale und atmosphärische Determinierung, veräußerlichende Projektion von inneren Zuständen, Konkretisierung semantischer Relationen – sich durchaus einer systematischen Analyse erschließen. Wir wollen hier vielmehr einen Aspekt in den Mittelpunkt rücken, der nicht so naheliegend ist wie das Bühnenbild und dem dennoch eine große und überhistorische Bedeutung zukommt – die Konstituierung des Raumes durch die Aktionen und Aktivitäten der Figuren.

Als Teil dieser Aktionalen Raumkonstituierung entfalten sich schon in den Auftritten und Abgängen der Figuren räumliche Relationen, wird ein Kontrast zwischen dem fiktiven Raum hinter der Bühne, dem *off stage*, und dem fiktiven, auf der Bühne präsentierten Raum, etabliert. Die Figuren kommen von irgendwoher und gehen irgendwohin, und die verschiedenen Richtungen, in denen die Auftritte und Abgänge erfolgen, schaffen zusätzliche räumliche Differenzierungen des *off stage*. Diese noch vagen Bestimmungen werden dann meist in den Repliken der Figuren sprachlich spezifiziert, wobei deutlich wird, daß – um ein häufiges Raumarrangement aus dem Bereich der lateinischen Komödie als Beispiel zu nehmen – in der einen Auftritts- und Abgangsrichtung der Marktplatz, in der anderen der Hafen liegt. In ankündigenden und rückblickenden Repliken, in Dialogen, die Figuren während ihres Auftretens oder Abgehens führen und die *in medias res* an der Grenze zwischen bühnischem und außerbühnischem Raum einsetzen bzw. abbrechen, in teichoskopischen Repliken, die auf einen simultan verlaufenden Vorgang im *off stage* bezogen sind, aber auch, unabhängig von narrativ-sprachlicher Vermittlung, durch Geräusche und Stimmen, die von außen hereindringen, kann so der engere und weitere Umraum hinter der Bühne spezifiziert und veranschaulicht werden und große Bedeutung für die Handlungs- und Geschehensabläufe erlangen.[52] So drängen zum Beispiel in Ben Jonsons *The Alchemist*, dessen Szenen überwiegend im Hause Lovewits spielen, immer neue Kunden des Gaunertrios von der Straße herein, werden wieder nach draußen fortgeschickt oder in Nebenräume geschoben, während in einem zusätzlichen hinterbühnischen Raum, in dem Subtle seine Alchemistenküche eingerichtet hat, der Stein der Weisen produziert werden soll (ein Unternehmen, das in Szene IV, v mit einem gewaltigen Explosionsknall aus dem *off stage* auffliegt). Durch diesen ständigen Verkehr zwischen dem umliegenden London und dem Interieur des Hauses im Londoner Blackfriars-Viertel erscheint dieses als das Gravitationszentrum aller Laster, und das von der Pest heimgesuchte London im weiteren *off stage* als ein Raum, der der Torheit, Habsucht und Korruption verfallen ist. Und dieser Raum bleibt nicht vage und abstrakt, sondern wird mit viel Lokalkolorit und einer reichen Fülle topographischer Details veranschaulicht. Doch unabhängig noch von diesen zusätzlichen Spezifizierungen, die ja überwiegend über die Repliken der Figuren sprachlich vermittelt werden, ergibt sich der Gegensatz zwischen dem Bühnenraum und dem weiteren außerbühnischen Umraum bereits aus der Intrigenstruktur der Handlung, die ein ständiges Kommen und Gehen der Intrigenopfer impliziert, ebenso wie auch die drei Nebenräume des engeren außerbühnischen Umraums sich aus den Erfordernissen des Handlungsablaufs, der Interferenz der Intrigenstränge, ergeben. Bestimmte Handlungsabläufe erfordern und konstituieren also bestimmte räumliche Arrangements, oder umgekehrt, bestimmte räumliche Arrangements machen erst bestimmte Handlungsabläufe möglich.

Es sind aber nicht nur die Auftritte und Abgänge der Figuren, durch die räumliche Relationen konstituiert werden, sondern dies geschieht auch durch die Präsenz der Figuren auf der Bühne. Sie selbst führen ja bereits durch ihre konkrete Gegenständlichkeit eine räumliche Dimensionalität in den dramatischen Text ein, und ihre Positionen und Bewegungen aktualisieren den Raum, der durch die Bühnenausdehnung geschaffen und abgegrenzt wird. Selbst eine einzelne, bewegungslose Figur auf einer sonst völlig leeren neutralen Bühne konstituiert räumliche Relationen, da etwa eine zentrale Position eine semantisierbare Opposition zu einer dezentralen und eine Vorderbühnenposition zu einer Hinterbühnenposition etabliert. Das räumliche Relationssystem wird mit jeder zusätzlichen Figur komplexer und eröffnet immer mehr Alternativen der räumlichen Gruppierung. Nähe oder Distanz ergeben sich dabei aus den Handlungs- und Geschehensabläufen, die dann das räumliche Arrangement in unterschiedlicher Weise semantisieren können. So kann zum Beispiel die Distanz zwischen zwei Figuren oder Figurengruppen konfliktgeladene Feindschaft räumlich konkretisieren, aber auch ein unbeteiligtes Abseitsstehen oder ein interessiertes Zuschauen und Belauschen. Durch die Bewegungen schließlich wird der Raum dynamisch aktualisiert, wobei sowohl der Kontrast von statuarischer Ruhe und Bewegung als auch die Choreographie der Bewegungsabläufe – Richtung, Tempo und Korrelation der Bewegungen – "bedeutend" sind, Zeichencharakter besitzen. Durch beide Momente, das statische der Position und das dynamische der Bewegung, wird das Raumpotential, das durch die Bühnenumgrenzung gegeben ist, aktualisiert und damit der dramatische Raum eigentlich erst geschaffen.

Wie die menschliche Figur und das Bühnenbild gehören auch die REQUISITEN zu den Konkreta des dramatischen Textes, durch die er eine dreidimensionale Räumlichkeit erlangt.[53] Im System der optischen Zeichen des Dramas nimmt das Requisit eine Mittelposition zwischen der Figur und ihrem Kostüm einerseits und dem Bühnenbild andererseits ein. Während das Kostüm[54] fest an die Figur gebunden ist, gehört das Requisit einmal zur Figur, ein andermal zum Bühnenbild, je nachdem, ob es in das aktionale Spiel der Figur einbezogen wird oder nicht. So können Elemente des Bühnenbilds zeitweise zum Requisit werden, indem sie von einer Figur gehandhabt werden, und sie rücken dann wieder in das Bühnenbild ein, sobald die Figur den haptischen Kontakt mit ihnen abbricht. Andererseits kann ein Requisit zum Teil des Kostüms werden, wenn es fest an eine Figur gebunden wird, wie umgekehrt ein Teil des Kostüms zum Requisit werden kann, wenn es sich von der Figur ablöst oder in besonderer Weise von ihr in das Spiel einbezogen wird. Innerhalb der Positionen Figur – Kostüm – Requisit – Bühnenbild kann also ein einziges Objekt verschoben werden. So sind zum Beispiel die Kronen, die der englische und der französische König in der Schlußszene V, ii von Shakespeares *Henry V* tragen und für die weder im Haupt- noch im Nebentext besondere aktionale Hinweise gegeben werden, Teil des Kostüms, durch das sie als Könige ausgewiesen werden. Die Krone Richards II dagegen wird häufig im Haupttext thematisiert und vor allem in der großen Abdankungsszene (IV, i) bedeutungsvoll in das gestische Spiel einbezogen:

> K. RICHARD: Give me the crown. Here, cousin, seize the crown.
>   Here, cousin,
>   On this side my hand, and on that side thine.
>   Now is this golden crown like a deep well
>   That owes two buckets, filling one another;
>   The emptier ever dancing in the air,
>   The other down, unseen, and full of water.
>   That bucket down and full of tears am I,
>   Drinking my grieves, whilst you mount up on high.
> BOLINGBROKE: I thought you had been willing to resign.
> K. RICHARD: My crown I am; but still my grieves are mine.
>   (IV, i, 181–191)

Das gestische Spiel mit der Krone — Richard läßt sie sich geben, und nach kurzem Zögern Bolingbrokes halten sie sie dann an beiden Seiten – macht sie zum Requisit. Sie ist hier nicht mehr nur duratives Zeichen von Richards Königswürde, sondern das Spiel mit der Krone, von Richard demonstrativ in einem *conceit* bildlich interpretiert, das die bereits erwähnte vertikale Raumsymbolik dieses Dramas wieder aufgreift, bezieht sie in einen emblematischen Vorgang ein, der die zentrale Peripetie, Richards Abdankung und Bolingbrokes Usurpation, sinnfällig macht. – Eine Krone schließlich, die weder von einer Figur getragen noch in deren gestisches Spiel einbezogen wird, sondern nur unbewegt als Insignie königlicher Macht den Thron markiert, ist ein Teil des Bühnenbilds und trägt zur Konkretisierung des Raumes bei.

Die Positionsverschiebungen innerhalb der Reihe Figur – Kostüm – Requisit – Bühnenbild können jedoch noch radikaler sein. So kann eine Figur zum objekthaften Element des Bühnenbilds werden, wenn sie rein durativ eingesetzt wird und sich weder sprachlich noch gestisch-mimisch äußert.[55] Dies gilt zum Beispiel für reine Statistenfiguren, die in statuarischer Unbeweglichkeit den Hintergrund der Bühne füllen und deren Funktion darin aufgeht, den Raum zu konkretisieren, etwa seinen feudalen Öffentlichkeitscharakter herauszustellen. Und umgekehrt können objekthafte Elemente des Bühnenbilds in die Position der Figur aufrücken, wenn sie, wie das Hans Hoppe (1971) für das moderne "Theater der Gegenstände" nachgewiesen hat, eigenständige Aktivität entfalten. So entwickelt etwa die Standuhr in Ionescos *La cantatrice chauve* in ihren willkürlichen Schlägen eine eigengesetzliche Autonomie, die immer wieder in das Spiel der Figuren eingreift, und eine Artikuliertheit, die nicht hinter die der abschließenden Dialoge der Figuren mit ihren sinnlosen Lautfolgen zurückfällt.

Die Art und Zahl der Requisiten, die in einem dramatischen Text eingesetzt werden, ist bedingt durch die Raumkonzeption. In einem Drama, in dem die Raumkonzeption durch Neutralität oder Stilisierung gekennzeichnet ist, finden sich wenige und dann immer bedeutsame Requisiten. Dies gilt schon für die antike Tragödie, in der Requisiten wie die Urne der Sophokleischen Elektra oder der Bogen des Philoktet nie beiläufig eingeführt werden, sondern immer in mehrfacher Funktionalisierung – Handlungsmotivation, Figurencharakterisierung, Situationserhellung (Vergegenwärtigung von Vergangenem, dramatische Ironie usw.) – symbolisch aufgeladen werden.[56] Auch im klassischen französischen und deutschen Drama werden Requisiten mit großer Ökonomie eingesetzt und stellen sie meist "erlesene, hinweisende Dinge" dar.[57] Nur wenige heraldische Requisiten, die auf den hohen Stand der Figur verweisen, und handlungsmotivierende Objekte wie Brief, Ring oder Kästchen stehen ein für die reiche und diverse Objektfülle realer Räume, die hier ausgeblendet wird, um die intendierte exemplarische Allgemeinheit und Verinnerlichung zu ermöglichen. Von den drei Realitätsgraden, mit denen Objekte im dramatischen Text erscheinen können – (1) als optisch und haptisch konkretes Objekt, (2) in verbal-eigentlicher und (3) in verbal-uneigentlicher, d.h. metaphorischer Thematisierung – dominieren quantitativ der zweite und dritte Grad, was zu einer Ent-Gegenständlichung der Präsentation führt.[58] Darüber hinaus werden nur konkrete Objekte eingeführt, die auch im Haupttext thematisiert werden; ein beiläufiges Umgehen mit Objekten ist nicht vorgesehen.

Im Gegensatz dazu bringt ein stark konkretisierter Raum, wie er sich etwa im naturalistischen Drama findet, eine große Fülle an konkreten Objekten unterschiedlichster Art mit sich. Und diese Objekte sind nicht ein-

357

fach präsent, sondern werden ständig in das Spiel der Figuren miteinbezogen.[59] Dieser ständige und oft beiläufige, d. h. von den Figuren unwillkürlich vollzogene oder in ihren Repliken nicht thematisierte haptische Kontakt mit der sie umgebenden Dingwelt steht in deutlichem Kontrast zum großen Abstand, den die Figuren bei räumlicher Neutralität oder Stilisierung zum gegenständlichen Rahmen des Bühnenbilds einhalten. Dabei muß jedoch nicht bei aller Fülle der Requisiten deren Funktion auf die Widerspiegelung der Kontingenz der Realität reduziert sein. Auch das beiläufig eingeführte und alltäglich-triviale Requisit kann bedeutsam sein, wie ein Blick auf die Dramen Tschechows, des Meisters der scheinbar bedeutungslos-beiläufigen Requisiten, lehrt.[60] Um ein Beispiel aus der langen Liste von Requisiten im *Kirschgarten* herauszugreifen, die von Gajews Karamellen, Ranjewskajas Telegrammen und Warjas Schlüsselbund bis zu Firs' Gehstock und Dunjaschas Puderdose reicht: Jaschas Zigarre, die er sich in Szene II, i anzündet, verweist auf den tiefen Eindruck, den die elegante Welt von Paris auf ihn, den Diener, gemacht hat, ebenso wie das Stubenmädchen Dunjascha mit ihrer Puderdose die Herrin nachzuahmen versucht. Gleichzeitig beweist Jascha durch sein Rauchen in Dunjaschas Gegenwart, daß er sie zwar mit seinen urban-verfeinerten Lebensgewohnheiten zu beeindrucken versucht, diese jedoch nur ungenügend beherrscht, da er sonst nicht in Gegenwart einer weiblichen Person eine Zigarre raüchen würde. Sehr vieles, was im Dialog ausgespart bleibt, wird hier also durch das mimisch-gestische Spiel mit Requisiten vermittelt, und die Informationen, die dadurch gegeben werden, sind differenziert individualisierend, nicht wie bei einer Krone oder einem anderen heraldischen Requisit typisierend.

Die bisherige Behandlung der Requisiten hat bereits eine Reihe ihrer wichtigsten Funktionen aufscheinen lassen. Wir wollen sie dennoch noch einmal kurz systematisch zusammenfassen.[61] Sie dienen zunächst einmal der mehr oder weniger stilisierenden oder konkretisierenden Nachahmung von Wirklichkeit und, in engem Bezug damit, der Charakterisierung des Raumes und der Figuren. Darüber hinausgehend dienen sie häufig dem Fortgang der Handlung, indem sie etwa ein von den Figuren erstrebtes Gut verkörpern, als Instrument der Intrige fungieren oder enthüllendes *corpus delicti* eines Vergehens oder Verbrechens sind. In dieser Funktion kann ein Objekt Handlungszentrum werden, was häufig bereits durch die Titelgebung signalisiert wird. Man denke an Komödien wie Plautus' *Aulularia* (Topfkomödie), Kleists *Zerbrochenen Krug* oder Sternheims *Hose*, an Tragödien wie Grillparzers *Das goldene Vließ*. (Daß einem hier auf Anhieb mehr Komödien als Tragödien einfallen, ist nicht zufällig, sondern liegt wohl an einer besonderen Affinität zwischen Komik und Konkreta). Gerade bei so zentralen Gegenständen läßt sich dann oft eine Semantisierung in Richtung auf zentrale Themenkomplexe feststellen; sie werden zu zentralen Symbolen: Kleists zerbrochener Krug verweist auf das Auseinanderbrechen sozialer Harmonie und auf den Sündenfall, Sternheims delikates Kleidungsstück auf die Ambivalenzen von Prüderie und Lüsternheit. Eine letzte Funktion der Objekte und Requisiten ist in ihrem Beitrag zur zeitlichen Kohärenzbildung zu sehen: sie vergegenwärtigen Vergangenes und verweisen auf Kommendes. Oft steht das Requisit als Zeichen für die biographische Vergangenheit einer Figur (Jaschas Zigarre) oder für ein wichtiges Moment der Vorgeschichte (Dorfrichter Adams Perücke), und oft wird es für die Figur selbst zum Anstoß erinnernder Rückschau (Elektras Urne).[62] Der futurische Bezug von Requisiten ergibt sich schon aus ihrem Verwendungszweck (Dolch oder Giftfläschchen zum Beispiel lassen gewaltsame Taten befürchten) oder beruht auf deren Rätselcharakter, der nach Auflösung verlangt. Ein verschlossenes Kästchen zum Beispiel regt an zur Hypothesenbildung über dessen Inhalt, wie in Shakespeares *The Merchant of Venice* besonders deutlich wird, wo Portias Werber zwischen einem goldenen, silbernen und bleiernen Kästchen das auszuwählen haben, das ihr Bild enthält. In jedem Fall wird durch den futurischen Bezug des Requisits Spannung erzeugt (s.o. 3.7.4), da es ja Fragen aufwirft, die erst in der Zukunft eingelöst werden.

7.4 STRUKTUR UND PRÄSENTATION DER ZEIT

7.4.1 *Tempus: Aktualisierung und Distanzierung*

Die Absolutheit, die Nichtbesetzung der Position eines vermittelnden Erzählers (s.o. 1.2.2–4), macht in dramatischen Texten das Präsens zum primären Tempus, ebenso wie umgekehrt in narrativen Texten das primäre Tempus das Präteritum ist. Thornton Wilder hat dies pointiert formuliert:

A play is what takes place. A novel is what one person tells us took place.
The novel is a past reported in the present. On the stage it is always now. This confers upon the action an increased vitality which the novelist longs in vain to incorporate into his work.[63]

Das bedeutet natürlich nicht, daß das Präsens das einzige Tempus in dramatischen Texten ist, denn ausgehend vom deiktischen Zentrum des *hic et nunc* der jeweils präsentierten Situation erschließt sich den Figuren – und den Rezipienten – die Vergangenheitsdimension eines Vorher und die Zukunftsdimension eines Nachher. Und das bedeutet natürlich auch nicht, daß sich die fiktionale Gegenwart der jeweils präsentierten Situation mit der realen Gegenwart der Rezipienten deckt, daß das präsentische Tempus des fiktiven Texts auf das reale Präsens der Rezipienten verweist (s. o. 7.1), denn die Absolutheit des Dramas gilt ja sowohl gegenüber dem Autor als auch gegenüber dem Publikum.[64]

Dennoch ist die Relation zwischen der fiktiven Zeitstufe des Dargestellten und der realen Zeitstufe der Darstellung, ähnlich wie die Relation zwischen fiktivem Schauplatz und realem räumlichen Kontext (s. o. 7.3.1.4), von Relevanz für die Textintentionalität.[65] Es ist ein Unterschied, ob die fiktive Handlung in einer mythischen Vorzeit, einer historisch faßbaren Vergangenheit, in der Jetzt-Zeit der Rezipienten oder in unfixierter a-historischer Überzeitlichkeit angesiedelt ist, und diese unterschiedliche zeitliche Distanz zum realen zeitlichen Kontext impliziert einen jeweils verschiedenen Bezug des Textes auf die zeitgenössische Wirklichkeit. So ermöglicht zum Beispiel die zeitliche Distanzierung des Dargestellten im elisabethanischen Historiendrama eine indirekte Thematisierung von durchaus aktuellen dynastischen und konstitutionellen Problemen, wie sie ohne diese Brechung nicht möglich gewesen wäre, und so betont umgekehrt die zeitgenössische Situierung von Ben Jonsons *The Alchemist* den satirischen Bezug auf das *hic et nunc* der Rezipienten.

Es ist jedoch keineswegs generell so, daß eine große zeitliche Distanzierung immer eine verstärkte Mittelbarkeit und Indirektheit des Realitätsbezugs, und eine geringere zeitliche Distanzierung oder die zeitliche Deckung eine größere Direktheit bedeuten würde; weder brauchen zeitliche Distanzierung und Aktualität einander auszuschließen, noch muß Deckung der Zeitstufen immer einen verstärkten Realitätsbezug implizieren. Hier bedarf es also in jedem Einzelfall einer differenzierten Funktionsanalyse, die zum Beispiel auch zu berücksichtigen hat, wie stark die zeitliche Situierung konkretisiert ist, bzw. wie vage die fiktive Zeitstufe bleibt. So wurde zum Beispiel weder im elisabethanischen Theater noch im Theater der französischen Klassik auf historische Treue in den Kostümen, Requisiten und im Bühnenbild Wert gelegt, wodurch die zeitliche Distanz zum Beispiel zwischen dem republikanischen Rom der fiktiven Zeitstufe und dem realen England Elisabeths I, bzw. dem realen Frankreich Ludwigs XIV abgeschwächt wurde, während umgekehrt das

Geschichtsdrama des neunzehnten Jahrhunderts im allgemeinen um historische Authentizität im Detail bemüht war. Auch im Bereich sprachlicher Informationsvergabe lassen sich die beiden gegensätzlichen Tendenzen der Historisierung bzw. Aktualisierung finden – die Historisierung in lexikalischen, syntaktischen oder stilistischen Archaismen, die Aktualisierung in Anachronismen. Solche sprachlichen oder außersprachlichen Anachronismen etablieren, wenn sie bewußt und pointiert eingesetzt werden, ein episch vermittelndes Kommunikationssystem, da durch sie ja die Absolutheit des Textes gegenüber den Rezipienten durchbrochen wird und in indirektem *ad spectatores* deren zeitlicher Kontext im Text thematisiert wird. Diese epische Kommunikationsstruktur ist freilich nicht immer so deutlich und eindeutig ausgeprägt wie in den folgenden Anachronismen aus Nestroys Hebbel-Parodie *Judith und Holofernes* (1849):

> Was in der neuen Zeit durch Bajonette geht, das richten wir, die grauen Vorzeitler, mit dem Schwert.
> Mit so einem Helden hat er's noch nie zu tun g'habt, da is in ganz Wien, will ich sagen, in ganz Assyrien keiner, der mir's Wasser reicht.[65a]

7.4.2 Sukzession und Simultaneität

Kehren wir zurück zu den zeitlichen Relationen im inneren Kommunikationssystem. Sie sind durch zwei Achsen bestimmt: die "horizontale" Achse des sukzessiven Nacheinander und die "vertikale" Achse des Gleichzeitigen (s. o. 3.7.1). Darauf hat schon Herder in seiner Analyse der Zeitstruktur von Shakespeares Dramen in seinem großen Shakespeareaufsatz von 1773 hingewiesen:

> Im Gange seiner Begebenheit, im ordine successivorum und simultaneorum seiner Welt, da liegt sein [sic!] Raum und Zeit.[66]

Auf der Achse der Sukzession folgt ein Moment auf den anderen, auf der Achse der Simultaneität konstituieren gleichzeitige Zustände und Handlungs- und Geschehensabläufe eine momentane Situation. Diese Gleichzeitigkeit betrifft sowohl Handlungs- und Geschehensabläufe, die szenisch präsentiert werden, als auch solche, die sich im *off stage* zutragen und entweder gleichzeitig oder erst im nachhinein sprachlich vermittelt werden. Hier wird deutlich, daß die vertikale Achse der Simultaneität die Kategorie des Raumes impliziert.

Sukzession im Drama ist auf zwei Ebenen gegeben: auf der Ebene der

Geschichte, die dem Text als Substrat zugrunde liegt, und auf der Ebene des Textablaufs. Diese beiden Sukzessionsreihen des Dargestellten und der Darstellung brauchen sich nicht zu decken und tun das auch meist nicht, denn jede rückgreifende Informationsvergabe bedeutet bereits eine Verschiebung dieser Reihen gegeneinander. Dennoch schreitet auch bei einem solchen Bericht von Vergangenem im Berichten selbst als szenisch präsentiertem Vorgang die Sukzession auf der Ebene der Darstellung und des Dargestellten auf die Zukunft zu. Die drei Zeitdimensionen sind prinzipiell gleichberechtigt; die von Dramentheoretikern behauptete Dominanz der futurischen Dimension gilt nicht allgemein, sondern nur für historisch spezifische Texttypen, die der historischen Norm zukunftsbezogener Finalität folgen. So trifft etwa die folgende Bestimmung des Dramatischen von S. K. Langer zwar auf das antike Drama, das Drama Shakespeares und der französischen und deutschen Klassik zu, nicht aber auf handlungslose Dramentexte, die in sukzessiver Informationsvergabe einen statischen Zustand entfalten: Des Dramas "basic abstraction is the act, which springs from the past, but is directed toward the future, and is always great with things to come".[67] Ohne diese normative Akzentuierung der futurischen Dimension und daher a-historisch gültig beschreibt dagegen P. Pütz die Sukzession im Drama:

> Es ist in jedem Augenblick des Dramas *schon* etwas geschehen, und es steht *noch* etwas aus, das aus dem Vorhergehenden gefolgert und vorbereitet wird. Jeder Moment greift Vergangenes auf und nimmt Zukünftiges vorweg. Die dramatische Handlung besteht in der *sukzessiven* Vergegenwärtigung von vorweggenommener *Zukunft* und nachgeholter *Vergangenheit*.[68]

Auf der Ebene des Textablaufs verstreicht im Fluß der realen Spielzeit die fiktive gespielte Zeit, wobei freilich bei Zeitraffung oder Zeitdehnung (s. u. 7.4.3.2) Diskrepanzen im Tempo auftreten können. Diese Korrelation der linearen Richtung im chronologischen Nacheinander auf beiden Ebenen gilt nicht nur innerhalb raum-zeitlich geschlossener Textpassagen, sondern in der Regel auch über die Einschnitte von Szenen- oder Aktgrenzen hinweg. Es ist eine nur sehr selten innovativ-experimentell durchbrochene Konvention dramatischer Texte, daß die in aufeinanderfolgenden Szenen oder Akten präsentierten Situationen auch in der fiktiven Chronologie einander nachgeordnet sind, entweder so, daß sie unmittelbar aneinander anschließen, oder meist so, daß sie durch ein Zeitintervall von mehr oder weniger langer Dauer voneinander getrennt sind. Die partielle oder totale Deckung zweier aufeinanderfolgender Szenen oder Akte in der fiktiven Chronologie ist daher eine stark markierte Abweichung, die durch deutliche Signale angekündigt werden muß. Friedrich Dürrenmatt verweist als ein Beispiel für eine solche Überführung von fiktiver Simultaneität in das sukzessive Nacheinander der Darstellung auf Nestroys Zauberposse *Der Tod am Hochzeitstag*, wo die Simultaneität der aufeinanderfolgenden Akte dadurch signalisiert wird, daß "die Handlung des zweiten Akts die Geräuschkulisse für den ersten und die Handlung des ersten die Geräuschkulisse für den zweiten Akt bildet".[69] Noch stärker ist dieses Prinzip der Korrelation des chronologischen Nacheinanders auf den Ebenen von Darstellung und Dargestelltem gestört, wenn in einer Szene oder einem Akt Situationen präsentiert werden, die auf der fiktiven Zeitachse noch vor denen der vorausgehenden Szene oder des vorausgehenden Akts liegen. Ein bekanntes Beispiel dafür ist J. B. Priestleys *Time and the Conways* (1937). Hier verweist schon der Titel auf die thematische Zentralität der Zeit, und auch die radikale Durchbrechung des konventionellen Sukzessionsprinzips dient der entautomatisierenden Bewußtmachung der Zeit. Von den drei Akten, die alle im selben Raum im Haus der Conways situiert sind, spielen der erste und dritte an einem Herbstabend des Jahres 1919 und der zweite an einem Herbstabend des Jahres 1937. Eine einfache Umstellung der Akte zur Abfolge I – III – II würde hier das konventionelle Sukzessionsprinzip wiederherstellen können: bei dieser Anordnung würde Akt III zeitlich unmittelbar an Akt I anschließen – am Ende von Akt I singt Mrs. Conway ein Schumann-Lied, und Akt III beginnt mit dem Ende dieses Lieds — und Akt II durch ein langes Zeitintervall von achtzehn Jahren von den vorausgehenden beiden Akten abgesetzt sein. Durch die gewählte unkonventionelle Aktfolge, in der Akt II das kontinuierliche Sukzessionsverhältnis von Akt I und III unterbricht und Akt III dann gegenüber Akt II einen zeitlichen Rückschritt darstellt, treibt der Kontrast zwischen den Hoffnungen und Erwartungen der jungen Generation nach dem Ende des Ersten Weltkrieges und dem Scheitern dieser Hoffnungen an der Realität die dramatischen Ironien des letzten Akts hervor und wird eine Konzeption von Zeit verdeutlicht, die Alan Conway (in Anschluß an die Zeittheorie des Mathematikers und Philosophen J. W. Dunnes) im Stück selbst thematisiert – die Überführbarkeit sukzessiven Nacheinanders in die Gleichzeitigkeit der Dauer durch einen *regressus ad infinitum*.[70]

Eine weitere Durchbrechung des Prinzips, daß der Sukzession der realen Spielzeit eine Sukzession der fiktiven gespielten Zeit entspricht, findet sich dort, wo epische Kommunikationsstrukturen auftreten. Der epische Kommentar einer spielexternen oder spielinternen Figur (s.o. 3.6.2.2 und 3) "verbraucht" zwar reale Spielzeit, hebt aber die Sukzession auf der Ebene der fiktiven Zeit auf. Diese Aufhebung der Sukzession, dieses Fixieren eines Augenblicks, kann szenisch dadurch verdeutlicht werden, daß jede Bewegung auf der Bühne "einfriert", alle Figuren außer dem Kommentator in Bewegungslosigkeit erstarren. Inszenierungen von Thornton Wilders *Our Town* oder Dylan Thomas' *Under Milkwood* bieten dafür Beispiele. Eine vergleichbare Aufhebung der Sukzession auf der Ebene der fiktiven Zeit kann auch bei Monologen auftreten, wenn diese Bewußtseinszustände thematisieren, denen auf der fiktiven Zeitebene kein prozeßhafter Ablauf zugeordnet werden kann, die aber in der verbalen Artikulation reale Spielzeit verbrauchen.[71] Hier wird also nicht die Sukzession vorangetrieben, sondern der Augenblick vertieft und intensiviert.

Die Achse der Simultaneität wird zunächst schon durch die über die verschiedenen Codes und Kanäle gleichzeitig übermittelten Informationen konstituiert, durch gleichzeitig auf der Bühne präsentierte Vorgänge und Zustände. Darüber hinaus ist Simultaneität auch in Hinblick auf Vorgänge gegeben, die sich im *off stage* ereignen. Die Information über solche räumlich verdeckten Handlungen kann simultan vergeben werden – entweder durch die direkte Präsentation von akustischen Signalen, die aus dem *off stage* auf der Bühne hörbar werden, oder in der sprachlichen Vermittlung eines teichoskopischen Berichts. In Eugene O'Neills *The Emperor Jones* (1920) zum Beispiel kommt der Verwendung von Geräuschen oder Stimmen aus dem Raum jenseits der Bühne eine zentrale Bedeutung zu. Das Tam-tam der Negertrommeln, das in der Mitte der ersten Szene einsetzt und mit zunehmender Lautstärke, Schnelligkeit und Intensität bis zum Dramenende die Vorgänge auf der Bühne überlagert,[72] wird zum eindringlichen Symbol jener archaisch-magischen Gegenkräfte, die den Helden bedrohen und ihn schließlich einholen. Neben solche Techniken der simultanen Informationsvergabe über simultane Vorgänge im außerbühnischen Raum tritt die zeitlich versetzte Informationsvergabe in vor- und rückgreifenden Repliken, in denen mehr oder weniger stark konkretisiert wird, was sich andernorts während einer szenisch präsentierten Situation zuträgt. Durch eine Unterteilung des Bühnenraums kann jedoch auch eine unmittelbare Präsentation von simultanen Abläufen an verschiedenen Orten erreicht werden. Damit experimentierte schon der dramaturgisch innovationsfreudige und findige Nestroy in seiner Lokalposse *Zu ebener Erde und erster Stock oder Die Launen des Glückes* (1835). Die beiden im Titel genannten Schauplätze, das Parterre und die Beletage eines Wiener Mietshauses, werden in vertikaler Bühnenaufteilung gleichzeitig präsentiert, wobei das teils simultane, teils sukzessive Bespielen der beiden Ebenen die sozialen Differenzen und

Spannungen zwischen Arm und Reich, zwischen Unter- und Oberschicht, pointiert.

7.4.3 Präsentation der Zeit

Nach diesen allgemeinen Erwägungen zum Tempus und zur Sukzession und Simultaneität im dramatischen Text ist nun zu fragen, mit welchen Mitteln die fiktive Chronologie konkretisiert und damit zeitliche Kohärenz geschaffen wird und wie sich schließlich diese fiktive Chronologie zur realen Spielzeit verhält.

7.4.3.1 Konkretisierung der Chronologie

Ein wichtiges Moment der Konkretisierung der fiktiven Chronologie liegt in dem bereits erwähnten Prinzip, daß, falls nicht deutliche Signale auf davon abweichende Verfahren der Vor- und Rückblende hinweisen,[73] dem sukzessiven Nacheinander der szenischen Präsentation ein sukzessives Nacheinander des szenisch Präsentierten entspricht. Dadurch wird jedoch die Chronologie nur relativ fixiert, denn es bleibt ja nicht nur offen, zu welchem absoluten Zeitpunkt (Datum, Uhrzeit) eine Szene spielt, sondern auch, welche absolute Zeitdauer zwei beliebige Punkte der Sukzession voneinander trennt. Die Zeitdauer wird allein durch das Prinzip der Sukzession nicht absolut fixiert, weil man gerade nicht davon ausgehen kann, daß eine szenisch dargestellte Handlung immer, wie H.-M. Hebeisen meint, "hinsichtlich ihres Zeitbedarfs einem entsprechenden Zeitbedarf analoger Handlungen im Seinsraum der Realität" angepaßt ist, da ja immer mit innerszenischen Zeitraffungen und -dehnungen zu rechnen ist.[74] Soll die Chronologie nicht nur relativ, sondern absolut fixiert werden, bedarf es also besonderer temporaler Informationsvergabe.

Die Techniken solcher TEMPORALER INFORMATIONSVERGABE sind wieder aus dem Kommunikationsmodell und dem Repertoire der Codes und Kanäle dramatischer Texte abzuleiten. Da ist zunächst die Informationsvergabe über ein episch vermittelndes Kommunikationssystem – die Zeitangabe im Nebentext, etwa schon im Titel, wie bei Zacharias Werners Schicksalstragödie *Der vierundzwanzigste Februar,* oder in Szenenvorbemerkungen wie oft bei Brecht, und die Zeitangabe durch eine epische Kommentatorfigur oder durch Projektionen und Anzeigetafeln. Aber auch in einem dramatischen Text, der auf epische Kommunikationsstrukturen verzichtet, ist eine genauere Konkretisierung der Chronologie möglich. In den Repliken der Figuren kann der Zeitpunkt der Handlung entweder explizit genannt werden – Frau Selicke bei Arno Holz und Johannes Schlaf: "Jetz' is gleich Dreiviertel!"[75] – oder zum Beispiel in Grußformeln die Tageszeit impliziert sein – Ben Jonsons Volpone: "Good morning to the day; and next my gold!" (I, i, 1). Auch die außersprachliche Informationsvergabe kann dabei eine wichtige Rolle spielen. Oft fixieren schon die Kostüme und das Bühnenbild die historische Periode, in der das Spiel situiert ist, und oft erlauben Kostüme, Bühnenbild, Beleuchtung und die Aktivitäten der Figuren auch eine jahres- oder tageszeitliche Einordnung. In naturalistischen Dramen wie der *Familie Selicke* findet sich sogar eine Uhr auf der Bühne, die eine präzise und kontinuierliche zeitliche Fixierung leistet. Zu solchen optischen Signalen treten noch akustische; der Schlußmonolog von Marlowes Dr. Faustus wird durch das Schlagen einer Glocke – elf Uhr, halb zwölf, Mitternacht – interpunktiert, und im dritten Akt von Hauptmanns *Rose Bernd* weist das Summen einer fernen Dreschmaschine auf die hochsommerliche Erntezeit hin.[76]

Über eine solche zeitliche Konkretisierung des gegenwärtigen Augenblicks hinausgehend kann durch eine datierende Thematisierung von Vergangenem und Zukünftigem die absolute Chronologie der Szenen- und Aktfolge fixiert und dadurch zeitliche Kohärenz geschaffen werden. Ohne wiederholen zu wollen, was P. Pütz in großer Ausführlichkeit zu den Formen der Vor- und Rückgriffe entwickelt hat, sei hier doch das Wichtigste kurz angemerkt. Durch den Rückgriff expositorischer Informationsvergabe wird der *point of attack*, der Zeitpunkt des Einsatzes der szenisch präsentierten Handlung, in einen zeitlichen Bezug zur Vorgeschichte gebracht; dem entsprechen am Dramenende Ausblicke in eine szenisch nicht mehr präsentierte Zukunft. Im Drameninneren wird durch Vor- und Rückgriffe auf zukünftige bzw. vorausgegangene Szenen sowie auf die zeitlich verdeckte Handlung zwischen den Szenen die chronologische Abfolge je nach Bedarf konkretisiert.

Der GRAD DER KONKRETISIERUNG kann sehr unterschiedlich sein und reicht von einer zeitlich unbestimmt bleibenden Reihung bis zu einer präzise fixierten, kalendarisch und tageszeitlich nachrechenbaren temporalen Relationierung der Szenen. Im Drama der geschlossenen Form zum Beispiel ist meistens die absolute Chronologie der Aktfolge genau fixiert, während sich in Dramen der offenen Form oft Folgen von Szenen finden, deren zeitlicher Abstand zueinander vage bleibt. Selbst innerhalb eines einzigen Textes kann der Grad der Konkretisierung variieren, wie ein Blick auf Shakespeares *A Midsummer Nights' Dream* zeigt.[77] Hier ist das Rahmengeschehen in Athen zeitlich relativ präzise fixiert: die Erwähnung der bevorstehenden Fürstenhochzeit von Theseus und Hippolyta schon in den ersten beiden Repliken schlägt den zeitlichen Bogen zum fünften Akt, der Hochzeitsfeier, die am Abend des übernächsten Tages stattfinden soll.[78] Auch die zweite Szene des ersten Aktes, in der die Handwerker ihre Festaufführung vorbereiten, ist auf diesen zeitlichen Zielpunkt bezogen. Ebenso genau fixiert ist, wann das Quartett der Liebenden und die Handwerker aus Athen kommend im Wald eintreffen und wann sie wieder nach Athen zurückkehren. Beide Gruppen vereinbaren (I, i, 164, 178, 209, 223, 247; I, ii, 86 ff), sich "to-morrow night" im Wald zu treffen; damit ist die Szenenfolge II, i bis IV, i auf die Nacht vor dem Hochzeitstag festgelegt. Der Auftritt der fürstlichen Jagdgesellschaft in IV, i, 101 ff macht deutlich, daß nun der Morgen des Hochzeittages bereits angebrochen ist. Die folgende Handwerkerszene IV, ii, die wieder in Athen spielt, wird durch die Berichte von der bereits vollzogenen dreifachen Trauung zeitlich fixiert, und die Schlußszene V, i umfaßt die drei Stunden zwischen Abendessen und Mitternacht (V, i, 33 und 35) und wird durch den Auftritt Oberons und Titanias und ihres Gefolges beendet, der bereits in IV, i, 85 für "to-morrow midnight" geplant wurde. Im Gegensatz zu dieser weitgehenden Konkretisierung der Chronologie in den Szenen, die der Athener Tagwelt zugeordnet sind, findet sich in der Szenenfolge II, v bis IV, i im nächtlichen Wald nur eine allgemeine Festlegung von Mitternacht bis zum frühen Morgen, ohne daß für die einzelnen Szenen eine genauere tages- bzw. nachtzeitliche Orientierung gegeben würde. Diesem Unterschied in der Konkretisierung der Chronologie liegt ein Unterschied in der Zeitkonzeption zugrunde (s. u. 7.4.4). Folgen die Szenen in Athen den zeitlichen Gesetzen der Wirklichkeit, so sind diese Gesetze in den Waldszenen aufgehoben zugunsten der Zeitenthobenheit des Traums und des eigengesetzlichen Zeitempfindens der überirdischen Wesen.

Hier wird deutlich, daß man analog zur Semantisierung des Raumes (s. o. 7.3.1) eine SEMANTISIERUNG DER ZEIT ansetzen muß. Auch zeitliche Festlegungen dienen nicht nur dem mimetischen Wirklichkeitsbezug des dramatischen Textes, sondern erfüllen darüber hinausgehende Funktionen. Schon die Entscheidung für eine bestimmte historische Epoche, in der das fiktive Geschehen situiert wird, hat semantisch-konnotative Implikationen, und dies nicht nur in Hinblick auf Distanzierung bzw. Aktualisierung, sondern auch in bezug auf sozio-kulturell vorgegebene stereotype Vorstellungen von dieser Epoche – etwa die Vorstellung von der klassi-

schen Vorbildlichkeit der griechischen Antike, von der stoischen Tugend-
haftigkeit der römischen Republik und der Dekadenz der Kaiserzeit, von
der ästhetischen Verfeinerung und machiavellistischen Korruptheit des
Italiens der Renaissance usw. Auch die Einbettung in den Zyklus der Jahreszeiten impliziert semantische Konnotationen, wobei sich zum Beispiel
archetypische Affinitäten zwischen Tragödie und Herbst und Winter
einerseits und Komödie und Frühling und Sommer andererseits beobachten lassen,[79] die freilich auch ironisch unterlaufen werden können. So
dominieren in *A Midsummer Night's Dream*, wie in allen Komödien
Shakespeares, jahreszeitliche Bezüge auf den Frühling und Sommer, auf
die Wiedergeburt und Erneuerung der Natur nach dem Winter, auf krea-
türliche Vorgänge des Wachsens und Reifens und auf jahreszeitlich ge-
bundenes Brauchtum wie Mai- und Mittsommernachtsfeiern. Dadurch erscheinen die Motivationen und Handlungen der Liebenden hineingenommen in einen elementar-kreatürlichen Rhythmus der Todesüberwindung,
des Reifens und der Fruchtbarkeit. Eine solche jahreszeitliche Archetypik
findet sich auch noch im neueren Drama. Gerhart Hauptmanns *Rose
Bernd* zum Beispiel entfaltet in der Abfolge der fünf Akte die jahreszeitliche Bewegung vom Frühling bis zum Herbst, wodurch der tragische Ab-
stieg Rose Bernds mit der sich neigenden Jahreszeit korreliert wird und
den Charakter schicksalhaft naturgegebener Zwangsläufigkeit erhält.
Und ebenso kann schließlich, wie wir bereits an *A Midsummer Night's
Dream* gesehen haben, der tageszeitlichen Einbettung der Handlungsabläufe semantische Funktion zukommen, wobei hier Nacht mit Imagina-
tion, Traum und Übernatürlichem und Tag mit Rationalität und Wirklichkeit in komplexer Weise korreliert werden. Auch beim Zyklus der Tages-
zeiten lassen sich archetypische Gattungsaffinitäten feststellen: in der
Tragödie erscheint die Nacht, und vor allem die Mitternacht, häufig als
Zeit bedrohlichen Dunkels und der Morgen als Zeit desillusionierter
Ernüchterung, während die Komödie oft die Abfolge von Morgen, Mittag
und Abend im Sinn eines Ablaufes der Neugeburt, des Reifens und der
Erfüllung semantisiert.

Die Konkretisierung der Chronologie hat weitere Funktionen in Hinblick auf das Spannungspotential und das Tempo (s. u. 7.4.5). Häufig
finden sich bereits in der Eingangsphase des Textes vorgreifende Zeit-
angaben, die eine präzipitierende, finale Bewegung auslösen, die Figuren
dem Zeitdruck eines Termins unterstellen und damit Spannung erzeugen
(s. o. 3.7.4.3). Wiederholte Erwähnungen dieses Zeitpunkts und wiederholte Hinweise darauf, wie weit fortgeschritten die Zeit, und wie nahe dieser Termin bereits gerückt ist, erneuern dieses Spannungspotential immer

wieder und erwecken zudem den Eindruck schnell verstreichender Zeit. Eine solche Technik findet sich besonders häufig bei einer geschlossenen Zeitstruktur, wo Spannung und Tempo schon allein durch die Kürze der fiktiven Zeit erhöht werden. Im Gegensatz dazu wird bei einer sehr offenen Zeitstruktur durch die temporale Informationsvergabe oft der Eindruck eines langsamen, nicht zielstrebigen Werdens erweckt, eines Werdens, das in die weiten Zyklen des Jahreskreises oder der einander ablösenden Generationen eingebettet ist.

7.4.3.2 Fiktive gespielte Zeit und reale Spielzeit

Mit diesem Hinweis auf den Gegensatz von geschlossener und offener Zeitstruktur greifen wir wieder unsere Erwägungen zum Verhältnis von fiktiver gespielter Zeit und realer Spielzeit auf,[80] denn geschlossene und offene Zeitstruktur definieren sich ja gerade in Hinblick auf dieses Verhältnis. Unter der realen Spielzeit wollen wir dabei die Dauer der Aufführung selbst verstehen, den realen Zeitraum vom Beginn bis zum Ende der Aufführung, abzüglich der Pausen. Um Mißverständnissen vorzubeugen: reale Spielzeit ist nicht die Zeitdauer, die ein szenisch präsentierter Vorgang in der Realität beanspruchen würde (eine kaum faßbare Größe), sondern die Zeitdauer, die seine Präsentation beansprucht. Aus dieser Definition ergibt sich bereits, daß die reale Spielzeit durch das schriftlich fixierte Textsubstrat nur relativ und erst im inszenierten Text absolut fixiert wird, denn je nach Inszenierungsstil und -tempo kann die reale Spielzeit eines bestimmten Stücks erheblich variieren.[81] Die fiktive gespielte Zeit dagegen ist bereits im Textsubstrat mehr oder weniger präzise fixiert und braucht im inszenierten Text nur noch verdeutlicht und sinnfällig gemacht zu werden.

Eine differenziertere Analyse muß zwischen einer PRIMÄREN, einer SEKUNDÄREN und einer TERTIÄREN GESPIELTEN ZEIT unterscheiden. Unter der primären gespielten Zeit verstehen wir die fiktive Zeitdauer, die unmittelbar szenisch präsentiert wird, unter der sekundären gespielten Zeit die fiktive Zeitdauer vom *point of attack*,[82] dem Einsatzpunkt der szenisch präsentierten Handlung, bis zum Zeitpunkt des Textendes unter Einschluß der etwaigen ausgesparten Zeiträume zeitlich verdeckter Handlung, und unter der tertiären gespielten Zeit schließlich die fiktive Zeitdauer der Geschichte vom Beginn der nur verbal vermittelten Vorgeschichte bis zum Zeitpunkt des Textendes. bzw. bis zum spätesten Zeitpunkt, der in zukunftsgewissem Ausblick am Textende noch verbal thematisiert wird. Die sekundäre gespielte Zeit ist also in der tertiären enthalten und enthält selbst wieder die primäre; da die Mengenverhältnisse aber jeweils durch ein "Größer, bzw. Kleiner oder Gleich" definiert sind, können sie sich auch decken. Dies ist der Fall bei einem Text, der auf jede Vor- und Nachgeschichte und in ununterbrochener raum-zeitlicher Kontinuität auf jede zeitliche Aussparung verzichtet.[83] Aus diesen Definitionen ergibt sich, daß eine völlig geschlossene Zeitstruktur immer dann vorliegt, wenn sich die primäre und die sekundäre gespielte Zeit decken, während Zeitaussparungen zwischen den Szenen und Akten und damit eine Diskrepanz zwischen primärer und sekundärer gespielter Zeit eine mehr oder weniger starke Offenheit der Zeitstruktur bedeuten. Ein früher *point of attack* bedeutet eine geringe Diskrepanz zwischen der tertiären und der sekundären gespielten Zeit, im Extremfall einer szenischen Präsentation der Geschichte *ab ovo* deren Deckung; ein später *point of attack* dagegen, wie er sich zum Beispiel im analytischen Drama findet, läßt die tertiäre und die sekundäre gespielte Zeit weit auseinanderklaffen.

Gehen wir vom hypothetischen Konstrukt eines dramatischen Textes aus, dessen Zeitstruktur dadurch gekennzeichnet ist, daß sich die tertiäre gespielte Zeit der Geschichte sowohl mit der sekundären und der primären gespielten Zeit als auch mit der realen Spielzeit deckt, dann wird ersichtlich, daß das normalerweise gegebene Defizit der realen Spielzeit gegenüber der fiktiven Zeitdauer der Geschichte durch zwei Verfahren überbrückt wird – durch eine außerszenische Raffung, mit der Vor- und Nachgeschichte und die zeitlich verdeckten Geschichtsphasen in der Verkürzung sprachlichen Berichts oder szenischer Andeutung erscheinen (s. o. 6.2.2), und durch eine innerszenische Zeitraffung, die innerhalb der ununterbrochenen raum-zeitlichen Kontinuität einer Szene die primäre gespielte Zeit gegenüber der realen Spielzeit verkürzt.[84] Die AUSSERSZENISCHE RAFFUNG beruht auf der Aussparung ganzer Zeitabschnitte der Geschichte, der zeitlich verdeckten Handlung und der Vor- und Nachgeschichte, aus der unmittelbaren szenischen Präsentation; diese ausgesparten Zeitabschnitte werden durch verbale Vor- und Rückgriffe oder durch aktionale und szenische Andeutungen mehr oder weniger explizit und mehr oder weniger einlässig und detailliert aufgefüllt. Sowohl die Zeitdauer als auch die Füllung dieser ausgesparten Abschnitte kann also mehr oder weniger stark konkretisiert werden.[85] So räumt zum Beispiel Pierre Corneille im dritten seiner *Trois discours sur le poème dramatique* (1660) dem Dramatiker ausdrücklich die dichterische Freiheit ein, nicht immer darüber Rechenschaft ablegen zu müssen, was jede einzelne Figur während der ausgesparten Intervalle tut, und auch die Dauer der Zeitaussparungen vage belassen zu können, wenn diese für das Sujet nicht wesentlich ist.[86]

Die INNERSZENISCHE RAFFUNG entspricht eher dem filmtheoretischen Konzept der Zeitraffung, unterscheidet sich jedoch von diesem in einem wesentlichen Punkt: während eine filmische Zeitraffung auf dem Prinzip beruht, daß *alle* Vorgänge und Bewegungen schneller ablaufen als in der Realität, werden bei einer innerszenischen Zeitraffung im Drama nicht die Bewegungen insgesamt beschleunigt (eine solche homogene Akzeleration ist ja nur technisch zu realisieren, kaum durch lebendige Schauspieler),[87] sondern einzelne Vorgänge ausgelassen oder zeitlich verkürzt dargestellt. Diese zeitliche Verkürzung einzelner Vorgänge zeigt sich darin, daß im Text für einen Vorgang explizit eine Zeitdauer angegeben wird, die von der realen Spielzeit nicht eingelöst wird.

Dafür gibt es in der dramatischen Literatur sehr spektakuläre Beispiele. So wird für den Schlußmonolog von Dr. Faustus bei Christopher Marlowe (V, ii) die fiktive Chronologie genau fixiert: Zu Beginn seines Monologs schlägt die Uhr elfmal und Faustus reagiert darauf mit einem verzweifelten "Now hast thou but one bare hour to live" (V. 132); nach dreißig Verszeilen erfolgen der Halbstunden-Schlag und Faustus Ausruf, "Ah, half the hour is past; 'twill all be past anon" (V. 162), und nach weiteren neunzehn Verszeilen schließlich schlägt es Mitternacht und ruft Faustus, "It strikes, it strikes!" (V. 181). Die Diskrepanz zwischen der fiktiven gespielten Zeit von einer Stunde und der realen Spielzeit von etwa drei Minuten ist radikal und erschließt sich nicht nur einem philologisch-pedantischen Nachmessen und Gegeneinander-Aufrechnen.[88] Daß sie auch vom Theaterpublikum realisiert wird, dafür sorgt schon die Deutlichkeit und Explizitheit der sprachlichen und außersprachlichen Zeitfixierung, dafür sorgt darüber hinaus die Zunahme der Raffungsintensität von der ersten zur zweiten Hälfte des Monologs. Dieser Diskrepanz und dieser Intensivierung der Diskrepanz kommt vielmehr die Funktion zu, die Subjektivität von Faustus' Zeiterleben darzustellen. Die dominante Zeitkonzeption ist nicht mehr die einer objektiv-empirischen Chronometerzeit, sondern die einer subjektiven Erfahrung der Dauer, die stark davon abweichen kann. Die Zeitraffung entspricht hier Faustus' Gefühl, daß ihm nur noch kurze Zeit gegeben ist, und daß der Zeitpunkt der Verdammnis beängstigend schnell und schneller heranrückt. Dies und seine Reflexionen über die Möglichkeit der Gnade stellen auch das zentrale Thema des Monologs dar. Daß es sich hier um einen reinen Reflexionsmonolog handelt, um die Darstellung von Bewußtseinsvorgängen, denen keinerlei äußere Aktionen entsprechen, ermöglicht überhaupt erst eine so radikale Zeitraffung, da sich innerpsychische Vorgänge ja von vornherein einer empirischen Zeitmessung entziehen. Die Diskrepanz zwischen fiktiver gespielter Zeit und realer Spielzeit ist hier also nicht einfach ein Mittel dramatischer Ökonomie, sondern bildet die im inneren Kommunikationssystem gegebene Diskrepanz zwischen empirischer Chronometrie (die Glockenschläge) und Faustus' subjektiv-perspektivischer Zeiterfahrung ab.

Ein zweites Beispiel aus dem Bereich des elisabethanischen Dramas sei noch kurz angeführt:[89] Der letzte Akt von *A Midsummer Night's Dream*, der aus einer einzigen raum-zeitlich geschlossenen Szene besteht, umfaßt die fiktive Zeit von etwa drei Stunden zwischen Abendessen und Mitternacht, beansprucht aber eine reale Spielzeit von kaum mehr als etwa einer halben Stunde. Die Diskrepanz zwischen den beiden Zeitebenen ist nicht so eklatant wie im vorausgehenden Beispiel; sie ist auch in anderer Weise funktionalisiert und wird auf andere Weise realisiert. Im Zentrum dieses Akts steht die Aufführung des Spiels im Spiel um Pyramus und Thisbe durch die Handwerker – ein Vorgang, der in der Realität etwa zwei bis drei Stunden dauern würde. Die zeitliche Verkürzung dieser Spiel-im-Spiel-Einlage ist damit das zentrale Mittel, mit dem hier raffend die Diskrepanz zwischen fiktiver und realer Zeit überbrückt wird. Eine solche Zeitraffung, die das Verstreichen eines längeren Zeitabschnitts durch eine Einlage – sei sie nun die Einlage eines Spiels im Spiel oder eines narrativen Berichts — glaubhaft macht, findet sich auch sonst häufig, und dies nicht nur bei Shakespeare. Die Manipulation mit der Zeit, der Eindruck, daß die drei Stunden wie im Flug vergehen, ist auch hier wieder durch das präsentierte Geschehen selbst motiviert: es ist statisch, führt keine neuen Handlungsmomente ein, sondern dient allein noch der Feier jener Konfliktlösungen, die bereits im vierten Akt abgeschlossen wurden. Daß hier keine Situationsveränderungen mehr stattfinden, sondern eine einzige Situation in heiterem Spiel variiert und elaboriert wird, kommt einer raffenden Darstellung entgegen, wobei das subjektive Zeitempfinden der Figuren – die Liebenden klagen ungeduldig über "this long age of three hours" (V. 33 f), das sie von der Erfüllung ihrer Liebe im Brautbett trennt – durch die Zeitraffung ironisch unterlaufen wird.

Das umgekehrte Verfahren der ZEITDEHNUNG spielt im Vergleich zur außerszenischen Aussparung und innerszenischen Raffung in dramatischen Texten eine nur untergeordnete Rolle. Das filmische Verfahren der Zeitlupe, bei dem *alle* Bewegungen und Vorgänge gegenüber der empirischen Realität verlangsamt und gedehnt werden, hat noch weniger als die Zeitraffung ein unmittelbares Äquivalent im Drama. Lange Dialogpausen und ein aktionales Spiel, das sich in beiläufigen Beschäftigungen verliert, können zwar den Eindruck der Zeitdehnung erwecken, jedoch entspringt dieser Eindruck weder einem Vergleich zwischen der gespielten Zeit und der realen Spielzeit, noch zwischen der gespielten Zeit und der Zeit, den ein solcher Vorgang *realiter* benötigen würde, sondern dem Vergleich mit konventionalisierten innerszenischen Raffungstechniken in Dramen, die ihre Darstellung gegenüber der empirischen Wirklichkeit durch die Beschränkung auf die kausallogisch wichtigen Momente zeitlich verkürzen.[90] Von Zeitdehnung kann jedoch nur dann gesprochen werden, wenn die fiktive Zeitdauer deutlich signalisiert wird und die reale Spielzeit diese deutlich überschreitet. Daher kann auch bei einem Monolog nicht eigentlich von Zeitdehnung gesprochen werden, obwohl hier oft eine momentane Einsicht, ein momentaner Bewußtseinszustand artikuliert wird, dessen verbale Artikulation einige Minuten reale Spielzeit beanspruchen kann. Da diese innerpsychischen Vorgänge chronometrisch überhaupt nicht mehr zu erfassen sind, muß hier wohl eher von einer Aufhebung der Zeit als von einer Zeitdehnung gesprochen werden. Ähnliches ist im allgemeinen von Träumen zu sagen. Es finden sich jedoch Beispiele dafür, daß Beginn und Ende der Zeitaufhebung chronologisch genau fixiert sind. So erscheint zum Beispiel der ganze zweite Akt in Priestleys *Time and the Conways* (s.o. 7.4.2) als Kays Wachtraum, der visionär ihre und ihrer Familie Zukunft vorwegnimmt. Die szenische Darstellung dieses Wachtraums macht auf der Ebene der realen Spielzeit ein Drittel der abendfüllenden Vorstellung aus, der Wachtraum selbst dauert jedoch, wie die Signale zur fiktiven Chronologie am Ende von Akt I und zu Anfang von Akt III eindeutig festlegen, nur wenige Augenblicke. Der Einschub von Akt II zwischen Akt I und III stellt also eine Zeitdehnung dar; die Darstellung des Traums selbst weist jedoch keine markierten Abweichungen gegenüber der konventionellen Deckung von fiktiver und realer Zeitdauer innerhalb eines szenischen Kontinuums auf.

Innerszenische Zeitraffung und Zeitdehnung beruhen also immer darauf, daß im inneren Kommunikationssystem, entweder in den Repliken der Figuren oder durch außersprachliche Signale (Glockenschlag, Beleuchtungswechsel usw.), Angaben zur Zeitdauer gemacht werden, die sich nicht mit der Dauer der realen Spielzeit decken, sondern von ihr merklich abweichen. Diskrepanzen zwischen der realen Spielzeit und der fiktiven Zeit können gar nicht dadurch erzeugt werden, daß die Bewegungsabläufe wie in einem Film insgesamt beschleunigt oder verlangsamt werden, denn das würde ja gleichzeitig im selben Maß auch die reale Spielzeit verkürzen bzw. verlängern. Die Manipulation der Zeitrelationen setzt vielmehr immer bei den chronologischen Angaben im inneren Kommunikationssystem ein. Und hier eröffnen sich Möglichkeiten zu Manipulationen, die noch über die beschriebene Zeitraffung und -dehnung hinausgehen. So können sich in einem Text widersprüchliche, miteinander unvereinbare chronologische Angaben finden, wobei diese Widersprüche sich freilich meist erst einer philologischen Überprüfung, nicht aber einer spontanen Theaterrezeption erschließen. Die Technik der DOUBLE TIME in einigen Dramen Shakespeares ist ein Beispiel dafür.[91] In *Othello* etwa lassen sich zwei Reihen von chronologischen Angaben und Hinweisen herauslösen, von denen eine nahelegt, daß Othello Desdemona nur wenige Tage nach dem Vollzug der Ehe tötet, und die andere, daß dazwischen einige Wochen verstreichen. Solche Widersprüche können nicht als Kunstfehler oder Nachlässigkeit des Autors abgetan werden, sondern müssen in ihrer Funktion für das Textganze gesehen werden. Denn wenn sie auch dem Theaterrezipienten nicht als Widerspruch voll bewußt werden, so beeinflussen sie doch sein Gefühl der Dauer und des Tempos und erzeugen sie in bestimmten Phasen des Texts den Eindruck, daß sich die Ereignisse in tragisch-unerbittlicher Verdichtung überstürzen, in anderen Textphasen dagegen den Eindruck länger dauernder psychologischer Entwicklungen. Hier gilt, was Goethe zu Eckermann über andere Widersprüche in Dramen Shakespeares gesagt hat:

> [Goethe] sah seine Stücke als ein Bewegliches, Lebendiges an, das von den Brettern herab den Augen und Ohren rasch vorüberfließen würde, das man nicht festhalten und im einzelnen bekritteln könnte, und wobei es bloß darauf ankam, immer nur im gegenwärtigen Moment wirksam und bedeutend zu sein.[92]

7.4.4 Zeitkonzeption

Während sich die Techniken der Konkretisierung der Chronologie aus dem Kommunikationsmodell des Dramas ableiten und als geschlossenes Repertoire darstellen lassen, ist dies für die Zeitkonzeptionen wieder nicht möglich. Denn die einem Text zugrunde liegende und durch ihn aktualisierte Zeitkonzeption ist, ähnlich wie die Figuren-, die Handlungs- und die Raumkonzeption, eine historische Kategorie und als solche nicht durch die Systematik der Kommunikationsstrukturen, sondern durch geistes- und sozialgeschichtliche Bezüge bedingt. In diesem Sinn reflektiert die spezifische Zeitstruktur eines Textes oder eines historischen Texttyps die zeittheoretischen Implikationen und Explikationen seines geistes- und sozialgeschichtlichen Kontexts. Die Simultanbühne mittelalterlicher geistlicher Spiele, auf der die verschiedenen Schauplätze gleichzeitig präsentiert wurden, und die häufigen Überblendungen von biblischem Geschehen und zeitgenössischer Realität beruhen zum Beispiel auf einer theologisch-heilsgeschichtlichen Zeitkonzeption, in der das Nacheinander von Vergangenheit, Gegenwart und Zukunft *sub specie aeternitatis* aufgehoben erscheint. Es kann uns hier jedoch nicht darum gehen, Beispiele zu häufen, noch ist es möglich, den geistesgeschichtlichen Wandel der Zeitkonzeption und, in interdependenter Beziehung dazu, den formgeschichtlichen Wandel der Zeitstruktur im Drama in einem vollständigen historischen Abriß zu erfassen. Wir müssen uns vielmehr, wie schon bei der Figuren- und Raumkonzeption, darauf beschränken, einige historisch bedeutsame polare Möglichkeiten der Zeitkonzeption kurz anzudeuten.

7.4.4.1 Objektive Chronometrie vs. subjektive Zeiterfahrung

Wir können dabei auf Aspekte zurückgreifen, die wir zum Teil schon in Zusammenhang mit der Präsentation der Zeit angeschnitten haben. So zum Beispiel auf den Gegensatz zwischen einer Zeitkonzeption, in der die Objektivität empirischer Chronometrie dominant ist, und einer Zeitkonzeption, die von der subjektiven Zeiterfahrung ausgeht.[93] Eine objektive Zeitkonzeption schlägt sich formal in einer starken und kohärenten Konkretisierung der Chronologie nieder; der Regulator im Wohnzimmer der Familie Selicke realisiert diese Konzeption in extremer Deutlichkeit, die Uhr im Wohnzimmer von Ionescos Familie Smith (*La cantatrice chauve*), die mit völlig eigenwilliger Frequenz schlägt, führt sie *ad absurdum*. Im Gegensatz dazu betont Orlando in Shakespeares *As You Like It* ausdrücklich, "There's no clock in the forest" (III, ii, 284), und leitet damit immer neu variierte Reflexionen über die Subjektivität des Zeitempfindens in der pastoralen Welt des Ardenner Waldes ein. Dem entspricht in der Zeitstruktur eine chronologisch wenig fixierte Szenenfolge.[94] Auch Widersprüche in der Chronologie und Zeitraffung und -dehnung verweisen meist, wie wir gesehen haben, auf eine subjektive Zeitkonzeption, wobei diese Subjektivität bereits den Figuren selbst bewußt sein kann, oder aber erst durch die Rezipienten reflektiert werden muß. Besonders im modernen Drama kommt ihr eine wichtige Rolle zu – eine Rolle, die wohl durch die zeitgenössische philosophische und naturwissenschaftliche Diskussion über die Kategorie der Zeit (Henri Bergson, Ernst Mach, Relativitätstheorie usw.) und durch die Konkurrenz mit den zeitstrukturell flexibleren Medien des Romans und des Films bedingt ist.[95]

7.4.4.2 Progression vs. Stasis

Ein zweiter Gegensatz ist der zwischen einer Zeitkonzeption, in der die zeitliche Progression ständig Veränderungen zeitigt, und einer Konzeption der Zeit als reiner Dauer, als der zeitlichen Erstreckung eines statischen Zustands. Im vor-modernen Drama dominiert die Konzeption progressiver Zeit, da hier das chronologische Fortschreiten der Zeit ständig durch das Fortschreiten der Handlungsabläufe markiert ist; Zeiträume von handlungsloser, zustandhafter Dauer werden, wo sie in der Geschichte auftreten, zwischenszenisch ausgespart. Zeit erscheint daher hier dominant als chronologische Sukzession und Progression, nicht als statische Dauer. Im Gegensatz dazu ist etwa die Zeitkonzeption vieler moderner Einakter "achronologisch", dominiert die Dauer einer statischen Situation über die Progression sukzessiver Situationsveränderung.[96] Die Situation, wie sie in der Texteingangsphase präsentiert wird, unterscheidet sich nicht wesentlich von der am Textende gegebenen; was sich durch die sukzessive Informationsvergabe jedoch verändert, ist die Einsicht der Rezipienten in diese Situation. Ist einer durch Progression bestimmten Zeitkonzeption situationsveränderndes Handeln zugeordnet, so entspricht einer statischen Zeitkonzeption ein duratives und iteratives Geschehen. Dies wird zum Beispiel schon im Titel von Becketts *Waiting for Godot* signalisiert: das Warten, und vor allem das Warten auf ein Ereignis, dessen Eintreten unbestimmt bleibt, ist ja ein rein duratives Geschehen, kein situationsveränderndes Handeln, und es wird nicht durch Progression und Fortschritt, sondern durch die Dauer bestimmt. Im Rahmen dieses statisch-durativen Zustands sind fast nur noch iterative Beschäftigungen möglich, und so spielen Vladimir und Estragon mit den immer gleichen, schon zur Routine gewordenen Spielen gegen die Langeweile an.[97] Einzelne Relikte einer Konzeption progressiver Zeit – der kahle Baum des ersten Akts hat im zweiten einige Blätter bekommen, Pozzo und Lucky befinden sich im zweiten Akt in einem fortgeschrittenen Stadium des physischen und psychischen Verfalls – wirken dagegen als Kontrastfolie, die die dominante Konzeption statischer Dauer verdeutlicht.

7.4.4.3 Linearität vs. Zyklik

Der Stasis der Dauer angenähert ist eine Konzeption der Zeit als zyklische Wiederkehr des Gleichen oder Ähnlichen. Hier liegt zwar auch Progression vor, jedoch nicht eine lineare Progression, die von einem Punkt

A zu einem von A verschiedenen Punkt B fortschreitet, sondern eine zyklische Bewegung, die, ausgehend von A über davon verschiedene Positionen zum gleichen Punkt A bzw. zu einem entsprechenden Punkt A' zurückkehrt. Dies ist eine Zeitkonzeption, die ihre Fundierung in den natürlichen Lebenszyklen hat – den Zyklen des Tages, des Monats, der Jahreszeiten und der Generationenfolge. Lineare und zyklische Progression überlagern einander, und es ist eine Frage der Wahrnehmungsperspektive, welche Konzeption als Dominante gesetzt wird. So finden sich zum Beispiel schon in der Geschichtsschreibung die beiden gegensätzlichen Modelle eines progressiven Verfalls bzw. Fortschritts einerseits und einer zyklischen Wellenbewegung andererseits, und so kann auch im Drama Linearität oder Zyklik den Ablauf der Zeit mehr oder weniger bestimmen. In der Tragödie der französischen Klassik zum Beispiel dominiert fast absolut die lineare Progression, in der mit der fortschreitenden Zeit sich die Situation fortschreitend verändert. Im Drama Shakespeares dagegen ist diese lineare Progression häufig überlagert durch zyklische Abläufe. Dazu gehört schon die bereits beschriebene Einbettung der Handlung in den Zyklus der Jahreszeiten, der zwar innerhalb eines Textes nicht ganz oder mehrfach durchlaufen wird, aber doch in den Repliken der Figuren deutlich thematisiert wird. In der Reihe der Historiendramen, die durch den teleologischen Rahmen des Tudor-Mythos, der Tudor-Dynastie als dem Zielpunkt der geschichtlichen Entwicklung, miteinander verbunden sind, entfalten sich innerhalb dieses Rahmens einer linearen Zeitkonzeption immer wieder zyklische Abläufe des Machtgewinns und -verlusts, und in den späten Romanzendramen kommt der Zyklik der Generationenfolge besondere Bedeutung zu. Zu einer Dominanz der zyklischen Zeitkonzeption kommt es jedoch erst in Dramen der Moderne. So zum Beispiel in Thornton Wilders *The Long Christmas Dinner* (1931), in dem in extremer Zeitraffung neunzig Weihnachtsmahle in der Familie Bayard dargestellt werden, wobei die zyklische Wiederkehr des Weihnachtsfests und die Zyklik der Abfolge dreier Generationen seine Entsprechung in der Wiederholung derselben fast formelhaften Sätze und derselben szenischen Vorgänge findet. Dadurch wird einerseits das Verstreichen der Zeit, das bei einer linearen Progression unmerklich bleibt, verfremdend bewußtgemacht, andererseits die Zeit in der Wiederholung des Gleichen aufgehoben. Ein zweites Beispiel stellt wieder Becketts *Waiting for Godot* dar, wo ebenfalls die Zyklik der Wiederholungen den Eindruck statischer Dauer hervortreibt. Das Modell für ein solches zyklisches Wiedereinmünden des Endes in den Anfang liefert Vladimir zu Beginn des zweiten Aktes mit seinem Kinderlied vom Hund, der in die

Küche kam und dem Koch ein Ei stahl: es ist nicht nur zyklisch ange-legt, sondern demonstriert die Wiederholbarkeit *ad infinitum*, hebt also die Zeit in der Zeitlosigkeit auf. Dem entspricht auf der Ebene der Makro-struktur des ganzen Textes die Parallelität der beiden Akte: beide Akte beginnen mit der Begegnung Vladimirs und Estragons, in beiden Akten gesellen sich für eine Weile Pozzo und Lucky zu ihnen und verkündet der Junge, daß Godot heute nicht kommt, und beide Akte enden mit dem Entschluß zu gehen, der dann nicht realisiert wird.

Die drei Oppositionen von objektiver und subjektiver, progressiver und statischer, linearer und zyklischer Zeitkonzeption erschöpfen nicht das Paradigma möglicher und historisch realisierter Zeitkonzeptionen, son-dern können diesen Aspekt nur exemplarisch illustrieren. Dabei hat sich erwiesen, daß eine Zeitstruktur, die durch Objektivität, Progressivität und Linearität der Zeitkonzeption bestimmt ist, die unmarkierte Normal-form darstellt, während Subjektivität, Stasis und Zyklik diese als Abwei-chungen davon verfremden. Bei einer statischen und bei einer zyklischen Zeitkonzeption wird zudem die klassische Norm der Finalität und Präzi-pitation dramatischer Abläufe durchbrochen und damit die dramatische Form im Sinn einer klassischen Gattungspoetik "episiert" (s. o. 3.6.1.1).

7.4.5 Tempo

7.4.5.1 Literarisches Textsubstrat und inszenierter Text

Dramatisches Tempo ist eine Kategorie, von der Theaterpraktiker häufi-ger sprechen als Dramentheoretiker.[98] Dieser Sachverhalt macht bereits deutlich, daß Tempo im Drama prinzipiell auf zwei Ebenen analysiert werden muß – auf der Ebene des literarischen Textsubstrats und auf der Ebene des plurimedial inszenierten Textes. Das schriftlich fixierte Text-substrat impliziert schon ein mehr oder weniger genau bestimmbares Tempo, das zusätzlich im Nebentext explizit präzisiert werden kann; im plurimedial inszenierten Text können dann diese Tempohinweise aufge-nommen, verdeutlicht, aber auch bewußt unterlaufen werden. Gerade in modernen Inszenierungen läßt sich häufig ein solches Unterlaufen der Tempo-Intentionen des Textsubstrats beobachten: eigentlich schnell ab-laufende Szenen werden durch Pausen oder zusätzliche Aktivitäten der Figuren zerdehnt, oder langsame Szenen durch rasantes Schlag-auf-Schlag-Spiel beschleunigt. Diese große Variationsbreite des Tempos in verschiedenen Inszenierungen eines Textsubstrats im Vergleich etwa zur geringeren Variationsbreite des Tempos in verschiedenen Aufführungen eines Musikstückes verweist darauf zurück, daß der plurimediale Text durch das literarische Textsubstrat nicht völlig determiniert ist (s. o. 2.1.5) und daß das Aufführungstempo zu jenen Größen gehört, die sich – im Gegensatz zu den präziser festgelegten Tempi in der Musik – einer genaueren Notation entziehen.

7.4.5.2 Tiefenstruktur und Oberflächenstruktur

Der Naturwissenschaftler definiert Tempo als den Quotienten von Längen-, Flächen- oder Raumeinheiten pro Zeiteinheit bzw. von Ereignissen pro Zeiteinheit. Der erste Quotient kann in einer Dramenanalyse zur Bestimmung des Tempos von Bewegungsabläufen (Mimik, Gestik, Choreographie der Figurengruppierung usw.) herangezogen werden, der zweite als Maß des Tempos in der Ereignisabfolge (Frequenz des Replikenwechsels, der Situationsveränderungen).[99] Diese Hypothese muß dahingehend ergänzt werden, daß bei der Tempo-Analyse eines dramatischen Textes zwei Niveaus zu berücksichtigen sind – ein oberflächen- und ein tiefenstrukturelles Niveau. Wir rekurrieren dabei auf unsere Unterscheidung zwischen einer tiefenstrukturell vorgegebenen Geschichte als dem Darzustellenden und der oberflächenstrukturellen Fabel als der Darstellung dieser Geschichte (s. o. 6.1.1). Im Bereich der Oberflächenstruktur wird das Tempo eines Textabschnittes bestimmt durch die Geschwindigkeit der Bewegungsabläufe und die Frequenz von Phänomenen wie Replikenwechsel, Konfigurationswechsel und Schauplatzwechsel, auf der tiefenstrukturellen Ebene allein durch die Frequenz der Situationsveränderungen.

Der Gesamteindruck eines Textabschnittes, etwa einer einzelnen Szene, wird durch die Korrelation dieser beiden Bestimmungen des Tempos bedingt, die sich keineswegs zu decken brauchen. So finden sich häufig im Drama Becketts Szenen, in denen kurze Repliken schnell und ohne größere Pausen aufeinanderfolgen und die Figuren in permanent geschäftiger Bewegung sind, während die Situation unverändert bleibt. Ein hohes oberflächenstrukturelles Tempo kontrastiert hier also mit einer tiefenstrukturellen Stasis als dem minimalen Grenzwert des Tempos. Umgekehrt kann etwa in einem Bericht, der in statuarischer Unbeweglichkeit vorgetragen wird, ein peripetienreicher Geschichtsabschnitt in kurzer Zeit bewältigt werden. Hier kontrastiert ein hohes tiefenstrukturelles Tempo mit einem niedrigen Tempo auf der Oberflächenstruktur. In beiden Fällen entsteht nicht der Gesamteindruck hohen Tempos, sondern der einer Diskrepanz zweier auseinanderlaufender Tempi. Diese Diskrepanz kann funktional sein, wie zum Beispiel bei Beckett, wo die Figuren sich in fahriger und leerer Geschäftigkeit eine langsam verfließende Zeit vertreiben und sich damit über die Unveränderbarkeit ihrer Situation hinwegtäuschen wollen; sie kann aber auch dysfunktional sein und verweist dann als forciertes Tempo auf ästhetische Inkompetenz des Autors zurück. Nur wenn beide Tempi übereinstimmen, wenn sie synchronisiert sind, entsteht der ungebrochene Eindruck hohen bzw. niedrigen Tempos. Für hohes Tempo bedeutet das, daß jede der knappen, rasch aufeinanderfolgenden Repliken eine situationsverändernde Sprechhandlung darstellt, und daß ebenso durch jeden der raschen Positions-, Gruppierungs- und Konfigurationswechsel die Geschichte voran- und damit final-präzipitierend auf ihr Ende zugetrieben wird. P. Pütz' These, daß das dramatische Tempo durch die Zeitspanne zwischen Vorgriff und Verwirklichung reguliert wird, daß ein kurzer Abstand zwischen Vorgriff und Verwirklichung das Tempo beschleunigt, ein langer Abstand es verzögert (S. 54 f), trifft dagegen nicht die wesentlichen Parameter des Tempos, sondern beschreibt – zutreffend – eine Technik der Konkretisierung und Verdeutlichung des Tempos. Denn durch eine solche Mehrfachthematisierung (s. o. 6.2.2.3) eines Handlungsschritts in Vorgriff und Verwirklichung wird ja die fiktive Chronologie konkretisiert, an der sich das Tempo ermessen läßt.

7.4.5.3 Tempo des Gesamttextes

Die makrostrukturell relevante, den ganzen Text umgreifende Tempo-Kategorie ist als das Verhältnis der Zahl der Situationsveränderungen zur sekundären gespielten Zeit, zur Zeitspanne vom *point of attack* bis zum Zeitpunkt der letzten szenisch präsentierten Situation (s. o. 7.4.3.2), faßbar. Das Gesamttempo eines dramatischen Textes hängt also von der Zahl der Peripetien und der zeitlichen Konzentration ab. Der klassische Dramentyp, der in raum-zeitlicher Konzentration und Geschlossenheit einen peripetienreichen Konflikt präsentiert, weist daher schon von seiner Zeit- und Handlungsstruktur her ein hohes Gesamttempo auf, während davon abweichende Texte mit einer panoramisch offenen Zeitstruktur und/oder einer peripetienarmen Handlungsstruktur insgesamt ein geringeres Tempo einschlagen. Ein Vergleich zweier Komödien Shakespeares, der plautinischen *Comedy of Errors* mit ihrer zeitlichen Konzentration und ihrem Peripetienreichtum und der pastoralen Komödie *As You Like*

It mit ihrer offenen Zeitstruktur und ihrer geringeren Zahl an Situationsveränderungen, zeigt, daß diese These durch den spontanen Eindruck des Rezipienten bestätigt wird. Die klassizistische Norm der Einheit der Zeit zielt also nicht nur auf ein geschlossenes Illusionskontinuum ab, sondern steigert darüber hinaus das Tempo und damit die Präzipitation und Finalität der Handlungsabläufe.

7.4.5.4 Tempovariationen, Rhythmus und Spannung

Das Tempo bleibt jedoch normalerweise nicht über den ganzen Textverlauf hin konstant, sondern wird in einzelnen Phasen beschleunigt und verzögert. So kann schon innerhalb eines Dialogs das Tempo variiert werden, indem sich etwa aus einem ruhigen Gespräch mit langen Repliken ein Streit entwickelt, der in stichomythisch knapper Wechselrede ausgetragen wird; so kann eine Folge hektischer Konfigurationswechsel innerhalb einer Szene in eine länger andauernde, statische Konfiguration einmünden; so können bewegungsreiche, turbulente Szenen solchen von statuarischer Ruhe kontrastiv gegenübergestellt werden, und so können auf Textphasen, in denen in einer schnellen Folge von Situationsveränderungen der Handlungsablauf vorangetrieben wird, ruhige Abschnitte folgen, in denen die erreichte Situation in Reflexionen und Kommentaren ausgeschöpft und intensiviert wird, oder in denen durch eine Einlage, etwa ein Lied, ein Spiel im Spiel oder eine längere Erzählung, ein Ruhepunkt, ein retardierendes Moment, geschaffen wird.[100] Auf solche Tempovariationen, auf ein solches Über- und Unterschreiten eines mittleren Gleichmaßes der Bewegung, zielt wohl der häufig gebrauchte, aber kaum näher definierte Begriff des "dramatischen Rhythmus" ab.[101] Tempovariationen beeinflussen auch die Intensität der Spannung (s. o. 3.7.4), wobei innerhalb einer gewissen Toleranzgrenze sowohl die Beschleunigung als auch die Verzögerung spannungssteigernd wirken kann – die Beschleunigung, indem der rasche Situationswechsel immer neue Spannungsbögen aufbaut, die Verzögerung, indem sie die Reichweite dieser Spannungsbögen erhöht. Für bestimmte historische Texttypen lassen sich dabei konventionelle Variationsmuster nachweisen – für die klassische Tragödie etwa ein zügiges Tempo bis zur zentralen Peripetie, darauf folgend eine ruhigere Phase der Reflexion, dann eine Akzeleration auf die Katastrophe zu und endlich ein als Fermate wirkendes, statuarisches Schlußtableau.

8. SCHLUSSBEMERKUNG

Unsere Theorie des Dramas und seiner Analyse hat sich als "Einführung" im anspruchsmindernden, einschränkenden Sinn dieses Wortes in doppelter Hinsicht erwiesen: sie blieb Einführung, indem sie nur die Grundzüge eines Analyserasters entwerfen konnte und sie es bei vielem mit nur skizzenhaften und tentativen Andeutungen bewenden lassen mußte, und sie blieb eine Einführung in die Analyse dramatischer Texte, indem sie eine Dramenanalyse zwar vorbereitete, diese selbst aber weder leisten konnte noch wollte.

Die zweite Einschränkung ist die methodisch problematischere, da mit ihr das Problem des Verhältnisses zwischen Strukturtypologie und Werkanalyse und -interpretation aufbricht.[1] Die Intention eines über-individuellen und über-historischen, eines systematischen Beschreibungsmodells, das auf kommunikationstheoretischer Grundlage Strukturen und Vertextungsverfahren des Dramas aufzählen, relationieren und typologisch klassifizieren will, muß das einzelne Werk zum Lieferanten von Belegen degradieren und es damit in seiner historisch konkreten Individualität, in seiner integrativen Korrelationierung aller Strukturen und Strukturierungsverfahren, verfehlen. Unser Vorgehen und unsere Darstellungsweise trifft scheinbar also auch der Vorwurf, den Peter Szondi aus der Perspektive einer immanenten Interpretation den Literatursoziologen gemacht hat – daß sie nicht in der Lage seien, "sich in das einzelne Kunstwerk zu versenken, (. . .) die historischen Implikationen seines Gehaltes an ihm selber zu untersuchen", und daß sie daher "immer nur Beispiele anführen, ohne auf sie einzugehen."[2] Der Vorwurf trifft jedoch nur scheinbar, weil wir die Entwicklung von Strukturmodellen und typologischen Rastern nicht als Selbstzweck begreifen, sondern sie in finalem Bezug auf die Analyse von Einzeltexten, einzelnen historischen Texttypen und einzelnen historischen Transformationsprozessen betreiben. Denn wie ist ein Sich-Versenken in das einzelne Kunstwerk möglich, wenn nicht mit Hilfe differenzierter Wahrnehmungs- und Beschreibungsraster? Und woraus sind solche Wahrnehmungs- und Beschreibungsraster ableitbar, wenn nicht aus einem möglichst allgemeinen, aber differenzierbaren Modell, das auf einem historisch möglichst breit gestreuten Textkorpus beruht und dieses abzubilden versucht? Hier wird das dialektische Verhältnis zwischen Strukturmodellen als Wahrnehmungs- und Beschreibungsrastern einerseits und der Einzelinterpretation andererseits deutlich: setzt eine Einzelinterpretation Wahrnehmungs- und Beschreibungsraster voraus, so können diese nur wieder über Einzelinterpretationen weiter differenziert werden. Von daher verstehen sich unsere Analysemodelle und -raster von vornherein als vorläufig und gerade durch ihre Applikation in konkreten Einzelanalysen überholbar.

9. ANMERKUNGEN

ANMERKUNGEN ZU KAPITEL 0

[1] H. v. Hofmannsthal (1957), II, 433.
[2] Vgl. zur Terminologie "Schreibweise – Gattung – Untergattung" K. W. Hempfer (1973), S. 27.
[3] Bibliographien dazu sind M. Pfister (1973) und H. Gebhard (1974).
[4] Vgl. dazu Arbeiten der Cambridger Anthropologenschule wie J. E. Harrison (1913), G. Murray (1912), F. M. Cornfeld (1961) und Th. Gaster (1966), von "archetypischen" Kritikern wie F. Fergusson (1949) und N. Frye (1957) und von marxistischen Forschern wie R. Weimann (1967).

ANMERKUNGEN ZU KAPITEL I

[1] Die traditionelle Forschung reflektieren die Bibliographie von R. B. Vowles (1956) und der Forschungsbericht von W. Wittkowski (1963). Die dramentheoretischen Arbeiten des russischen Formalismus, des tschechischen, polnischen, französischen und russischen Strukturalismus, der Kopenhagener Glossematik, der Linguistik und Kommunikationstheorie, der Semiotik und Semiologie, der Informationstheorie, Kybernetik und Statistik erfaßt die Bibliographie in A. van Kesteren u. H. Schmid, hrsg. (1975), S. 318–338.
[2] Der am leichtesten zugängliche Text (Reclam, 2337) ist die Übersetzung von von O. Gigon (1961): Kommentare dazu bieten S. H. Butcher (1907), G. F. Else (1957), K. v. Fritz (1962) und M. Fuhrmann (1973), S. 4–98. Vgl. zur Rezeption in der Renaissance B. Weinberg (1953) und im 18. Jahrhundert M. Kommerell (1957). Als Beispiel für eine moderne Literaturtheorie, die an Aristoteles anzuknüpfen versucht, sei auf die Arbeiten der Chicagoer neuaristotelischen Kritiker verwiesen; ihre programmatischen Arbeiten sind gesammelt in R. S. Crane, hrsg. (1952).
[3] F. Brunetière, *La loi du théâtre* (1894), in: B. H. Clark, hrsg. (1965), S. 380–386; Archer (1912) ersetzt "Konflikt" durch "Krise". Noch Ionesco (1962), S. 208 sieht im Konflikt antagonistischer Kräfte das Wesen des Dramatischen und Theatralischen. Einen Überblick über die Geschichte der Dramentheorie bietet B. Dukore (1974).
[4] E. Staiger (1946) geht nicht von der Dialektik Hegels aus, sondern von der Gegenüberstellung des epischen Rhapsoden und des dramatischen Mimen bei Goethe und Schiller. Vgl. dazu "Über epische und dramatische Dichtung. Von Goethe und Schiller", in: *Goethes Werke* (1963), XII, 249–251 und Schillers Brief an Goethe vom 26. 10. 1797 in *Briefwechsel zwischen Schiller und Goethe* (1970), S. 403–405.
[5] Man denke etwa an die Bedeutung der japanischen No-Spiele für W. B. Yeats und Brecht und des balinesischen Theaters für A. Artaud.

⁶ Im Sinn unserer Kritik plädiert auch W. Hinck (1973), S. 11f für einen un-dogmatischen Begriff des Dramas, der für alle historischen und gegenwärtigen Formen – auch die noch unbekannten – geöffnet bleibt.

⁷ Vgl. dazu D. Diederichsen (1966). Systematische Aufrisse der Theaterwissen-schaft bieten A. Kutscher (1949), C. Niessen (1949ff), J. Klünder (1961), D. Steinbeck (1970), H. Knudsen (1971), K. M. Cameron u. T. Hoffmann (1974). Vgl. auch die kommunikationstheoretischen Entwürfe von A. Paul (1971 u. 1972).

⁸ Vgl. zur relativen Vernachlässigung des Dramas durch die russischen Forma-listen J. Striedter, hrsg. (1969), S. xxiv–xxvi; ein positiveres Bild entwirft H. Schmid (1975) in ihrem Forschungsbericht. – Die Vertreter des New Criticism haben sich, soweit sie sich überhaupt mit dem Drama beschäftigten, auf die Analyse der sprachlichen Bild- und Symbolstrukturen beschränkt; ein charakteristisches Beispiel dafür ist die *Macbeth*-Interpretation in C. Brooks (1947).

⁹ Als hervorragende Beispiele seien genannt K. Ziegler (1957–1962) und P. Szondi (1956).

¹⁰ Erste Entwürfe dazu finden sich in der Zeitschrift *Slovo a Slovesnost* des Prager Strukturalistenkreises in den späten dreißiger und frühen vierziger Jahren. In Übersetzungen liegen vor: J. Veltruský (1964), P. Bogatyrev (1971), J. Mukařovský (1975), J. Veltruský (1975), J. Honzl (1975), L. Matejka u. J. R. Titunik (1976). — Wichtige neuere semiotische Arbeiten sind: S. Jansen (1961), T. Kowzan (1968), M. Pagnini (1970), D. u. D. Kaisersgruber u. J. Lempert (1972), B. Wuttke (1973), B. L. Ogibenin (1975), E. Kaemmerling (1979), P. Pavis (1976, 1980, 1985), F. Ruf-fini (1978), A. Ubersfeld (1977, 1980, 1981), K. Elam (1980), E. Fischer-Lichte (1983, 1985), U. Bayer (1980), S. Bassnett-Maguire (1980), A. Eschbach (1979). Vgl. auch die Sammelbände A. Helbo u. a. (1975), A. van Kesteren u. H. Schmid (1975), H. Schmid u. A. van Kesteren (1985) und die Zeitschriften-Themenbände *Degrés,* 13 (1978), *Poetics,* 6 (1977), *tdr,* 84 (1979), *Versus,* 21 (1978). — Semio-tisch argumentiert auch der marxistische Theaterpraktiker und -theoretiker M. Wek-werth (1974), S. 55—164.

¹¹ Vgl. zu diesem Terminus K. W. Hempfer (1973), S. 26f u. 160–164.

¹² *Politeia,* 394c; *Sämtliche Werke* (1958), III, 127. Ähnlich formuliert Aristo-teles: "(. . .) man kann dieselben Gegenstände mit denselben Mitteln nach-ahmen entweder so, daß man berichtet (. . .), oder so, daß man die nachge-ahmten Gestalten selbst als handelnd tätig auftreten läßt." (1961), S. 25.

¹³ K. Hamburger (1968), S. 158.

¹⁴ Wir folgen hier dem Modell bei R. Fieguth (1973), berücksichtigen aber nicht das für unseren augenblicklichen Zusammenhang unerhebliche zusätzliche Kommunikationsniveau N5 mit Autor und Rezipient in der Totalität ihrer je-weiligen Lebensbezüge ohne literarische Spezifikation ihrer Rollen.

¹⁵ Vgl. dazu F. Stanzel (1964), S. 39f.

¹⁶ Das Modell für das Drama berücksichtigt nur die Figurenrede; auf die außer-sprachliche Kommunikation werden wir in 1.3 eingehen.

¹⁷ Vgl. dazu R. Fieguth (1973), S. 191ff.

[18] P. Szondi (1956), S. 15. Vgl. zur Absolutheit des Dramas dem Autor gegenüber die programmatischen Äußerungen H. Ibsens über *Gespenster*: "Man macht mich für die Ansichten einzelner Dramenpersonen verantwortlich, und doch kommt in dem ganzen Buch keine einzige Ansicht, keine einzige Äußerung auf das Konto des Verfassers." (1967), S. 116.

[19] Vgl. dazu die grundlegenden Überlegungen bei Goethe/Schiller, auf die wir schon in der Anmerkung 4 verwiesen haben.

[20] K. Hamburger (1968), S. 158.

[21] Vgl. dazu den problemgeschichtlichen Aufriß zu "Drama und Dialog" bei K. L. Berghahn (1970), S. 1–13.

[22] Englische Übersetzung in E. Bentley, hrsg. (1968), S. 153–157. Vgl. dazu auch E. Bentley (1965), S. 96–98 und J. Levý (1969), S. 141–148.

[23] J. L. Austin (1962), S. 60. Auf den Zusammenhang zwischen der dramatischen Schreibweise und der performativen Sprechsituation weist schon K. W. Hempfer (1973), S. 160–164 hin.

[24] F. Dürrenmatt (1955), S. 27. Diese Dialektik von Dialog und Dialogsituation beschrieb schon A. W. Schlegel in seinem Shakespeare-Aufsatz: "Zum Wesen des Dialogs gehört zweierlei: augenblickliche Entstehung der Reden in den Gemütern der Sprechenden und Abhängigkeit der Wechselreden voneinander, so daß sie eine Reihe von Wirkungen und Gegenwirkungen ausmachen." Zitiert nach K. L. Berghahn (1970), S. 9. Für eine differenziertere Analyse des Verhältnisses von Sprache und Handlung s. u. 4.3.

[25] Vgl. dazu K. E. Faas (1969).

[26] J. L. Styan (1975), S. 4.

[27] S. Jansen (1968); M. Pagnini (1970).

[28] Diesen Begriff des dramatischen Textes vertritt auch G. Wienold (1972), S. 124. Vgl. zum Verhältnis von literarischem Textsubstrat und dramatischem Text J. Veltruský (1938).

[29] Vgl. zu diesem Informationsüberschuß F. Gottschalk (1952), S. 68. In Anlehnung an Ingarden beschreibt er "das Ordnungssystem des Theatralischen als ein System der Bestimmtheiten zum Unbestimmtheitsschema des Sprachlichen". Ebenfalls in Anlehnung an Ingarden faßt F. V. Vodička (1975), S. 92 die Inszenierung als "Konkretisation" des literarischen Werkes auf.

[30] Als ein frühes Beispiel für die Verwendung olfaktorischer Informationsvergabe sei auf Lorcas "volkstümliche Romanze" *Mariana Pineda* (1925) verwiesen, für die der Nebentext zu einer Szene verlangt: "Der feine und herbstliche Duft der Quitten bestimmt das Ambiente". (1954), S. 38.

[31] Vgl. zum Stand der semiotischen Forschung auf den Gebieten der Kinesik und Proxemik (Gestik und Mimik) und der visuellen Kommunikation U. Eco (1972), S. 21 f u. 24. Zur Semantik der Geste im Drama vgl. S. Skwarczýnska (1974). Gerade zu diesem Bereich liegen wichtige Vorarbeiten von Prager Strukturalisten vor – zum Schauspieler: J. Honzl (1938), zur Bewegungsregie: J. Honzl (1940), zu Requisiten und Bühnenbild: J. Veltruský (1964). Der außersprachliche Bereich wird auch von englischen Theaterwissenschaftlern

eingehend, wenn auch wenig systematisch berücksichtigt; stellvertretend seien genannt die Arbeiten von J. L. Styan (1960 u. 1975) und von J. R. Brown (1966 u. 1972). Vgl. auch B. Wuttke (1973).

[32] E. Billeter u. D. Preisig (1968), S. 102 f.

[33] Die hier verwendete Klassifikation und Terminologie geht zurück auf Ch. S. Peirce. Vgl. dazu U. Eco (1972), S. 197–230, wo die Verwendung des Code-Begriffs auch für indizierende und ikonisierende Zeichensysteme gerechtfertigt wird. Zum "theatralischen Code" vgl. auch A. Helbo (1975).

[34] Aus dieser Verwendung schwach normierter Codes schließt G. Mounin (1970), S. 87–94 auf die Nicht-Anwendbarkeit linguistischer Kategorien auf dramatische Texte. Wenn auch seiner Kritik an einer rein metaphorischen Verwendung von linguistischen Kategorien zuzustimmen ist, beruht doch seine Ablehnung der Begriffe *langage, communication* und *code* für dramatische Texte und ihre Ersetzung durch die behavioristischen Kategorien *stimulation* und *réponse* auf einer zu engen Auffassung von Sprache, Kommunikation und Code.

[35] Vgl. zu diesen Positionsverschiebungen J. Veltruský (1964). Für eine differenziertere Analyse s. u. 7.3.3.2.

[36] Über den Forschungsstand der Paralinguistik informiert G. Mahl u. G. Schulze (1964). Das Verhältnis von schriftlich fixiertem Text und seiner mündlichen Realisierung behandelt schon der russische Formalist S. Bernštejn (1972).

[37] Vgl. dazu A. Villiers (1953).

[38] R. Schechner (1966), S. 27.

[39] Es erscheint daher vielversprechend, die Analysekategorien einer mathematischen Spieltheorie auf dramatische Texte zu applizieren. Vgl. zur Spieltheorie J. von Neumann u. O. Morgenstern (1964).

[40] Vgl. zu den letzten beiden Merkmalen S. J. Schmidt (1971), S. 19–26 u. 41–46 und ders. (1972).

[41] R. Petsch (1945), S. 4.

[42] Zitiert nach R. Münz (1964), S. 77.

[43] J. G. Barry (1970), S. 10.

[44] Die hier angegebenen Differenzkriterien sollen die Kommunikation über dramatische Texte von anderen Formen ästhetischer Kommunikation abheben; mit ihnen gemeinsam weisen sie natürlich das Differenzkriterium der Ästhetizität auf, das in der neueren Diskussion mit Stichworten wie "Fiktionalität", "Selbstbezüglichkeit des Zeichens", "Entpragmatisierung" usw. umschrieben wird. – Ähnlich historisch neutral wie unsere Bestimmung der Differenzkriterien dramatischer Texte ist die Definition der "theoretischen Form" des dramatischen Textes als eines strukturierten Gesamt der Elemente Rede und Regie (textuelle Ebene) und Person und Dekor (szenische Ebene) bei S. Jansen (1968). Sie geht jedoch von Oberflächenphänomenen aus, die zudem einer genaueren Bestimmung ermangeln. Ihm folgt S. Marcus in seinem mengentheoretisch formulierten mathematischen Dramenmodell (1971 u. 1973).

[45] Vergleichende Darstellungen versuchen W. Brosche (1954) und G. Müller (1955).

1 M. Frisch (1958), S. 265.

2 E. Ionesco (1962), S. 185. Noch stärker schränkt der neu-aristotelische Literaturtheoretiker E. Olson die Bedeutung des literarischen Textsubstrats ein: Drama ist für ihn "not essentially a form of literature, but rather a distinct art which may or may not employ language as an artistic medium". (1961), S. 88. Sein Vorbild ist dabei Aristoteles (*Poetik*, Kap. 6), für den die Rede nur einen der sechs Teile eines Dramas darstellt. Vgl. auch W. Flemming (1962).

3 *Dr. Johnson on Shakespeare* (1969), S. 72.

4 Vgl. zum Lektüremodus und zum Verhältnis von literarischer und Theaterrezeption J. L. Styan (1960 u. 1975), J. R. Brown (1966, 1968 u. 1972) und S. Wells (1970). Die produktionsästhetische Seite dieses Problems behandelt R. Peacock (1946).

5 Th. Mann (1968), S. 18.

6 R. Ingarden (1960), S. 220; vgl. auch zum Verhältnis von Lektüre und Aufführung S. 337—343; zur Inszenierung des Schrifttexts vgl. R. Hornby (1977).

7 In dieser Kritik stimmen wir überein mit A. Hübler (1973), S. 43 f.

8 G. B. Shaw (1970), I, 28.

9 An neueren, überwiegend historischen Studien liegen vor M. Zickel (1900), F. Lehner (1919), E. Lauf (1932), G. Schiffer (1946), E. Sterz (1963), G. Westphal (1965), E. Meier (1967) und J. Steiner (1969).

10 Wir folgen hier, mit Modifikationen, E. Sterz (1963), S. 16 ff u. 23 ff.

11 Tschechow (1968), S. 457. Zum Verhältnis beider Arten von Inszenierungsanweisungen vgl. J. Hasler (1970).

12 H. v. Hofmannsthal (1955), Prosa IV, S. 197.

13 Vgl. dazu R. Scheer (1937).

14 R. Stamm spricht dabei von "Spiegelstellen" und "innerer Regie" (1964). Vgl., ebenfalls in Hinblick auf Shakespeare, auch R. Flatter (1954), A. Gerstner-Hirzel (1957) und J. Hasler (1974).

15 Vgl. zu Shakespeare R. Stamm (1954) und allgemein H. Kindermann (1965).

16 Vgl. dazu R. Williams (1968), S. 173–177 und R. Schechner (1971).

17 H. G. Coenen (1961), S. 42–44.

18 Diese Unterscheidung deckt sich zum Teil mit der im englischen Theaterjargon geläufigen zwischen "business" als "illustrative action called for by a stage direction or clearly implied in the text" einerseits und "latent business" andererseits als "illustrative action which a sympathetic and imaginative producer finds in lines either ordinarily left without business or treated with some conventional action". G. P. Baker (1919), S. 373.

19 Vgl. zur Dominanz der sprachlichen Codes im europäischen Drama der Seneca-Tradition W. Clemen (1961), S. 21–43.

20 Vgl. dazu die einschlägigen Beiträge in E. Bentley, hrsg. (1968) und A. Kennedy (1975), S. 8–13.

21 Die Terminologie übernehmen wir von J. Kaiser (1961), S. 32–72. Vgl. dazu

auch M. Schäfer (1960), A. S. Cook (1966), W. Steidle (1968), T. Kowzan (1969) und K. Scherer (1970).

22 Vgl. dazu D. Mehl (1964). Die pantomimischen Einlagen im Drama der deutschen Klassik behandelt F. Engert (1934).

23 Wir folgen wieder der Terminologie J. Kaisers (1961), S. 33–36.

24 Zu einer ähnlichen Opposition der Funktionen mimisch-gestischen Spiels im Drama der geschlossenen und der offenen Form (s. u. 6.4.3) kommt V. Klotz (1969), S. 145–148. Wir werden diesen Aspekt in 3.3 wiederaufnehmen.

25 Vgl. zur Geschichte der Bühnenrezeption der Dramen Shakespeares G. Erken (1972), S. 721–781.

26 Das Standardwerk zur europäischen Theatergeschichte ist H. Kindermann (1957 ff); R. Southern (1962) ist eine konzise Einführung, die auch außereuropäische Traditionen berücksichtigt. Vgl. auch den Sammelband H. Badenhausen u. H. Zielske, hrsg. (1974) und R. u. H. Leacroft (1984).

27 Vgl. dazu W. Gabler (1935), D. Frey (1946) und H. Kindermann (1963).

28 Vgl. dazu die Kontroverse zwischen P. Handke und Y. Karsunke in *Deutsche Dramaturgie der sechziger Jahre* (1974), S. 124—130 u. 148—164.

29 B. Brecht (1967), XVI, 683 f. Einflußreicher Propagator des Schauspielstils der "restlosen Verwandlung" war Konstantin Stanislavsky; vgl. als Einführung *Stanislavsky on the Stage* (1950). R. Tarot (1970) versucht auf dieser Distinktion einen gattungspoetischen Entwurf zu fundieren, indem er zwischen Mimesis (der Schauspieler identifiziert sich mit der Figur) und Imitatio (der Schauspieler demonstriert eine Figur) unterscheidet.

30 Der Aspekt ist keineswegs neu, wurde früher jedoch primär unter gattungstheoretischer Perspektive gesehen. So verlangt Lessing im 42. Stück der *Hamburgischen Dramaturgie* vom tragischen Drama vollständige Illusion, während er dem komischen Drama eine distanzierende Illusionsdurchbrechung erlaubt. Analog klassifiziert A. R. Thompson (1946), S. 88–100 Tragödie als "drama of identification", Komödie als "drama of detachment".

31 V. Klotz (1969).

32 E. Kaemmerling (1971), S. 95 f und Ch. Metz (1972). Zur Raum- und Zeitstruktur im Film vgl. auch A. Hauser (1953), II, 496 ff.

33 Die Erzählfunktion der Kamera demonstrieren K. Hamburger (1968), S. 176–185 und J. Dubois u. a. (1974), S. 288. Vgl. allgemein zum Verhältnis Drama – Film W. A. Koch (1969).

34 Wenn sich im Drama eine nicht nur für einen Augenblick leere Bühne findet, wie zum Beispiel zwischen Szene 14 und 15 des vierten Akts von Tschechows *Kirschgarten*, so liegt nicht selbstzweckhaft deskriptive Darstellung vor wie etwa bei einer Landschaftsaufnahme im Film, sondern pointiert die Leere die Abwesenheit von Menschen. Dabei gewinnt diese Pointierung ihren Nachdruck gerade durch die Durchbrechung der Norm einer nicht figurenleeren Bühne.

35 K. Ziegler (1957–1962), Sp. 1999: "Zunächst bedürfen gerade in Hinblick auf die dramatische Gattung, die kraft ihrer Bindung an die institutionelle Realität

des Theaters besonders eng mit der jeweiligen gesellschaftlichen Umwelt zusammenhängt, geistes- wie auch formgeschichtliche Methode gleichermaßen der Ergänzung durch eine realgeschichtlich-soziologische Betrachtungsweise."

[36] G. Gurvitch (1956). Vgl. dazu auch U. Rapp (1973), S. 11 f.

[37] E. R. Curtius (1961), S. 148–154; F. Yates (1969).

[38] Vgl. dazu etwa E. Goffman (1959) und den Sammelband von B. J. Biddle und E. J. Thomas, hrsg. (1966).

[39] Vgl. dazu die beiden fast gleichzeitig, aber unabhängig voneinander erschienenen Arbeiten von E. Burns (1972) und U. Rapp (1973) und K. Elam (1980), S. 87—92.

[40] An neueren Arbeiten und Entwürfen liegen vor J. Bab (1931), A. Beiss (1954), G. Gurvitch (1956), J. Duvignaud (1963 u. 1970), A. Silbermann (1966), Z. Barbu (1967), A. Häuseroth (1969), D. Steinbeck (1970), Kap. 18 (mit Bibliographie), R. Démarcy (1973). Historische Studien von methodischem Interesse sind W. H. Bruford (1950), V. Ehrenberg (1951), R. Weimann (1967).

[41] R. Jakobson (1960).

[42] Unser Modell ist differenzierter als das Sender-Kanal-Empfänger-Modell, von dem P. Schraud (1966) ausgeht. Außerdem berücksichtigt dieser nur die überhistorischen Invarianten dieses Kommunikationsprozesses, während wir gerade die historischen und soziologischen Variablen zu systematisieren versuchen.

[42a] L. Goldmann (1955).

[43] L. Goldmann (1970), S. 238 f.

[44] Vgl. dazu J. S. R. Goodlad (1971), S. 3–10. U. Rapp (1973), S. 21–28 unterscheidet forschungsgeschichtlich zwischen Widerspiegelungs- und Überbautheorie, Symbolismustheorie, Wirkungstheorie und Integrationstheorie. Vgl. zu den psychischen und sozialen Funktionen des Dramas auch H. Granville-Barker (1945), P. A. Coggin (1956) und den Sammelband J. Hodgson, hrsg. (1972).

[45] Zur Soziologie des Schauspielers: W. A. Darlington (1949), H. G. Marek (1956), P. Chesnais (1957), D. Weidenfeld (1959), J. Duvignaud (1965).

[46] Vgl. dazu das Stichwort "Director" in J. R. Taylor (1970), S. 84 f u. M. Dietrich (1975).

[47] Vgl. dazu H. Kindermann (1955).

[48] Eine historische Darstellung dieses Aspekts bietet S. Melchinger (1974).

[49] Die Entwicklung in England skizziert R. Findlater (1967).

[50] Zur ökonomischen Problematik des Theaters und anderer *performing arts* vgl. die empirische Studie über die Situation in den USA von W. J. Baumol u. W. G. Bowen (1966) und *tdr*, 29 (1965) über "Dollars and Drama". Die gegenwärtigen Verhältnisse in England beschreibt R. Hayman (1973). Für den deutschen Raum liegt m. W. keine neuere Arbeit vor; vgl. aber M. Epstein (1914).

[51] Eine diachronische Darstellung dieses Aspekts bietet M. Descotes (1964); einen systematischen Aufriß versucht K. Poerschke (1951). Mehr programmatischen Charakter haben die theaterwissenschaftlichen Beiträge von W. H. Bruford

(1955), H. Kindermann (1971) und D. Diederichsen (1971). Vgl. auch M. Löffler, hrsg. (1969) und H. J. Schäfer (1967).

52 Vgl. dazu A. Harbage (1941) und R. Weimann (1967 u. 1970).

53 W. J. Baumol u. W. G. Bowen (1966), S. 96 f. Das Kapitel "The Audience" ist abgedruckt in E. u. T. Burns, hrsg. (1973), S. 445–470. Zu den methodischen Problemen empirischer Publikumsanalyse vgl. P. H. Mann (1966 u. 1967). Eine essayistische Skizze der deutschen Situation stellt H. Mayer (1969) dar.

54 Vgl. dazu allgemein P. Bourdieu (1970), S. 159–201. Zum Publikum von Fernsehspielen vgl. J. S. R. Goodlad (1971).

55 E. Auerbach (1964), S. 343–370.

56 Zur Einführung: K. Koszyk u. K. H. Pruys, hrsg. (1973), S. 41–44 und E. Noelle-Neumann u. W. Schulz, hrsg. (1971), S. 51–56.

57 Vgl. zum Beispiel D. V. McGranahan u. I. Wayne (1947), D. B. Jones (1950) und S. W. Head (1954).

58 Die Ergebnisse dieser Untersuchung sind zusammengefaßt in J. R. S. Goodlad (1971), S. 140–177.

59 Vgl. zur Kritik am rein quantitativen Vorgehen der *content analysis* S. Kracauer (1952/53 u. 1972).

60 Vgl. dazu O. Büdel (1970).

61 R. Wellek u. A. Warren (1963), S. 203 u. 212.

62 F. Dürrenmatt (1955), S. 37.

63 Vgl. zu diesem sehr verkürzt und vereinfacht wiedergegebenen Gedankengang G. Lukács (1961), K. Ziegler (1957–1962), Sp. 1997–2398, P. Szondi (1956).

64 Zu einem analogen Ergebnis kommen wir in M. Pfister (1974).

65 K. Hommel (1957).

66 A. W. Schlegel (1966), I, 35 f.

67 Zitiert nach A. Nicoll (1962), S. 17.

68 Programmatisch dazu: G. F. Reynolds (1931), V. Klotz (1976) und A. Ubersfeld (1981). Darüber hinaus liegen einige wichtige Arbeiten zum Zuschauerbezug bei Shakespeare vor: A. C. Sprague (1935), E. P. Nasser (1970) und I. Schabert, "Gesamtkomposition: Zuschauerbezug", in I. Schabert, hrsg. (1972), S. 260—272. Vgl. auch D. B. Chaim (1984).

69 Vgl. dazu W. Flemming (1955), S. 82.

70 Diese Konzentration beschreibt Hegel (1971), II, 272 als "Fortfallen des seiner Totalität nach im Epos geschilderten Weltzustandes" und als "Hervorstechen der einfacheren Kollision".

71 Diesen Aspekt behandelt ausführlich P. Pütz (1970). Er sieht auch die Finalität und damit die Spannung dramatischer Texte durch die Kollektivität der Rezeption bestimmt: "Für die strenge Ausrichtung des Dramas auf das Ende spricht eine scheinbar beiläufige Tatsache: Das Drama will als Ganzes und in einem Stück aufgeführt sein. Kurze Pausen sind nicht hinderlich, sondern steigern als retardierende Momente die Spannung" (S. 13). Hier wird jedoch ein bestimmter historischer Typ des Dramas verabsolutiert: Finalität ist im Gegensatz zur Kollektivität der Rezeption eine Differenzqualität von geringer historischer

Konstanz. Vgl. allgemein zur Informationsredundanz im kollektiv rezipierten dramatischen Text P. Schraud (1966), S. 21–35.

[72] Vgl. dazu etwa M. Wekwerth (1974), S. 158–163.

[73] Dieser massenpsychologische Ansatz findet sich noch bei A. Nicoll (1962), Kap. 1, wobei dem Autor allerdings die Absicht differenzierterer Analyse zugestanden werden muß. Vgl. auch J. Doat (1947).

[74] N. C. Meier verlangt von den Versuchspersonen, daß sie während der Rezeption des Textes kontinuierlich durch Knopfdruck die Intensität ihres Engagements registrieren – ein Verfahren, durch das die zu messende Intensitätskurve sicher entscheidend verändert wird. Eine Applikation dieser Methode ist E. G. Gabbard (1954).

[75] Deutlichste Reaktion ist der Applaus. Vgl. dazu K. Nühlen (1952/53) und K. M. Jenniches (1969). Als ein Beispiel für die Einschätzung der Bedeutung des Publikums und seiner Reaktivität durch Theaterpraktiker sei auf P. Brook (1968), S. 128–140 verwiesen.

[76] Vgl. zu diesem kybernetischen Modell P. Schraud (1966), S. 94–96.

[77] Zur verstärkten Publikumsaktivität im modernen experimentellen Drama vgl. R. Schechner (1973) und Claus Bremers und P. Pörtners programmatische Entwürfe eines "Mitspiels" in *Deutsche Dramaturgie der Sechziger Jahre* (1974), S. 88–95.

[78] Dieses Analyseniveau deckt sich mit dem H. Ch. Angermeyers (1971), der ebenfalls "einen rein dramentheoretisch lokalisierten Zuschauer, ein Aufnahmesubjekt gegenüber dem Aussagesubjekt" (S. 78) als "stückimmanent im weitesten Sinn" (S. 10) ansetzt. Angermeyers vage Begriffsbestimmungen ergeben sich aus einer mangelnden kommunikationstheoretischen Fundierung.

Anmerkungen zu Kapitel III

[1] S. Maser (1971), S. 14.

[2] F. v. Cube (1971), S. 140.

[3] Ansatzweise verwendet diesen Informationsbegriff P. Schraud (1966). Eine konsequent wahrscheinlichkeitstheoretische Analyse des Einzelaspekts "Konfiguration" (s. u. 5.3.3) bieten die Arbeiten von M. Dinu (1968 u. 1974) und von S. Marcus (1973). Vgl. auch E. Balcerzan u. Z. Osiński (1974) sowie die bei A. van Kesteren und H. Schmid, hrsg. (1975), S. 331–334 aufgeführten Arbeiten.

[4] Vgl. zu dieser metaphorischen Thematisierung des Theaters auf dem Theater A. Righter (1967) und K. Elam (1980), Kap. 1.

[5] Vgl. zu Komik und Distanz V. Schulz (1971), S. 16–20.

[6] Die Funktionen des Titels und die Relation Titel-Text sind im Bereich des Dramas noch wenig erforscht worden. Vgl. als exemplarische Studie J. Scherer (1942).

[7] Diesen Aspekt der Vorinformation behandelt Th. F. van Laan (1970), S. 72f, jedoch einseitig in bezug auf die Technik der Figurencharakterisierung. Wir

werden im Folgenden ein Beispiel aus dem Bereich des Rückbezugs auf mythische Ereignisse wählen. Das analoge Problem historischer Vorinformation behandelt exemplarisch E. Schanzer (1963), S. 10–70 an Shakespeares *Julius Caesar.*

8 P. Pütz (1970), S. 13. Vgl. auch M. Fuhrmann (1971).

9 Vgl. zu Aischylos' Neuinterpretation des Mythos A. Dihle (1967), S. 142–144.

10 A. Dihle (1967), S. 171.

11 E. Frenzel (1970).

12 Die Reihe im Langen-Müller Verlag München und Wien wird von J. Schondorff herausgegeben.

13 Vgl. dazu M. Pfister (1974 b); zur Intertextualität allgemein vgl. U. Broich u. M. Pfister (1985).

14 Vgl. dazu L. Lucas (1969). Die typologische Intention (S. 1) bleibt in einer unsystematischen Aufzählung stecken. Vgl. auch P. G. Buchloh (1974) u. G. Austin (1981).

15 J. L. Styan (1975), S. 59 spricht analog von "two kinds of energy, that created by (i) a fusion of impressions and (ii) an opposition of impressions, a fission which precedes the final fusion".

16 S. Beckett (1963), S. 30.

17 H. Ibsen (1968), S. 247.

18 G. B. Shaw (1960), S. 100.

19 Das Beispiel entnehmen wir dem Kapitel "Dialog und Mimus" in E. Franzen (1970), S. 43 f.

20 Vgl. dazu A. Schöne (1964), S. 185–193.

21 S. Beckett (1971), S. 36, 138 u. 232.

22 F. Dürrenmatt (1955), S. 26 f.

23 B. Evans (1960), S. viii f. Vgl. auch M. Doran (1962) und zur Figureninformiertheit E. Lefèvre (1971).

24 Wir entscheiden uns für diese etwas umständliche Formulierung, da die bündigere Übersetzung bei K.-P. Hinze (1970), "diskrepante Information", im Kontext unserer Terminologie mißverständlich wäre.

25 J. Kaiser (1961), S. 80 hat diese gegensätzlichen Strukturen als "offene" und "verdeckte Szenenführung" bezeichnet. Seine Definition des Gegensatzes bleibt jedoch vage.

26 G. E. Lessing (1959), II, 533 f. Ebenso hebt S. T. Coleridge als ein Charakteristikum der Dramen Shakespeares positiv hervor, daß sie "Expectation in preference to surprise" bieten. (1969), S. 115.

27 Brief vom 2. 10. 1797; *Briefwechsel* (1970), S. 370.

28 A. Lesky (1968), S. 146.

29 P. Szondi (1956), S. 23 f.

30 *Sämtliche Werke* (o. J.), S. 225.

31 Vgl. zur analytischen Technik bei Ibsen P. Szondi (1956), S. 24 ff.

32 Vgl. dazu E. August (1967).

33 B. Evans (1960), S. viii.

34 Vgl. zu diesem Gegensatz B. Allemann (1970).

35 G. G. Sedgewick (1948), A. R. Thompson (1948), R. B. Sharpe (1959), S. viii, B. O. States (1971), S. 23 ff.

36 Vgl. zur Terminologie des New Criticism in bezug auf "Ironie" und "Drama" H. F. Plett (1973), S. 99 und die einschlägigen Stichwörter des Glossars zur Terminologie des New Criticism in W. Erzgräber, hrsg., *Englische Lyrik von Shakespeare bis Dylan Thomas* (Darmstadt, 1969), S. 420–422 u. 437–438.

37 Zum erstenmal diskutiert bei C. Thirwall (1833).

38 Vgl. zur Geschichte und Bedeutung dieses Begriffs E. Behler (1970 u. 1972).

39 Unsere Analyse der Perspektivenstruktur berührt sich prinzipiell, wenn auch nicht terminologisch, mit den Untersuchungen zum "Personen-" und "Autorkontext" bei H. Schmid (1973). Schmids Terminologie ergibt sich aus dem Rückbezug auf die Literaturtheorie des tschechischen Strukturalismus. Vgl. zur Perspektive im Drama E. Groff (1959/60), K. Seelig (1964), W. Görler (1974) und M. Pfister (1974 a) und H. Spittler (1979).

40 Vgl. dazu unseren Forschungsbericht in M. Pfister (1974a), S. 15–18. Das Folgende stellt eine raffende und zum Teil anders akzentuierende Zusammenfassung der methodischen Vorüberlegungen (S. 14–45) zu dieser historischen Studie dar.

41 Den Begriff der Figurenperspektive hat schon, ganz in unserem Sinn definiert, W. H. Sokel (1971) in die moderne Dramentheorie eingeführt.

42 Zitiert nach S. Melchinger (1974), II, 130.

43 F. Fergusson (1949), S. 115.

44 Wir sehen hier von dem Sonderfall des Spiels im Spiel ab, in dem die Einbettung von Illusionsebenen zu einer Hierarchisierung von einander über- bzw. untergeordneten Figurenperspektiven führt. S. u. 6.3.2.

45 B. Brecht (1967), V, 2105.

46 Diese Analyse folgt M. Kesting (1959), S. 106–116.

47 Vgl. dazu M. Doran (1954) und R. Levin (1971).

48 C. Brooks u. R. B. Heilman (1945), S. 48 f.

49 Eine ausführlichere Analyse haben wir in M. Pfister (1974a), S. 104–160 vorgelegt.

50 V. Klotz (1969), S. 15 f. Der Arbeit von V. Klotz ist jedoch vorzuhalten, daß sie trotz dieser methodischen Programmatik dann doch immer wieder den Idealtypus mit konkreten historischen Texttypen ineinssetzt. Vgl. dazu sein eigenes Vorwort, "Rückblick und Gebrauchsanweisung", in der 7. Aufl. von 1975, S. 11–13.

51 W. Iser (1970), S. 15.

52 G. Kaiser (1971), S. 275.

52a A. Tschechow (1956), S. 29. Als Annäherung an den Idealtypus der offenen Perspektivenstruktur haben wir in M. Pfister (1974a), S. 161–208 Shakespeares *The Tempest* analysiert.

[53] G. B. Shaw (1970–74), II, 517.
[54] Die wichtigsten Beiträge zu dieser Diskussion sind gesammelt in R. Grimm, hrsg. (1970).
[55] *Briefwechsel* (1970), S. 284 ff, 403 ff u. 969 f.
[56] B. Brecht (1963 f), IV, 142.
[57] Vgl. dazu P. Pütz (1970), S. 15. S. u. 3.7.4.2.
[58] F. Spielhagen (1883), S. 279 f u. 286 und (1898), S. 227 ff. Vgl. dazu R. Grimm, "Naturalismus und episches Theater", in R. Grimm, hrsg. (1970), S. 21–24.
[59] B. Brecht (1967), XVII, 999. Vgl. dazu auch H. Arntzen (1969).
[60] A. Tschechow (1968), S. 452. Vgl. zu unserer Analyse H. Schmid (1973), S. 396 f.
[61] Vgl. dazu auch Shaws Äußerungen über den Nebentext, die wir bereits in 2.1.2 erläutert haben.
[62] J. Littlewood u. a. (1965), S. 106–109. Vgl. zur Projektion M. Mildenberger (1961).
[63] Vgl. dazu B. Balázs (1949), S. 116 ff, L. H. Eisner u. H. Friedrich, hrsg. (1958), S. 67–70, W. Dadek (1968), S. 205 ff und U. Broich (1971).
[64] J. Littlewood u. a. (1965), S. 15–17.
[65] Diese Unterscheidung ist der zwischen auktorialem und Ich-Erzähler in der Theorie narrativer Texte analog.
[66] B. Brecht (1967), IV, 1607. S. u. 3.7.3.2.
[67] Vgl. zum Verhältnis von Chor und innerer Spielebene W. Helg (1950), G. Müller (1967) und J. Rode (1971). Zum Chor allgemein vgl. P. Pütz (1970), S. 142 f.
[67a] F. Schiller (1965), II, 822.
[68] F. Schiller (1965), II, 821.
[69] Spielextern sind auch der "große Chor" in *Der Jasager* und *Der Neinsager* und die chorisch vorgetragenen Vorsprüche zu den einzelnen Szenen in *Furcht und Elend des Dritten Reichs* und im *Leben des Galilei*.
[70] Th. Wilder (1962), S. 40.
[71] Th. Wilder (1962), S. 60.
[72] Th. Wilder (1962), S. 32.
[73] Th. Wilder (1962), S. 22.
[74] Th. Wilder (1962), S. 50.
[75] Th. Wilder (1962), S. 68.
[76] Th. Wilder (1962), S. 25.
[77] Vgl. dazu Schiller an Goethe, 26. 10. 1797; *Briefwechsel* (1970), S. 404.
[78] Dies wird noch deutlicher bei dem "Sänger" in Brechts *Kaukasischem Kreidekreis:* seine ersten drei narrativen Passagen stehen im Imperfekt, dann wechselt er in ein vergegenwärtigendes Präsens über, das jedoch den Vergangenheitscharakter des Erzählten und dann Dargestellten nicht aufhebt. B. Brecht (1967), V, 2008–2013.
[79] Zitiert, wie alle Shakespeare-Zitate, nach der Tudor-Edition von P. Alexander (1951).

80 Aristoteles (1961), S. 50 f. Vgl. zur Diskussion über diese Passage J. Rode (1971), S. 115.

81 Horaz (1967), S. 242 f. Übersetzung: "Die Rolle einer handelnden Person muß der Chor spielen und voll beteiligt seinen Mann stehen; nicht darf er beliebig ein Lied zwischen den Akten einlegen, nichts andres, als was der Entwicklung dienlich ist und ihr sich innig anschließt".

82 Vgl. Stichwort "Parodos" von W. Kranz in *RE*, 18,4, Sp. 1686–1694.

83 W. Kranz (1933).

84 Sophokles (1967), S. 355 f.

85 Vgl. dazu den "Exkurs: Lied im Drama" bei V. Klotz (1969), S. 194–203.

86 B. Brecht (1967), IX, 795.

87 B. Brecht (1967), II, 467–469.

88 B. Brecht (1967), XVII, 996 f.

89 B. Brecht (1967), IV, 1425–1427.

90 Vgl. dazu H. Mayer (1957).

91 Freilich sind diese epischen Strukturen nicht auf die Komödie beschränkt. So können zum Beispiel gerade die Monologe in Tragödien die dramatische Situation und die Perspektive des Sprechers überschreiten und somit zum epischen Kommentar werden, und so kommt zum Beispiel den Sentenzen am Szenenschluß von Barocktragödien häufig epische Kommentatorfunktion zu, wobei auch hier "die dramatische Figur in der Doppelrolle des Darstellenden und zugleich die eigene Darstellung Deutenden erscheint". A. Schöne (1964), S. 158.

92 Vgl. dazu G. E. Duckworth (1952), S. 132–138.

93 Plautus (1962), S. 6.

94 Plautus (1967), S. 28.

95 Auf die Tatsache, daß dabei die Illusion nicht wirklich durchbrochen, sondern durch eine neue Illusionsebene ersetzt wird, weist mit Recht P. Weiss (1961), S. 195 hin: "When an actor addresses an audience with an aside or even when he sits with it, he is still apart from it. He is in the play addressing or joining not that particular audience, but a play-audience, conceived of as looking at the rest of the play."

96 Schon F. Schlegel verteidigt die Illusionsdurchbrechung in dem Aufsatz "Vom aesthetischen Werthe der griechischen Komödie": "Diese Verletzung ist nicht Ungeschicklichkeit, sondern besonnener Mutwille, überschäumende Lebensfülle, und tut oft gar keine üble Wirkung, erhöht sie vielmehr, denn vernichten kann sie die Täuschung doch nicht. (. . .) In der Begeisterung des poetischen Witzes schadet und stört es nicht, wenn die Täuschung scheinbar vernichtet wird, weil das Wesentliche des Eindrucks einer solchen Darstellung nicht in dem geordneten Zusammenhang dieser und in der Täuschung besteht, sondern in eben jener Begeisterung des Witzes, welche alle Schranken durchbricht". F. Schlegel (1822), S. 42.

97 Vgl. dazu die methodisch reflektierte Arbeit von A. Hillach (1967).

98 Vgl. dazu W. Clemen (1952), W. Clemen (1972), S. 96—123 und K. Schlüter (1958).

[99] Wir stehen hier im Gegensatz zu N. Delius (1877).

[100] Darauf weist schon Lessing in seiner Kritik am Topos des *ut pictura poesis* im *Laokoon* hin.

[101] Ein wichtiges Manifest dieser Analyserichtung ist der Aufsatz "On the Principles of Shakespeare Interpretation" in G. W. Knight (1930), Kap. 1. Vgl. zum Zusammenwirken von "spatial" und "temporal dimensions" Th. van Laan (1970), S. 283 ff und zur Bedeutung der "spatial dimension" im modernen Drama M. Rosenberg (1958). R. Weimann (1962) setzt sich kritisch mit dieser Analyseperspektive auseinander.

[102] Vgl. zum Begriff des "Eingangs", der in der Klassischen Philologie Prolog und Parodos umfaßt, W. Nestle (1930) und H. W. Schmidt (1971).

[103] Neuere Arbeiten zur Exposition sind: T. M. Campbell (1922), D. Dibelius (1935), A. C. Sprague (1935), J. Gollwitzer (1937), D. E. Fields (1938), R. Petsch (1945), S. 97 ff, J. Scherer (1959), S. 51–61, H. G. Bickert (1969), E. Lefèvre (1969), P. Pütz (1970), S. 165–202.

[104] E. Th. Sehrt (1960).

[105] Vgl. dazu H. G. Bickert (1969), S. 22–39.

[106] G. Freytag (1922), S. 93–122 u. 170–184.

[107] Ganz im Sinne unserer Differenzierung unterschied schon Marmontel zwischen Expositionen, die "tout d'un coup" und solchen, die "successivement" durchgeführt sind. Zitiert nach J. Scherer (1959), S. 54.

[108] J. Scherer (1959), S. 51–56 und H. G. Bickert (1969), S. 107–109.

[109] Im folgenden sind wir P. Pütz (1970) verpflichtet, wenn wir auch seine triadische Typologie – erzählte Vorgeschichte, Vorgeschichte als Zustand und aktualisierte Vorgeschichte – nicht unverändert übernehmen können, da die einzelnen Typen zu starr und absolut gefaßt sind, während es sich hier doch nur um eine Skalierung von Dominanzen handeln kann.

[110] E. Ionesco (1954), S. 11.

[111] Goethe an Schiller, 22. 4. 1797; *Briefwechsel* (1970), S. 288.

[112] Goethe zu Eckermann, 26. 6. 1826; J. P. Eckermann (o. J.), S 185.

[113] Schiller an Goethe, 25. 4. 1797; *Briefwechsel* (1970), S. 289.

[114] Vgl. dazu V. Klotz (1969), S. 28 f und, ihm folgend, P. Pütz (1970), S. 201.

[115] Interpretationen, die auf die Expositionsfunktion dieses Monologes eingehen, finden sich in W. Clemen (1957), S. 17—28, E. Th. Sehrt (1960), 117 ff und W. Clemen (1964), S. 15—18.

[116] Zitiert nach G. E. Duckworth (1952), S. 108; dort auch eine Analyse von protatischen Figuren bei Plautus und Terenz. Übersetzung: "die einmal am Handlungsbeginn eingeführt wird und dann in keiner der folgenden Handlungsabschnitte wieder verwendet wird".

[117] Nach dem Zeugnis des Donat. Vgl. dazu G. E. Duckworth (1952), S. 108 und H. Haffter (1966), S. 22 f.

[118] Vgl. dazu R. Fieguth (1973), S. 191 ff.

[119] J. Scherers Typenreihe (1959), S. 59 f – Exposition durch chorischen Prolog, Exposition durch Monolog des Helden, Expositionsdialog Held-*confident*,

Expositionsdialog zweier *confidents* und Expositionsdialog zweier Helden – deckt nur die klassische französische Tragödie und Komödie ab und ist von daher schon nicht unmodifiziert zu übernehmen. Zum *confident* vgl. J. A. Fermaud (1940) und H. W. Lawton (1943).

¹²⁰ Vgl. zum Ideal der *vraisemblance* der Exposition J. Scherer (1959), S. 56 f.

¹²¹ H. v. Hofmannsthal (1957), I, 402.

¹²² H. v. Hofmannsthal (1957), I, 403.

¹²³ P. Pütz (1970), S. 188.

¹²⁴ L. Tieck (1964), S. 9 f.

¹²⁵ Die parodistischen Bezüge dieser Passage sind freilich komplexer, als das aus unserem, einen Aspekt isolierenden, Kommentar hervorgehen kann.

¹²⁶ *Poetik*, Kap. 11 u. 16.

¹²⁷ Vgl. dazu J. Scherer (1959), S. 125–146. Den Dramenschluß der antiken Tragödie behandelt G. Kremer (1971), die lateinische Theorie und Praxis M. F. Smith (1940), die Theorie der spätlateinischen Grammatiker und der Renaissance M. T. Herrick (1964), S. 122 ff. Vgl. auch das Kapitel "Der Abschluß der Tragödie" bei O. Mann (1958), S. 147–152 und P. Pütz (1970), S. 225–229.

¹²⁸ Besonders stark ausgeprägt ist diese Geschlossenheit beim "Ecce-Schluß" der antiken Tragödie, in dem Tat und Täter noch einmal präsentiert werden, das Geschehen gedeutet und verallgemeinert und ein Ausblick in die Zukunft gegeben wird. Vgl. dazu G. Kremer (1971), S. 118 u. 141.

¹²⁹ Vgl. dazu A. Spira (1957) und W. Schmidt (1963).

¹³⁰ Vgl. dazu auch die Hinweise auf einen "offenen Schluß" bei P. Pütz (1970), S. 227–229.

¹³¹ B. Brecht (1967), IV, 1607.

¹³² Vgl. zu dieser nur scheinbar totalen Offenheit I. u. J. Fónagy (1971), S. 85 f.

¹³³ T. Stoppard (1972), S. 81.

¹³⁴ *Gespräche mit G. Hauptmann* (1932), S. 162.

¹³⁵ Für die Relationierung von Spannung mit Konflikthaftigkeit vgl. B. Tomashevski (1965), für die Relationierung von Spannung mit Finalität vgl. E. Staiger (1946), S. 157–172 und P. Pütz (1970). Spannung als allgemein ästhetisches Problem behandelt K. Büchler (1908). Primär historisch orientierte Arbeiten sind W. D. Moriarty (1911), N. T. Pratt, Jr. (1939) und F. Ungerer (1964). Kaum ergiebig ist F. Ackermann (1963).

¹³⁶ Terminologisch problematisch ist die analoge Unterscheidung zwischen subjektiver und objektiver Spannung bei P. Pütz (1970), S. 11.

¹³⁷ So wurde im New Criticism der Begriff der *tension* primär an nicht-dramatischen Texten entwickelt. Vgl. dazu das Stichwort "Tension" in A. Preminger, hrsg., *Encyclopedia of Poetry and Poetics* (Princeton, 1965), S. 846 f.

¹³⁸ Mit dieser Auffassung von Spannung befinden wir uns in Einklang mit neueren informationstheoretischen Ansätzen. Vgl. dazu I. u. J. Fónagy (1971) und G. Wienold (1972), S. 88–95.

¹³⁹ P. Pütz (1970), S. 15 f.

¹⁴⁰ Wir übernehmen den Gegensatz von (Makro-)Struktur und (Mikro-)Textur,

von *structure* und *texture*, dem Begriffsarsenal des New Criticism. Vgl. Stichwort "Texture" in A. Preminger, hrsg., *Encyclopedia of Poetry and Poetics* (Princeton, 1965), S. 853.

[141] P. Pütz (1970), S. 62–154 behandelt und systematisiert solche zukunftsorientierte Informationsvergabe unter dem Stichwort "Vorgriffe", macht jedoch ihre spannungsintensivierende Funktion nicht deutlich genug. Diese betont dagegen W. Clemen (1953 u. 1972). Vgl. auch P. W. Harsh (1935).

[142] G. Wienold (1972), S. 90 beschreibt dieses Problem im Rahmen von Bremonds triadischem Handlungsmodell als Verkettung von Triaden der Struktur Mangel – Versuch der Behebung – Behebung/Nichtbehebung.

[143] Zum Tempo als weiterem möglichen Parameter der Spannungsintensität s. u. 7.4.5.4.

[144] Vgl. dazu P. Pütz (1970), S. 16.

[145] I. u. J. Fónagy (1971), S. 74.

Anmerkungen zu Kapitel iv

[1] Zum noch unterentwickelten Stand der Erforschung dramatischer Sprache vgl. A. K. Kennedy (1975), S. 237—243. Wichtigere neuere Arbeiten sind G. Zeißig (1930), G. Soltau (1933), R. Blank (1969), A. Hillach (1970 u. 1971), R. Cohn (1971), D. Rolle (1971), J. R. Brown (1972), P. Larthomas (1972), H. J. Diller (1973). Für weitere bibliographische Hinweise vgl. die Unterkapitel zum Monolog (4.5) und Dialog (4.6).

[2] J. Mukařovský (1967), S. 151. Vgl. dazu auch das Kapitel "Von den Funktionen der Sprache im Theaterschauspiel" in R. Ingarden (1960), S. 403–425, hier S. 406, und J. Levý (1969), S. 137–141.

[3] Vgl. zur ästhetischen Funktionalisierung von Sprache allgemein S. J. Schmidt (1968), zur Ästhetisierung der Dramensprache E. W. B. Hess-Lüttich (1977).

[4] Die dramatische Sprache bei Kroetz analysiert E. Wendt (1974), S. 94–100.

[5] Ch. Fry (1957), S. 128.

[6] Zitiert nach E. Wendt (1974), S. 96.

[7] Vgl. dazu J. Levý (1969), S. 133 f.

[8] "Mindestens zwei Abweichungsdimensionen", weil auch die Relation zu den sprachlich-stilistischen Konventionen der synchron gegebenen narrativen und lyrischen Texte ästhetisch relevant sein kann.

[9] Vgl. zu dieser Polyfunktionalität J. L. Styan (1960), S. 12 ff.

[10] Wir folgen hier dem triadischen Funktionsmodell bei K. Bühler (1934), das R. Ingarden (1960) auf ein Modell mit vier Positionen erweitert.

[11] B. Jonson (1925–52), VIII, 625.

[12] Goethe (1953), IV, 170.

[13] Eine detailliertere Analyse der Realisierungsformen expressiver Funktion findet sich in 4.4.2.

[14] G. E. Lessing (1959), I, 622–624.

15 S. Beckett (1971), S. 184/6. Vgl. dazu W. Iser (1961).

16 P. Nichols (1970), S. 68 f. Im Bereich des zeitgenössischen deutschsprachigen Theaters bietet U. Plenzdorfs *Die neuen Leiden des jungen W.* (1972) ein besonders prägnantes Beispiel für Dialoge mit oft dominant metasprachlicher Funktion. Diese Dominanz ergibt sich aus dem pointierten Nebeneinander der Sprache des Goetheschen Werther mit dem Jargon eines Jugendlichen in der DDR.

17 Zu elaboriertem und restringiertem Code vgl. U. Oevermann (1967). Soziolinguistische Kategorien sind bisher noch nicht in ausreichendem Maße für eine Analyse dramatischer Texte fruchtbar gemacht worden.

18 Vgl. dazu J. Vannier (1963) u. M. Pfister (1978/79).

19 G. Büchner (1963), S. 152.

20 G. Büchner (1963), S. 152.

21 G. E. Lessing (1959), I, 539.

22 M. Van Doren, *Shakespeare* (New York, 1939), S. 89.

23 Unsere Argumentation folgt der P. Ures in seiner "Introduction" zu *King Richard II*, 5. Aufl. (London, 1961), S. lxix–lxxi.

24 Wo dies geschieht, wie zum Beispiel in Jaques "Nay, then, God buy you, an you talk in blankverse" in Shakespeares *As You Like It* (IV, i, 28) wird illusionsauflösend das innere Kommunikationssystem durchbrochen und die dramatische Form komisch verfremdet.

25 N. Page (1973), S. 8. Wir haben auf diesen Sachverhalt bereits verwiesen; s. o. 1.2.5.

26 A. Hübler (1973), S. 10.

27 F. Hölderlin hat diesen aktionalen Charakter der dramatischen Rede für die griechische Tragödie eindrucksvoll umschrieben: "Das griechisch-tragische Wort ist tödlichfaktisch"; Hölderlin (1963), S. 674. Vgl. dazu auch S. K. Langer (1953), S. 315: "In drama speech is an act, an utterance, motivated by visible and invisible other acts, and like them shaping the oncoming Future". Vgl. dazu die Versuche, linguistische Sprechakttheorie zur Analyse dieses Aspekts dramatischer Rede fruchtbar zu machen: S. E. Fish (1976), J. A. Porter (1979), R. Schmachtenberg (1983), M. Pfister (1985).

27a Vgl. dazu den Abschnitt "Rede und Situation" bei A. Hillach (1967), S. 30 ff.

28 Zur Struktur der Konversation vgl. J. Mukařovský (1967), S. 122–125.

29 Zum vollständigen Repertoire der Charakterisierungstechniken im Drama s. u. 5.4.2.

30 Vgl. dazu M. Doran (1954), Kap. 9.

31 V. Klotz (1969), S. 72.

32 Übersetzt nach A. K. Kennedy (1975), S. 17. Vgl. zu Castelvetros radikal mimetischer Dramentheorie B. Weinberg (1957).

33 Brief vom 25. 5. 1883; H. Ibsen (1967), S. 128.

34 Zitiert nach A. K. Kennedy (1975), S. 172.

35 Shaw (1958), S. 53. Vgl. dazu auch den Abschnitt "The Inevitable Flatteries of Tragedy" im "Preface" zu *Saint Joan*; Shaw (1970–1974), VI, 72–74.

401

[36] Ch. Ehrl (1957) spricht von Wesens- bzw. Funktionssprache, je nachdem, ob das Moment der Charakterdisposition oder das der Situation dominiert.

[37] Vgl. dazu L. L. Schücking (1919).

[38] Zitiert nach M. Meisel (1963), S. 48.

[39] Norm kann hier sowohl die Normalsprache als auch die Sprache der übrigen Figuren sein.

[39a] Vgl. dazu einführend D. Wunderlich (1970).

[40] Wichtige Arbeiten zum Monolog, meist historisch orientiert, sind: F. Düsel (1897), R. Franz (1904), F. Leo (1908), M. L. Arnold (1911), E. E. Roessler (1915), J. D. Bickford (1922), W. Schadewaldt (1926), E. Vollmann (1934), U. Ellis-Fermor (1945), S. 96—126, J. Hürsch (1947), M. Braun (1962), W. Clemen (1964), B. Denzler (1968), H. M. Meltzer (1974), W. G. Müller (1982).

[41] *Dictionary of World Literature*, hrsg. J. T. Shipley (Totowa, N. J.; 1968), S. 272 f.

[42] Wir fassen hier also – mit W. Schadewaldt (1926), S. 28 f – "Einsamkeit" nicht als ein rein äußeres Kriterium auf, sondern auch als psychischen Zustand.

[43] Vgl. dazu das Kapitel "Dialog und Monolog" in J. Mukařovský (1967), S. 108–149.

[44] Vgl. dazu auch J. Weber (1955), H. Ch. Angermeyer (1971), S. 118–126 und R. Harweg (1971).

[45] Zitiert nach J. Mukařovský (1967), S. 147.

[46] W. Schadewaldt (1926), S. 38 ff, 55 ff u. 94 ff.

[47] *Medea*, V. 1054–58; Euripides (1958), II, 221. Vgl. dazu W. Schadewaldt (1926), S. 198.

[48] Noch deutlicher wird dieses Gegenüber zweier Aussagesubjekte in einem Monolog des Leonce aus Büchners *Leonce und Lena* (I, iii): "Komm, Leonce, halte mir einen Monolog, ich will zuhören". G. Büchner (1963), S. 148.

[49] Vgl. zu den Funktionen des Monologs auch P. Pütz (1970), S. 84–86. Zu ergänzen wäre noch die praktisch-dramaturgische Funktion der Zeitüberbrückung: durch den Monolog kann Zeit für Umkleidungen oder Rollenwechsel gewonnen werden. Zu einer Typologie von Monologen nach ihrer Position vgl. H. W. Prescott (1939 u. 1942).

[50] Brief vom 26. 6. 1869; H. Ibsen (1967), S. 50. Ibsens Theorie und Praxis des Monologs und den zeitgenössischen poetologischen Kontext behandelt ausführlich R. Franz (1908).

[51] A. Strindberg (1966), S. 102.

[52] Vgl. zu den elisabethanischen Konventionen des Monologs M. C. Bradbrook (1935), S. 125–136.

[53] Aus Raumgründen verbietet sich ein wörtliches Zitat. Corneille (1894), I, 37–39; dts. Übersetzung: P. Corneille (1968), S. 15–17.

[54] G. Büchner (1963), S. 189.

[55] Unsere Analyse der beiden gegensätzlichen Monologtypen deckt sich in ihren Ergebnissen weitgehend mit der Beschreibung des Monologs im Drama der geschlossenen und offenen Form bei V. Klotz (1969), S. 178–182.

[56] Beispiele dafür bietet M. C. Bradbrook (1935), S. 131 f.

57 Zum Beiseitesprechen liegen nur historische Arbeiten vor: G. Bell (1927), E. Schimmerling (1934), M. Braun (1962), W. Riehle (1964).

58 Calderón (1963), S. 125.

59 Die hier entwickelte Typologie weicht von den zwar differenzierten, aber wenig systematischen Begriffsrastern bei W. Riehle (1964) und J. Kaiser (1961), S. 46–51 ab. Die bei Riehle und Kaiser beschriebenen Strukturen lassen sich jedoch ohne Schwierigkeiten in unser typologisches Schema einordnen.

60 W. Riehle (1964), S. 42–45 exemplifiziert an diesem Beispiel das, was er "heimliche Direktanrede" oder "'blindes' aside" nennt. Vgl. zu diesem Sondertyp W. Smith (1949).

61 Ein Beispiel dafür findet sich in Shakespeares Richard III (III,i, 79–81). In Hebbels Genoveva (III,x) stellt ein solches partiell überhörtes Beiseite einen wichtigen Wendepunkt des Geschehens dar. F. Hebbel (1961), I, 109f.

62 Das konventionelle monologische Beiseite hat wie der konventionelle Monolog seine Ablehnung durch eine naturalistische Dramaturgie überlebt. So macht, um extreme Beispiele zu nennen, E. O'Neill in Strange Interlude (1928) diese Konvention zum Medium der Darstellung des inneren Monologs im Drama und erweitert damit die Konvention qualitativ und quantitativ – vgl. dazu M. Biese (1963) und E. Törnqvist (1968) – und so schreibt Jean Tardieu einen Einakter, dessen ganzer Haupttext beiseite gesprochen ist und macht schon durch den Titel, Oswalt et Zenaïde ou Les apartés, seine Absicht deutlich, die Konventionalität des Beiseite bloßzulegen.

63 Vgl. dazu W. Schadewaldts Nachwort zu Menander (1963), S. 144.

64 J. Kaiser (1961) spricht von "halbem Beiseite", W. Riehle (1964), S. 45ff u. 52ff von "leisem Separatgespräch" und von "Belauschungs-aside".

65 Vgl. zur Belauschungssituation V. E. Hiatt (1946) und W. Habicht (1968), S. 161–163.

66 Hegel (1971), II, 527. Vgl. auch "Über den dramatischen Dialog" in A. W. Schlegel (1962), II, 107–122.

67 K. L. Berghahn (1970), S. 1. Aus dieser normativen Verabsolutierung des Dialogs erklärt sich auch die Fülle vorliegender Studien zum Dialog, die meisten von ihnen jedoch nicht systematisch-typologischen, sondern historischen Charakters: W. Mohri (1929), A. Thielmann (1935), P. Gerhardt (1939/40), H. Grunder (1955), H. Krapp (1958), R. Ingarden (1960), S. 403–425, H. G. Coenen (1961), H. Brinkmann (1965), J. R. Brown (1965), W. Habicht (1967), A. Hillach (1967), J. Mukařovský (1967), S. 108–153, K. Hamburger (1968), S. 142–154, W. H. Sokel (1968), G. Bauer (1969), A. Kaplan (1969), L. Lucas (1969), J. Müller (1970), R. Cohn (1971), T. Klammer (1973), H. Schmid (1973), S. 51—95, D. Burton (1980), A. K. Kennedy (1983).

68 Vgl. dazu unsere analoge Unterscheidung zwischen aktionalen und nicht-aktionalen Monologen (4.5.2.3). Auf den Dialog bezogen deckt sie sich mit der Unterscheidung von "Inhaltsdialogen" und "Handlungsdialogen" bei H. G. Coenen (1961), S. 67–72, der mit Recht auf den latenten Handlungscharakter auch von Inhaltsdialogen hinweist, indem diese ständig in Handlungsdialog

umschlagen können, sobald ein Sprecher eine These ganz zu seiner Sache macht: "Anstatt in der widerlegenden Replik eine Stellungnahme zum Dialogthema zu erblicken, kann man den Widerlegungsakt als Angriff auf die intellektuelle Persönlichkeit des Dialogpartners deuten" (S. 71).

69 Vgl. an neueren Arbeiten zur Stichomythie W. Jens (1955), E. R. Schwinge (1968), B. Seidensticker (1968 u. 1971). Die Grenze zwischen Stichomythie und längerer dialogischer Replik ("Rhesis") liegt bei fünf bis sechs Versen. Vgl. dazu B. Mannsperger (1971).

70 Vorbildlich ist in dieser Beziehung J. Kaiser (1961), S. 73–75.

71 Zitiert nach B. Seidensticker (1971), S. 183. Vgl. Aischylos (1962), S. 323.

72 Vgl. zum Zusammenhang von Unterbrechungsfrequenz und "Dialogtempo" K. L. Berghahn (1970), S. 21. Zum Tempo s. u. 7.4.5.

73 Molière (1966); Übersetzung: Molière (1967), S. 363.

74 S. Beckett (1971), S. 184.

75 Vgl. dazu W. Habicht (1967) und L. Kane (1984); der Abschnitt über das Schweigen bei P. Pütz (1970), S. 136—138 ist wenig ergiebig, da dieser allein das Schweigen im klassischen Drama berücksichtigt.

76 F. X. Kroetz (1970), S. 6.

77 F. X. Kroetz (1972), S. 47.

78 B. Jonson (1966), S. 109.

79 P. Handke (1973), S. 43 f.

80 "Syntaktisch" ist hier nicht auf die Syntax bezogen, sondern ist Gegensatz zu "semantisch" und "pragmatisch".

81 Vgl. dazu W. Kallmeyer (1974), S. 26–60.

82 V. Klotz (1969), S. 86–89 u. 162–178 hat diesen Unterschied mit dem Gegensatz von "einheitlicher Satzperspektive" und "Polyperspektive" umschrieben und an Beispielen belegt.

83 A. Tschechow (1968), S. 487.

84 Dies wird durch den Nebentext zum Bühnenbild (S. 483) deutlich.

85 A. Strindberg (1966), S. 100 f.

86 Ein vollständiges Repertoire, das im Rahmen einer linguistischen Pragmatik erarbeitet werden müßte, liegt m. W. nicht vor. Ausgangspunkt dafür könnte J. L. Austins Liste derjenigen Verben sein, die die illokutionäre Rolle einer Äußerung explizit machen. J. L. Austin (1972), S. 164–179.

87 H. G. Coenen (1961). Coenen versteht seine Studie zu Recht als Beitrag zur Analyse der *langue* Racinescher Dialogführung.

88 R. C. Stalnaker (1973), S. 397. Wir verdanken diesen Hinweis K. W. Hempfer.

89 E. Ionesco (1954), S. 16. Vgl. zum Dialog in *La cantatrice chauve* P. Ronge (1967), S. 51–58.

90 Handliche und operationalisierte Einführungen in die klassische und "neue" Rhetorik sind H. F. Plett (1972 u. 1975).

91 K. L. Berghahn (1970), S. 56.

92 Neuere rhetorische Analysen zur "großen Rede" im elisabethanischen

Drama bieten M. B. Kennedy (1942), M. Joseph (1947), W. Clemen (1955), E. Kurka (1968), W. G. Müller (1979).

[93] E. Staiger (1946), S. 144–157.

[94] H. F. Plett (1972), S. 19 f.

[95] H. G. Bickert (1966). S. o. 3.7.2.1.

[96] Vgl. dazu M. Pfister (1972), S. 868–871.

[97] Stellvertretend für diese Richtung nennen wir C. F. E. Spurgeon (1935).

[98] Wegweisend für diese Richtung ist G. W. Knight (1930), dem T. S. Eliot ein enthusiastisches Vorwort voranstellt, in dem er die Erforschung solcher "pattern below the level of 'plot' and 'character'" begrüßt (S. xviii). Vgl. dazu die berechtigte Kritik bei R. Weimann (1962). S. o. 3.7.1.

[99] Den entscheidenden Anstoß dafür gab W. Clemen (1936). Allgemeine Studien zur Funktion figurativen Sprechens im Drama sind das Kapitel "The Functions of Imagery in Drama" bei U. Ellis-Fermor (1945), S. 77–95, A. S. Downer (1949) u. H. Pongs (1969), III, 537–736.

[100] Die Unterscheidung von *vehicle* (uneigentlicher Ausdruck) und *tenor* (eigentlich Gemeintes) geht zurück auf I. A. Richards, *The Philosophy of Rhetoric* (London, 1936).

[101] Vgl. dazu M. M. Morozow (1949).

[102] U. Ellis-Fermor (1945), S. 80–83.

[103] Vgl. dazu M. Pfister (1974), S. 168–178.

[104] V. Klotz (1969), S. 104–106.

[105] P. Pütz (1970), S. 144–147 behandelt solche Metaphorik allein unter dem Gesichtspunkt der Vorausdeutung, nicht dem der Spannungsweckung.

[106] G. Büchner (1963), S. 41.

[107] O. Wilde (1948), S. 537 u. 542.

[108] Vgl. zum Wortspiel (*pun*) bei Shakespeare N. Kohl (1966 u. 1970).

ANMERKUNGEN ZU KAPITEL V

[1] Vgl. dazu, uneingeschränkt zustimmend, R. Münz (1964), S. 114–122.

[2] Vgl. dazu F. Martini (1971) und J. Müller (1971).

[3] Th. F. van Laan (1970), S. 72: eine dramatische Figur ist keine "separate entity with autonomous existence". Dies ist schon die Position S. T. Coleridges gegenüber dem *real life approach* zeitgenössischer romantischer Theoretiker. Vgl. dazu B. Hardy (1958).

[4] Das Beispiel ist nicht erfunden, sondern A. C. Bradley (1904) entnommen.

[5] K. Hamburger (1968), S. 165 f.

[6] Th. Mann (1968), I, 11. Ähnlich äußert sich H. v. Hofmannsthals "Balzac" in dem Dialog "Über Charaktere im Roman und Drama" (1902) in H. v. Hofmannsthal (1957), II, 352–356, hier 356.

[7] Vgl. dazu U. Ellis-Fermor (1945).

[8] H. v. Hofmannsthal (1957), II, 432.

[9] F. Dürrenmatt (1955), S. 26.

[10] Wir folgen hier der Auffassung von Figur bei J. M. Lotman (1972), S. 340-368.

[11] Das von uns vorgeschlagene Modell orientiert sich an den linguistischen Modellen der Phonologie und strukturalen Semantik, in denen auch die einzelnen Untersuchungseinheiten als Bündel distinktiver Merkmale dargestellt werden.

[12] Vgl. dazu H. Schlaffer (1972), S. 12. Die Funktion einer kollektiven *dramatis persona* braucht natürlich nicht in der Konkretisierung des Schauplatzes aufzugehen, sondern kann auch die eines Kommentators, ja selbst eines Protagonisten oder Antagonisten sein. Vgl. zur kollektiven Figur auch H. Müller (1970).

[13] Die Funktion eines solchen *doubling of parts* untersucht am Drama vor Shakespeare D. M. Bevington (1962). Vgl. auch Aristoteles' *Poetik* (Kap. 4) zur Entwicklung der griechischen Tragödie von einem Schauspieler zu zwei bei Aischylos und drei bei Sophokles.

[14] In Hinblick auf diesen Parameter untersucht J. Scherer (1965), S. 50 das Personal des *Tartuffe*.

[15] Die hier zitierte Abstufung nach handlungsfunktionaler Bedeutung findet sich bei W. Flemming (1955), S. 78. S. Jansen (1971), S. 403f hierarchisiert das Personal in (1) Figuren, die mehrmals auftreten, ohne daß dabei jeweils die Anwesenheit anderer Figuren gegeben sein müßte, (2) Figuren, die mehrmals auftreten, aber nie allein, (3) Figuren, die mehrmals auftreten, aber immer mit einer bestimmten anderen Figur, und (4) Figuren, die nur einmal auftreten. Diese Typologie ist zwar operational definiert, ist jedoch nicht differenziert genug. S. u. 5.3.3. Vgl. auch A. van Kesteren (1975).

[16] Vgl. dazu N. Frye (1957), S. 163–185 ("The Myth of Spring: Comedy").

[17] Der soziale Status der Figuren spielt in der Geschichte des abendländischen Dramas von der Antike bis ins achtzehnte Jahrhundert eine wichtige, Tragödie und Komödie differenzierende Rolle. Die sogenannte "Ständeklausel", die sich zu Unrecht auf Aristoteles' eher ethische als soziale Klassifikation berief – "In demselben Punkte trennen sich Komödie und Tragödie. Die eine ahmt edlere, die andere gemeinere Menschen nach, als sie in Wirklichkeit sind" (Aristoteles, 1961, S. 25) –, sah vor, daß sich das Personal der Tragödie durchgehend, oder zumindest in den Hauptfiguren, aus Personen hohen Standes, das der Komödie aus solchen niederen Standes rekrutierte. In der Formulierung des spätlateinischen Grammatikers Diomedes: "comoedia a tragoedia differt, quod in tragoedia introducuntur heroes duces reges, in comoedia humiles atque privatae personae" (Übersetzung: Die Komödie unterscheidet sich von der Tragödie dadurch, daß in der Tragödie Helden, Heerführer und Könige auftreten, in der Komödie aber niedere und nicht-fürstliche Personen). Zitiert nach *Grammatici Latini*, hrsg. H. Keil (Leipzig, 1875), I, 487. Die Ständeklausel wurde endgültig durch die Entwicklung des bürgerlichen Trauerspiels außer Kraft gesetzt.

[18] Die überhistorische Relevanz dieser Differenzmerkmale zeigt sich schon darin, daß die Folklore-Forschung die Triade von *sex, age* und *status* als grundlegend für die Person in der Volkserzählung nachgewiesen hat. Vgl. dazu E. K. u. P. Maranda (1973), S. 135.

[19] Vgl. dazu die Analyse bei F. Martini (1963).

[20] Wir schließen uns im folgenden den Überlegungen von F. v. Cube und W. Reichert an, ohne jedoch deren aufwendige mathematische Formalisierung der Figureninteraktion zu übernehmen, wie sie für die informationsästhetische Schule Max Benses charakteristisch ist. Vgl. dazu W. Reichert (1965) und F. v. Cube u. W. Reichert (1969).

[21] 1928 in Leningrad erschienen; dts. Übersetzung V. Propp (1972).

[22] E. Souriau (1950), S. 57 ff.

[23] S. 11. Souriau steht damit in einer Tradition, die sich bis ins achtzehnte Jahrhundert zurückverfolgen läßt. Vgl. etwa Goethes Bemerkung über Gozzis These, es gäbe nur sechsunddreißig tragische Situationen; J. P. Eckermann (o. J.), S. 407 u. 740 und G. Polti (1895).

[24] Ein weiteres Modell zur Darstellung von Figurenkonstellationen im Drama – diesmal nicht in Form einer Algebra, sondern einer "Geometrie" – kann hier nur erwähnt werden: P. Ginestier (1961).

[25] S. Marcus (1973), S. 287–370 ("Mathematische Methoden im Theaterstudium"). Vgl. zu Marcus B. Brainerd u. V. Neufeldt (1974). Vgl. auch die Arbeiten von M. Dinu (1968, 1970 u. 1974). J. Link (1974), S. 232–255 und J. Link (1975) bezeichnet mit dem Terminus "Konfiguration" die Strukturierung des Personals; seine Ausführungen dazu decken sich im Ansatz mit unseren.

[26] S. Marcus (1973), S. 366.

[27] J. Scherer (1959), S. 141.

[28] Vgl. dazu W. Klemm (1946), S. 141.

[29] S. Marcus (1973), S. 293 f.

[30] Vgl. dazu auch unsere Erwägungen zur Hierarchisierbarkeit des Personals in 5.3.1.2.

[31] S. Marcus (1973), S. 300.

[32] S. Marcus (1973), S. 292 f nennt denselben Wert "Bevölkerungsdichte".

[33] Vor allem diesen Aspekt untersucht M. Dinu in seinen Arbeiten. Da er jedoch in seine Formel zur Errechnung der Wahrscheinlichkeit einer bestimmten Konfiguration den Parameter der relativen Auftretenshäufigkeit der einzelnen Figuren aufnimmt, sind für ihn nicht alle möglichen Konfigurationen gleich wahrscheinlich, sondern lassen sie sich in eine Rangordnung nach der Wahrscheinlichkeit ihrer Realisierung bringen. Er kommt dadurch zu einem verfeinerten Maß für den Informationswert der einzelnen realisierten Konfiguration.

[34] B. Beckermann (1970), S. 214–217. Vgl. auch, zusätzlich zu den Kapiteln über "Charaktere" und Charakterisierung in den meisten Dramentheorien, N. Brooke (1964) u. E. Eiden (1986). Daneben gibt es eine Fülle historischer Studien, z. B. zu Shakespeare: J. I. M. Stewart (1949), R. Fricker (1951), M. Doran (1954), Kap. 9, L. Kirschbaum (1962), C. Belsey (1985).

[35] Vgl. dazu J. M. Lotman (1972), S. 361–368.

[36] F. Hebbel (1961), II, 646.

[37] E. M. Forster (1962), S. 75–85.

[38] Vgl. zur Personifikation im Fastnachtsspiel I. Glier (1965) und bei Shakespeare H. Zimmermann (1975).

[39] Die meisten dieser *stock figures* sind bereits monographisch behandelt, so z.B. der *miles gloriosus* in D. C. Boughner (1954).

[40] G. Freytag (1965), S. 262.

[41] E. Bentley (1965), S. 68 f.

[42] K. Ziegler (1957–1962), Sp. 2011. Vgl. zur Ein- und Mehrdimensionalität auch die Kapitel zu den "Personen" bei V. Klotz (1969), S. 59–66 u. 136–148.

[43] Vgl. dazu L. L. Schücking (1919), passim.

[44] V. Klotz (1969), S. 64.

[45] Schiller (1965), II, 822.

[46] Vgl. zum folgenden das Kapitel über "Das gebrochene Individuum" bei W. Hinck (1973), S. 20–24.

[47] Unsere Opposition "explizit" vs. "implizit" deckt sich mit dem Gegensatz von diskursiven und präsentativen Kommunikationsweisen bei S. K. Langer (1942), Kap. 4. Eine analoge Unterscheidung treffen auch P. Watzlawick u. a. (1967). § 2.5.

[48] Sie untersucht für die römische Komödie O. L. Wilner (1938).

[49] J. Dryden (1970), S. 62. Vgl. dazu und zur perspektivischen Figurenkommentierung M. Pfister (1974a), S. 120–125.

[50] Vgl. dazu S. T. Coleridge (1969), S. 212 über *Macbeth*, I, v: "Macbeth is described by Lady Macbeth so as at the same time to describe her own character".

[51] Buchveröffentlichung: 1970.

[52] G. E. Lessing (1959), II, 368 f. O. Mann (1958), S. 117 untersucht das Verhältnis von Charakterisierung durch Redeinhalte (explizit) und durch "Sichverhalten" (implizit) in historischer Perspektive und kommt zu dem Ergebnis, daß im deutschen Drama zuerst in Lessings *Emilia Galotti* das Sichverhalten gegenüber den Redeinhalten dominiert.

[53] F. Hebbel (1961), II, 766.

[54] N. Luhmann (1970), S. 100.

[55] Vgl. dazu O. Mann (1958), S. 118.

[56] Mit dem Begriffspaar von *content* und *relationship* verweist Watzlawick darauf, daß sich in jeder zwischenmenschlichen Kommunikation die explizite Übermittlung von Sachverhalten und die implizite Definition des Verhältnisses der Kommunikationspartner zueinander überlagern.

[57] Vgl. dazu K. Bräutigam (1964).

[58] Vgl. dazu J. Laver (1964), G. Neuner (1968), J. L. Styan (1975), S. 37–47.

[59] H. Ibsen (1968), S. 495.

[60] J. Osborne (1957), S. 9 f.

[61] Th. F. van Laan (1970), S. 76 f.

[62] Vgl. dazu für die römische Komödie O. L. Wilner (1931).

[1] Dies hat schon Aristoteles (*Poetik,* Kap. 5 u. 6) gesehen. Vgl. auch E. Lämmert (1955), S. 258, T. A. von Dijk u. a. (1973), G. Wienold (1972), S. 123, D. Ingenschey (1980).

[2] Vgl. auch E. Werlich (1975), S. 30–34, der in einer differenzierteren Typologie fünf "texttypische thematische Textbasen" unterscheidet: deskriptive, narrative, expositorische, argumentative und instruktive.

[3] Exemplarisch sei hier verwiesen auf die anthropologischen Arbeiten von Claude Lévi-Strauss, vor allem seine *Anthropologie structurale* (1958), auf die folkloristischen Arbeiten von E. K. u. P. Maranda (1973) und die Entwürfe der französischen *Récit*-Theoretiker wie C. Bremond (1964 u. 1966), R. Barthes (1966), T. Todorov (1968); vgl. auch die Diskussion in *Poetica,* 8 (1976).

[4] E. Lämmert (1955), S. 24 f.

[5] B. V. Tomashevskij, *Teorija literatury* (1925); zitiert nach J. M. Lotman (1972), S. 330.

[6] E. M. Forster (1962), S. 93. Vgl. zum *plot* auch E. Dipple (1970) und U. Ellis-Fermor (1960).

[7] *Poetik,* Kap. 7–9. Vgl. dazu auch J. G. Barry (1970), S. 157–173. Barrys zentrale Kategorie eines "Basic Pattern of Event" (S. 25–39), das als Tiefenstruktur, als "root pattern of experience" (S. 31) dem vordergründigen Mythos bzw. *plot* zugrunde liegt, bleibt zu vage, um hier berücksichtigt werden zu können. Ebensowenig können wir hier auf archetypische Strukturen des Mythos eingehen, wie sie v. a. von N. Frye (1957) erarbeitet wurden.

[8] Vgl. zum Begriff der "Episode" K. Nickan (1966).

[9] M. Frisch (1972), S. 87 f. Vgl. zur historischen Variabilität des Konzepts der Kausalität B. Beckermann (1970), S. 175 f. Noch radikaler und mit anderer Motivation als Brecht und Frisch negiert Ionesco in *La cantatrice chauve* die aristotelischen Prämissen der Einheit und Kohärenz des Mythos. Vgl. dazu das Kapitel "Inkohärenz als Antityp zur kausal-finalen Grundstruktur des Theaters 'aristotelischen' Typs" bei P. Ronge (1967), S. 37—62, P. Goetsch (1977), S. Giles (1981).

[10] Vgl. jedoch E. Lämmert (1955), S. 24 und, neuerdings, K. Stierle (1975). Das französische Äquivalent der *histoire* als Gegensatz zum *discours* ist in der *Récit*-Theorie in unserem Sinne festgelegt; zum englischen *story* s. o. 6.1.1.2.

[11] So unterscheidet z. B. R. Petsch (1945), S. 48 f zwischen der äußeren Handlung und dem inneren, ideellen Vorgang, eine Unterscheidung, die auch A. Beiss (1962), S. 252–253 übernimmt; und so ist für A. Hübler (1973), S. 14–16 Vorgang der Oberbegriff zu Handlung, Geschehen und Ereignis, wobei die dialogisch-sozialen Kategorien von Handlung und Geschehen von der monologischen Kategorie des Ereignisses abgesetzt werden und Handlung und Geschehen aufgrund von Subjekt- bzw. Objektdominanz differenziert werden.

[12] Wir werden jedoch eingeführte Komposita und Wortfügungen wie "Haupt-" und "Nebenhandlung" und "verdeckte Handlung" beibehalten, auch wenn

ihnen eine Konzeption von "Handlung" zugrunde liegt, die sich mit unserer Definition nicht deckt.

[13] Den Begriff der Phase verwendet auch D. Ramm (1974), er situiert ihn jedoch auf der Ebene der Darstellung.

[14] A. Hübler (1973), S. 20.

[15] C. Bremond (1964).

[16] T. Todorov (1968).

[17] J. M. Lotman (1972), S. 332. S. u. zur Semantisierung des Raumes 7.3.1.

[18] A. Hübler (1973), S. 14 f.

[19] Vgl. dazu D. Schnetz (1967), S. 18. Schnetz' Differenzierung von Handlung und Geschehen aufgrund der Kriterien der Aktivität bzw. Passivität und der Dynamik bzw. Statik deckt sich weitgehend mit unserer Auffassung.

[20] Vgl. dazu G. Polti (1895), K. Weigand (1941), H. C. Lancaster (1944), E. Souriau (1950), L. Spitzer (1957), R. Grimm u. D. Kimpel (1968), S. Jansen (1973), R. Scholes (1974), E. Eiden (1986). Auch die ökonomische Handlungstheorie operiert mit dem Begriff der Situation; vgl. T. Parsons u. E. Shils (1954) und J. v. Kempski (1954); ihrem Situations- und Handlungsbegriff ist verpflichtet A. Hübler (1973).

[21] W. v. Scholz (1905), S. 3.

[22] D. Schnetz (1967), S. 26.

[23] S. Jansen (1971), S. 405.

[24] D. Schnetz (1967), S. 26.

[25] E. Souriau (1950), S. 38 u. 55.

[26] Im weiteren Verlauf seiner Arbeit kommt Souriau jedoch dann aufgrund seines einseitig gewählten Textkorpus zu einer konfliktbezogenen Auffüllung des Begriffs des "système de forces". Konsequent offen ist dagegen die Definition der Situation bei A. Hübler (1973), S. 4–10.

[27] Diese Restriktionen und die Versuche ihrer Überwindung untersucht U. Ellis-Fermor (1945).

[28] Vgl. dazu E. Lämmert (1955), S. 37–39.

[29] Vgl. dazu schon Aristoteles (1961), S. 34: "wie also die Körper und Lebewesen eine bestimmte Größe haben müssen und diese übersichtlich sein soll, so muß auch der Mythos eine bestimmte Länge haben; diese muß erinnerlich bleiben können". Vgl. zum Umfang als ästhetische Kategorie F. Sengle (1957). In dieser Beschränktheit des Umfangs und dem sich daraus ergebenden Zwang zur Konzentration weist das Drama Affinitäten mit der Kurzgeschichte, der Short Story auf, worauf in der Short-Story-Forschung wiederholt hingewiesen wird. Vgl. etwa P. Goetsch (1972) und Th. Wolpers (1972).

[30] Einen weiteren auch hier relevanten Aspekt haben wir bereits in Zusammenhang mit der dramatischen Figur diskutiert – die begrenzten Möglichkeiten einer *vision du dedans*, die beschränkend auf die Darstellung der Handlungsmotivationen einer Figur einwirken. S. o. 5.2.2.

[31] So wurden zum Beispiel Kampfszenen im antiken Drama in Form einer Teichoskopie nur sprachlich vermittelt, während Shakespeare dieses Problem durch

eine synekdochische Darstellung – einige wenige Kämpfende stehen für ganze Heere – zu lösen versucht.

32 H. Ibsen (1968), S. 117f. Unsere Auslassungen betreffen allein den Haupttext.

33 Horaz (1967), S. 240. Übersetzung: "Nicht darf vor allem Volk Medea ihre Kinder schlachten; nicht darf der grausige Atreus Menschenfleisch auf offener Bühne kochen, nicht Prokne in den Vogel, Kadmus in die Schlange sich verwandeln. Was du mir so handgreiflich zeigst, erregt Unglauben nur und Widerwillen." (S. 241)

34 Zur psychischen Distanz vgl. E. Bullough (1957), S. 91 ff und, ihm folgend, U. Rapp (1973), S. 56—61. — Vgl. auch D. B. Chaim (1984).

35 Vgl. L. Weltmann (1924), J. Motylew (1927) und R. Petsch (1945), S. 159. Ausführlich gehen auch V. Klotz (1969), S. 30–34 und P. Pütz (1970), S. 212–218 auf die verdeckte Handlung ein.

36 Horaz (1967), S. 240f. Übersetzung: "Eine Handlung kommt als Ereignis auf die Bühne oder durch Bericht von ihrem Hergang. Schwächer ist der Eindruck, der der Seele durch das Ohr zugeht, minder wirksam, als was das zuverlässige Auge unmittelbar aufnimmt und was der Zuschauer sich selbst zuträgt.".

37 B. Beckermann (1970), S. 171 ff bietet dazu einen kurzen historischen Abriß.

38 V. Klotz (1969), S. 32.

39 P. Pütz (1970), S. 213.

40 Schiller (1965), II, 678 f.

41 Sie stellt eine Variation der Teichoskopie dar; mit ihr hat sie die Simultaneität von off-stage-Geschehen und narrativer Vermittlung gemeinsam, von ihr unterscheidet sie sich durch eine Reduktion der Beobachtungsmöglichkeiten auf akustische Eindrücke.

42 Vgl. zum Bericht und Botenbericht W. Grosch (1911), K. Obmann (1925), J. Wanda (1931), W. Clemen (1952), K. Schlüter (1958) u. J. Scherer (1959), S. 229—244.

43 Vgl. dazu, knapp aber zutreffend, W. Kayser (1963), S. 198.

44 Vgl. dazu A. Natew (1971), S. 82 ff.

45 P. Pütz (1970), S. 216 f.

46 F. Hebbel (1961), I, 270 f.

47 Aristoteles (1961), S. 37.

48 Eine systematische Typologie von Verknüpfungsmöglichkeiten entwirft R. Levin (1971), S. 5—20. Vgl. auch A. Dieterle (1980).

49 G. Kaisers Nebeneinander (1923) thematisiert dieses Strukturprinzip bereits im Titel. Vgl. dazu A. Perger (1952), S. 85.

50 Vgl. dazu R. Petsch (1945), S. 171 ff, N. Rabkin (1959), G. Reichert (1966) und R. Levin (1971).

51 Wir verzichten daher auch auf weitere Subkategorisierungen wie Querhandlung oder Spiegelhandlung, wie sie etwa von R. Petsch (1945), S. 174 ff ohne operationalisierte Definitionen vorgeschlagen wurden.

52 Vgl. N. Rabkin (1959), G. Reichert (1966) und R. L. Levin (1971).

53 Vgl. dazu J. A. Barish (1953).

54 Beispiele dafür finden sich bei G. Reichert (1966). M. Doran (1954), Kap. 2 leitet diese Praxis aus der zeitgenössischen Rhetorik und Poetik ab.

55 Vgl. dazu G. Reichert (1966), S. 42–45.

56 Zum *comic relief* vgl. H. Hadow (1915) und A. P. Rossiter (1961), S. 274–292.

57 S. T. Coleridge (1969), S. 205 u. 208.

58 Th. de Quincey (1916), S. 336.

59 F. Schlegel (1906), II, 245. Den Hinweis auf diese Textstelle entnehmen wir E. Schanzer (1969). S. 103. Schanzers Konzept des *plot-echo* bezieht sich nicht nur auf situative und thematische Äquivalenzrelationen zwischen beigeordneten Sequenzen, sondern auch auf solche zwischen Situationen ein und derselben Sequenz. Das gilt auch für M. W. Black (1962).

60 Vgl. zum Begriff der "Spiegelung" im Drama H. T. Price (1948), G. Erken (1967), S. 69–119, P. Pütz (1970), S. 147–151 und H. Wiedemann (1972). Über die genaue Füllung dieses Begriffs besteht kein Konsens, und auch das von uns vorgeschlagene Konzept deckt sich mit keiner der vorliegenden Begriffsbestimmungen völlig.

61 Exemplarisch haben wir das an *Twelfth Night* eingehender darzustellen versucht. Vgl. M. Pfister (1974a), S. 146–158.

62 A. W. Schlegel (1967), II, 177.

63 A. C. Bradley (1965), S. 214. Vgl. die ausführliche Analyse der Korrespondenz- und Kontrastbezüge zwischen den beiden Handlungssequenzen bei E. Schanzer (1969). S. 105–109.

64 Nur sie berücksichtigt P. Pütz (1970), S. 103–105.

65 Dieser Darstellungsmodus wird z. B. in Christopher Frys *A Sleep of Prisoners* (1951) in den Übergängen von der "realen" Spielebene zur Ebene der Traumeinlagen eingesetzt. Vgl. zur Traumeinlage J. Voigt (1954), S. 36–40 u. W. Kayser (1963), S. 196.

66 A. Schnitzler (1962), I, 718.

67 Vgl., abweichend von unserer Analyse, P. Szondi (1956), S. 50–54.

68 A. Strindberg (o. J.), S. 304. Unsere Interpretation wird durch die weitere Vorbemerkung bestätigt: "*ein* Bewußtsein steht über allem: das des Träumers".

69 F. Grillparzer (1960–1965), II, 28.

70 J. Voigt (1954), S. 169 definiert das Spiel im Spiel als "eine Einlage in ein Drama, die über eigene Zeitlichkeit, eigenen Raum und eigenes Geschehen verfügt, und zwar so, daß ein zeitliches und räumliches Nebeneinander von Spiel- und Dramensphäre entsteht". Vgl. auch F. S. Boas (1927), R. J. Nelson (1958), D. Mehl (1961), W. Iser (1962), D. Mehl (1965), M. Schmeling (1977).

71 L. Tieck, *Die verkehrte Welt* (1964), S. 60.

72 Zitiert nach *Spectaculum VI* (1963), S. 364.

73 J. Voigt (1954), S. 51 ff.

74 Das auch hier akut werdende Problem der dramatischen Illusion bzw. Illusionsdurchbrechung untersucht I. Leimberg (1963).

[75] Vgl. dazu V. O. Freeburg (1915) und J. V. Curry (1955).

[76] Vgl. dazu V. E. Hiatt (1946) und W. Habicht (1968), S. 161 ff.

[77] Zur Theatermetapher und ihren Zusammenhang mit dem Spiel im Spiel vgl. A. Righter (1967).

[78] Vgl. E. Lämmert (1955), S. 73–82; eine strukturale Theorie der "Segmentalisierung" entwirft I. Hantsch (1975), S. 223 ff.

[79] Vgl. zu dieser Symmetrie C. Steinweg (1909).

[80] Wir sehen ab von beigeordneten Nebensequenzen wie Theseus' Abenteuern während seiner Abwesenheit (III, v).

[81] Die Dreiphasigkeit wird hier nicht als allgemeines Bauprinzip für Dramen behauptet, sondern nur für diesen konkreten Fall festgestellt. Schon dadurch unterscheiden sich die hier festgestellten drei Phasen von der klassischen Triade *protasis – epitasis – katastrophe*, oder, in französischer Terminologie, *exposition – noeud – dénouement*.

[82] J. Scherer (1959), S. 200.

[83] Vgl. zu den Aktschlüssen im Drama der französischen Klassik J. Scherer (1959), S. 206–208. Vgl. zum Aktschluß allgemein W. Hochgreve (1914) und H. Singer (1959).

[84] P. Pütz (1970), S. 92–95 betont in unserem Sinn die "futurische Intention der Aktschlüsse" (S. 92). V. Klotz (1969), S. 67 dagegen verkennt, gefangen in seiner Antithetik, die Funktion der Aktsegmentierung, wenn er schreibt: "Jeder Akt hat eine gewisse inhaltliche Einheit und Geschlosenheit. Denn mit seinem Beginn setzt jeweils eine neue Phase der pragmatischen und inneren Entwicklung ein".

[85] Wir folgen hier J. Scherer (1959), S. 205. Vgl. auch D. u. D. Kaisersgruber u. a. (1972) und Ch. Mauron (1968).

[86] Die Darstellung bei W. Kayser (1963), S. 170–173 z. B. leidet an einer Vermengung dieser beiden Aspekte.

[87] Wir befinden uns damit in Einklang mit P. H. Levitt (1971), S. 9, der diese Segmentierungseinheit als "the basic unit of construction" bezeichnet, und mit S. Jansen (1971), S. 401, der sie allerdings irreführenderweise "Situation" nennt. Vgl. auch M. Dinu (1972).

[88] J. Scherer (1959), S. 211–213.

[89] K. Aichele (1971).

[90] Vgl. zur *dumb show* D. Mehl (1964) und zu den Rey(h)en H. Steinberg (1914) und A. Schöne (1964).

[91] Allgemein erörtert B. Uspenskij (1975), S. 157–185 das ästhetische Problem des umgreifenden und des segmentierenden Rahmens.

[91a] Vgl. dazu J. Scherer (1959), S. 214–224. Scherer weist darauf hin, daß auch im Bereich des klassischen französischen Dramas nicht völlig konsequent bei *jeder* Konfigurationsveränderung eine neue *scène* markiert wird, sondern sich auch Beispiele dafür finden, daß Auftritt oder Abgang von Nebenfiguren in der *scène*-Einteilung des literarischen Textsubstrats unberücksichtigt bleiben. Dies ist jedoch ein Problem, das in bezug auf den plurimedialen Text irrelevant ist.

92 Vgl. dazu P. Pütz (1970), S. 27–31. Vgl. dazu auch F. Dürrenmatt (1966), S. 193 f
   im siebten der "21 Punkte zu den *Physikern*": "Der Zufall in einer dramatischen Handlung besteht darin, wann und wo wer zufällig wem begegnet".
93 Formen der Motivation von Auftritten und Abgängen bei Shakespeare analysiert B. Thaler (1965). Vgl. auch zu den Auftritten und Abgängen in der antiken
   Komödie K. S. Bennett (1932) und M. Johnston (1933).
94 Vgl. dazu J. Scherer (1959), S. 266–284.
95 Zum Akt vgl. E. Scheuer (1929) und J. Klaiber (1936), zum Aktschluß
   W. Hochgreve (1914) und H. Singer (1959).
96 Das klassische Drama der Spanier und das portugiesische Drama von den Anfängen bis zur Gegenwart segmentieren überwiegend in drei Akte, während das
   französische, englische und deutsche Drama vor allem im Bereich des ernsten
   Dramas meist fünfaktig ist, soweit es nicht, wie z. B. in zahlreichen modernen
   Texte, auf jede Aktgliederung verzichtet oder zweiteilig ist. Sowohl das Prinzip
   der Fünfaktigkeit als auch das der Dreiaktigkeit kann sich auf klassische
   Autoritäten berufen – den Terenz-Kommentator Donat, der nach dem Dreier-
   Schema von Protasis (Einleitung), Epitasis (Verwicklung) und Katastrophe
   (Lösung) gliedert, bzw. auf Horaz' *Ars poetica* (V. 189f), die fordert "neve
   minor neu sit quinto productior actus fabula". Vgl. dazu W. Kayser (1963),
   S. 171f. Zum Problem der Akteinteilung in der Antike vgl. H. Holzapfel
   (1914), G. E. Duckworth (1952), S. 98–101 und K. Aichele (1971), S. 48–54.
   Eine umfassende Geschichte der Akteinteilung liegt nicht vor; im Rahmen
   unserer systematisch orientierten Einführung erübrigt sich eine eingehendere
   Darstellung.
97 Die wichtigsten neueren Beiträge dazu sind T. W. Baldwin (1947), G. Heuser
   (1956), C. Leech (1957), W. T. Jewkes (1958), T. W. Baldwin (1965) und
   E. Jones (1971).
98 G. Freytag (1965).
99 Wir zitieren durchgehend nach der 4. Auflage von 1969.
100 Vgl. zur Geschichte solcher Dispositionsschemata H. G. Bickert (1969),
    S. 22–39.
101 V. Klotz (1969), S. 25–38, 67–71, 99–112, 149–156.
102 M. Kommerell (1957), S. 150.
103 G. Freytag (1965), S. 102.
104 Zitiert nach *Deutsche Dramaturgie der sechziger Jahre* (1974), S. 55.
105 V. Klotz (1969), S. 101–109.
106 Wir sind auf die integrative Funktion iterativer Sprachbilder schon unter
    4.6.5.3 eingegangen.
107 V. Klotz (1969), S. 108.
108 Eine in mancher Hinsicht ähnliche idealtypische Opposition hat B. Becker-
    mann (1970), S. 186 ff entwickelt: er unterscheidet zwischen *intensive* und
    extensive modes, wobei die intensive Form durch die griechische und franzö-
    sische Tradition und durch das Drama Ibsens, die extensive Form durch die
    Shakespeare-Tradition repräsentiert wird.

414

[1] Vgl. zu den unterschiedlichen Konkretheitsgraden von Raum und Zeit in der bildenden Kunst, der Literatur und in Drama und Film B. A. Uspenskij (1975), S. 90–94.

[2] Vgl. dazu die Reflexionen über das "Problem des Verhältnisses der raumzeitlichen Wirklichkeit des 'Parterres' zu der freilich fiktiven, aber gleichfalls 'echten' raumzeitlichen Wirklichkeit der Bühne" bei K. Hamburger (1968), S. 169–174. Wir ersetzen das mißverständliche Adjektiv "echt" durch "konkret".

[3] Wir gehen von den Texten in der von A. Hüfner herausgegebenen Anthologie *Straßentheater* (1973) aus. Vgl. zur Theorie des Straßentheaters die Beiträge von P. Handke und Y. Karsunke in *Deutsche Dramaturgie der Sechziger Jahre* (1974).

[4] Vgl. dazu R. Wick (1975), v. a. S. 41–47.

[5] Auch R. Wick (1975), S 41 lehnt – allerdings ohne nähere Begründung – eine Subsumierung des reinen Happening unter Formen des Theaters ab.

[6] P. Handke (1972), S. 22; vgl. zur Zeit auch S. 28.

[7] Zum Begriff des Metatheaters vgl. L. Abel (1963), J. L. Calderwood (1969), M. Pfister (1978/79). Die Relation zwischen Figuren und Zuschauern bei Handke behandelt H. Ch. Angermeyer (1971), S. 106 ff. — Zu diesem vermittelnden Kommunikationssystem ist freilich noch anzumerken, daß es nicht mit dem realen äußeren Kommunikationssystem identisch ist, sondern, analog zur Ebene des Erzählers und des im Text thematisierten Lesers in einem narrativen Text, fiktiv ist: die sprechenden Figuren sind ebensowenig identisch mit den Schauspielern wie sich das reale Publikum durch ihre Beschimpfungen unmittelbar beleidigt fühlt; je drastischer die Publikumsbeschimpfung wird, desto mehr wird dem Publikum die Fiktionalität dieser Beschimpfung bewußt.

[8] Vgl. dazu J. E. Robinson (1959). Einen allgemeinen Überblick über die Entwicklung und Kritik der Theorie der drei Einheiten von Raum, Zeit und Handlung von Aristoteles bis ins späte achtzehnte Jahrhundert vermittelt M. Fuhrmann (1973), passim (vgl. Begriffsregister unter "drei Einheiten").

[9] Aristoteles (1961), S. 30.

[10] B. Weinberg (1957), S. 160–165. Zur Theorie und Praxis der Einheit von Raum und Zeit in der französischen Klassik vgl. J. Scherer (1959), S. 110–124 u. 181–195.

[11] So sieht sich z. B. N. Boileau 1874 durch die *raison* an diese Regeln gebunden; vgl. *L'art poétique*, III, V. 38–46.

[12] G. E. Lessing (1959), II, 520 u. 522.

[13] Vgl. dazu T. M. Raysor (1927).

[14] G. E. Lessing (1959), II, 54.

[15] *Dr. Johnson on Shakespeare* (1969), S. 69 u. 70. Vgl. zu Johnsons Verhältnis zur klassizistischen Dramentheorie R. D. Stock (1973). Diese Diskussion wird bei Coleridge (1969) fortgesetzt und weiter differenziert.

[16] Vgl. dazu das Kapitel "Enge und Existentialismus" bei P. Szondi (1956), S. 95–104. Auf die unterschiedliche Funktion geschlossener Raum- und Zeitstruktur im klassischen und im naturalistischen Drama geht schon E. Hirt (1927), S. 106 ff ein.

[17] E. Burns (1972), S. 71 f sieht diese Schauplatzverlagerung vom Öffentlichen zum Privaten in unmittelbarer Korrespondenz zu einer analogen Akzentverschiebung in der gesellschaftlichen Realität.

[18] Theorie des Naturalismus (1973), S. 168.

[19] Die Aporien dieses radikal mimetischen Konzepts weist mit aller Schlüssigkeit W. Rothe in seiner Einleitung zur Anthologie Einakter des Naturalismus (1973), S. 10–12 nach.

[20] Zum Begriff des Panoramischen vgl. H. Henel (1970).

[21] Wir werden auf das Verfahren der Zeitraffung, das hier vorliegt, noch zurückkommen (s. u. 7.4.3.2). Ausführlich behandelt die Raum- und Zeitstruktur in diesem Stück P. Szondi (1956), S. 146–154.

[22] H. Hoppe (1971), S. 17. Neuere Arbeiten zum Raum im Drama sind M. Herrmann (1932), H.-J. Flechtner (1935/36), A. Perger (1952), K. Ziegler (1954), K. A. Ott (1961), M. Dietrich (1965), H. Razum (1965), W. Unruh (1965), W. Schäfer (1966), D. Steinbach (1966), K. Emunds (1969), C. Leech (1969), J. Hintze (1969), W. Flemming (1970), K. J. Göbel (1971), F. Rokem (1986).

[23] Zitiert nach H. Hoppe (1971), S. 65.

[24] Ju. M. Lotman (1972), S. 330.

[25] Das Begriffspaar "Einorts-" und "Bewegungsdrama" verwendet A. Perger (1952), S. 11 ff; zum Weg vgl. N. Neudecker (1972).

[26] Vgl. zu diesem Zusammenhang zwischen Dialog und Raum K. Ziegler (1954), S. 45 u. 49 f. Auch der Monolog impliziert räumliche Relationen – die isolierende Distanz zu den anderen Figuren oder die Nähe zum Publikum.

[27] Vgl. zum "visual meaning" (N. Coghill) räumlicher Figurengruppierung bei Shakespeare R. Fricker (1956).

[28] Eingehend analysiert diese vertikale Opposition in Richard II P. A. Jorgensen (1948); vgl. auch J. Hasler (1975) zu Henry VI.

[29] Vgl. dazu G. Bachelard (1960).

[30] Zu den Funktionen von Geräuschen aus dem off stage vgl. F. A. Shirley (1963).

[31] Das Folgende ist in großen Zügen den Studien von N. Frye (1949) und C. L. Barber (1959) verpflichtet.

[32] R. Hochhuth (1970), S. 127.

[33] J. Dingel (1971), S. 352 f.

[34] Vgl. dazu, den derzeitigen Forschungsstand zusammenfassend, H. Castrop (1972), S. 86–106.

[35] Vgl. dazu K. Ziegler (1954) und V. Klotz (1969), S. 45–59.

[36] A. Strindberg (o. J.), S. 62.

[37] A. Strindberg (1966), S. 104. Ebenso verlangte schon E. Zola in Le Roman Experimental die Reproduktion realer Umgebung auf der Bühne; er sah darin die Übertragung des Deskriptiven narrativer Texte auf das Drama. Zitiert bei

T. Cole (1960), S. 5–14. Ähnlich detailliert konkretisierte Räume finden sich auch im lyrischen Drama des *Fin de siècle*; vgl. dazu die Analyse bei P. Szondi (1975), S. 162f.

[38] Der Entwurf einer Funktionstypologie bei W. Flemming (1970), der zwischen Aktions-, Schau-, Darstellungs-, Bedeutungs-, Schicksals-, Daseins-, Lebens- und Ausdrucksraum unterscheidet, entbehrt systematischer Stringenz und reiht, ohne Differenzkriterien anzugeben, impressionistisch erfaßte historische Phänomene.

[39] Vgl. dazu V. Klotz (1969), S. 120–136.

[40] Ausführlich äußert sich dazu A. Strindberg (1966), S. 95.

[41] H. Hoppe (1971), S. 95–178.

[42] L. Spitzer (1928), K. Ziegler (1954), V. Klotz (1969), S. 45–59.

[43] Vgl. dazu W. Habicht (1970) und E. Burns (1972), S. 91.

[44] Ein Beispiel dafür aus A. Bronnens *Die Geburt der Jugend* analysiert F. N. Mennemeier (1973), S. 72f.

[45] A. Müller-Bellinghausen (1953), R. Stamm (1954).

[46] H. Kindermann (1965).

[47] Vgl. dazu, mit bezug auf *King Lear*, H. Oppel (1969), S. 50–60.

[48] Vgl. dazu das Kapitel "Die perspektivische Darstellung des Schauplatzes" bei M. Pfister (1974a), S. 168–178.

[49] H. Oppel (1954), S. 209.

[50] Nur nebenbei erwähnt sei die sprachliche Fixierung des Schauplatzes durch Schrifttafeln auf der Bühne (*locality boards*), wie sie noch im elisabethanischen Theater gelegentlich verwendet wurden. Sie fungiert, wie die Schauplatzbeschreibung im Nebentext, im episch vermittelnden Kommunikationssystem, ist jedoch, im Gegensatz zu dieser, unmittelbar Teil des plurimedialen Textes.

[51] Vgl. dazu O. Schuberth (1955).

[52] Zur Funktion des *off stage* in der griechischen Tragödie vgl. K. Joerden (1960 u. 1971).

[53] Neuere Arbeiten zu den Requisiten sind J. Veltruský (1964), D. Steinbach (1966), J. Dingel (1971), H. Conway (1959), H. Hoppe (1971), H.-G. Schwarz (1974), M. Harris u. E. Montgomery (1975). Exemplarische Studien zu bestimmten Requisiten sind H. U. Metzger (1938) und V. Klotz (1972) zum Brief, K. Peters-Holger (1961) zum Taschentuch und A. Wise (1968) zu Waffen.

[54] Vgl. dazu G. Neuner (1968).

[55] S. Jansen (1970), S. 396 behandelt im Gegensatz zu uns schon jede nicht sprechende Figur als Element des Dekors, des Bühnenbilds; das würde aber bedeuten, daß z.B. eine Pantomime nur Bühnenbild, aber keine Figuren aufweist. Diese absurde Konsequenz ergibt sich aus Jansens nicht gerechtfertigter Verabsolutierung der Figur als sprechender Figur, zu der ihn sein einseitig selektiertes Textkorpus – klassische französische Tragödie – verführt.

[56] Vgl. dazu die ausführliche Analyse bei J. Dingel (1971), S. 355–365.

[57] V. Klotz (1969), S. 48–55.

[58] K. Ziegler (1954), S. 49.

[59] V. Klotz (1969), S. 134–136.
[60] Vgl. dazu J. L. Styan (1975), S. 43 f.
[61] Im folgenden sind wir P. Pütz (1970), S. 113–125 verpflichtet.
[62] Auf die Rolle der Requisiten bei der Wiedererkennung (*anagnorisis*) geht schon Aristoteles im 16. Kapitel der *Poetik* ein. Er wertet eine Wiedererkennung an Hand von objekthaften Zeichen gegenüber Techniken ab, die auf der Erinnerung, auf Schlußfolgerungen oder auf dem Handlungsumschwung selbst beruhen. Trotz dieses Verdikts spielen im abendländischen Drama Requisiten eine prominente Rolle im Dénouement.
[63] Zitiert nach *Playwrights on Playwriting* (1960), S. 114.
[64] Die beiden miteinander verbundenen Fragen des Tempus und des Verhältnisses von fiktivem Präsens des Dargestellten und realem Präsens der Darstellung werden in der umfangreichen Literatur zur Zeit im Drama nicht hinreichend berücksichtigt. Vgl. dazu F. Junghans (1931), H.-J. Flechtner (1937/38), K. Otten (1954), W. Hochkeppel (1955), A. Wildbolz (1955), L. Sinclair (1956), J. Morgenstern (1960), H.-M. Hebeisen (1961), I. Leimberg (1961), H. Oppel (1963), M. Mohr (1968), J. de Romilly (1968), P. Pütz (1970), Z. Stříbný (1974), F. H. Link (1975 u. 1977) und M. Winkgens (1975).
[65] Wir berücksichtigen hier nur die reale Zeitstufe der Rezeption durch das intendierte zeitgenössische Publikum, nicht die Zeitstufe späterer Rezipienten.
[65a] Nestroy (1969), II, 258 u. 260.
[66] Herder (1964), II, 256. Vgl. dazu auch E. Hirt (1927), S. 116 ff.
[67] S. K. Langer (1953), S. 306.
[68] P. Pütz (1970), S. 11.
[69] F. Dürrenmatt (1955), S. 24.
[70] S. u. 7.4.3.2 für eine Differenzierung dieser Analyse der Zeitstruktur in *Time and the Conways*.
[71] Vgl. dazu B. Uspenskij (1975), S. 203.
[72] Vgl. dazu die Bühnenanweisung bei E. O'Neill (1969), S. 162 f.
[73] Vgl. dazu M. Dietrich (1970), S. 95 und P. Pütz (1970), S. 18.
[74] H.-M. Hebeisen (1961), S. 23. Auch P. Pütz (1970), S. 51 verfällt diesem Trugschluß.
[75] A. Holz u. J. Schlaf (1966), S. 6.
[76] Das Beispiel entnehmen wir P. Pütz (1970), der auf S. 19–22 eine reiche, wenn auch wenig geordnete Materialfülle zur Kalender- und Tageszeit ausbreitet.
[77] Vgl. dazu F. H. Link (1975), S. 121–129.
[78] Daß Theseus und Hippolyta von vier, nicht von drei Tagen sprechen (I, i, 2 u. 7 f) steht in Widerspruch zu allen anderen zeitlichen Angaben und beruht wohl auf einem Bearbeitungsfehler oder einem Fehler in der Textüberlieferung.
[79] Vgl. dazu N. Frye (1957), S. 163–239.
[80] Synonyme Formulierungen dieses Gegensatzes sind Handlungsdauer/Handlungszeit vs. Aufführungszeit/Darbietungszeit. Unsere Formulierung ist analog zur eingeführten Unterscheidung von erzählter Zeit und Erzählzeit in der Narrativik geprägt.

[81] Für das elisabethanische Theater rechnet man z. B. mit einer durchschnittlichen Spielzeit von etwa drei Stunden und von etwa einer Minute für je zwanzig Verszeilen. Vgl. dazu D. Klein (1967) und J. Smith (1969).

[82] P. H. Levitt (1971), S. 24—34; der Terminus geht zurück auf W. Archer (1912).

[83] Unsere Differenzierung geht über die Unterscheidung zwischen einer "gespielten" (= primären) und einer "behandelten" (= tertiären) Zeit bei A. Hübler (1973), S. 62 hinaus; was seine beiden weiteren Zeitebenen betrifft, so deckt sich die "Spielzeit" mit unserem Konzept der realen Spielzeit, während die Kategorie der "historischen Zeit" unklar bleibt und von uns unter Aktualisierung und Distanzierung behandelt wurde (s. o. 7.4.1).

[84] Vgl. dazu H.-M. Hebeisen (1961), S. 62 ff u. 104 ff.

[85] A. Natew (1971), S. 88 sieht in dieser Zeitaussparung im "Zwischenaufzug" das dramatische Gattungsprinzip; es "zeichnet sich dadurch aus, daß es das Dargestellte mit dem Nichtgezeigten ohne Vermittler vereint."

[86] P. Corneille (1963), S. 124–126 u. 137–143. Corneilles Anliegen bei solchen Konzessionen ist, die Erfüllung der Einheit von Ort und Zeit zu erleichtern.

[87] Sie ist jedoch möglich im Bereich der Bühnentechnik, etwa im unrealistisch raschen Beleuchtungswechsel, der den Wechsel von Tag zu Nacht markieren soll, am Ende des ersten Akts von Becketts *Waiting for Godot*.

[88] Mit diesem Argument versucht P. Pütz (1970), S. 53 f die prinzipielle Irrelevanz von Differenzen zwischen fiktiver und realer Zeit im Drama zu beweisen.

[89] Zur Zeitraffung im modernen Drama vgl. den Abschnitt "Spiel von der Zeit" bei P. Szondi (1956), S. 146–154.

[90] Wenn in dem bekannten *Sachwörterbuch der Literatur* von G. von Wilpert unter dem Stichwort Sekundenstil angemerkt wird, dieser Stil des naturalistischen Dramas bedeute "gewissermaßen Vorwegnahme der Zeitlupe", also der filmischen Technik der Zeitdehnung, so ist dies ein aufschlußreiches Mißverständnis. Der naturalistische Sekundenstil zielte ja gerade darauf ab, eine absolute Deckung zwischen fiktiver gespielter Zeit und realer Spielzeit und der Zeitdauer herzustellen, die der gespielte Vorgang in der empirischen Realität beanspruchen würde.

[91] Vgl. dazu A. C. Bradley (1965), S. 360–365 u. 419 f und Z. Stříbný (1969).

[92] J. P. Eckermann (o. J.), S. 644; Gespräch vom 18. 4. 1827.

[93] Diese Distinktion ist nicht nur für die implizite Zeitkonzeption der Texte selbst relevant, sondern kann auch für die Klassifikation der theoretischen Ansätze zur Analyse der Zeit im Drama herangezogen werden. So geht z. B. F. Junghans (1931) von der subjektiven Kategorie der "Dauer" aus, die er im Gegensatz zur objektiven "Zeiterstreckung" als "intensives Maß dramatischer Handlung" definiert (S. 4) und die er Henri Bergsons und Ernst Machs philosophischen Reflexionen zum Problem der Zeit entnimmt; ihm folgt K. Otten (1954) und ihm widerspricht P. Pütz (1970).

[94] Vgl. dazu J. L. Halio (1962).

[95] Vgl. zu beiden Bedingungszusammenhängen A. Mendilow (1952).

[96] Zur Zeit im modernen Einakter vgl. D. Schnetz (1967), S. 135–150.

[97] Vgl. ausführlich dazu K. Schwarz (1967).

[98] Vgl. dazu die nicht sehr ergiebigen Ansätze in dem Kapitel "Tempo and Meaning" bei J. L. Styan (1960), S. 141–162 und bei H.-M. Hebeisen (1961), S. 29 ff und P. Pütz (1970), S. 50–61.

[99] J. L. Styans (1960) Bestimmung des Tempos als Geschwindigkeit der Abfolge von "dramatic impressions" (S. 141) bleibt vage, da nicht definiert wird, was eine "dramatic impression" konstituiert; H.-M. Hebeisens (1961) Definition des Tempos als Funktion der Anzahl der "Reihenmomente" während einer gegebenen Zeiteinheit (S. 29) teilt diese begriffliche Unschärfe. Bei beiden bleibt auch unklar, auf welche Zeitebene das Tempo zu beziehen ist – auf die fiktive gespielte Zeit, die reale Spielzeit oder, wie F. Junghans meint, auf das subjektive Zeitempfinden des Rezipienten. Die zuletzt genannte Möglichkeit kommt schon deshalb nicht in Frage, weil dieses subjektive Zeitempfinden ja gerade vom Tempo abhängt. Was die noch verbleibende Alternative betrifft, so ist bei der Betrachtung des Tempos eines gesamten Textes die fiktive gespielte Zeit, genauer die sekundäre gespielte Zeit, maßgebend: das hohe Tempo in Shakespeares *Comedy of Errors* resultiert nicht primär daraus, daß sich innerhalb der zwei Stunden realer Speilzeit viel ereignet, sondern daraus, daß sich innerhalb des fiktiven halben Tages in Ephesus die Ereignisse überstürzen. Für die Bestimmung des Tempos innerhalb einzelner Szenen erübrigt sich eine Entscheidung, da sich die beiden Zeitebenen ja normalerweise hier decken. Bei innerszenischer Zeitraffung oder -dehnung dagegen fungiert wohl die reale Spielzeit als dominanter Bezugswert, da ja, wie wir gesehen haben, Zeitraffung und -dehnung nicht durch eine kontinuierlich-sinnfällige Beschleunigung oder Verzögerung aller fiktiven Abläufe realisiert wird. Es läßt sich auch – dies gegen P. Pütz (1970), S. 54 – kein direkter Zusammenhang zwischen Zeitraffung und Beschleunigung des dramatischen Tempos beobachten: der zeitgeraffte Schlußmonolog in Marlowes *Dr. Faustus* etwa wirkt gegenüber den vorausgegangenen Szenen nicht temposteigernd, sondern im Gegenteil eher als Ruhepunkt.

[100] Vgl. dazu J. W. Draper (1957), P. Pütz (1970), S. 60 f; zur Einlage allgemein F. Berry (1965).

[101] Vgl. dazu K. George (1980), P. Pavis (1980), S. 351—353, M. Pfister (1983).

Anmerkungen zu Kapitel VIII

[1] Vgl. dazu auch das Abschlußkapitel, "Probleme der strukturellen und historischen Integration", bei E. Lämmert (1955), S. 243–253.

[2] So im Einleitungskapitel, "Gattungsgeschichte, Sozialgeschichte und Interpretation", bei P. Szondi (1975), S. 23.

10. BIBLIOGRAPHIE

0. Abkürzungen

CE	College English
CL	Comparative Literature
CLTA	Cahiers de linguistique théorique et appliquée
CPh	Classical Philology
CQ	Critical Quarterly
DA	Dissertation Abstracts
DS	Drama Survey
DU	Der Deutschunterricht
DVjs	Deutsche Vierteljahresschrift für Literaturwissenschaft und Geistesgeschichte
EC	Essays in Criticism
E & S	Essays and Studies
Euph.	Euphorion. Zeitschrift für Literaturgeschichte
GRM	Germanisch-Romanische Monatsschrift
JAAC	Journal of Aesthetics and Art Criticism
KZfSS	Kölner Zeitschrift für Soziologie und Sozialpsychologie
LiLi	Zeitschrift für Literaturwissenschaft und Linguistik
MD	Modern Drama
MLN	Modern Language Notes
MLR	Modern Language Review
MPh	Modern Philology
MuK	Maske und Kothurn
NSp	Die Neueren Sprachen
SAB	Shakespeare Association Bulletin
SaS	Slovo a slovesnost
SEL	Studies in English Literature, 1500–1900
ShJb	Shakespeare-Jahrbuch
ShS	Shakespeare Survey
SPh	Studies in Philology
SQ	Shakespeare Quarterly
Stud. Gen.	Studium Generale
StZ	Sprache im technischen Zeitalter
tdr	Tulane Drama Review/The Drama Review
TQ	Theatre Quarterly
WW	Wirkendes Wort
ZfSL	Zeitschrift für französische Sprache und Literatur

Aischylos, *Tragödien und Fragmente,* übers. J. G. Droysen, hrsg. W. Nestle (Stuttgart, 1962)

A. Appia, *L'œuvre d'art vivant* (Genf, 1921)

Aristoteles, *Poetik,* übers. O. Gigon (Stuttgart, 1961)

A. Artaud, *Das Theater und sein Double,* übers. G. Henniger (Frankfurt, 1969)

F. Beaumont u. J. Fletcher, *The Knight of the Burning Pestle,* hrsg. W. T. Williams (London, 1966)

S. Beckett, *Happy Days* (London, 1963)

S. Beckett, *Warten auf Godot. En attendant Godot. Waiting for Godot,* übers. E. Tophoven (Frankfurt, 1971)

N. Boileau, *L'Art poétique. Die Dichtkunst,* übers. u. hrsg. U. u. H. L. Arnold (Stuttgart, 1967)

B. Brecht, *Schriften zum Theater* (Frankfurt, 1963/64), 7 Bde.

B. Brecht, *Gesammelte Werke* (Frankfurt, 1967), 20 Bde.

P. Brook, *The Empty Space* (London, 1968)

G. Büchner, *Sämtliche Werke,* hrsg. J. Meinerts (Gütersloh, 1963)

Calderón de la Barca, *Dramen,* übers. J. D. Gries u. J. v. Eichendorff (München, 1963)

Coleridge on Shakespeare, hrsg. T. Hawkes (Harmondsworth, 1969)

W. Congreve, *The Way of the World,* hrsg. L. Kronenberger (New York, 1959)

P. u. Th. Corneille, *Théâtre* (Paris, 1894), 2 Bde.

P. Corneille, *Der Cid,* übers. A. Luther (Stuttgart, 1968)

P. Corneille, *Trois discours sur le poème dramatique,* hrsg. L. Forestier (Paris, 1963)

Th. de Quincey, "On the Knocking at the Gate in *Macbeth*", in: *Shakespeare Criticism. 1623–1840,* hrsg. D. N. Smith (London, 1916 u. ö.), S. 331–336

Deutsche Dramaturgie der Sechziger Jahre, hrsg. H. Kreuzer u. P. Seibert (Tübingen, 1974)

D. Diderot, *Das Paradox über den Schauspieler,* übers. K. Scheinfuß, hrsg. R. Grimm (Frankfurt, 1964)

John Dryden, *Selected Criticism,* hrsg. J. Kinsley u. G. Parfitt (Oxford, 1970)

F. Dürrenmatt, *Theaterprobleme* (Zürich, 1955)

F. Dürrenmatt, *Theater-Schriften und Reden,* hrsg. E. Brock-Sulzer (Zürich, 1966)

J. P. Eckermann, *Gespräche mit Goethe,* hrsg. P. Stapf (Wiesbaden, o. J.)

Einakter des Naturalismus, hrsg. W. Rothe (Stuttgart, 1973)

G. Etherege, *The Man of Mode,* hrsg. W. B. Carnochan (London, 1967)

European Theories of the Drama, hrsg. B. H. Clark, rev. H. Popkin (New York, 1965)

M. Frisch, *Tagebuch. 1946–1949* (Frankfurt, 1958)
M. Frisch, *Tagebuch. 1966–1971* (Frankfurt, 1972)
Ch. Fry, *A Sleep of Prisoners* (London, 1951)
Ch. Fry, *A Phoenix too Frequent,* in: *Four Modern Verse Plays,* hrsg. E. M. Browne (Harmondsworth, 1957)

Goethes Werke, Hamburger Ausgabe, hrsg. E. Trunz, 5. Aufl. (Hamburg, 1963), 14 Bde.
J. W. v. Goethe u. F. v. Schiller, *Briefwechsel,* hrsg. P. Stapf (Berlin, 1970)
Y. Goll, *Methusalem oder der ewige Bürger,* hrsg. R. Grimm u. V. Zmegač, Komedia, 12 (Berlin, 1966)
J. Ch. Gottsched, *Versuch einer Critischen Dichtkunst,* repro. Nachdr. (Darmstadt, 1973)
F. Grillparzer, *Werke,* hrsg. P. Frank u. K. Pörnbacher (München, 1960–1965), 4 Bde.

P. Handke, *Stücke 1* (Frankfurt, 1972)
P. Handke, *Stücke 2* (Frankfurt, 1973)
G. Hauptmann, *Rose Bernd,* hrsg. H. Razinger (Berlin, 1968)
Gespräche mit G. Hauptmann, hrsg. J. Chapiro (Berlin, 1932)
F. Hebbel, *Sämtliche Werke,* hrsg. H. Geiger (Berlin, 1961), 2 Bde.
G. W. F. Hegel, *Ästhetik* (Frankfurt, 1966)
G. W. F. Hegel, *Vorlesungen über die Ästhetik,* hrsg. R. Bubner (Stuttgart, 1971), 2 Bde.
Herders Werke, hrsg. W. Dobbek, 3. Aufl. (Berlin-Ost, 1964), 5 Bde.
R. Hochhuth, *Soldaten. Nekrolog auf Genf. Tragödie* (Reinbek, 1970)
F. Hölderlin, *Werke, Briefe, Dokumente,* hrsg. P. Bertaux (München, 1963)
H. v. Hofmannsthal, *Gesammelte Werke,* hrsg. H. Steiner (Frankfurt, 1952–1959), 15 Bde.
H. v. Hofmannsthal, *Ausgewählte Werke,* hrsg. R. Hirsch (Frankfurt, 1957), 2 Bde.
A. Holz u. J. Schlaf, *Die Familie Selicke,* hrsg. F. Martini (Stuttgart, 1966)
Horaz, *Sämtliche Werke,* hrsg. W. Schöne u.a., 4. Aufl. (München, 1967)

H. Ibsen, *Schauspiele in einem Band,* übers. H. E. Gerlach (Hamburg, 1968)
H. Ibsen, *Briefe. Eine Auswahl,* hrsg. A. Carlsson (Stuttgart, 1967)
E. Ionesco, *La cantatrice chauve* (Paris, 1954)
E. Ionesco, *Notes et contre-notes* (Paris, 1962)

Dr. Johnson on Shakespeare, hrsg. W. K. Wimsatt (Harmondsworth, 1969)
B. Jonson, *Volpone, or The Fox. Volpone oder Der Fuchs,* übers. u. hrsg. W. Pache u. R. C. Perry (Stuttgart, 1974)

B. Jonson, *The Alchemist,* hrsg. D. Brown (London, 1966)

B. Jonson, *Timber, or Discoveries,* in: *The Works of Ben Jonson,* hrsg. C. H. Herford u. P. u. E. Simpson (Oxford, 1925–1952), Bd. 8

G. Kaiser, *Stücke, Erzählungen, Aufsätze, Gedichte,* hrsg. W. Huder (Köln, 1966)

H. v. Kleist, *Sämtliche Werke,* hrsg. E. Laaths (München, o. J.)

F. X. Kroetz, *Heimarbeit. Hartnäckig. Männersache* (Frankfurt, 1970)

F. X. Kroetz, *Oberösterreich. Dolomitenstadt Lienz. Maria Magdalena. Münchner Kindl* (Frankfurt, 1972)

J. M. R. Lenz, *Werke und Schriften,* hrsg. B. Titel u. H. Haug (Stuttgart, 1966/67), 2 Bde.

G. E. Lessing, *Gesammelte Werke,* hrsg. W. Stammler (München, 1969), 2 Bde.

J. Littlewood u. a., *Oh What a Lovely War* (London, 1965)

F. Garcia Lorca, *Die dramatischen Dichtungen,* übers. E. Beck (Wiesbaden, 1954)

Th. Mann, "Versuch über das Theater", in: *Schriften und Reden zur Literatur, Kunst und Philosophie,* hrsg. H. Bürgin (Frankfurt, 1968), 3 Bde.; I,7–36

Ch. Marlowe, *Doctor Faustus,* hrsg. R. Gill (London, 1965)

Menander, *Das Schiedsgericht. Der Menschenfeind,* übers. W. Schadewaldt (Frankfurt, 1963)

Molière, *Werke,* übers. A. Luther, R. A. Schröder u. L. Wolde (Darmstadt, 1967)

Molière, *Le Tartuffe,* hrsg. R. Bernex (Paris, 1966)

Nestroys Werke, hrsg. P. Reimann u. H. Böhm, 3. Aufl. (Berlin-Ost, 1969), 2 Bde.

P. Nichols, *The National Health, or 'Nurse Norton's Affair'* (London, 1970)

E. O'Neill, *The Emperor Jones. The Straw. Diff'rent* (London, 1969)

E. O'Neill, *Strange Interlude* (New York, 1928)

J. Osborne, *Look Back in Anger* (London, 1957)

L. Pirandello, *Sechs Personen suchen einen Autor,* übers. G. Richert (Stuttgart, 1967)

Platon, *Politeia,* in: *Sämtliche Werke,* hrsg. W. F. Otto u. a. (Reinbek, 1958), 6 Bde.; III,67–310

Plautus, *Miles Gloriosus,* übers. A. Thierfelder (Stuttgart, 1962)

Plautus, *Curculio,* übers. A. Thierfelder (Stuttgart, 1964)

Plautus, *Captivi,* übers. A. Thierfelder (Stuttgart, 1965)

Plautus, *Poenulus,* übers. A. Thierfelder (Stuttgart, 1967)

Playwrights on Playwriting, hrsg. T. Cole (New York, 1960)

J. B. Priestley, *Time and the Conways and Other Plays* (Harmondsworth, 1969)

J. Racine, *Dramatische Dichtung. Geistliche Gesänge. Französisch-Deutsche Gesamtausgabe,* übers. W. Willige (Darmstadt u. a., 1956), 2 Bde.

F. v. Schiller, *Sämtliche Werke,* hrsg. G. Fricke u. a., 4. Aufl. (München, 1965), 5 Bde.

A. W. Schlegel, *Sprache und Poetik,* hrsg. E. Lohner (Stuttgart 1962)

A. W. Schlegel, *Vorlesungen über dramatische Kunst und Literatur,* hrsg. E. Lohner (Stuttgart, 1966/67), 2 Bde.

F. Schlegel, "Vom ästhetischen Werthe der griechischen Komödie", in: *Friedrich Schlegels sämmtliche Werke* (Wien, 1822), Bd. 4

F. Schlegel, *Jugendschriften,* hrsg. J. Minor (Wien, 1906)

J. E. Schlegel, *Die stumme Schönheit,* hrsg. W. Hecht (Berlin, 1962)

A. Schnitzler, *Die dramatischen Werke* (Frankfurt, 1962), 2 Bde.

W. v. Scholz, *Gedanken zum Drama* (München, 1905)

W. Shakespeare, *The Complete Works,* hrsg. P. Alexander (London, 1951)

G. B. Shaw, *Major Barbara* (Harmondsworth, 1960)

G. B. Shaw, *Collected Plays with their Prefaces* (London, 1970–1974)

Shaw on Theatre, hrsg. E. J. West (London, 1958)

N. F. Simpson, *One Way Pendulum* (London, 1960)

Sophokles, *Die Tragödien,* übers. H. Weinstock, 5. Aufl. (Stuttgart, 1967)

Spectaculum VI. Sieben moderne Theaterstücke (Frankfurt, 1963)

Stanislavsky on the Art of the Stage (London, 1950)

T. Stoppard, *Jumpers* (London, 1972)

Straßentheater, hrsg. A. Hüfner (Frankfurt, 1973)

A. Strindberg, *Meisterdramen,* übers. W. Reich (München, o. J.)

A. Strindberg, *Über Drama und Theater,* hrsg. M. Kesting u. V. Arpe (Köln, 1966)

J. Tardieu, *Théâtre de chambre I* (Paris, 1955)

Terenz, *Andria. Lateinisch und Deutsch,* übers. u. hrsg. T. L. Wullen (Stuttgart, 1972)

Theorie des Naturalismus, hrsg. Th. Meyer (Stuttgart, 1973)

L. Tieck, *Der gestiefelte Kater,* hrsg. H. Kreuzer (Stuttgart, 1964)

L. Tieck. *Die verkehrte Welt,* hrsg. K. Pestalozzi, Komedia 7 (Berlin, 1964)

A. Tschechow, *Dramatische Werke,* übers. S. v. Radecki (Zürich, 1968)

A. Tschechow, *Nachlese* (Berlin, 1956)

Z. Werner, *Der vierundzwanzigste Februar,* hrsg. J. Krogoll (Stuttgart, 1967)

The Works of Oscar Wilde, hrsg. G. F. Maine (London, 1948)

Th. Wilder, *The Long Christmas Dinner and Other Plays in One Act* (London, 1931)

Th. Wilder, *Our Town. The Skin of Our Teeth. The Matchmaker* (Harmondsworth, 1962)

W. Wycherley, *The Country-Wife. Die Unschuld vom Lande,* übers. u. hrsg. H. M. Klein (Stuttgart, 1972)

II. Sekundärliteratur

L. Abel, *Metatheatre* (New York, 1963)

F. Ackermann, "Das Spannungsgefüge des Dramas", *WW*, 13 (1963), 41—52

K. Aichele, "Das Epeisodion", in: W. Jens, hrsg. (1971), S. 47—83

B. Allemann, "Ironie als literarisches Prinzip", in: A. Schäfer, hrsg., *Ironie und Dichtung* (München, 1970), S. 11—37

H. Ch. Angermeyer, *Zuschauer im Drama. Brecht — Dürrenmatt — Handke* (Frankfurt/M., 1971)

* W. Archer, *Playmaking* (Boston, 1912; Nachdr. New York, 1960)

M. L. Arnold, *The Soliloquies of Shakespeare. A Study in Technique* (New York, 1911; Nachdr. 1965)

H. Arntzen, "Komödie und episches Theater", *DU*, 21 (1969), 67—77

* B. Asmuth, *Einführung in die Dramenanalyse* (Stuttgart, 1980)

E. Auerbach, *Mimesis. Dargestellte Wirklichkeit in der abendländischen Literatur*, 3. Aufl. (Bern, 1964)

E. August, *Dramaturgie des Kriminalstücks* (München, 1967)

G. Austin, *Phänomenologie der Gebärde bei Hugo von Hofmannsthal* (Heidelberg, 1981)

J. L. Austin, *How to Do Things With Words* (Oxford, 1962); dts.: *Zur Theorie der Sprechakte*, übers. E. v. Savigny (Stuttgart, 1972)

J. Bab, *Neue Kritik der Bühne* (Berlin, 1920)

J. Bab, *Das Theater im Lichte der Soziologie* (Leipzig, 1931)

G. Bachelard, *Poetik des Raumes*, übers. K. Leonhard (München, 1960)

R. Badenhausen u. H. Zielske, hrsg., *Bühnenformen, Bühnenräume, Bühnendekorationen. Beiträge zur Entwicklung des Spielorts. Herbert A. Frenzel zum 65. Geburtstag* (Berlin, 1974)

* G. P. Baker, *Dramatic Technique* (Boston, 1919)

B. Balázs, *Der Film. Wesen und Werden einer neuen Kunst* (Wien, 1949)

E. Balcerzan u. Z. Osiński, "Die theatralische Schaustellung im Lichte der Informationstheorie", in: W. Kroll u. A. Flaker, hrsg. (1974), S. 371—411

T. W. Baldwin, *Shakespeare's Five-Act Structure* (Urbana, Ill., 1947)

T. W. Baldwin, *On Act and Scene Division in Shakspere's First Folio* (Carbondale, 1965)

C. L. Barber, *Shakespeare's Festive Comedy* (Princeton, 1959)

Z. Barbu, "The Sociology of Drama", *New Society*, 9 (1967), 161—164

J. A. Barish, "The Double Plot in *Volpone*", *MPh*, 51 (1953), 83—92

* J. G. Barry, *Dramatic Structure. The Shaping of Experience* (Berkeley, 1970)

R. Barthes, "Introduction à l'analyse structurale des récits", *Communications*, 8 (1966), 1—27

S. Bassnett-McGuire, "An Introduction to Theatre Semiotics", *TQ*, 38 (1980), 47—53

G. Bauer, *Zur Poetik des Dialogs* (Darmstadt, 1969)

W. J. Baumol u. W. G. Bowen, *Performing Arts: The Economic Dilemma* (Cambridge, Mass., 1966)

U. Bayer, "Theater als Superisationsprozeß über einem heterogenen Mittelrepertoire", in: A. Eschbach u. W. Rader, hrsg., *Literatursemiotik II* (Tübingen, 1980), S. 203—259

* B. Beckermann, *Dynamics of Drama. Theory and Method of Analysis* (New York, 1970)

E. Behler, "Der Ursprung des Begriffs der tragischen Ironie", *Arcadia*, 5 (1970), 113—142

E. Behler, *Klassische Ironie — Romantische Ironie — Tragische Ironie. Zum Ursprung dieser Begriffe* (Darmstadt, 1972)

A. Beiss, *Das Drama als soziologisches Phänomen* (Braunschweig, 1954)

A. Beiss, "Nexus und Motive: Beitrag zur Theorie des Dramas", *DVjs*, 36 (1962), 248—276

G. Bell, *Das Beiseitesprechen im älteren englischen Drama* (Diss. Gießen, 1927)

C. Belsey, *The Subject of Tragedy. Identity and Difference in Renaissance Drama* (London, 1985)

K. S. Bennett, *The Motivation of Exits in Greek and Latin Comedies* (Ann Arbor, 1932)

* E. Bentley, *The Life of the Drama* (New York, 1947; Nachdr. London, 1965)

E. Bentley, hrsg., *The Theory of the Modern Stage* (Harmondsworth, 1968)

K. L. Berghahn, *Formen der Dialogführung in Schillers klassischen Dramen. Ein Beitrag zur Poetik des Dramas* (Münster, 1970)

S. Bernštejn, "Ästhetische Voraussetzungen einer Theorie der Deklamation", in: W. D. Stempel, hrsg. (1972), S. 338—385

F. Berry, *The Shakespearean Inset. Word and Picture* (London, 1965)

D. M. Bevington, *From Mankind to Marlowe* (London, 1962)

H. G. Bickert, *Studien zum Problem der Exposition im Drama der tektonischen Bauform* (Marburg, 1969)

J. D. Bickford, *Soliloquy in Ancient Comedy* (Princeton, 1922)

B. J. Biddle u. E. J. Thomas, hrsg., *Role Theory: Concepts and Research* (New York, 1966)

M. Biese, *Eugene O'Neill's 'Strange Interlude' and the Linguistic Presentation of the Interior Monologue* (Helsinki, 1963)

E. Billeter u. D. Preisig, *The Living Theater: Paradise Now. Ein Bericht in Wort und Bild* (Bern, 1968)

M. W. Black, "Repeated Situations in Shakespeare's Plays", in: *Essays on Shakespeare and the Elizabethan Drama in Honor of Hardin Craig*, hrsg. R. Hosley (Columbia, 1962), S. 247—259

R. Blank, *Sprache und Dramaturgie* (München, 1969)

F. S. Boas, "The Play within the Play", in: *The Shakespeare Association 1925—26* (London, 1927), S. 134—156

P. Bogatyrev, "Les signes du théâtre", *Poétique*, 2 (1971), 517—530

D. C. Boughner, *The Braggart in Renaissance Comedy* (Minneapolis, 1954)

M. Boulton, *The Anatomy of Drama* (London, 1960)

P. Bourdieu, *Zur Soziologie der symbolischen Formen* (Frankfurt/M., 1970)

M. C. Bradbrook, *Themes and Conventions of Elizabethan Tragedy* (Cambridge, 1935)

M. C. Bradbrook, *English Dramatic Form* (London, 1965)

A. C. Bradley, *Shakespearean Tragedy* (London, 1904; Nachdr. 1965)

K. Bräutigam, "Die Sprache der handelnden Personen als Schlüssel zur Deutung von Dramen", *DU*, 16,3 (1964), 68—77

B. Brainerd u. V. Neufeldt, "On Marcus' Method for the Analysis of the Strategy of a Play", *Poetics*, 10 (1974), 31—34

M. Braun, *Symbolismus und Illusionismus im englischen Drama vor 1620 (. . .) unter besonderer Berücksichtigung des Monologs und des Aside* (Diss. München, 1962)

C. Bremond, "Le message narratif", *Communications*, 4 (1964), 4—32; dts.: in J. Ihwe, hrsg. (1971), III, 218—238

C. Bremond, "La logique des possibles narratifs", *Communications*, 8 (1966), 60—76

H. Brinkmann, "Die Konstituierung der Rede", *WW*, 5 (1965), 157—172

U. Broich, "Montage und Collage in Shakespeare-Bearbeitungen der Gegenwart", *Poetica*, 4 (1971), 333—360

U. Broich u. M. Pfister, hrsg., *Intertextualität* (Tübingen, 1985)

N. Brooke, "The Characters of Drama", *CQ*, 6 (1964), 72—82

* C. Brooks u. R. B. Heilman, *Understanding Drama* (New York, 1945)

C. Brooks, *The Well Wrought Urn* (New York, 1947)

W. Brosche, *Vergleichende Dramaturgie von Schauspiel, Hörspiel und Film* (Diss. Wien, 1954)

J. R. Brown, "Dialogue in Pinter and Others", *CQ*, 7 (1965), 225—243

J. R. Brown, *Shakespeare's Plays in Performance* (London, 1966)

* J. R. Brown, *Drama* (London, 1968)

* J. R. Brown, hrsg., *Drama and the Theatre* (London, 1971)

J. R. Brown, *Theatre Language* (London, 1972)

W. H. Bruford, *Theatre, Drama and Audience in Goethe's Germany* (London, 1950)

W. H. Bruford, "Über Wesen und Notwendigkeit der Publikumsforschung", *MuK*, 1 (1955), 148—155

P. G. Buchloh, "Außersprachliche Zeichen im amerikanischen Drama", in: S. Neuweiler u. A. Weber, hrsg., *Amerikanisches Drama und Theater im zwanzigsten Jahrhundert* (Göttingen, 1974), S. 36—59

K. Büchler, "Die ästhetische Bedeutung der Spannung", *Zeitschrift für Ästhetik und allgemeine Kunstwissenschaft*, 3 (1908), 207—254

O. Büdel, "Zeitgenössisches Theater und ästhetische Distanz", in: R. Grimm, hrsg. (1970), S. 413—440

K. Bühler, *Sprachtheorie* (Jena, 1934)

E. Bullough, *Aesthetics* (London, 1957)

K. Burke, "Dramatic Form — And: Tracking Down Implications", *tdr*, 10 (1966), 54—63

E. Burns, *Theatricality. A Study of Convention in the Theatre and in Social Life* (London, 1972)

E. u. T. Burns, hrsg., *Sociology of Literature and Drama* (Harmondsworth, 1973)

D. Burton, *Dialogue and Discourse. A socio-linguistic approach to modern drama dialogue and naturally-occurring conversation* (London, 1980)

S. H. Butcher, *Aristotle's Theory of Poetry and Fine Arts*, 4. Aufl. (New York, 1951)

* J. L. Calderwood u. H. E. Toliver, hrsg., *Perspectives on Drama* (New York, 1968)

J. L. Calderwood, *Shakespearean Metadrama* (Minneapolis, 1969)

K. M. Cameron u. T. Hoffman, *A Guide to Theatre Study*, 2. Aufl. (New York, 1974)

T. M. Campbell, *Hebbel, Ibsen and the Analytic Exposition* (Heidelberg, 1922)

H. Castrop, "Das elisabethanische Theater", in: I. Schabert, hrsg. (1972), S. 73—123

D. B. Chaim, *Distance in the Theatre. The Aesthetics of Audience Response* (Ann Arbor, 1984)

R. Champigny, *Le genre dramatique* (Monte Carlo, 1965)

P. Chesnais, *L'acteur* (Paris, 1957)

W. Clemen, *Shakespeares Bilder. Ihre Entwicklung und ihre Funktionen im dramatischen Werk* (Bonn, 1936); engl.: *The Development of Shakespeare's Imagery* (London, 1951)

W. Clemen, *Wandlungen des Botenberichts bei Shakespeare* (München, 1952); auch in: W. Clemen, *Das Drama Shakespeares* (Göttingen, 1969), S. 62—104

W. Clemen, "Anticipation and Foreboding in Shakespeare's Early Histories", *ShS*, 6 (1953), 25—35

W. Clemen, *Die Tragödie vor Shakespeare* (Heidelberg, 1955); engl.: *English Tragedy before Shakespeare* (London, 1961)

W. Clemen, *Kommentar zu Shakespeares 'Richard III'* (Göttingen, 1957; 2. Aufl. 1969)

W. Clemen, *Shakespeares Monologe* (Göttingen, 1964; 2. Aufl. München, 1985)

W. Clemen, "Shakespeare's Art of Preparation", in: *Shakespeare's Dramatic Art* (London, 1972), S. 1—95

H. G. Coenen, *Elemente der Racineschen Dialogtechnik* (Münster, 1961)

P. A. Coggin, *The Uses of Drama: A Historical Survey of Drama and Education from Ancient Greece to the Present Day* (New York, 1956)

R. Cohn, *Dialogue in American Drama* (Bloomington, Ind., 1971)

D. Cole, *The Theatrical Event* (Middletown, 1975)

H. Conway, *Stage Properties* (London, 1959)

A. S. Cook, "Language and Action in the Drama", *CE*, 28 (1966), 15—25

F. M. Cornfeld, *The Origin of Attic Comedy*, hrsg. Th. H. Gaster (Garden City, 1961)

R. W. Corrigan u. J. L. Rosenberg, hrsg., *The Context and Craft of Drama. Critical Essays on the Nature of Drama and Theatre* (San Francisco, 1964)

M. Corvin, "Approche sémiologique d'un texte dramatique", *Littérature*, 9 (1973), 83—100

R. S. Crane, *Critics and Criticism: Ancient and Modern* (Chicago, 1952); abridged edition (Chicago, 1957)

F. v. Cube u. W. Reichert, "Das Drama als Forschungsobjekt der Kybernetik", in: H. Kreuzer u. R. Gunzenhäuser, hrsg., *Mathematik und Dichtung*, 3. Aufl. (München, 1969), S. 333—345

F. v. Cube, *Was ist Kybernetik?*, 2. Aufl. (München, 1971)

J. V. Curry, *Deception in Elizabethan Comedy* (Chicago, 1955)

E. R. Curtius, *Europäische Literatur und lateinisches Mittelalter*, 3. Aufl. (Bern, 1961)

W. Dadek, *Das Filmmedium. Zur Begründung einer allgemeinen Filmtheorie* (München, 1968)

W. A. Darlington, *The Actor and his Audience* (London, 1949)

S. W. Dawson, *Drama and the Dramatic* (London, 1970)

Degrés, 13 (1978) [Sondernummer zu Theater-Semiologie]

N. Delius, "Die epischen Elemente in Shakespeares Dramen", *ShJb*, 12 (1877), 1—28

R. Démarcy, *Eléments d'une sociologie du spectacle* (Paris, 1973)

B. Denzler, *Der Monolog bei Terenz* (Diss. Zürich, 1968)

M. Descotes, *Le Public de théâtre et son histoire* (Paris, 1964)

D. Dibelius, *Die Exposition im deutschen naturalistischen Drama* (Diss. Heidelberg, 1935)

429

D. Diederichsen, "Theaterwissenschaft und Literaturwissenschaft", *Euph.*, 60 (1966), 402—424

D. Diederichsen, "Methodische Probleme der Publikumsforschung", *MuK*, 17 (1971), 304—319

A. Dieterle, *Die Strukturelemente der Intrige in der griechisch-römischen Komödie* (Amsterdam, 1980)

M. Dietrich, "Der Mensch und der szenische Raum", *MuK*, 11 (1965), 193—206

M. Dietrich, "Episches Theater? Beitrag zur Dramaturgie des 20. Jahrhunderts", in: R. Grimm, hrsg. (1970), S. 94—153

M. Dietrich, *Regie in Dokumentation, Forschung und Lehre* (Salzburg, 1975)

A. Dihle, *Griechische Literaturgeschichte* (Stuttgart, 1967)

H. J. Diller, *Redeformen des englischen Misterienspiels* (München, 1973)

J. Dingel, "Requisit und szenisches Bild", in: W. Jens, hrsg. (1971), S. 347—367

M. Dinu, "Structures linguistiques probabilistes issues de l'étude du théâtre", *CLTA*, 5 (1968), 29—44

M. Dinu, "Contributions à l'étude mathématique du théâtre", *Revue roumaine de mathématiques pures et appliquées*, 15 (1970), 521—543

M. Dinu, "L'interdépendance syntagmatique des scènes dans une pièce de théâtre", *CLTA*, 9 (1972), 55—70

M. Dinu, "La stratégie des personnages dramatiques à la lumière du calcul propositionnel bivalent", *Poetics*, 10 (1974), 147—159

E. Dipple, *Plot* (London, 1970)

J. Doat, *Entrée du public. La psychologie collective et le théâtre* (Paris, 1947)

J. Dollimore, *Radical Tragedy. Religion, Ideology and Power in the Drama of Shakespeare and his Contemporaries* (Brighton, 1984)

M. Doran, *Endeavors of Art: A Study of Form in Elizabethan Drama* (Madison, 1954)

M. Doran, "'Discrepant awareness' in Shakespeare's Comedies", *MPh*, 60 (1962), 51—55

B. Dort, *Théâtre en jeu* (Paris, 1979)

A. S. Downer, "The Life of Our Design: The Function of Imagery in the Poetic Drama", *Hudson Review*, 2 (1949), 242—263

J. W. Draper, *The Tempo-Patterns of Shakespeare's Plays* (Heidelberg, 1957)

U. Dreysse, hrsg., *Materialien zu Samuel Becketts 'Warten auf Godot'* (Frankfurt/M., 1973)

J. Dubois, u. a., *Allgemeine Rhetorik* (München, 1974)

G. E. Duckworth, *The Nature of Roman Comedy* (Princeton, 1971)

F. Düsel, *Der dramatische Monolog in der Poetik des 17. und 18. Jahrhunderts und in den Dramen Lessings* (Hamburg, 1897)

B. Dukore, *Dramatic Theory and Criticism. Greeks to Grotowski* (New York, 1974)

J. Duvignaud, *Sociologie du théâtre* (Paris, 1963)

J. Duvignaud, *L'Acteur* (Paris, 1965)

J. Duvignaud, *Spectacle et Société* (Paris, 1970)

U. Eco, *Einführung in die Semiotik* (München, 1972)

U. Eco, "Paramètres de la sémiologie théâtrale", in: A. Helbo u. a., hrsg. (1975), 33—41

V. Ehrenberg, *The People of Aristophanes. A Sociology of Old Attic Comedy* (Oxford, 1951)

Chr. Ehrl, *Sprachstil und Charakter bei Shakespeare* (Heidelberg, 1957)

E. Eiden, *Figur — Begebenheit — Situation* (Pfaffenweiler, 1986)

L. H. Eisner u. H. Friedrich, hrsg., *Film — Rundfunk — Fernsehen*, Fischer Lexikon (Frankfurt/M., 1958)

* K. Elam, *The Semiotics of Theatre and Drama* (London, 1980)

U. Ellis-Fermor, *The Frontiers of Drama* (London, 1945)

U. Ellis-Fermor, "The Nature of Plot in Drama", *E&S*, N. S. 13 (1960), 65—81

G. F. Else, *Aristotle's Poetics: The Argument* (Cambridge, Mass., 1957)

K. Emunds, *Der Raum bei Shakespeare* (Diss. Köln, 1969)

F. Engert, *Das stumme Spiel im deutschen Drama von Lessing bis Kleist* (Leipzig, 1934)

M. Epstein, *Theater und Volkswirtschaft* (Berlin, 1914)

G. Erken, *Hofmannsthals dramatischer Stil. Untersuchungen zur Symbolik und Dramaturgie* (Tübingen, 1967)

G. Erken, "Das Werk auf der Bühne", in: I. Schabert, hrsg. (1972), S. 721—781

* E. Ermatinger, *Die Kunstform des Dramas*, 2. Aufl. (Leipzig, 1931)

* A. Eschbach, *Pragmasemiotik und Theater*, Kodikas-Suppl. 3 (Tübingen, 1979)

* M. Esslin, *An Anatomy of Drama* (New York, 1976); dts.: *Was ist ein Drama? Eine Einführung*, übers. R. Esslin (München, 1978)

B. Evans, *Shakespeare's Comedies* (Oxford, 1960)

K. E. Faas, "Dramatischer Monolog und dramatisch-monologische Versdichtung", *Anglia*, 87 (1969), 338—366

* F. Fergusson, *The Idea of a Theater. The Art of Drama in Changing Perspective* (Princeton, 1949)

F. Fergusson, *The Human Image in Dramatic Literature* (Garden City, 1957)

F. Fergusson, "Language of the Theater", in: R. N. Anshen, hrsg., *Language: An Enquiry into its Meaning and Function* (New York, 1957), S. 285—295

J. A. Fermaud, "Défense du confident", *Romanic Review* (1940), 334—340

R. Fieguth, "Zur Rezeptionslenkung bei narrativen und dramatischen Werken", *StZ*, 43 (1973), 186—201

D. E. Fields, *The Technique of Exposition in Roman Comedy* (Chicago, 1938)

J. Filipec, "Zur Frage der funktionalen Satzperspektive im dramatischen Text", in: F. Danés, hrsg., *Papers on functional sentence perspective* (Prag, 1974), S. 129—141

R. Findlater, *Banned: A Review of Theatrical Censorship in Britain* (London, 1967)

E. Fischer-Lichte, *Semiotik des Theaters*, 3 Bde. (Tübingen, 1983)

E. Fischer-Lichte, hrsg., *Das Drama und seine Inszenierung* (Tübingen, 1985)

S. E. Fish, "How to Do Things with Austin and Searle: Speech-Act Theory and Literary Criticism", *MLN*, 91 (1976), 983—1028

R. Flatter, *Das Schauspielerische in der Diktion Shakespeares* (Wien, 1954)

H. J. Flechtner, "Der Raum im Drama", *Die Literatur*, 38 (1935/36), 360—362

H. J. Flechtner, "Die Zeit im Drama", *Die Literatur*, 39 (1937/38), 85—87

W. Flemming, *Epik und Dramatik. Versuch ihrer Wesensdeutung* (Bern, 1955)

W. Flemming, "Betrachtungen zur Seinsweise von Theater, Drama und Buch", in: A. Fuchs u. H. Motekat, hrsg., *Stoffe, Formen, Strukturen*, Borcherdt FS (München, 1962), S. 33—42

W. Flemming, "Funktionstypen des dramatischen Raumes", *GRM*, 20 (1970), 55—62

431

I. u. J. Fónagy, "Ein Meßwert der dramatischen Spannung", *Lili*, 4 (1971), 73—98

E. M. Forster, *Aspects of the Novel* (Harmondsworth, 1962; Erstveröffentl. 1927)

R. Franz, *Der Monolog und Ibsen* (Halle, 1904)

E. Franzen, *Formen des modernen Dramas*, 2. Aufl. (München, 1970)

V. O. Freeburg, *Disguise Plots in Elizabethan Drama. A Study in Stage Tradition* (New York, 1915)

E. Frenzel, *Stoffe der Weltliteratur. Ein Lexikon dichtungsgeschichtlicher Längsschnitte*, 3. Aufl. (Stuttgart, 1970)

D. Frey, "Zuschauer und Bühne. Eine Untersuchung über das Realitätsproblem des Schauspiels", *Kunstwissenschaftliche Grundfragen* (Wien, 1946; Nachdr. Darmstadt, 1972), S. 151—223

* G. Freytag, *Die Technik des Dramas*, 13. Aufl., Nachdr. (Darmstadt, 1965)

R. Fricker, *Kontrast und Polarität in den Charakterbildern Shakespeares* (Bern, 1951)

R. Fricker, "Das szenische Bild bei Shakespeare", *Annales Universitatis Saraviensis*, 5 (1956), 227—240

K. v. Fritz, "Entstehung und Inhalt des 9. Kapitels von Aristoteles' *Poetik*", *Antike und moderne Tragödie* (Berlin, 1962), S. 430—457

N. Frye, "The Argument of Comedy", in: D. A. Robertson, hrsg., *English Institute Essays, 1948* (New York, 1949), S. 58—73

N. Frye, *Anatomy of Criticism* (Princeton, 1957)

M. Fuhrmann, "Mythos als Wiederholung in der griechischen Tragödie und im Drama des 20. Jahrhunderts", in: M. Fuhrmann, hrsg., *Terror und Spiel. Probleme der Mythenrezeption* (München, 1971), S. 121—143

M. Fuhrmann, *Einführung in die antike Dichtungstheorie* (Darmstadt, 1973)

E. G. Gabbard, *An Experimental Study of Comedy* (Diss. Iowa, 1954); *DA*, 14 (1954), 2437

W. Gabler, *Der Zuschauerraum des Theaters* (Leipzig, 1935)

J. Gassner, hrsg., *Directions in Modern Theater and Drama* (New York, 1965)

Th. H. Gaster, *Thespis: Ritual, Myth and Drama in the Ancient Near East* (New York, 1966)

H. Gebhard, "Bibliographie zur Gattungspoetik (4): Theorie des Tragischen und der Tragödie (1900—1972)", *ZfSL*, 84 (1974), 236—248

* H. Geiger u. H. Haarmann, *Aspekte des Dramas* (Wiesbaden, 1978)

K. George, *Rhythm in Drama* (Pittsburgh, Pa., 1980)

P. Gerhardt, "Zwiesprache und Dialog", *Die Literatur*, 42 (1939/40)

A. Gerstner-Hirzel, *The Economy of Action and Word in Shakespeare's Plays* (Bern, 1957)

S. Giles, *The Problem of Action in Modern European Drama* (Stuttgart, 1981)

P. Ginestier, *Le théâtre contemporain dans le monde* (Paris, 1961)

I. Glier, "Die Personifikation im deutschen Fastnachtsspiel des Spätmittelalters", *DVjs*, 39 (1965), 542—587

K. J. Göbel, *Drama und dramatischer Raum im Expressionismus* (Diss. Köln, 1971)

W. Görler, "'Undramatische' Elemente in der griechisch-römischen Komödie. Überlegungen zum Erzählerstandpunkt im Drama", *Poetica*, 6 (1974), 259—284

P. Goetsch, *Bauformen des modernen englischen und amerikanischen Dramas* (Darmstadt, 1977)

E. Goffman, *The Presentation of Self in Everyday Life* (New York, 1959)

L. Goldmann, *Le Dieu caché* (Paris, 1955)

L. Goldmann, *Soziologie des Romans* (Neuwied, 1970)

J. Gollwitzer, *Die Prolog- und Expositionstechnik der griechischen Tragödie* (München, 1937)

J. S. R. Goodlad, *A Sociology of Popular Drama* (London, 1971)

F. Gottschalk, *Die theatralische Struktur des Dramas* (Diss. Bonn, 1952)

* H. Gouhier, *L'œuvre théâtrale* (Paris, 1958)

H. Granville-Barker, *The Uses of Drama* (Princeton, 1945)

* N. Greiner, J. Hasler, H. Kurzenberger, L. Pikulik, *Einführung ins Drama*, 2 Bde. (München, 1982)

R. Grimm u. D. Kimpel, "Situationen", in: R. Grimm u. C. Wiedemann, hrsg. (1968), S. 325—343, 344—360

R. Grimm u. C. Wiedemann, hrsg., *Literatur- und Geistesgeschichte. Festgabe für H. O. Burger* (Berlin, 1968)

R. Grimm, hrsg., *Episches Theater*, 2. Aufl. (Köln, 1970)

R. Grimm, "Naturalismus und episches Theater", in: R. Grimm, hrsg. (1970), S. 13—35

R. Grimm, hrsg., *Deutsche Dramentheorie* (Frankfurt/M., 1971), 2 Bde.

E. Groff, "Point of View in Modern Drama", *Modern Drama*, 2 (1959/60), 268—282

W. Grosch, *Bote und Botenbericht im englischen Drama bis Shakespeare* (Diss. Gießen, 1911)

H. Gruner, *Studien zum Dialog im vorshakespearschen Drama* (Diss. München, 1955)

E. Gülich u. W. Raible, hrsg., *Textsorten. Differenzierungskriterien aus linguistischer Sicht* (Frankfurt/M., 1972)

G. Gurvitch, "Sociologie du théâtre", *Les Lettres Nouvelles*, 35 (1956), 196—210

W. Habicht, "Der Dialog und das Schweigen im 'Theater des Absurden'", *NSp* 66 (1967), 53—66

W. Habicht, *Studien zur Dramenform vor Shakespeare* (Heidelberg, 1968)

W. Habicht, "Becketts Baum und Shakespeares Wälder", *ShJb (West) 1970*, S. 77—98

H. Hadow, *The Uses of Comic Episodes in Tragedy*, English Association Pamphlet, 31 (London, 1915)

A. Häuseroth, "Über die Notwendigkeit und Wege einer empirischen Soziologie des Theaters", *KZfSS*, 21 (1969), 550—559

H. Haffter, *Terenz und seine künstlerische Eigenart* (Darmstadt, 1966)

J. L. Halio, "'No Clock in the Forest': Time in *As You Like It*", *SEL*, 2 (1962), 197—207

K. Hamburger, "Zum Strukturproblem der epischen und dramatischen Dichtung", *DVjs*, 25 (1951), 1—26

K. Hamburger, "Versuch einer Typologie des Dramas", *Poetica*, 1 (1967), 145—153

* K. Hamburger, "Die dramatische Fiktion", *Die Logik der Dichtung*, 2. Aufl. (Stuttgart, 1968), S. 154—176

I. Hantsch, *Semiotik des Erzählens. Studien zum satirischen Roman des 20. Jahrhunderts* (München, 1975)

A. Harbage, *Shakespeare's Audience* (New York, 1941)

B. Hardy, "'I have a smack of Hamlet': Coleridge and Shakespeare's Characters", *EC*, 8 (1958), 238—255

M. Harris u. E. Montgomery, *Theatre Props* (London, 1975)

J. E. Harrison, hrsg., *Themis* (Cambridge, Mass., 1912)

J. E. Harrison, *Ancient Art and Ritual* (New York, 1913)

P. W. Harsh, *Studies in 'Preparation' in Roman Comedy* (Chicago, 1935)

R. Harweg, "Quelques aspects de la constitution monologique et dialogique des textes", *Semiotica*, 4 (1971), 127—148

J. Hasler, "Bühnenanweisungen und Spiegeltechnik bei Shakespeare und im modernen Drama", *ShJb (West) 1970*, S. 99—117

J. Hasler, *Shakespeare's Theatrical Notation. The Comedies* (Bern, 1974)

J. Hasler, "Gestische Leitmotive in Shakespeares *Henry VI*", *ShJb (West) 1975*, S. 163—173

A. Hauser, *Sozialgeschichte der Kunst und Literatur* (München, 1953), 2 Bde.

R. Hayman, *The Set-Up. An Anatomy of the English Theatre Today* (London, 1973)

S. W. Head, "Content Analysis of Television Drama Programs", *Quarterly of Film, Radio and Television*, 9 (1954), 175—194

H.-M. Hebeisen, *Versuch einer ontologischen Analyse der Zeit und der Handlung unter besonderer Berücksichtigung der Ästhetik des Dramas* (Diss. Zürich, 1961)

H. C. Heffner, "Towards a Definition of Form in Drama", in: *Classical Drama and Its Influence. Essays Presented to H. D. F. Kitto* (London, 1965), S. 137—154

N. Hein, "Ansatz zur strukturellen Dramenanalyse", in: W. A. Koch, hrsg., *Textsemiotik und strukturelle Rezeptionstheorie* (Hildesheim, 1976), S. 120—213

A. Helbo, "Le code théâtral", in A. Helbo u. a., hrsg. (1975), S. 12—27

A. Helbo u. a., hrsg., *Sémiologie de la représentation. Théâtre, télévision, bande dessinée* (Brüssel, 1975)

* A. Helbo, *Les mots et les gestes. Essai sur le théâtre* (Lille, 1983)

W. Helg, *Das Chorlied in der griechischen Tragödie in seinem Verhältnis zur Handlung* (Diss. Zürich, 1950)

K. W. Hempfer, *Gattungstheorie* (München, 1973)

H. Henel, "Szenisches und panoramisches Theater", in: R. Grimm, hrsg. (1970), S. 383—395

M. T. Herrick, *Comic Theory in the Sixteenth Century* (Urbana, Ill., 1964)

M. Herrmann, "Das theatralische Raumerlebnis", Beiheft zur *Zeitschrift für Ästhetik und allgemeine Kunstwissenschaft*, 25 (1932)

E. W. B. Hess-Lüttich, "Empirisierung literarischer Formanalyse. Zum Problem der Literarisierung gesprochener Sprache im Drama", in: W. Klein, hrsg., *Methoden der Textanalyse* (Heidelberg, 1977), S. 61—72

E. W. B. Hess-Lüttich, *Soziale Interaktion und literarischer Dialog*, 2 Bde. (Berlin, 1981 u. 1985)

G. Heuser, *Die aktlose Dramaturgie Shakespeares* (Diss. Marburg, 1956)

V. E. Hiatt, *Eavesdropping in Roman Comedy* (Chicago, 1946)

A. Hillach, *Die Dramatisierung des komischen Dialogs. Figur und Rolle bei Nestroy* (München, 1967)

A. Hillach, "Sprache und Theater. Überlegungen zu einer Stilistik des Theaterstücks", *Sprachkunst*, 1 (1970), 256—269 u. 2 (1971), 299—328

W. Hinck, *Das moderne Drama in Deutschland* (Göttingen, 1973)

J. Hintze, *Das Raumproblem im modernen deutschen Drama und Theater* (Marburg, 1969)

K.-P. Hinze, "Zusammenhänge zwischen diskrepanter Information und dramatischem Effekt. Grundlegung des Problems und Nachweis an Georg Büchners *Leonce und Lena*", *GRM*, 20 (1970), 205—213

E. Hirt, *Das Formgesetz der epischen, dramatischen und lyrischen Dichtung* (Leipzig, 1927)

W. Hochgreve, *Die Technik der Aktschlüsse im deutschen Drama* (Berlin, 1914)

W. Hochkeppel, *Die Veränderung des Zeitbewußtseins im modernen Drama* (Diss. München, 1955)

J. Hodgson, hrsg., *The Uses of Drama* (London, 1972)

J. Hoensch, *Das Schauspiel und seine Zeichen* (Frankfurt/M., 1977)

H. Holzapfel, *Kennt die griechische Tragödie eine Akteinteilung?* (Diss. Gießen, 1914)

K. Hommel, *Das Schauspiel in den Separatvorstellungen von König Ludwig II. von Bayern* (Diss. München, 1957)

J. Honzl, "Herecká postava", *SaS*, 4 (1938), 145—150

J. Honzl, "Pohyb divadelníko znaku", *SaS*, 6 (1940), 177—188

J. Honzl, "Die Hierarchie der Theatermittel", in: A. van Kesteren u. H. Schmid, hrsg. (1975), S. 133—142

H. Hoppe, *Das Theater der Gegenstände. Neue Formen szenischer Aktion* (Bensberg, 1971)

R. Hornby, *Script into Performance. A Structuralist View of Play Production* (Austin/Texas, 1977)

A. Hübler, *Drama in der Vermittlung von Handlung, Sprache und Szene* (Bonn, 1973)

M. Hürlimann, hrsg., *Das Atlantisbuch des Theaters* (Zürich, 1966)

J. Hürsch, *Der Monolog im deutschen Drama von Lessing bis Hebbel* (Diss. Zürich, 1947)

J. Ihwe, hrsg., *Literaturwissenschaft und Linguistik. Ergebnisse und Perspektiven* (Frankfurt/M., 1971), 3 Bde.

J. Ihwe, hrsg., *Literaturwissenschaft und Linguistik. Eine Auswahl. Texte zur Theorie der Literaturwissenschaft* (Frankfurt/M., 1973), 2 Bde.

M. Imhof, *Bemerkungen zu den Prologen der sophokleischen und euripideischen Tragödien* (Diss. Bern, 1957)

R. Ingarden, *Das literarische Kunstwerk*, 2. Aufl. (Tübingen, 1960)

D. Ingenschey, "'Sekundäre Konstruktionen'. Überlegungen zum Verhältnis von Drama und Handlungstheorie", *Poetica*, 12 (1980), 443—463

W. Iser, "Samuel Becketts dramatische Sprache", *GRM*, 11 (1961), 451—467

W. Iser, "Das Spiel im Spiel", *Archiv*, 198 (1962), 209—226

W. Iser, *Die Appellstruktur der Texte. Unbestimmtheit als Wirkungsbedingung literarischer Prosa* (Konstanz, 1970)

R. Jakobson, "Linguistics and Poetics", in: Th. A. Sebeok, hrsg., *Style in Language* (Cambridge, Mass., 1960), S. 350—377

S. Jansen, "Esquisse d'une théorie de la forme dramatique", *Langages*, 12 (1968), 71—93; dts. in: J. Ihwe, hrsg. (1971), III, 393—423

S. Jansen, "Qu'est-ce qu'une situation dramatique? Etude sur les notions élémentaires d'une description de textes dramatiques", *Orbis Litterarum*, 28 (1973), 235—292

G. Jean, *Le Théâtre* (Paris, 1976)

W. Jens, *Die Stichomythie in der frühen griechischen Tragödie* (München, 1955)

W. Jens, hrsg., *Die Bauformen der griechischen Tragödie* (München, 1971)

W. T. Jewkes, *Act Division in Elizabethan and Jacobean Plays, 1583—1616* (Hamden, Conn., 1958)

K. Joerden, *Hinterszenischer Raum und außerszenische Zeit. Untersuchungen zur dramatischen Technik der griechischen Tragödie* (Diss. Tübingen, 1960)

K. Joerden, "Zur Bedeutung des Außer- und Hinterszenischen", in: W. Jens, hrsg. (1971), S. 369—412

M. Johnston, *Exits and Entrances in Roman Comedy* (New York, 1933)

D. B. Jones, "Quantitative Analysis of Motion Picture Content", *Public Opinion Quarterly*, 14 (1950), 554—558

E. Jones, *Scenic Form in Shakespeare* (Oxford, 1971)

P. A. Jorgensen, "Vertical Patterns in *Richard II*", *SAB*, 23 (1948), 119—134

M. Joseph, *Shakespeare and the Arts of Language* (New York, 1947)

F. Junghans, *Das Problem der Zeit im dramatischen Werk* (Diss. Berlin, 1931)

K. Kändler, *Drama und Klassenkampf (Berlin-Ost, 1970)*

E. Kaemmerling, "Theaterbezogene Lektüre und pragma-semantische Dramenanalyse", *StZ* (1979), 171—187

G. Kaiser, "Nachruf auf die Interpretation?", *Poetica*, 4 (1971), S. 267—277

J. Kaiser, *Grillparzers dramatischer Stil* (München, 1961)

D. u. D. Kaisersgruber u. J. Lempert, *Phèdre. Pour une sémiotique de la représentation classique* (Paris, 1972)

W. Kallmeyer u. a., *Lektürekolleg zur Textlinguistik. Band 1: Einführung* (Frankfurt/M., 1974)

L. Kane, *The Language of Silence. On the Unspoken and Unspeakable in Modern Drama* (Rutherford, 1984)

A. Kaplan, "The Life of Dialogue", in: J. D. Roslansky, hrsg., *Communication* (Amsterdam, 1969), S. 87—106

W. Kayser, *Das sprachliche Kunstwerk*, 9. Aufl. (Bern, 1963)

W. Keller, hrsg., *Beiträge zur Poetik des Dramas* (Darmstadt, 1976)

J. v. Kempski, "Handlung, Maxime, Situation", *Stud. Gen.*, 7 (1954)

A. K. Kennedy, *Six Dramatists in Search of a Language. Studies in Dramatic Language* (Cambridge, 1975)

A. K. Kennedy, *Dramatic Dialogue. The dialogue of personal encounter* (Cambridge, 1983)

M. B. Kennedy, *The Oration in Shakespeare* (Chapel Hill, 1942)

M. Kesting, *Das epische Theater* (Stuttgart, 1959)

H. Kindermann, "Notwendigkeit und Aufgaben der Spielplanforschung", *MuK*, 1 (1955), 156—166

H. Kindermann, *Theatergeschichte Europas* (Salzburg, 1957 ff.), 7 Bde.

H. Kindermann, *Bühne und Zuschauerraum. Ihre Zueinanderordnung seit der griechischen Antike* (Wien, 1963)

H. Kindermann, "Der gesprochene Raum", *MuK*, 11 (1965), 207—232

H. Kindermann, "Plädoyer für die Publikumsforschung", *MuK*, 17 (1971), 293—303

W. W. Kirchesch, *Das Verhältnis von Handlung und Dramaturgie* (Diss. München, 1962)

L. Kirschbaum, *Character and Characterization in Shakespeare* (Detroit, 1962)

* H. D. F. Kitto, *Form and Meaning in Drama* (London, 1957)

J. Klaiber, *Die Aktform im Drama und auf dem Theater* (Berlin, 1963)

T. Klammer, "Foundations for a Theory of Dialogue Structure". *Poetica*, 9 (1973), 27—64

D. Klein, "Time Allotted for an Elizabethan Performance", *SQ*, 18 (1967), 434 —438

W. Klemm, *Die englische Farce im 19. Jahrhundert* (Bern, 1946)

V. Klotz, *Bühnen-Briefe. Kritiken und Essays zum Theater* (Wiesbaden, 1972)

* V. Klotz, *Geschlossene und offene Form im Drama*, 4. Aufl. (München, 1969); 7. Aufl. (München, 1975)

V. Klotz, *Dramaturgie des Publikums* (München, 1976)

P. Kluckhohn, "Die Arten des Dramas", *DVjs*, 19 (1941), 241—268

J. Klünder, *Theaterwissenschaft als Medienwissenschaft: Grundzüge einer theaterwissenschaftlichen Dramaturgie* (Hamburg, 1961)

D. M. Knauf, hrsg., *Papers in Dramatic Theory and Criticism* (Iowa City, 1968)

G. W. Knight, *The Wheel of Fire* (London, 1930)

F. Knilli u. E. Reiss, hrsg., *Semiotik des Films* (München, 1971)

H. Knudsen, *Methodik der Theaterwissenschaft* (Stuttgart, 1971)

W. A. Koch, "Le texte normal, le théâtre et le film", *Linguistics*, 48 (1969), 40—67

W. A. Koch, "Absurdes Theater als Axiomatik einer strukturellen Dramentheorie", *Varia Semiotica* (Hildesheim, 1971), S. 417—431

N. Kohl, *Das Wortspiel in der Shakespeareschen Komödie* (Diss. Frankfurt/M., 1966)

N. Kohl, "Shakespearekritik zum Wortspiel: ein Beitrag zur kritischen Wertung eines Sprachphänomens", *DVjs*, 44 (1970), 530—543

M. Kommerell, *Lessing und Aristoteles. Untersuchung über die Theorie der Tragödie*, 2. Aufl. (Frankfurt/M., 1957)

K. Koszyk u. K. H. Pruys, hrsg., *Wörterbuch der Publizistik*, 3. Aufl. (München, 1973)

T. Kowzan, "Le signe au théâtre. Introduction à la sémiologie de l'art du spectacle", *Diogène*, 61 (1968), 35—59; auch in T. Kowzan, *Littérature et spectacle dans leurs rapports esthétiques, thématiques et sémiologiques* (Warschau, 1970), S. 133 —183

T. Kowzan, "Le texte et le spectacle. Rapports entre la mise en scène et la parole", *Cahiers de l'association internationale des études françaises*, 81 (1969), 63—72

* T. Kowzan, *Analyse sémiologique du spectacle théâtral* (Lyon, 1976)

S. Kracauer, "The Challenge of Qualitative Content Analysis", *Public Opinion Quarterly*, 16 (1952/53), 631—642

S. Kracauer, "Für eine qualitative Inhaltsanalyse", *Ästhetik und Kommunikation*, 7 (1972), 53—58

W. Kranz, *Stasimon* (Berlin, 1933)

H. Krapp, *Der Dialog bei Büchner* (Berlin, 1958)

G. Kremer, "Die Struktur des Tragödienschlusses", in: W. Jens, hrsg. (1971), S. 117—141

W. Kroll u. A. Flaker, hrsg., *Literaturtheoretische Modelle und kommunikatives System* (Kronberg, 1974)

E. Kurka, "Zur Darstellung von Redner und Rede in Shakespeares Dramen", *ShJb (Ost)*, 104 (1968), S. 175—191

* A. Kutscher, *Drama und Theater* (München, 1946)

A. Kutscher, *Grundriß der Theaterwissenschaft*, 2. Aufl. (München, 1949)

E. Lämmert, *Bauformen des Erzählens* (Stuttgart, 1955)

H. C. Lancaster, "*Situation* as a Term in Literary Criticism", *MLN*, 59 (1944), 392—395

S. K. Langer, *Philosophy in a New Key. A Study in the Symbolism of Reason, Rite and Art* (New York, 1942)

S. K. Langer, "The Dramatic Illusion", in: *Feeling and Form. A Theory of Art* (New York, 1953), S. 306—325

P. Larthomas, *Le langage dramatique* (Paris, 1972)

E. Lauf, *Die Bühnenanweisungen in den englischen Moralitäten und Interludien bis 1570* (Diss. Münster, 1932)

J. Laver, *Costume in the Theatre* (London, 1964)

J. H. Lawson, *Theory and Technique of Playwriting* (New York, 1936; Nachdr. 1960)

H. W. Lawton, "The Confidant in and before French Classical Tragedy", *MLR*, 38 (1943), 18—31

H. W. Lawton, *Handbook of French Renaissance Dramatic Theory* (Manchester, 1949)

R. u. H. Leacroft, *Theatre and Playhouse* (London, 1984)

C. Leech, "Shakespeare's Use of a Five-Act Structure", *NSp*, NF 6 (1957), 246—269

C. Leech, "The Function of Locality in the Plays of Shakespeare and His Contemporaries", in: D. Galloway, hrsg., *The Elizabethan Theatre* (Oshawa, 1969), S. 103—116

E. Lefèvre, *Die Expositionstechnik in den Komödien des Terenz* (Darmstadt, 1969)

E. Lefèvre, "Das Wissen der Bühnenpersonen bei Menander und Terenz am Beispiel der *Andria*", *Museum Helveticum*, 28 (1971), 21—48

F. Lehner, *Die Szenenbemerkungen in den Dramen Henrik Ibsens und ihr Einfluß auf das deutsche naturalistische Drama* (Diss. Wien, 1919)

I. Leimberg, *Untersuchungen zu Shakespeares Zeitvorstellung als ein Beitrag zur Interpretation der Tragödien* (Köln, 1961)

I. Leimberg, "Das Spiel mit der dramatischen Illusion in Beaumonts *The Knight of the Burning Pestle*", *Anglia*, 81 (1963), 142—174

F. Leo, *Der Monolog im Drama: Ein Beitrag zur griechisch-römischen Poetik* (Berlin, 1908)

A. Lesky, *Die griechische Tragödie*, 4. Aufl. (Stuttgart, 1968)

R. Levin, *The Multiple Plot in English Renaissance Drama* (Chicago, 1971)

* P. H. Levitt, *A Structural Approach to the Analysis of Drama* (The Hague, 1971)

J. Levy, *Die literarische Übersetzung* (Frankfurt/M., 1969), S. 128—159

C. Lévy-Strauss, *Anthropologie structurale* (Paris, 1958)

F. H. Link, "Die Zeit in Shakespeares *Midsummer Night's Dream* und *The Merchant of Venice*", *ShJb (West) 1975*, S. 121—136

F. H. Link, *Dramaturgie der Zeit* (Freiburg, 1977)

J. Link, *Literaturwissenschaftliche Grundbegriffe. Eine programmierte Einführung* (München, 1974), S. 311—333

J. Link, "Zur Theorie der Matrizierbarkeit dramatischer Konfigurationen", in: A. van Kesteren u. H. Schmid, hrsg. (1975), S. 193—219

M. Lioure, *Le drame* (Paris, 1963)

M. Löffler, hrsg., *Das Publikum* (München, 1969)

M. v. Loggem, *De psychologie van het drama* (Leiden, 1960)

J. u. M. Lotman, *Die Struktur literarischer Texte*, übers. R.-D. Keil (München, 1972)

L. Lucas, *Dialogstrukturen und ihre szenischen Elemente in deutschsprachigen Dramen des 20. Jahrhunderts* (Bonn, 1969)

N. Luhmann, *Soziologische Aufklärung* (Köln, 1970)

G. Lukács, "Zur Soziologie des modernen Dramas", *Literatursoziologie*, hrsg. P. Ludz (Neuwied, 1961), S. 261—295

G. Mahl u. G. Schulze, "Psychological Research in the Extralinguistic Area", in: T. A. Sebeok u. a., hrsg., *Approaches to Semiotics* (The Hague, 1964)

* O. Mann, *Poetik der Tragödie* (Bern, 1958)

P. H. Mann, "Surveying a Theatre Audience", *British Journal of Sociology*, 17,4 (1966) u. 18,1 (1967)

B. Mannsperger, "Die Rhesis", in: W. Jens, hrsg. (1971), S. 143—181

E. K. u. P. Maranda, "Strukturelle Modelle in der Folklore", in: J. Ihwe, hrsg. (1973), II, 127—214

S. Marcus, "Ein mathematisch-linguistisches Dramenmodell", *LiLi*, 1 (1971), 139—152

S. Marcus, *Mathematische Poetik*, übers. E. Mândroiu (Frankfurt/M., 1973)

S. Marcus, "Stratégie des personnages dramatiques", in: A. Helbo u. a., hrsg. (1975), S. 73—95

H. G. Marek, *Der Schauspieler im Lichte der Soziologie* (Wien, 1956)

F. Martini, "Johann Elias Schlegel: *Die stumme Schönheit*. Spiel und Sprache im Lustspiel", *DU*, 15,6 (1963), 7—32

F. Martini, "Die Poetik des Dramas im Sturm und Drang", in: R. Grimm, hrsg. (1971), I, 123—166

S. Maser, *Grundlagen der allgemeinen Kommunikationstheorie* (Stuttgart, 1971)

L. Matejka u. J. R. Titunik, hrsg., *Semiotics of Art. Prague School Contributions* (Cambridge, Mass., 1976)

W. Matzat, *Dramenstruktur und Zuschauerrolle. Theater in der französischen Klassik* (München, 1982)

Ch. Mauron, *Phèdre* (Paris, 1968)

H. Mayer, "Anmerkungen zu einer Szene aus *Mutter Courage*", *Deutsche Literatur und Weltliteratur* (Berlin, 1957), S. 335—341

H. Mayer, "Besitz und Theater", *Das Geschehen und das Schweigen* (Frankfurt/M., 1969), S. 69—99

D. V. McGranahan u. J. Wayne, "German and American Traits Reflected in Popular Drama", *Human Relations*, 1 (1947), 429—455

D. Mehl, "Zur Entwicklung des Spiels im Spiel im elisabethanischen Drama", *ShJb*, 97 (1961), S. 134—152

D. Mehl, *Die Pantomime im Drama der Shakespearezeit. Ein Beitrag zur Geschichte der 'Dumb Show'* (Heidelberg, 1964)

D. Mehl, "Forms and Functions of the Play within the Play", *Renaissance Drama*, 7 (1965), 41—62

U. Mehlin, *Die Fachsprache des Theaters* (Düsseldorf, 1969)

E. Meier, *Realism and Reality. The Functions of the Stage Directions in the New Drama from Th. W. Robertson to G. B. Shaw* (Bern, 1967)

M. Meisel, *Shaw and the Nineteenth Century Theatre* (Princeton, 1963)

S. Melchinger, *Geschichte des politischen Theaters* (Frankfurt/M., 1974), 2 Bde.

H. M. Meltzer, *Der Monolog in der frühen Stuart-Zeit* (Bern, 1974)

A. Mendilow, *Time and the Novel* (London, 1952)

F. N. Mennemeier, *Modernes Deutsches Drama I* (München, 1973)

Ch. Metz, *Semiologie des Films* (München, 1972)

H. U. Metzger, *Der Brief im neueren deutschen Drama* (Diss. Köln, 1938)

M. Mildenberger, *Die Anwendung von Projektion und Film als Mittel szenischer Gestaltung* (Emsdetten, 1961)

* F. B. Millett, *The Art of Drama* (New York, 1935)

W. Mohr, "Fiktive und reale Darbietungszeit in Erzählung und Drama", in: F. Harkort u. a., hrsg., *Volksüberlieferung. Festschrift für Kurt Ranke* (Göttingen, 1968), S. 517—529

W. Mohri, *Die Technik des Dialogs in Lessings Dramen* (Diss. Heidelberg, 1929)

R. Monod, *Les Textes du théâtre* (Paris, 1977)

J. Morgenstern, *The Drama and Its Timing* (New York, 1960)

W. D. Moriarty, *The Function of Suspense in the Catharsis* (Ann Arbor, 1911)

M. M. Morozow, "The Individualization of Shakespeare's Characters through Imagery", *ShS*, 2 (1949), 83—106

J. Motylew, '*Verdeckte Handlung' in Hebbels Dramen* (Berlin, 1927)

G. Mounin, "La communication théâtrale", *Introduction à la sémiologie* (Paris, 1970), S. 87—94

G. Müller, *Dramaturgie des Theaters, des Hörspiels und des Films* (Würzburg, 1955)

G. Müller, "Chor und Handlung bei den griechischen Tragikern", in: H. Diller, hrsg., *Sophokles* (Darmstadt, 1967), S. 212—238

H. Müller, "Die Gestaltung des Volkes in Shakespeares Historiendramen", *ShJb (Ost)*, 106 (1970), S. 127—175

J. Müller, "Zu Dialogstruktur und Sprachkonfigurationen in Lessings *Nathan*-Drama", *Sprachkunst*, 1, 1/2 (1970), 42—69

J. Müller, "Goethes Dramentheorie", in: R. Grimm, hrsg. (1971), I, 167—213

W. G. Müller, *Die politische Rede bei Shakespeare* (Tübingen, 1979)

W. G. Müller, "Das Ich im Dialog mit sich selbst: Bemerkungen zur Struktur des dramatischen Monologs von Shakespeare bis zu Samuel Beckett", *DVjs*, 56 (1982), 314—333

A. Müller-Bellinghausen, *Die Wortkulisse bei Shakespeare* (Diss. Freiburg, 1953)

* R. Münz, *Vom Wesen des Dramas: Umrisse einer Theater- und Dramentheorie* (Halle, 1964)

J. Mukařovský, *Kapitel aus der Poetik*, übers. W. Schamschula (Frankfurt/M., 1967)

J. Mukařovský, "Zum heutigen Stand einer Theorie des Theaters", in: A. van Kesteren u. H. Schmid, hrsg. (1975), S. 76—95

G. Murray, "The Ritual Forms Preserved in Greek Tragedy", in: J. E. Harrison, hrsg. (1912)

E. P. Nasser, "Shakespeare's Games with his Audience", *The Rape of Cinderella* (Bloomington, Ind., 1970), S. 100—119

* A. Natew, *Das Dramatische und das Drama* (Velber, 1971)

R. J. Nelson, *Play within a Play. The Dramatist's Conception of His Art: Shakespeare to Anouilh* (New Haven, 1958)

W. Nestle, *Die Struktur des Eingangs in der attischen Tragödie* (Stuttgart, 1930)

N. Neudecker, *Der 'Weg' als strukturbildendes Element im Drama* (Königstein, 1972)

J. v. Neumann u. O. Morgenstern, *Theory of Games and Economic Behavior* (New York, 1964)

G. Neuner, *Die Bedeutung des Kleides in Shakespeares Dramen* (Diss. München, 1968)

K. Nickau, "Epeisodion und Episode", *Museum Helveticum*, 23 (1966), 155—171

* A. Nicoll, *The Theory of Drama* (New York, 1937)

* A. Nicoll, *The Theatre and Dramatic Theory* (London, 1962)

C. Niessen, *Handbuch der Theaterwissenschaft* (Emsdetten, 1949 ff)

E. Noelle-Neumann u. W. Schulz, hrsg., *Das Fischer Lexikon: Publizistik* (Frankfurt/M., 1971)

K. Nühlen, "Das Publikum und seine Aktionsarten", *KZfSS*, 5 (1952/53)

K. Obmann, *Der Bericht im deutschen Drama* (Diss. Gießen, 1925)

U. Oevermann, *Sprache und soziale Herkunft* (Frankfurt/M., 1967)

B. L. Ogibenin, "Mask in the Light of Semiotics: A Functional Approach", *Semiotica*, 13 (1975), 1—9

* E. Olson, *Tragedy and the Theory of Drama* (Detroit, 1961)

E. Olson, "*Hamlet* and the Hermeneutics of Drama", *MPh*, 61 (1964), 225—237

H. Oppel, "Die Gonzalo-Utopie in Shakespeares *Sturm*", *DVjs*, 28 (1954), 194—220

H. Oppel, "Die Zeit-Gestaltung im *Hamlet*", *Shakespeare-Studien zum Werk und zur Welt des Dichters* (Heidelberg, 1963), S. 107—132

H. Oppel, "Wortkulisse und Bühnenbild", *ShJb (West) 1969*, S. 50—60

J. Orrell, *The Quest for Shakespeare's Globe* (Cambridge, 1983)

K. A. Ott, "Über die Bedeutung des Ortes im Drama von Corneille und Racine", *GRM*, NF 11 (1961), 341—365

K. Otten, *Die Zeit in Gehalt und Gestalt der frühen Dramen Shakespeares* (Diss. Tübingen, 1954)

N. Page, *Speech in the English Novel* (London, 1973)

M. Pagnini, "Per una semiologica del teatro classico", *Strumenti critici*, 12 (1970), 121—140; dts. in: V. Kapp, hrsg., *Aspekte objektiver Literaturwissenschaft. Die italienische Literaturwissenschaft zwischen Formalismus, Strukturalismus und Semiotik* (Heidelberg, 1973)

T. Parsons u. E. Shils, *Toward a General Theory of Action* (Cambridge, Mass., 1954)

A. Paul, "Theaterwissenschaft als Lehre vom theatralischen Handeln", *KZfSS*, 23 (1971), 55—77; auch in: A. van Kesteren u. H. Schmid, hrsg. (1975), S. 167—192

A. Paul, "Theater als Kommunikationsprozeß. Medienspezifische Entwöhnung vom Literaturtheater", *Diskurs*, 2 (1971/72)

* P. Pavis, *Problèmes de sémiologie théâtrale* (Montréal, 1976)

P. Pavis, *Dictionnaire du Théâtre* (Paris, 1980)

P. Pavis, *Voix et images de la scène. Vers une sémiologie de la réception*, 2. erw. Aufl. (Lille, 1985)

R. Peacock, *The Poet in the Theatre* (London, 1946)

* R. Peacock, *The Art of Drama*, 2. Aufl. (London, 1960)

* A. Perger, *Grundlagen der Dramaturgie* (Graz, 1952)

K. Peters-Holger, *Das Taschentuch: Eine theatergeschichtliche Studie* (Emsdetten, 1961)

R. Petsch, "Die Darbietungsformen der dramatischen Dichtung", *GRM*, 23 (1935), 321—348

* R. Petsch, *Wesen und Formen des Dramas. Allgemeine Dramaturgie* (Halle, 1945)
* A. Pfeiffer, *Ursprung und Gestalt des Dramas. Studien zu einer Phänomenologie des Dramas* (Berlin, 1943)
M. Pfister, "Die Shakespeare-Forschung im 20. Jahrhundert", in: I. Schabert, hrsg. (1972), S. 854—882
M. Pfister, "Bibliographie zur Gattungspoetik (3): Theorie des Komischen, der Komödie und der Tragikomödie (1943—1972)", *ZfSL*, 83 (1973), 240—254
M. Pfister, *Studien zum Wandel der Perspektivenstruktur in elisabethanischen und jakobäischen Komödien* (München, 1974a)
M. Pfister, "Vor- und Nachgeschichte der Tragödie Eduards II. von Marlowe über Brecht und Feuchtwanger bis zu Jhering und Kerr. Wirkungsästhetische Untersuchungen zur Klassikerrezeption in den zwanziger Jahren", in: O. Kuhn, hrsg., *Großbritannien und Deutschland*, FS für J. W. Bourke (München, 1974b), S. 372—403
M. Pfister, "Zur Theorie der Sympathielenkung im Drama", in: *Sympathielenkung in den Dramen Shakespeares*, hrsg. W. Habicht u. I. Schabert (München, 1979), S. 20—34
M. Pfister, "Kommentar, Metasprache und Metakommunikation im *Hamlet*", *ShJb (West)* (1978/79), S. 132—151
M. Pfister, "'Proportion Kept': Zum dramatischen Rhythmus in *Richard II*", *ShJb (West)* (1983), S. 61—72
M. Pfister, "'Eloquence is Action': Shakespeare und die Sprechakttheorie", *Kodikas/Code. Ars Semeiotica. An International Journal of Semiotics*, 8 (1985), 195 — 216
L. Pikulik, "Handlung", in: N. Greiner u. a. (1982), Bd. 1, S. 11—190
* E. Platz-Waury, *Drama und Theater. Eine Einführung* (Tübingen, 1978)
H. F. Plett, *Einführung in die rhetorische Textanalyse*, 2. Aufl. (Hamburg, 1973)
H. F. Plett, *Textwissenschaft und Textanalyse. Semiotik, Linguistik, Rhetorik* (Heidelberg, 1975)
K. Poerschke, *Das Theaterpublikum im Lichte der Soziologie und Psychologie* (Emsdetten, 1951)
Poetica, 8 (1976), "Dramentheorie — Handlungstheorie", 321—450
Poetics, 6 (1977), 203—382 [Sondernummer, hrsg. S. Marcus, zur mathematischen Dramenanalyse]
G. Polti, *Les 36 situations dramatiques* (Paris, 1895)
H. Pongs, *Das Bild in der Dichtung* (Marburg, 1969), III, 537—736
J. A. Porter, *The Drama of Speech Acts. Shakespeare's Lancastrian Tetralogy* (California, UP, 1979)
N. J. Pratt, Jr., *Dramatic Suspense in Seneca and in His Greek Precursors* (Princeton, 1939)
H. W. Prescott, "Link Monologues in Roman Comedy", *CPh*, 34 (1939), 1—23
H. W. Prescott, "Exit Monologues in Roman Comedy", *CPh*, 37 (1942), 1—21
H. T. Price, "Mirror Scenes in Shakespeare", in: J. G. McManaway, hrsg., *J. Q. Adams Memorial Studies* (Washington, 1948), S. 101—113
V. Propp, *Morphologie des Märchens* (Stuttgart, 1972)
* P. Pütz, *Die Zeit im Drama. Zur Technik dramatischer Spannung* (Göttingen, 1970)

N. Rabkin, *The Double Plot in Elizabethan Drama* (Cambridge, Mass., 1959)
D. Ramm, *Die Phasenstruktur der Shakespeareschen Tragödie* (Frankfurt/M., 1974)

U. Rapp, *Handeln und Zuschauen. Untersuchungen über den theatersoziologischen Aspekt in der menschlichen Interaktion* (Neuwied, 1973)

T. M. Raysor, "The Downfall of the Three Unities", *MLN*, 42 (1927), 1—9

H. Razum, "Die räumlichen Wirkungsgesetze der Regie", *MuK*, 11 (1965), 233—244

G. Reichert, *Die Entwicklung und Funktion der Nebenhandlung in der Tragödie vor Shakespeare* (Tübingen, 1966)

W. Reichert, *Informationsästhetische Untersuchungen an Dramen* (Diss. Stuttgart, 1965)

W. Reichert, "Eine informationstheoretische Untersuchung kommunikativer Strukturen im Drama", in: E. Walther u. L. Harig, hrsg., *Muster möglicher Welten. Eine Anthologie für Max Bense* (Wiesbaden, 1970), S. 148—154

G. F. Reynolds, "Literature for an Audience", *SPh*, 28 (1931), 273—287

W. Riehle, *Das Beiseitesprechen bei Shakespeare* (Diss. München, 1964)

A. Righter, *Shakespeare and the Idea of the Play* (Harmondsworth, 1967)

* V. M. Roberts, *The Nature of Drama* (New York, 1971)

J. E. Robinson, *The Dramatic Unities in the Renaissance* (Diss. Illionis, 1959)

J. Rode, "Das Chorlied", in: W. Jens, hrsg. (1971), S. 85—115

E. E. Roessler, *The Soliloquy in German Drama* (New York, 1915; Nachdr. 1966)

F. Rokem, *Theatrical Space in Ibsen, Chekhov and Strindberg* (Ann Arbor, 1986)

D. Rolle, *Ingenious Structure. Die dramatische Funktion der Sprache in der Tragödie der Shakespeare-Zeit* (Heidelberg, 1971)

J. de Romilly, *Time in Greek Tragedy* (Ithaka, 1968)

P. Ronge, *Polemik, Parodie und Satire bei Ionesco. Elemente einer Theatertheorie und Formen des Theaters über das Theater* (Bad Homburg, 1967)

M. Rosenberg, "A Metaphor for Dramatic Form", *JAAC*, 17 (1958), 174—180; auch in J. Gassner, hrsg. (1965)

A. P. Rossiter, "Comic Relief", *Angel with Horns* (London, 1961), S. 274—292

* F. Ruffini, *Semiotica del testo: l'esempio teatro* (Rom, 1978)

* Th. Sanders, *The Discovery of Drama* (Glenview, Ill., 1968)

J. Savona, hrsg., *Théâtre et théâtralité* (Montréal, 1981)

I. Schabert, hrsg., *Shakespeare-Handbuch* (Stuttgart, 1972)

I. Schabert, "Gesamtkomposition: Zuschauerbezug", in: I. Schabert, hrsg. (1972) S. 260—272

W. Schadewaldt, *Monolog und Selbstgespräch. Untersuchungen zur Formgeschichte der griechischen Tragödie* (Berlin, 1926)

H. J. Schäfer, "Das Theater und sein Publikum", *Publizistik*, 12 (1967)

M. Schäfer, *Die Kunst der außersprachlichen, sogenannten 'mimischen' Mittel im Spätwerk Hofmannsthals* (Diss. Saarbrücken, 1960)

W. Schäfer, "Die Wandlungen der dramatischen Weltdarstellung im Spiegelbild der Bedeutung des Bühnenorts von der Klassik bis heute", *DU*, 18,1 (1966), 20—33

E. Schanzer, *Shakespeare's Problem Plays* (London, 1963)

E. Schanzer, "Plot-Echoes in Shakespeare's Plays", *ShJb (West) 1969*, S. 103—121

R. Schechner, "Approaches to Theory/Criticism", *tdr*, 10,4 (1966), 20—53

R. Schechner, "Drama, Script, Theater, Performance", *tdr*, 15,3 (1971), 73—89

R. Schechner, "Audience Participation", *tdr*, 17,3 (1973), 3—36

R. Schechner, *Essay on Performance Theory. 1970—1976* (New York, 1977)

R. Scheer, *Regiebemerkungen in den Tragödien des Aischylos und Sophokles* (Diss. Wien, 1937)

H. Scherer, *Die sozialen Prozesse im Drama* (Diss. Köln, 1947)

J. Scherer, "Sur le sens de titres de quelques comédies de Molière", *MLN*, 57 (1942), 407—420

J. Scherer, *La dramaturgie classique en France*, 2. Aufl. (Paris, 1959)

J. Scherer, *Tartuffe. Histoire et structure* (Paris, 1965)

K. Scherer, *Non-verbale Kommunikation* (Hamburg, 1970)

E. Scheuer, *Akt und Szene in der offenen Form des Dramas, dargestellt an den Dramen Georg Büchners* (Berlin, 1929)

G. Schiffer, *Die szenischen Bemerkungen in den Dramen Goethes* (Diss. München, 1946)

E. Schimmerling, *Das Beiseite im Drama des Sturm und Drang* (Diss. Wien, 1934)

H. Schlaffer, *Dramenform und Klassenstruktur. Eine Analyse der dramatis persona 'Volk'* (Stuttgart, 1972)

* H. Schlag, *Das Drama. Wesen, Theorie und Technik des Dramas*, 2. Aufl. (Essen, 1917)

K. Schlüter, *Shakespeares dramatische Erzählkunst* (Heidelberg, 1958)

R. Schmachtenberg, *Sprechakttheorie und dramatischer Dialog. Ein Methodenansatz zur Drameninterpretation* (Tübingen, 1982)

M. Schmeling, *Das Spiel im Spiel. Ein Beitrag zur Vergleichenden Literaturkritik* (Rheinfelden, 1977)

* H. Schmid, *Strukturalistische Dramentheorie. Semantische Analyse von Čechovs 'Ivanov' und 'Der Kirschgarten'* (Kronberg, 1973)

H. Schmid, "Entwicklungsschritte zu einer modernen Dramentheorie im russischen Formalismus und im tschechischen Strukturalismus", in: A. van Kesteren u. H. Schmid, hrsg. (1975), S. 7—40

H. Schmid, "Ist die Handlung die Konstruktionsdominante des Dramas?" *Poetica*, 8 (1976), 177—207

H. Schmid u. A. van Kesteren, hrsg., *Semiotics of Drama and Theater. New Perspectives in the Theory of Drama and the Theatre* (Amsterdam, 1985)

H. W. Schmidt, "Die Struktur des Eingangs", in: W. Jens, hrsg. (1971), S. 1—46

S. J. Schmidt, "Alltagssprache und Gedichtsprache. Versuch einer Bestimmung von Differenzqualitäten", *Poetica*, 2 (1968), 285—303

S. J. Schmidt, *Ästhetizität. Philosophische Beiträge zu einer Theorie des Ästhetischen* (München, 1971)

S. J. Schmidt, "Ist 'Fiktionalität' eine linguistische oder eine texttheoretische Kategorie?", in: E. Gülich u. W. Raible, hrsg. (1972), S. 59—71

W. Schmidt, *Der Deus ex machina* (Diss. Tübingen, 1963)

D. Schnetz, *Der moderne Einakter. Eine poetologische Untersuchung* (Bern, 1967)

A. Schöne, *Emblematik und Drama im Zeitalter des Barock* (München, 1964)

R. Scholes, "The Dramatic Situations of Etienne Souriau", *Structuralism in Literature. An Introduction* (New Haven, 1974), S. 50—58

* W. v. Scholz, *Das Drama. Wesen. Werden. Darstellung der dramatischen Kunst* (Tübingen, 1956)

P. Schraud, *Theater als Information, Kommunikation und Ästhetik* (Diss. Wien, 1966)

O. Schuberth, *Das Bühnenbild. Geschichte, Gestalt und Technik* (München, 1955)

L. L. Schücking, *Die Charakterprobleme bei Shakespeare* (Leipzig, 1919)

V. Schulz, *Studien zum Komischen in Shakespeares Komödien* (Darmstadt, 1971)

D. Schwanitz, *Die Wirklichkeit der Inszenierung und die Inszenierung der Wirklichkeit* (Meisenheim, 1977)

H.-G. Schwarz, *Das stumme Zeichen. Der symbolische Gebrauch von Requisiten* (Bonn, 1974)

K. Schwarz, "Die Zeitproblematik in Samuel Becketts *En attendant Godot*", *NSp*, 66 (1967), 201—209

E. R. Schwinge, *Die Verwendung der Stichomythie in den Dramen des Euripides* (Heidelberg, 1968)

G. G. Sedgewick, *Of Irony, Especially in Drama* (Toronto, 1948)

K. Seelig, "Zu den objektiven und subjektiven Voraussetzungen für die Darstellung der Perspektive und ihrer Gestaltung in der dramatischen Kunst", *Wissenschaftliche Zeitschrift der Univ. Leipzig*, 13 (1964), 854—862

E. Th. Sehrt, *Der dramatische Auftakt in der elisabethanischen Tragödie* (Göttingen, 1960)

B. Seidensticker, *Die Gesprächsverdichtung in den Tragödien Senecas* (Hamburg, 1968)

B. Seidensticker, "Die Stichomythie", in: W. Jens, hrsg. (1971), S. 183—220

F. Sengle, "Umfang als ein Problem der Dichtungswissenschaft", in: R. Alewyn, hrsg., *Gestaltprobleme der Dichtung* (Bonn, 1957), S. 299—306

A. Serpieri u. a., *Come communica il teatro: dal testo alla scena* (Mailand, 1978)

R. B. Sharpe, *Irony in the Drama. An Essay on Impersonation, Shock and Catharsis* (Chapel Hill, 1959)

F. A. Shirley, *Shakespeare's Use of Off-Stage Sounds* (Lincoln, Nebr., 1963)

* F. B. Shroyer u. L. G. Gardemal, *Types of Drama* (Glenview, Ill., 1970)

A. Silbermann, "Theater und Gesellschaft", in: M. Hürlimann, hrsg. (1966)

L. Sinclair, "Time and the Drama", *Explorations*, 6 (1956), 68—78

H. Singer, "Dem *Fürsten* Piccolomini", *Euph.*, 53 (1959), 281—302

S. Skwarczýnska, "Anmerkungen zur Semantik der theatralischen Gestik", in: W. Kroll u. A. Flaker, hrsg. (1974), S. 328—370

* J. Slawinska, "Les problèmes de la structure du drame", in: P. Böckmann, hrsg., *Stil- und Formprobleme in der Literatur* (Heidelberg, 1959), S. 108—114

J. Smith, "Dramatic Time versus Clock Time in Shakespeare", *SQ*, 20 (1969), 65—69

M. F. Smith, *The Technique of Solution in Roman Comedy* (Chicago, 1940)

W. Smith, "The Third Type of Aside", *MLN*, 62 (1949), 510—513

W. H. Sokel, "Dialogführung und Dialog im expressionistischen Drama", in: W. Paulsen, hrsg., *Aspekte des Expressionismus* (Heidelberg, 1968)

W. H. Sokel, "Figur — Handlung — Perspektive. Die Dramentheorie Bertolt Brechts", in: R. Grimm, hrsg. (1971), II, 548—577

G. Soltau, *Die Sprache im Drama* (Berlin, 1933)

E. Souriau, *Les deux cent mille situations dramatiques* (Paris, 1950)

* E. Souriau, *Les grands problèmes de l'esthétique théâtrale* (Paris, 1960)

R. Southern, *The Seven Ages of the Theatre* (London, 1962)

F. Spielhagen, *Beiträge zur Theorie und Technik des Romans* (Leipzig, 1883)

F. Spielhagen, *Neue Beiträge zur Theorie und Technik der Epik und Dramatik* (Leipzig, 1898)

A. Spira, *Untersuchungen zum Deus ex machina bei Sophokles und Euripides* (Diss. Frankfurt/M., 1957)

H. Spittler, *Darstellungsperspektiven im Drama* (Frankfurt/M., 1979)

445

L. Spitzer, "Die klassische Dämpfung in Racines Stil", *Archiv. Roman.*, 12 (1928), 361—481

L. Spitzer, "*Situation* as a Term in Literary Criticism again", *MLN*, 72 (1957), 124—128

A. C. Sprague, *Shakespeare and the Audience. A Study in the Technique of Exposition* (Cambridge, Mass., 1935)

C. F. E. Spurgeon, *Shakespeare's Imagery and What It Tells Us* (Cambridge, 1935)

E. Staiger, *Grundbegriffe der Poetik* (Zürich, 1946)

R. C. Stalnaker, "Pragmatics", in: J. S. Petöfi u. D. Franck, hrsg., *Präsuppositionen in Philosophie und Linguistik* (Frankfurt/M., 1973), S. 389—408

R. Stamm, *Shakespeare's Word-Scenery* (Zürich, 1954)

R. Stamm, "Die theatralische Physiognomie der Shakespearedramen", *MuK*, 10 (1964), 263—274

F. Stanzel, *Typische Formen des Romans* (Göttingen, 1964)

B. O. States, *Irony and Drama. A Poetics* (Ithaka, 1971)

W. Steidle, *Studien zum antiken Drama. Unter besonderer Berücksichtigung des Bühnenspiels* (München, 1968)

D. Steinbach, "Die szenische Funktion des Bühnenraums und der Requisiten im modernen Theater", *DU*, 18,1 (1966), 7—14

D. Steinbeck, *Einleitung in die Theorie und Systematik der Theaterwissenschaft* (Berlin, 1970)

H. Steinberg, *Die Reyen in den Trauerspielen des Gryphius* (Diss. Göttingen, 1914)

J. Steiner, *Die Bühnenanweisung* (Göttingen, 1969)

C. Steinweg, *Racine. Kompositionsstudien* (Halle, 1909)

W. D. Stempel, hrsg., *Texte der russischen Formalisten II* (München, 1972)

E. Sterz, *Der Theaterwert der szenischen Bemerkungen im deutschen Drama von Kleist bis zur Gegenwart* (Berlin, 1963)

J. I. M. Stewart, *Character and Motive in Shakespeare* (London, 1949)

K. Stierle, "Geschehen, Geschichte, Text der Geschichte", *Text als Handlung* (München, 1975), S. 49—55

R. D. Stock, *Samuel Johnson and Neoclassical Dramatic Theory* (Lincoln, Nebr., 1973)

K. Stocker, *Die dramatischen Formen in didaktischer Sicht* (Donauwörth, 1972)

Z. Střibný, "The Genesis of Double Time in Pre-Shakespearean and Shakespearean Drama", *Prague Studies in English*, 13 (1969), 77—95

Z. Střibný, "The Idea and Image of Time in Shakespeare's Early Histories", *ShJb (Ost)*, 110 (1974), 129—138

J. Striedter, hrsg., *Russischer Formalismus* (München, 1969)

* J. L. Styan, *The Elements of Drama* (Cambridge, 1960)

* J. L. Styan, *The Dramatic Experience* (London, 1964)

J. L. Styan, "The Play as a Complex Event", *Genre*, 1 (1968), 38—54

* J. L. Styan, *Drama, Stage and Audience* (Cambridge, 1975)

P. Szondi, *Theorie des modernen Dramas* (Frankfurt/M., 1956)

P. Szondi, *Das lyrische Drama des Fin de siècle*, hrsg. H. Beese (Frankfurt/M., 1975)

R. Tarot, "Mimesis und Imitatio. Grundlagen einer neuen Gattungspoetik", *Euph.*, 64 (1970), 125—142

J. R. Taylor, *The Penguin Dictionary of the Theatre*, 2. Aufl. (Harmondsworth, 1970)

B. Thaler, *Szenenschluß, Szenenanfang und Szenennaht in Shakespeares Historien und Tragödien* (Diss. München, 1965)

A. Thielmann, *Stil und Technik des Dialogs im neueren Drama* (Diss. Heidelberg, 1935)

C. Thirwall, "On the Irony of Sophokles", *Philological Museum*, 2 (1833), 483 —537

* A. R. Thompson, *The Anatomy of Drama*, 2. Aufl. (Berkeley, 1946)

A. R. Thompson, *The Dry Mock. A Study of Irony in Drama* (Berkeley, 1948)

T. Todorov, "La grammaire du récit", *Langages*, 12 (1968), 94—102; dts. in: H. Gallas, hrsg., *Strukturalismus als interpretatives Verfahren* (Neuwied, 1972), S. 57—72

E. Törnqvist, *A Drama of Souls: Studies in O'Neill's Super-Naturalistic Technique* (Uppsala, 1968)

B. Tomashevski, "Thématique", *Théorie de la littérature*, hrsg. T. Todorov (Paris, 1965), S. 263—307

H. Turk, "Die Gesprächsformen des Dramas", in: *Dialektischer Dialog* (Göttingen, 1975), S. 181—257

A. Ubersfeld, *Lire le théâtre* (Paris, 1977)

A. Ubersfeld, *L'Objet théâtral* (Paris, 1980)

A. Ubersfeld, *L'école du spectateur* (Paris, 1981)

F. Ungerer, *Dramatische Spannung in Shakespeares Tragödien* (Diss. München, 1964)

W. Unruh, "Der technische Raum als Voraussetzung für den szenischen Raum", *MuK*, 2 (1956), 166—175

B. Uspenskij, *Poetik der Komposition. Struktur des künstlerischen Textes und Typologie der Kompositionsformen*, übers. G. Mayer, hrsg. K. Eimermacher (Frankfurt/M., 1975)

T. A. van Dijk u. a., "Prolegomena zu einer Theorie des 'Narrativen'", in: J. Ihwe, hrsg. (1973), II, 51—77

A. van Kesteren, "Der Stand der modernen Dramentheorie", in: A. van Kesteren u. H. Schmid, hrsg. (1975), S. 41—58

A. van Kesteren, "A Hierarcho-Structural Analysis of Drama and Its Use in Establishing a Typology of Characters", in: A. van Kesteren u. H. Schmid, hrsg. (1975), S. 256—281

A. van Kesteren, "Einführende Bibliographie zur modernen Dramentheorie", in: A. van Kesteren u. H. Schmid, hrsg. (1975), S. 318—338

* A. van Kesteren u. H. Schmid, hrsg., *Moderne Dramentheorie* (Kronberg, 1975)

* Th. F. van Laan, *The Idiom of Drama* (Ithaka, 1970)

J. Vannier, "A Theatre of Language", *tdr*, 7,3 (1963), 180—186

A. Veinstein, *La mise en scène théâtrale et sa condition esthétique* (Paris, 1955)

J. Veltruský, "Dramatický tekst jako součást divadle", *SaS*, 4 (1938), 138—149

J. Veltruský, "Man and Object in the Theater", in: P. L. Garvin, hrsg., *A Prague School Reader on Esthetics, Literary Structure and Style* (Washington, 1964), S. 83 —91

J. Veltruský, "Das Drama als literarisches Werk", in: A. van Kesteren u. H. Schmid, hrsg. (1975), S. 96—132

J. Veltruský, *Drama as Literature* (Lisse, 1977)

Versus, 21 (1978) [Sondernummer zu Theater und Semiotik]

A. Villiers, *Théâtre et collectivité* (Paris, 1953)

A. Viviani, *Dramaturgische Elemente des expressionistischen Dramas* (Bonn, 1970)

F. V. Vodička, "Die Konkretisation des literarischen Werkes", in: R. Warning, hrsg., *Rezeptionsästhetik* (München, 1975), S. 84—112

J. Voigt, *Das Spiel im Spiel* (Diss. Göttingen, 1954)

E. Vollmann, *Ursprung und Entwicklung des Monologs bis zur Entfaltung bei Shakespeare* (Bonn, 1934)

R. B. Vowles, *Drama Theory: A Bibliography* (New York, 1956)

J. Wanda, *Wesen und Form des Berichts im Drama* (Berlin, 1931)

P. Watzlawick, J. H. Beavin u. D. J. Jackson, *Pragmatics of Human Communication* (New York, 1967); dts.: *Menschliche Kommunikation* (Bern, 1969)

J. Weber, *Monologische und dialogische Sprechhaltung im Werke Hofmannsthals* (Diss. Freiburg, 1955)

D. Weidenfeld, *Der Schauspieler in der Gesellschaft* (Köln, 1959)

K. Weigand, *Situation und Situationsgestaltung in der Tragödie* (Diss. Frankfurt/M., 1941)

R. Weimann, *New Criticism und die Entwicklung der bürgerlichen Literaturwissenschaft* (Halle, 1962)

R. Weimann, *Shakespeare und die Tradition des Volkstheaters. Soziologie, Dramaturgie, Gestaltung* (Berlin-Ost, 1967)

R. Weimann, *Theater und Gesellschaft in der Shakespeare-Kritik* (Berlin-Ost, 1970)

B. Weinberg, "From Aristotle to Pseudo-Aristotle", *CL*, 5 (1953), 97—104

B. Weinberg, "Castelvetro's Theory of Poetics", in: R. S. Crane, hrsg. (1957), S. 146—168

* P. Weiss, *Nine Basic Arts* (Carbondale, 1961), Kap. 11

M. Wekwerth, *Theater und Wissenschaft. Überlegungen für das Theater von heute und morgen* (München, 1974)

R. Wellek u. A. Warren, *Theorie der Literatur*, übers. E. u. M. Lohner (Berlin, 1963)

* S. Wells, *Literature and Drama* (London, 1970)

L. Weltmann, *Die 'verdeckte Handlung' bei Kleist* (Diss. Freiburg, 1924)

E. Wendt, *Moderne Dramaturgie* (Frankfurt/M., 1974)

E. Werlich, *Typologie der Texte* (Heidelberg, 1975)

G. Westphal, *Das Verhältnis von Sprechtext und Regieanweisung bei Frisch, Dürrenmatt, Ionesco und Beckett* (Diss. Würzburg, 1965)

T. R. Whitaker, *Fields of Play in Modern Drama* (Princeton, 1977)

R. Wick, *Zur Soziologie intermediärer Kunstpraxis. Happening — Fluxus — Aktionen* (Diss. Köln, 1975)

H. Wiedemann, *Spiegelszenen, Spiegelstellen und Spiegelungstechnik im Drama William Shakespeares* (Diss. München, 1972)

G. Wienold, *Semiotik der Literatur* (Frankfurt/M., 1972)

B. v. Wiese, "Gedanken zum Drama als Gespräch und Handlung", *DU*, 4,2 (1952), 28—46

A. Wildbolz, *Analyse und Interpretation der Zeitstruktur im modernen Theaterstück* (Diss. Wien, 1955)

* R. Williams, *Drama in Performance*, 2. Aufl. (New York, 1968)

O. L. Wilner, "Contrast and Repetition in the Technique of Character Portrayal in Roman Comedy", *CPh*, 26 (1931), 264—283

O. L. Wilner, "The Technical Device of Direct Description of Character in Roman Comedy", *CPh*, 33 (1938), 20—36

M. Winkgens, *Das Zeitproblem in Samuel Becketts Dramen* (Bern, 1975)

A. Wise, *Weapons in the Theatre* (New York, 1968)

W. Wittkowski, "Zur Ästhetik und Interpretation des Dramas", *DU*, 6, Beiheft (1963)

D. Wunderlich, "Die Rolle der Pragmatik in der Linguistik", *DU*, 4 (1970), 5—41

H. Wurmbach, *Strukturbeschreibung und Interpretation in den Tamburlaine-Dramen von Christopher Marlowe* (Heidelberg, 1983)

B. Wuttke, *Nichtsprachliche Darstellungsmittel des Theaters. Kommunikations- und zeichentheoretische Studien unter besonderer Berücksichtigung des satirischen Theaters* (Diss. Münster, 1973)

F. Yates, *The Theatre of the World* (London, 1969)

G. Zeißig, *Die Überwindung der Rede im Drama. Vergleichende Untersuchung des dramatischen Sprachstils in der Tragödie Gottscheds, Lessings und der Stürmer und Dränger* (Diss. Leipzig, 1930)

M. Zickel, *Die szenischen Bemerkungen im Zeitalter Gottscheds und Lessings* (Diss. Berlin, 1900)

K. Ziegler, "Das deutsche Drama der Neuzeit", in: *Deutsche Philologie im Aufriß*, hrsg. W. Stammler, 2. Aufl. (Berlin, 1957—1962), Sp. 1997—2398

K. Ziegler, "Zur Raum- und Bühnengestaltung des klassischen Dramentyps", *WW*, 2. Sonderheft (1954), 45—54

H. Zimmermann, *Die Personifikation im Drama Shakespeares* (Heidelberg, 1975)

ADDENDA (1994)

M. Esslin, *Die Zeichen des Dramas. Theater, Film, Fernsehen,* übers. C. Schramm (Reinbek b. Hamburg, 1989)

E. Fischer-Lichte, *Geschichte des Dramas. Epochen der Identität auf dem Theater von der Antike bis zur Gegenwart* (Tübingen, 1990), 2 Bde.

E. Fischer-Lichte, W. Greisenegger u. H.-T. Lehmann, hrsg. *Arbeitsfelder der Theaterwissenschaft. Eine Bestandsaufnahme* (Tübingen, 1994)

H. Fritz, hrsg., *Montage in Theater und Film* (Tübingen, 1993)

H.-D. Gelfert, *Wie interpretiert man ein Drama?* (Stuttgart, 1992)

P. Holland u. H. Skolnikova, hrsg., *Reading Plays. Interpretation and Reception* (Cambridge, 1991)

E. Kiel, *Dialog und Handlung im Drama* (Frankfurt/M., 1992)

E. Murray, *Varieties of Dramatic Structure. A Study of Theory and Practice* (Lanham, MD, 1990)

J. O'Toole, *The Process of Drama. Negotiating Art and Meaning* (London, 1992)

M. Pfister, „Auf der Suche nach dem verlorenen Leib", in: M. Titzmann, hrsg., *Modelle des literarischen Strukturwandels* (Tübingen, 1991), S. 69–88

T. Price, *Dramatic Structure and Meaning in Theatrical Productions* (San Francisco, 1992)

H. Turk, hrsg., *Theater und Drama. Theoretische Konzepte von Corneille bis Dürrenmatt* (Tübingen, 1992)

11. AUTORENREGISTER

(Nicht berücksichtigt sind in diesem Register die unkommentierten bibliographischen Hinweise in den Anmerkungen)

452

UTB
FÜR WISSEN
SCHAFT

Auswahl Fachbereich
Germanistik

4 Kayser:
Geschichte des deutschen
Verses
(Francke). 4. Aufl. 1991.
DM 16.80, öS 124.–, sFr. 16.80

167 Walther von der Vogelweide:
Sämtliche Lieder
(W. Fink). 6. Aufl. 1995.
DM 24.80, öS 184.–, sFr. 24.80

362 Vietta/Kemper:
Expressionismus
(W. Fink). 5. Aufl. 1994.
DM 29.80, öS 221.–, sFr. 29.80

363 Mahal: Naturalismus
(W. Fink). 2. Aufl. 1982.
DM 26.80, öS 198.–, sFr. 26.80

484 Kaiser:
Aufklärung, Empfindsamkeit,
Sturm und Drang
(Francke). 4. Aufl. 1991.
DM 29.80, öS 221.–, sFr. 29.80

643 Kohl: Realismus:
Theorie und Geschichte
(W. Fink). 1977.
DM 19.80, öS 147.–, sFr. 19.80

745 Breuer: Deutsche
Metrik und Versgeschichte
(W. Fink). 3. Aufl. 1994.
DM 29.80, öS 221.–, sFr. 29.80

974 Emmerich:
Heinrich Mann: „Der Untertan"
(W. Fink). 4. Aufl. 1993.
DM 18.80, öS 139.–, sFr. 18.80

975 Meier:
Georg Büchner: „Woyzeck"
(W. Fink). 3. Aufl. 1993.
DM 16.80, öS 124.–, sFr. 16.80

1074 Vogt:
Thomas Mann: Buddenbrooks
(W. Fink). 2. Aufl. 1995.
DM 19.80, öS 147.–, sFr. 19.80

1368 Götze:
Heinrich Böll:
„Ansichten eines Clowns"
(W. Fink). 1985.
DM 18.80, öS 139.–, sFr. 18.80

1387 Schütz:
Romane der Weimarer Republik
(W. Fink). 1986.
DM 28.80, öS 213.–, sFr. 28.80

1463 Bahr (Hrsg.):
Geschichte der deutschen Literatur.
Band 1
(Francke). 1987.
DM 36.80, öS 272.–, sFr. 36.80

1498 Freund:
Deutsche Komödien
(W. Fink). 2. Aufl. 1995.
DM 32.80, öS 243.–, sFr. 32.80

1564 Lubich: Max Frisch:
„Stiller", „Homo faber" und
„Mein Name sei Gantenbein"
(W. Fink). 3. Aufl. 1996.
DM 18.80, öS 139.–, sFr. 18.80

1581 Wolff:
Deutsche Sprachgeschichte
(Francke). 3. Aufl. 1994.
DM 29.80, öS 221.–, sFr. 29.80

1583 Freund: Deutsche Lyrik
(W. Fink). 2. Aufl. 1994.
DM 24.80, öS 184.–, sFr. 24.80

1630 Elm:
Die moderne Parabel
(W. Fink). 2. Aufl. 1991.
DM 32.80, öS 243.–, sFr. 32.80

Preisänderungen vorbehalten.